D0590551
Breda
Centrum

DE TUIN VAN DE BLINDE

Van Nadeem Aslam verschenen eerder

Kaart voor verdwaalde geliefden
De vergeefse wake

Nadeem Aslam

De tuin van de blinde

Vertaald door Harm Damsma en Niek Miedema

Roman

Uitgeverij Atlas Contact
Amsterdam/Antwerpen

De vertalers ontvingen voor deze vertaling een werkbeurs van het Nederlands Letterenfonds

Eerste druk mei 2013
Tweede druk juli 2013

Oorspronkelijke titel *The Blind Man's Garden*
Oorspronkelijke uitgave Faber and Faber, Londen
Omslagontwerp Studio Jan de Boer
Omslagbeeld © Rob Castro/Arcangel Images
Foto van de auteur Robin Farquhar-Thomson
Typografie binnenwerk Perfect Service, Schoonhoven
Drukkerij Ten Brink, Meppel

ISBN 978 90 458 0285 5
D/2013/0108/583
NUR 302

www.atlascontact.nl

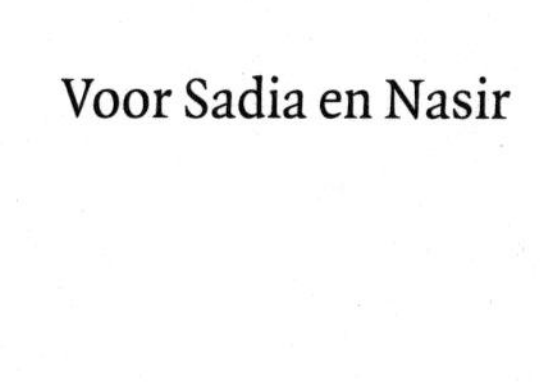

Voor Sadia en Nasir

Inhoud

I

KANTTEKENINGEN BIJ EEN NEDERLAAG

Doch 's mensen levensbloed
Is duister en vergankelijk.
Als het eenmaal de aarde bevlekt
Zingt niemand het terug.

Aischylos

1

De geschiedenis is de derde ouder.

Terwijl Rohan zich, kort na het vallen van de avond, vertreedt in de tuin, komt bij hem een herinnering boven aan de tijd dat zijn zoon Jeo nog klein was, een herinnering waardoor hij de pas inhoudt en uiteindelijk stilstaat. Vóór hem branden op verschillende plaatsen in het huis kaarsen omdat de stroom is uitgevallen. Men zegt dat wonden onder bepaalde omstandigheden licht uitstralen – wanneer je ze aanraakt hecht het schijnsel zich aan je handen – en nu met al die brandende kaarsen ziet Rohan elk vlammetje als een verwonding die ergens in het huis is toegebracht.

Toen Rohan hem op een avond voor het slapengaan een verhaaltje vertelde, was er een zorgelijke trek op Jeo's gezicht verschenen. Rohan had zijn verhaal onderbroken, was naar het jongetje toe gegaan en had hem in zijn armen genomen. Hij had de rillingen door het lijfje voelen gaan. Vanaf dat het begon te schemeren probeerde het kereltje zichzelf er elke keer van te overtuigen dat zijn leven, ook nadat hij in slaap was gevallen, gewoon verder zou gaan, dat hij aan de andere kant gewoon weer het licht zou zien. Maar die avond ging het om iets anders. Na een paar minuten bekende hij dat zijn angst veroorzaakt werd door de schurk die ten tonele was verschenen in het verhaal dat Rohan hem vertelde. Rohan had hem bemoedigend toegelachen en gevraagd: 'Maar heb je ooit een verhaal gehoord waarin de slechterik uiteindelijk wint?'

Het jongetje had een tijdje nagedacht voordat hij antwoord gaf.

'Nee,' had hij gezegd, 'maar voor ze verliezen doen ze de goede mensen kwaad. Daar ben ik bang voor.'

2

Rohan kijkt uit het raam, zijn blik gevestigd op de boom die nog door zijn vrouw is geplant. Het is nu twintig jaar geleden dat ze stierf, vier dagen na de geboorte van Jeo. De geur van de bloesem van de boom kan een gesprek doen stokken. Rohan kent geen zuiverder bron van melancholie. Een klein stukje boom beweegt in de koude wind, een handjevol bladeren aan een tak, een plukje groen dat een soldaat zou kunnen afbreken om ter camouflage aan zijn helm te bevestigen.

Hij kijkt naar de klok. Over een paar uur zullen Jeo en hij vertrekken voor een lange reis, met de nachttrein naar de stad Pesjawar. Het is oktober. Vorige maand zijn de Verenigde Staten op eigen grondgebied aangevallen, heeft een dag van vuur hun steden geteisterd. En als gevolg daarvan zijn westerse legers Afghanistan binnengevallen. 'De slag om het World Trade Center en het Pentagon', hebben sommigen hier in Pakistan de terroristische aanvallen van september genoemd. De logica daarachter is dat een schuldig land geen onschuldige burgers kent. En vanuit een overeenkomstige opvatting worden zoveel weken later de huizen, boomgaarden en heuvels van Afghanistan door bommen en granaten aan stukken gereten. De gekwetsten en gewonden worden naar Pesjawar gebracht, en Jeo wil naar die grensstad gaan om hen te helpen verzorgen. Vader en zoon zullen er morgenochtend vroeg aankomen, na een nachtelijke reis van tien uur.

De ruit draagt Rohans spiegelbeeld: de donkerbruine iris van beide ogen, de kleurloze baard die een vage glans krijgt door het kaarslicht. Het gezicht dat weergeeft hoe zwaar de tijd op de ziel drukt.

Hij loopt de tuin in waar de eerste streepjes maanlicht hun keuze laten vallen op bladeren en struweel. Hij pakt een lantaarn uit een nis. Onder de kapokboom houdt hij de lantaarn omhoog en kijkt naar de geweldige kruin. De hoogste bomen in de tuin zijn tien keer zo groot als een mens, en zelfs als hij zijn arm helemaal strekt kan Rohan het licht niet verder laten schijnen dan de onderste laag bladeren. Hij kan geen van de vogelstrikken zien – het netwerk van ijzerdraadjes dat in het gebladerte verborgen zit, knopen die tot leven zullen komen en net genoeg strak zullen trekken om een vleugeltje of een halsje op subtiele, onschuldige wijze te vangen.

Althans dat had de vreemdeling beweerd. De man was vandaag tegen het eind van de ochtend bij het huis verschenen en had gevraagd of hij de strikken mocht spannen. Achter op zijn roestige fiets zat een grote rechthoekige kooi. Hij had uitgelegd dat hij met die kooi vol vogels door de stad reed en dat mensen hem betaalden om een of meer vogeltjes vrij te laten, door welke daad van barmhartigheid de klant vergiffenis van een of andere zonde kreeg.

'Men kent mij als "de vogelaflaatkramer",' had hij gezegd. 'Het bevrijde vogeltje zegt een gebed ten gunste van degene die hem heeft vrijgekocht. En God slaat immer acht op het gebed der zwakken.'

Rohan had tegen zichzelf gezegd dat de kooi groot genoeg was voor een mens.

Op hem was het idee van de vreemdeling allesbehalve simpel en diens redenering nogal gebrekkig overgekomen. Als een vogeltje een gebed zegt ten gunste van degene die het heeft vrijgekocht, zou het dan niet ook vergelding afsmeken voor degene die het had gevangen en gekooid had gehouden? En voor degene die het vangen mogelijk had gemaakt? Hij had hierover willen nadenken en de man gevraagd op een later tijdstip terug te komen. Maar toen hij uit zijn middagdutje was ontwaakt, had hij ontdekt dat de vogelaflaatkramer hun vrijblijvende gedachtewisseling als een blijk van overeenstemming had geïnterpreteerd. Terwijl Rohan sliep was hij opnieuw langsgekomen en had hij tal van strikken in de bomen gespannen. Tegen Jeo had hij gezegd dat hij toestemming van Rohan had.

'Hij zei dat hij morgenvroeg terug zou komen om de vogeltjes op te halen,' zei Jeo.

Rohan kijkt steeds vanaf een andere plek in de tuin omhoog tussen de wijdarmige bomen en de duizenden slapende blaadjes rondom het huis. Zo nu en dan laat de wind zich even horen, maar voor het overige heersen er stilte en rust, werkelijk niets roert zich in het nachtelijke duister. Hij weet zeker dat inmiddels tal van strikken zijn geactiveerd, en onwillekeurig stelt hij zich de angst en de pijn voor van de gevangen vogeltjes, die overdag zachtjes fluitend tussen de takken scharrelen en de indruk wekken dat hun contouren en tekening met een fijnere pen zijn aangebracht dan die van hun omgeving, met meer finesse. Nu kan hij bijna hun oogjes paarsgewijs voelen uitdoven.

Hoe groter de zonde, hoe zeldzamer en duurder de vogel die haar moet uitwissen. Is dat de basis waarop de aflaatkramer zijn negotie drijft? Een mus voor een bescheiden leugentje om bestwil, maar een paradijsmonarch en een koningsglansfazant voor het feit dat je enige twijfel aan Zijn bestaan bij jezelf hebt toegelaten.

Hij legt zijn hand tegen de bast van een boom, alsof hij op die manier lijdzaamheid en geestkracht aan de diertjes wil doorgeven. Hij was de stichter en het hoofd van een school, en zijn liefde voor deze boom is gelegen in het verband dat er bestaat tussen de boom en de schriftgeleerdheid. Al sinds de oudheid zijn er van zijn hout schrijftabletten gemaakt, een gebruik dat weerspiegeld wordt in zijn Latijnse naam: *Alstonia scholaris*.

Met zijn lantaarn in de hand loopt hij terug naar het huis dat precies in het midden van de tuin staat. Voordat hij het had laten bouwen had hij de steden Mekka, Bagdad, Cordoba, Caïro, Delhi en Istanbul bezocht, de zes plaatsen waar de islam in vroeger dagen tot wasdom was gekomen en had gefloreerd. Uit elk van die steden had hij een handvol rulle aarde meegebracht die hij met een boog in de lucht had geworpen terwijl hij toezag hoe geloof, deugdzaamheid, waarheid en gerechtigheid zijn hand verlieten en zachtjes op de grond neerdaalden. Op de plek van die reinigende lijn, die de vorm had van een maansikkel of een zeis, had hij de fundamenten gegraven.

In de negentiende eeuw had Rohans overgrootvader op dit stuk land paarden gefokt. Zijn dieren stonden bekend om hun onvermoeibaarheid en lichtvoetigheid, en om hun vermogen om onbeslagen over de meest rotsachtige bodem te kunnen galopperen. Tijdens de opstand tegen het Britse gezag in juli 1857 had een groep rebellen de paardenfokker op de dag van de zonsverduistering een bezoek gebracht, en gedurende de zeventien minuten waarin het land in half-duister verkeerde hadden de opstandelingen gesproken over de Zaak en het Land, woorden die zij als pijlen richtten tegen de gewapende macht van het Britse wereldrijk. Engeland was toentertijd het machtigste rijk op aarde, en niets minder dan het lot van de wereld stond op het spel. Ze hadden zijn hulp nodig maar hij liet hun weten dat hij hun geen paarden ter beschikking kon stellen. De Norfolk Trotters en de Arabische hengsten, de Dhanni-, Tallagang- en Kathiawar-merries waren allemaal naar een afgelegen oord gebracht om ze te beschermen tegen de gele koorts die in het district heerste.

Toen de opstandelingen aanstalten maakten om te vertrekken spleet de grond voor hen langzaam open. Er ontstond een barst die uitgroeide tot een stervormige breuk. In het midden van die ster werd een bolletje pikzwart glas zichtbaar. Toen drong het tot hen door dat dit in werkelijkheid een oog was, dat dwars door de aardkorrels heen een blik van eeuwen her op hen richtte. Een fantoom. Een chimère. En even later was het complete hoofd van een paard uit de aardbodem opgerezen. De gespierde hals maakte een schuddende beweging zodat de aarde door de verduisterde lucht in het rond vloog. De hoeven vonden de steun die ze nodig hadden, waarna de rest van het dier zich hijgend aan de aarde ontworstelde, met zijn machtige ribbenkast en zijn indrukwekkende, krachtige lendenen. Levend vlees dat zich met geweld losmaakte uit de aarde zelf.

De grond barstte uiteen. Een tiental paarden, en even later zowat twintig, vulden met hun gehinnik de lucht na alle uren die de dieren in het duister hadden doorgebracht. Een uitbarsting van furieuze zielen uit de diepte. Aarde die werd opgeworpen, gekrijs dat opklonk uit bevrijde kaken en doodsangst die de mannen beving tijdens het overdaagse duister.

Rohans overgrootvader had de vorige dag te horen gekregen dat een stel door de Engelsen opgejaagde rebellen zich van zijn dieren zou trachten meester te maken. Samen met zijn negen zonen was hij urenlang bezig geweest een grote sleuf te graven die dieper was dan hun grootste hengst, waarna ze alle vijfentwintig paarden, wier zwarte, witte, platenbonte en voskleurige ruggen glansden in de schuin invallende stralen van de ondergaande zon, ernaartoe hadden geleid. De paarden waren altijd liefdevol verzorgd, en zij vertrouwden hun meesters dan ook volkomen toen zij werden geblinddoekt en vervolgens naar de sleuf geleid, maar toen men aarde over hen heen begon te werpen, kwamen ze in verzet en stampten ze steeds harder met hun hoeven op de grond naarmate de laag aarde rond hun benen steeg. Strepen wit, zilt schuim gleden langs hun lijven omlaag en met zachte stem spraken de mannen de zinnen of woorden waarvan ze wisten dat de dieren die prettig vonden. Om hen zo mogelijk gerust te stellen. Niettemin gingen zij de hele nacht gestaag en vastberaden door met hun werk, terwijl de sterren verschenen en als een glazen woud boven hen hingen, maar ook later, toen er een noodweer losbarstte, de nacht één grote elektrische uitspatting werd en de lucht eruitzag alsof er ook in de hemel strijd met rebellen werd gevoerd, want geen enkel paard mocht in handen vallen van de opstandelingen, die, naar de vaste overtuiging van Rohans overgrootvader, die trouw was aan de Engelsen, misleid waren.

Toen alleen de halzen van de paarden nog te zien waren sprongen de mannen in de sleuf om de grond met hun voeten aan te stampen tussen de vijfentwintig paardenhoofden die uit de aarde groeiden, terwijl vanuit de met bliksem bezaaide hemel zachtblauwe vuurschitteringen neerdaalden in hun manen en in de baarden en het haar van de mannen zelf.

Allah had tegen de Zuidenwind gezegd: 'Krijg aanzien!' en aldus was het Arabische paard geschapen.

Ten slotte gingen de mannen, eindelijk goedgunstig gestemd, de rijen langs en plaatsten over ieder paardenhoofd een soort grote, omgekeerde korf, een huif van gevlochten grasvezels, dekriet en palmbladeren, waarbinnen elk dier kon blijven ademen. Daarna klommen zij uit de sleuf en wierpen zij de laatste aarde over het geheel, er wel voor wakend de korven geheel te bedekken en ervoor zorgend dat ze bij alle dieren een opening ter grootte van een duimafdruk openlieten, zodat er lucht bij kon komen. Vanuit de aarde klonk enkel nog een vaag hoefgetril toen de horizon achter de mannen stralend rood kleurde en de zon opkwam, en zij, zich opeens bewust van het gewicht waarmee zij op de aarde drukten, de komst van de opstandelingen gingen staan afwachten.

Gevleugelde wezentjes worden aangetrokken door de lantaarn in Rohans hand terwijl hij terugloopt naar het huis, motjes die eruitzien als potloodslijpsel, maar ook nachtvlinders die zo groot en zo bont getekend zijn dat je ze voor dagvlinders zou kunnen aanzien.

Voor hem op het pad ligt een zwarte veer die een vogel bij zijn worsteling om vrij te komen is kwijtgeraakt.

De opstand werd uiteindelijk in het hele land neergeslagen, waarmee er een einde kwam aan duizend jaar islamitisch gezag in India, en Engeland de volledige heerschappij overnam. Een moslimnatie was uitgeleverd aan de ongelovigen, en Rohans voorzaten hadden daar een rol in gespeeld.

Dat was de honderd jaar oude smet op de familie-eer die Rohan had geprobeerd uit te wissen door de aarde uit Allahs zes geliefde steden hier rond te strooien. Mekka. Bagdad. Cordoba. Caïro. Delhi. Istanbul. Door die wijd uit te strooien in de vorm van de kuil waarin de paarden waren begraven, de sleuf waaruit zij op eigen kracht weer waren opgestaan.

3

De muur om de tuin van het huis is begroeid met jasmijn, de nationale bloem van Pakistan. Jeo loopt langs de muur en gaat het vertrek binnen dat vroeger de werkkamer van zijn moeder was. Hij zet de brandende kaars op het bureau, waarvan het blad bedekt is met inktvlekken van haar vulpen. Het kalenderblad is sinds haar dood niet meer omgeslagen en staat nog op de maand waarin hij is geboren.

Hij slaat een groot boek met landkaarten open. Het geritsel van de bladen en zijn gestage ademhaling zijn de enige geluiden in het vertrek. Hij heeft gelogen over Pesjawar. Omdat hij daar wil zijn waar hij het hardst nodig is, dat wil zeggen zo dicht mogelijk bij deze bloederige oorlog, heeft hij in het geheim geregeld dat hij vanuit Pesjawar de Afghaanse grens kan oversteken.

In het zwakke licht buigt hij zich vlak over de kaarten en bestudeert de ligging van de Noordwestelijke Grensprovincie, waar hij vannacht met zijn vader heen zal reizen. Zijn ogen gaan van plaats naar plaats. Daar heb je de bergvesting die Pir Sar genoemd wordt en die in 326 voor Christus door Alexander de Grote is belegerd, een zo ontzagwekkende fortificatie dat zelfs Heracles, een afstammeling van Zeus, die naar verluidt onneembaar achtte. En in 1221 had Dzjengis Khan de laatste moslimvorst van Centraal-Azië tot aan deze plek iets ten zuiden van Pesjawar achtervolgd. En daar ligt Pusjkalavati, dat gedurende de vijfde, zesde en zevende eeuw door Chinese pelgrims werd bezocht, omdat Boeddha hier bij wijze van aalmoes zijn eigen ogen had weggeschonken.

Dat hij de Afghaanse grens wil oversteken is niet iets wat hij alleen voor zijn vader geheim heeft gehouden. Ook de vrouw die nu een jaar zijn echtgenote is en zijn zuster en zwager heeft Jeo niets verteld van zijn plannen, om hun alle onnodige angst te besparen. Rohan gaat vanavond met hem mee naar Pesjawar en komt dan overmorgen naar huis terug. En tegen die tijd zit Jeo al lang en breed in Afghanistan.

Als kind viel hij vaak in slaap wanneer hij naar een verhaal van zijn vader lag te luisteren, waarna hij vervolgens over martelaren droomde. Hij zag hen terneer liggen terwijl hun ziel, stilletjes bijgestaan door engelen en andere gevleugelde wezens, aan hun lichaam ontsteeg, de zon en de wolken rood kleurden, en de vogels in hun vlucht met bloed bevlekt leken. In zijn droom wist hij dan dat zij gevochten hadden met geduchte vastberadenheid en geduchte kracht, die beide niet door oorlog waren gesmeed maar erdoor aan het licht waren gebracht, en lang voor hun geboorte al in hun ziel waren gelegd, en terwijl hij sliep wist Jeo dat zij met hun allen hem waren, dat zij de mannen waren die hij geweest was voor hij de man werd die hij nu was, de duizenden schimmen die honderden generaties teruggingen, en terwijl hij lag te slapen onthulden zij hem zaken die niet alleen leven en dood betroffen, maar ook ééuwig leven en ééuwige dood.

Voorzichtig scheurt hij enkele kaarten uit het boek, en in dit licht lijkt het, vanwege de Afghaanse heuvels en bergen en de zich eindeloos vertakkende rotsachtige corridors, alsof de bladen verkreukeld zijn, en heel even heeft hij de neiging ze glad te strijken. Lasergestuurde bommen vallen op de bladen in zijn handen, projectielen die vanuit de Arabische Zee zijn gesommeerd, vanaf Amerikaanse oorlogsschepen die even lang zijn als het Empire State Building hoog is.

Hij komt de kamer uit en loopt naar de andere kant van de tuin, onderweg naar alle kanten toe beweging en schaduw veroorzakend wanneer hij met de blik omhoog langs het gebladerte strijkt. Wanneer een vogel eenmaal verstrikt zit in de eerste knoop, wordt op datzelfde moment een hele reeks strikken geactiveerd, die zijn hele lijfje op zijn plaats moeten houden en moeten voorkomen dat het diertje wild gaat fladderen en zichzelf verwondt.

Op de veranda bergt hij de kaarten in zijn reistas. Er brandt licht achter het raam van de kamer die hij deelt met zijn vrouw Naheed, en haar schaduw glijdt langs de muur. Het licht is amberkleurig, net als de kleur van haar ogen, en in gedachten roept hij het beeld op van de zwarte cascade van haar haren en voelt hij de druk van haar hand op zijn borst in de nacht. Nog eens steekt zijn verlangen vandaag de kop op, de wens haar binnen handbereik te hebben, in de wetenschap dat hij haar na vannacht een tijdlang niet meer zal zien. Hij loopt door de donkere hal, gaat de kamer binnen, en zij keert zich naar hem toe.

Mikal gaat met hem mee naar Afghanistan. Vorige week waren ze elkaar toevallig tegengekomen, toen Jeo op zijn motor van huis was vertrokken en via de Grand Trunk Road naar de andere kant van de stad was gereden. Daar had hij zich officieel laten inschrijven op het hoofdkwartier van de organisatie die mensen uitzendt naar Afghanistan. Ze hebben artsen nodig en waren – hoewel Jeo nog maar derdejaars medicijnen is en zijn opleiding nog lang niet heeft afgerond – heel blij met zijn aanbod om te gaan helpen. Het is een non-profitorganisatie die onder andere beschikt over een madrassa, een Koranschool waar arme kinderen de leeskunst wordt bijgebracht, met twintig lokaaltjes waar het gonst van de murmelende stemmen, als waren het bijenkorven vol vermaning en lof, en hij wilde net weer weggaan toen hij uit een andere deur iemand naar buiten zag komen. Met dat gezicht waarop zich die uitdrukking van onverbrekelijk in zichzelf besloten zijn aftekende.

'Mikal.'

Als liefde voortkomt uit het feit dat je een glimp van andermans eenzaamheid hebt opgevangen, dan had hij al van Mikal gehouden sinds ze allebei tien waren.

Mikal keek op, Jeo stapte naar voren, en ze omhelsden elkaar.

'Wat doe jij hier?' vroeg Jeo toen ze elkaar weer hadden losgelaten.

Mikal sloeg zijn armen opnieuw om hem heen. 'Ik heb net een stuk of wat geweren afgeleverd die ik voor ze gerepareerd had,' zei hij uiteindelijk, met de ernst die hem eigen was en een minieme frons van zijn in elkaar doorlopende wenkbrauwen. 'Ik werk in een wapenzaak.'

Om hen heen in de madrassa rumoerden de stemmen van kinderen, die, omdat zij maar al te goed wisten wat het betekende weinig te hebben, baden zoals zij aten, vanuit een intense honger.

Jeo had Mikal zonder aarzeling alles over Afghanistan verteld. Zijn bijna-broer. Bloedverwant in alles, behalve in naam. Mikal was tien toen hij en zijn oudere broer bij Jeo kwamen wonen. Mikal had onder zijn arm een boek meegedragen met allerlei sterrenbeelden, waarvan de grote bladzijden vol stonden met halfgoden en dieren, gevangen in met diamanten bezette netten. Het jonge hondje dat hij op zijn andere arm hield, zou binnen twee maanden de deur uit moeten toen duidelijk werd dat het een wolf was. Mikal en Jeo waren even oud en binnen de kortste keren onafscheidelijk, met een toewijding die wat Jeo betrof stoelde op Mikals waakzame eenzelvigheid en de sierlijkheid die elk van zijn bewegingen bepaalde, al werd die zo nu en dan onderbroken door korte periodes waarin hij weigerde iemand in zijn buurt toe te laten doordat iets in hem in woede was ontstoken.

'Dus jij gaat naar Afghanistan?' zei Mikal toen Jeo was uitgepraat.

'Het is maar voor een maand. Misschien dat ik later voor langere tijd ga.'

'Maar hoe moet het dan met je studie?'

'O, dat haal ik wel weer in.' Rohan had Jeo, toen die nog maar een jochie van twaalf was, al een keer een operatie laten bijwonen, en op zijn dertiende wist de jongen al allerlei dingen die je normaal gesproken pas leerde wanneer je medicijnen ging studeren.

Terwijl ze op zijn motor door het verkeer raasden – hij bracht Mikal naar de wapenzaak – zei Jeo over zijn schouder: 'Je hebt me nog steeds niet verteld waarom je vorig jaar zomaar ineens verdween. Zonder naar mijn bruiloft te komen. En sindsdien maar één keer heel even langs bent geweest. Ik vraag me af of je nog wel weet hoe mijn vrouw heet.'

'Ik wist niet dat je ging trouwen,' zei Mikal.

Mikals ouders waren communist geweest en zijn vader was rond Mikals geboorte gearresteerd, waarna ze nooit meer iets van hem hadden vernomen. Toen Mikals moeder tien jaar later overleed had Rohan besloten Mikal en zijn broer in huis te nemen. Mensen die ernstig in de problemen waren geraakt, wendden zich tot Mikal met het verzoek of hij voor hen wilde bidden, want weeskinderen behoorden tot diegenen op wier gebeden Allah naar men zei immer acht sloeg.

In de wapenzaak lagen de AK-47's zeshoog opgestapeld in de schappen. Als het echte geweest waren zouden ze tachtigduizend roepies per stuk hebben gekost, maar deze waren nagemaakt, en kostten niet meer dan een kwart van dat bedrag. De dag nadat 'het Westen' Afghanistan was binnengevallen had men een 'solidariteitskorting' ingevoerd voor mensen die het wapen wilden kopen om aan de jihad te gaan deelnemen. Er waren ook nagemaakte exemplaren van oudere vuurwapens, van geweren die in de wapenzalen van de Tower in Londen te vinden waren, van .30-kaliber Chinese pistolen, en van Argentijnse Ballester-Molina's. Aan de muur hing een grote foto van een vlucht adelaars die waren afgericht om in oorlogen van de mens mee te vechten, de vleugels schuin gespreid als waren het levende boekensteunen, een droom uit het verleden van het land.

De eigenaar van de zaak instrueerde Mikal inzake verschillende reparaties en vertrok om gehoor te geven aan de oproep van de muezzin. Van een van de geweren zat de trekker vast, en de eigenaar van een revolver wilde dat het wapen een hardere knal gaf wanneer het werd afgevuurd. Mikal brak het vuurwapen open en scheidde de loop van het staartstuk. 'Afghanistan, dus,' zei hij.

'Jij bent de enige aan wie ik het heb verteld.'

'Maar als je nou iets overkomt?'

'Kom je nog een keer langs voor ik vertrek?' De band tussen hen was sterker dan ooit. Jeo's zuster was inmiddels getrouwd met Mikals broer.

'Jeo. Er kan je daar iets overkomen. Je zou kunnen omkomen, of je verstand verliezen, of je benen, of je ogen.'

'Wat als iedereen zo zou redeneren?'

Een tijdlang hield Mikal zijn blik op hem gevestigd, toen ging hij verder met zijn werk. Jeo voelde met hoeveel zorg hij zich aan zijn werk wijdde. Als het om iets mechanisch ging, móést Mikal weten hoe het in elkaar stak. Op een keer had hij bijna een helikopter gestolen. 'Ze hadden natuurlijk nooit de sleuteltjes erin moeten laten zitten,' zei hij. 'Maar ik bedacht me toen ik zag hoeveel versnellingen het ding had.' Op zijn veertiende had hij al met een bulldozer en met allerlei auto's gereden, en met een motorboot gevaren.

'Vroeger maakte je speelgoed,' zei Jeo.

Mikal leunde achterover op zijn kruk, opende zonder te kijken de kast achter hem en haalde er een opwindvrachtautootje uit. Hij draaide het sleuteltje een paar keer rond en zette het autootje op het glazen blad van de toonbank. Jeo hield zijn hand achter de rand om het ding te kunnen opvangen wanneer het daar aankwam.

'Hou het maar. Je mag het hebben.' Mikal schoof het sleuteltje over de toonbank naar hem toe. 'En als ik nou eens zei dat ik met je meeging?'

'Ik loop niet in zeven sloten tegelijk.'

Mikal had met zijn duim de laadhevel van de revolver teruggeschoven en de haan halverwege vastgezet, maar nu wachtte hij en keek op. 'Zo bedoelde ik het niet.' Hij draaide de cilinder rond en verwijderde met de slagpin de kogels uit hun kamer.

Hij stak een Gold Flake op en zei grijnzend: 'Ik rook er vijf per dag. Dat zijn mijn vijf gebeden.'

Jeo moest lachen, of hij wilde of niet. 'Je gaat naar de hel.' Toen zei hij: 'Meen je het echt, dat je met me mee wilt komen?'

'Ja. Ik ga straks terug om me ook aan te melden.'

'Maar wat ga je daar dan doen?'

'Ik breng de gewonden van het slagveld naar jou toe.' Waarna hij, na een korte stilte, zonder hem aan te kijken vervolgde: 'En ik weet best hoe ze heet, Jeo. Hoe ze heet en dat ze van de profeet afstamt.'

Naheed tilt Jeo's arm van haar middel. Over minder dan twee uur zal hij met Rohan vertrekken om de trein naar Pesjawar te nemen, maar op dit moment ligt hij nog een hazenslaapje te doen. Ze knoopt de hals van haar tuniek dicht en loopt weg van het bed wanneer een schokje haar doet omkijken. Hij ligt op haar sluier. Wanneer ze door de met kaarsen verlichte ruimte dichterbij komt ziet ze dat hij een punt van de sluier zelfs om de wijsvinger van zijn rechterhand heeft gebonden. Ze maakt de knoop los en haar glazen armbanden tinkelen wanneer ze hem voorzichtig tegen zijn blote schouder tikt. Met de ogen nog altijd gesloten glimlacht hij, waarbij in elke wang de centimeters lange kuiltjes verschijnen. Ooit had hij haar versteld doen staan met de opmerking: 'Ik zou graag met jou voor ogen sterven.'

Ze kijkt uit het raam, langs de laaghangende tak van de palissander waaraan ieder jaar een schaap wordt gehangen om luttele minuten na zijn laatste bewuste ogenblikken van zijn ingewanden en vacht te worden ontdaan, ter nagedachtenis aan Abrahams offer. Het is een paar dagen eerder als volwassen dier gekocht, maar zou idealiter vanaf dat het een lammetje was liefdevol grootgebracht moeten zijn voordat het werd gedood.

Ze draait zich om en ziet dat hij naar haar kijkt. Hij richt zich half op en pakt, steunend op zijn elleboog, het speelgoedvrachtautootje van de stapel boeken op het nachtkastje. Het komt tussen de kleren die hij eerder op de grond heeft gegooid door naar haar toe gereden, passeert haar en verdwijnt weldra uit het zicht onder de leunstoel, waarna het geluid van het blikken drijfwerk opeens verdwijnt op de plek waar het ding kennelijk tegen de muur is gereden.

'Dat heb ik van Mikal gekregen,' zegt hij terwijl hij weer gaat liggen.

Ze raapt zijn kleren bijeen en legt ze op het voeteneinde van het bed. Ze heeft dit overhemd zelf voor hem gemaakt, in het diepste geheim, waarbij ze aan niemand heeft onthuld hoe het kan dat er nergens ook maar één zoom of steek in te ontdekken valt.

Ze neemt een lantaarn van de plank in de gang en loopt naar buiten, het koude duister in. Ze kijkt omhoog naar de bomen. Wanneer Rohan en Jeo vanavond naar Pesjawar zullen zijn vertrokken, zal zij naar het huis van haar moeder gaan, een paar straten verderop, maar de volgende ochtend vroeg terugkeren om de vogelaflaatkramer op te wachten. Rohan heeft haar opdracht gegeven alle gevangen vogeltjes vrij te laten. 'En hij moet alle strikken weghalen. Ik kan mij niet herinneren dat ik hem toestemming heb gegeven.' Ze houdt haar hand omhoog en het licht van de lantaarn breekt in scherpe schitteringen uiteen op verscheidene hoog boven haar gespannen draden.

Ze vraagt zich af waar Mikal zich op dit ogenblik bevindt. In sommige opzichten is rouwen om wie verloren of vermist is erger dan rouwen om de doden, en soms maakt de intensiteit van die rouw dat ze een fractie van een seconde zou willen dat Mikal er niet meer was, zodat ze zich niet zou hoeven afvragen of ze hem ooit terug zal zien.

'Laten we gewoon weglopen,' had hij een week voordat ze met Jeo zou trouwen tegen haar gezegd. En hij had het duister van de nacht in gewezen. 'Laten we gewoon ergens heen verdwijnen.' Ze was geschokt geweest door het voorstel, maar had er vervolgens mee ingestemd, opeens fel in haar vastbeslotenheid.

Maar op het afgesproken uur was hij haar niet komen halen.

Ze loopt over een van de vele rode paden die door de tuin slingeren.

Het halvemaanvormige huis vormde oorspronkelijk het onderkomen van Geestrijk Vuur, de school die Rohan en zijn vrouw Sofia hadden gesticht. Toen het gebouw te klein was geworden voor het groeiende aantal leerlingen, was er een nieuw gebouw verrezen aan de andere kant van de rivier die achter het huis langs stroomt. Het oude gebouw werd toen de woning van Rohan en Sofia.

Tientallen jaren geleden, toen het idee voor Geestrijk Vuur was ontstaan, had Rohan Sofia met behulp van luciferhoutjes de plattegrond ervan geschetst.

Het geheel bestaat uit zes paar lokalen, die in een sierlijke boog zijn gerangschikt en onderling zijn verbonden door een van hordeuren voorziene gang. Elk lokalenpaar is genoemd naar een van de zes centra uit het glorieuze verleden van de islam.

Het Mekkahuis staat te midden van Arabische dadelpalmen die gedurende de hele zomer hun vruchten op het dak laten vallen. De dadels voelen als zacht, kauwbaar leer aan in de mond. Naast de ingang hangt een plaquette, waarop, naast de naam, te lezen staat: 'Om steeds de juiste richting naar Mekka te kunnen bepalen hebben moslims in het verleden een bijzondere belangstelling voor geometrie en wiskunde ontwikkeld en uiteindelijk de trigonometrie uitgevonden.' De woorden waren bedoeld om de kinderen te herinneren aan hun erfgoed, de lange traditie van wetenschappelijke kennis en prestaties van de islam.

De fraaie belettering is van Sofia's hand, en de sierlijkheid ervan maakt dat de lezer zich bewust wordt van, en zich zelfs verantwoordelijk gaat voelen voor de ziel van de kalligrafe.

Klimrozen, die zich met hun dunne hechtranken over de muren uitspreiden, schermen het Bagdadhuis af, en de afgevallen bloemblaadjes liggen op de stoeptegels en geven tot diep in de avond het geleende daglicht terug. De kinderen kregen te horen dat er al in 830 in Bagdad een 'Huis van de Wijsheid' stond.

Spaanse amandelbomen en anjelieren groeien rond het Cordobahuis. Volgens de plaquette buiten was de bloem die de koning van de djinns aan Salomo gaf, zodat die haar aan de koningin van Sheba kon schenken, een anjelier. Zij droeg die in haar haar. Verder vermeldt de plaquette dat Spaanse moslims rond 1150 het eerste papier in Europa hebben gefabriceerd en tevens dat in 1221 Frederik de Tweede, de keizer van het Heilige Roomse Rijk, alle papieren documenten ongeldig heeft verklaard, omdat in Europa papier met moslims werd geassocieerd.

In een driehoekige vijver voor het Caïrohuis staan in kristallijnstrakke gelederen Egyptische blauwe lotussen, waarvan de bloemen zich 's nachts sluiten en onder water wegzinken, om pas de volgende morgen weer boven te komen. Caïro, waar in 995 het 'Huis van de Wetenschap' werd gesticht en waar de collectie van de Fatimidische paleisbibliotheek, die liefst veertig vertrekken besloeg, alleen al 18 000 manuscripten over de 'Wetenschap in de Oudheid' telde en de staf uit wiskundigen, astronomen, medici, taalkundigen, lexicografen, kopiisten en Korangeleerden bestond.

Daarnaast staan, beschut door een banyan met de reikwijdte van een eeuw, de twee lokalen die Delhi genoemd zijn, en daarnaast staat het Osmaanse huis. Volgens Mikals sterrenbeeldenboek hadden de geestelijken sultan Murat III in de zestiende eeuw ervan overtuigd dat het alleroudste observatorium ter wereld, dat in Istanbul stond, verwoest moest worden, omdat, naar zij zeiden, de lenzen in naam van de vooruitgang en wetenschap te diep doordrongen in de geheimen van Allahs hemelen, en daardoor de goddelijke toorn over zijn koninkrijk zouden afroepen.

Mikal.

Net twee maanden nadat ze waren getrouwd bracht Jeo hem mee naar huis, in de veronderstelling dat ze elkaar nog nooit hadden ontmoet.

Toen Jeo even de kamer uit was hoorde ze hem zacht iets fluisteren. Hij zat op het puntje van zijn stoel en keek strak naar de grond. Ze had de brieven bewaard die hij haar had geschreven in de maanden voordat zij te horen kreeg dat zij met Jeo moest trouwen. Zij had ze verscheidene keren mee naar de rivier genomen, maar het was haar niet gelukt zich ervan te ontdoen.

Hij keek haar aan en zei, verstaanbaarder nu: 'Ik kon hem gewoon niet bedriegen. Hij is als een broer voor mij.'

Ze weet nog dat ze knikte. En haar uiterste best deed beheerst te blijven.

Ze zwegen allebei en uiteindelijk had ze, terwijl ze gespannen luisterde of ze Jeo weer hoorde aankomen, gezegd: 'Het is een uitgemaakte zaak.'

'Ja.' Hij had twee pogingen nodig gehad om het te zeggen, en toen nog kwam het ongelukkig zijn mond uit, alsof er ergens binnenin een graat was gebroken.

Hij ging staan. 'Zeg maar tegen Jeo dat ik ervandoor moest.'

'Het zou het voor mij gemakkelijker maken wanneer ik je niet hoefde te zien. Ik moet leren van hem te houden; hij kan hier allemaal niets aan doen.'

'Ik zal niet meer langskomen. Ik ga kijken of ik weg kan uit de stad.'

Het was de zesenzestigste dag van hun huwelijk geweest, en de laatste keer dat ze hem had gezien.

Ze kijkt naar de hemel. Hij had haar gezegd dat Orion de vorm had van de koeienhuid waaruit hij was geboren, negen maanden nadat Zeus, Hermes en Poseidon erop hadden geürineerd. Hij had haar verteld dat sommige Arabische astronomen in de sterrenbeelden Cassiopeia en Perseus een vrouwenhand zagen die met hennapatronen was opgesierd, terwijl anderen beweerden dat het de hand van Fatima was die met bloeddruppels was bevlekt. Fatima, de dochter van Mohammed, en een van de voorouders van Naheed.

Ze hoort de tweetoonsroep van een vogel en buigt zich naar een tunnel in het gebladerte om te kijken of ze het diertje kan ontdekken. Het maanlicht is bleek als met water verdunde inkt. Ze blijft staan bij de citrusboom, de boom waarvan de takken, toen Sofia op sterven lag, vol witte bloempjes zaten, zodat zij hem had aangezien voor een engel. Vanwege de feilloze afbeeldingen die Sofia ervan heeft gemaakt, herkent Naheed vrijwel alle bomen en planten in deze tuin, de zaadpeulen, de bladeren en de bessen die bol staan van de suiker.

Ze had ook afbeeldingen gemaakt van levende wezens, maar die had Rohan tijdens haar laatste uren verbrand, uit angst dat zij anders wegens ongehoorzaamheid veroordeeld zou worden. Allah had dergelijke beeltenissen immers verboden omdat zij licht tot beeldendienst konden leiden. De zwarte rook van het vuur was tot aan haar sterfbed opgestegen. Haar schets van een stierenschedel en die van een fossiel uit de heuvels van Bannu werden eveneens vernietigd. Die schepselen waren weliswaar al dood geweest toen zij ze tekende, maar ze hadden wel ooit geleefd, en hij wilde elke mogelijke twijfel uitsluiten om haar verlossing niet in de waagschaal te stellen. Hij vroeg haar hem te zeggen waar zich de rest van haar schilderijen en tekeningen bevond en hem het adres te geven van de vriend bij wie ze thuis verscheidene muurschilderingen had gemaakt. In zijn angst had hij hun huis ook van ieder ander beeld ontdaan, van elke foto en prent, zelfs van de beelden die zij niet had gemaakt.

En toen, tien jaar na haar dood, had hij haar door een hoog venster zijn kant op zien kijken. Het was de laatste dag van de ramadan, en een groepje vooraanstaande inwoners van de stad was uitgenodigd de minaret te beklimmen van de Vrijdagmoskee, in het hartje van de stad, om de wassende maansikkel te bewonderen. Terwijl hij zijn verrekijker over de stad liet gaan herkende hij tussen de daken ineens haar ogen, haar gezicht, dat voor driekwart naar hem was toegewend, het patroon van haar zeegroene gewaad. Het duurde even voor hij haar weer met zijn kijker had gevonden, en de afstand tussen hen bedroeg kilometers, te veel straten en tenminste drie bazaars. Naast haar zag hij een reusachtig bebaard hoofd, in haar handen hield zij verscheidene bloembollen waaruit lelies ontsproten, en in iedere bloembol zat een heel jong mensenkind gevouwen, misschien niet meer dan een foetus.

Rohan had niet geweten dat zij zichzelf ook had afgebeeld op een van de schilderingen die zij op de acht muren en twee plafonds in het huis van haar vriend had aangebracht, als kleurrijke huid voor de beide kamers. Rohan had de hele stad doorzocht om ze op te sporen. Systematisch had hij de smalle achterstraatjes en stegen uitgekamd tot hij weken later bij zijn bestemming was uitgekomen. 'Ik heb toestemming gekregen om te spreken over een van de engelen van Allah die Zijn troon dragen,' had de profeet gezegd. 'Hij is zo groot dat de afstand tussen zijn oorlellen en zijn schouders zevenhonderd jaar reizen vergt.' En het reuzenhoofd naast het portret van Sofia was dat van een van de acht engelen.

Naheed ademt diep in en blaast de lantaarn uit, en terwijl de walm om haar heen verwaait, blijft ze doodstil staan in de nacht.

Ze luistert gespannen, vastbesloten het vogeltje te traceren dat vanuit de razernij van zijn lijden zijn kreetjes had geslaakt. Maar er is enkel stilte nu, nog geen haperend trillertje dat naklinkt. *Ali! Ali! Een derwisj die alle woorden heeft afgezworen behalve dat ene, spreekt nooit een ander, onder geen beding...* De zin dringt haar gedachten binnen vanuit een boek waar ze eerder in had zitten kijken. Terwijl haar blik langs de hemel glijdt, waar de maan in een grote, koude kring heeft postgevat, vallen haar steeds meer woorden in. *Er is slechts één ding dat telt, slechts één woord. Indien wij spreken is het omdat wij dat ene niet hebben gevonden en ook nimmer zullen vinden.*

Mikal is zich altijd blijven verbazen over de zwaarte van kogels in vergelijking tot hun geringe grootte.

Hij bevindt zich in de hoge kamer die hij huurt in een kronkelig zijstraatje van de Grand Trunk Road. De eerste keer dat hij had gedroomd dat Jeo doodging, was hij wakker geschrokken in een kamer die, zo voelde hij, vervuld was van zijn angstkreten. Het was vlak voor de bruiloft geweest, en de nachtmerries waren zich de daaropvolgende maanden blijven aandienen.

Hij pakt een zak patronen en wat andere dingen uit de kast en stopt ze in een rugzak van canvas. Hij wil met dezelfde nachttrein mee als Jeo en Rohan. Het is maandagavond en er is een wereldoorlog aan de gang. Hij draagt een marineblauwe trui en daaroverheen een zwart, westers colbertje. In een holster onder zijn trui zit zijn M9 Berettapistool.

Zijn ouders hadden in deze flat gewoond, en hij had er zelf tot zijn tiende gewoond. Bijna twee maanden na de dood van zijn moeder had hij de deur geopend voor een eerbiedwaardige, indrukwekkende onbekende in een *sjerwani* en met een jinnahmuts op. Mikal weet nog dat de man zei dat hij was gekomen om naar de muurschilderingen te kijken, en weet ook nog dat hij de man sprakeloos had aangestaard en vervolgens een stap terug had gedaan om hem binnen te laten. De onbekende werd vooral gefascineerd door één bepaalde, geschilderde vrouw, wier gezicht zich tussen een hoge muur van boeken en een stoel bevond. Hij was voor haar blijven staan alsof hij haar trekken in zijn geheugen wilde griffen. Vervolgens had hij zich met geruis van kleren in de stoel neergelaten en was hij minzaam begonnen Mikal te ondervragen. Hij wilde weten hoe Mikal heette en waar zijn ouders waren. Mikal, die sinds de begrafenis geen woord had gesproken, vertelde hem dat hij en zijn achttienjarige broer alleen woonden.

'Mikal, mijn naam is Rohan,' had de man gezegd. 'Ik ben gekomen om jou en je broer mee te nemen naar mijn huis.' Hij had naar de vrouw op de muur gewezen. 'Zij heeft me gestuurd.'

Mikal kijkt op zijn horloge. Hij heeft het woord 'dood' maar liefst dertien keer gehoord in het halfuur dat hij in het hoofdkwartier van de liefdadigheidsorganisatie was om zich in te schrijven, en sindsdien heeft hij het gevoel gehad dat hij het onbekende steeds dichter is genaderd. Volgens een van de kranten is er een steen uit het met de grond gelijkgemaakte huis van moellah Omar als oorlogstrofee per vliegtuig naar de Verenigde Staten overgebracht, bestemd voor het Witte Huis. En volgens een ander nieuwsblad heeft een paramilitaire officier op 19 september van zijn chef in het hoofdkwartier van de CIA te horen gekregen: 'Ik wil dat het hoofd van Bin Laden me in een krat met ijs wordt toegestuurd. Ik wil het de president laten zien. Ik heb hem beloofd dat ik dat zou doen.'

Naast hem, in een nis bij het raam waar hij voor staat, flakkert een kaars. Het is windstil en donker, de sterrenbeelden branden met een ijskoud vuur, en er druppelt breekbaar licht op Heer, de stad waar hij woont. Hij zoekt het uitzicht voor hem af om te zien of er vanavond meer delen van Heer zonder stroom zitten. Van zijn stad in dit problematische, arme derdewereldland. Hij kijkt rechts in de verte, naar de buurt waar Rohan woont. Er komt een herinnering bij hem boven aan de dag dat hij had lopen zingen en zij zijn handen had beetgepakt en ze aan weerszijden van haar hoofd stijf tegen haar oren had gedrukt. Ze was blijven staan luisteren naar het lied dat niet door de lucht bij haar was binnengedrongen, maar via zijn armen, zijn botten, zijn bloed en zijn spieren. Híj was het medium geweest dat het lied aan haar had doorgegeven en het zou een vast ritueel tussen de beide gelieven worden, een vaste, herhaalde gewoonte, een spel van verwondering.

Hij zet de transistorradio aan en strekt zich uit op de matras zonder hoeslaken die op de betonnen vloer ligt. Hij luistert met gesloten ogen naar het nieuws. De taliban hebben het nog steeds voor het zeggen in Afghanistan, maar de Amerikanen hebben mariniers gestuurd, guerrillasoldaten die de lokale bevolking op één lijn moeten zien te krijgen en de opstand moeten organiseren. En al die tijd wemelt het in de lucht en de hemel van de vliegtuigen met bommen die duizenden tonnen zwaar zijn. En uitgerekend daar wil Jeo naartoe.

'Weet je het absoluut zeker?' had Mikal hem gevraagd toen die hem eerder die dag had opgezocht.

'Ja.'

'Heb je gehoord dat de taliban ongetrainde Pakistaanse jongens naar het front sturen, waar ze zonder meer worden afgeslacht?'

'Daar heeft de organisatie waar ik mij bij heb aangesloten niets mee te maken. Wij gaan daar niet naartoe om te vechten.'

Mikal had geknikt en gezegd: 'Oké.'

Nu kijkt hij opnieuw op zijn horloge. Hij doet zijn rugzak om, knijpt de kaars zonder te kijken uit en loopt, nadat hij de deur heeft afgesloten, de trap af, de donkere straat in. Het schiet hem te laat te binnen dat hij de radio niet heeft uitgezet, maar hij gaat niet terug. In gedachten ziet hij hoe de radio de kamer met liedjes en nieuwsberichten vult tot de batterijen leeg zijn.

Ieder ogenblik kan de riksja komen die hem naar het station moet brengen. Terwijl Rohan luistert of hij de claxon van de fietstaxi hoort, loopt hij de kamer van Sofia in, waar hij op de tafel twee grote opengeslagen boeken met kaarten ziet liggen, waarvan de kleuren zelfs in dit licht stralen. En zelfs in dit licht ziet hij dat er een aantal bladzijden zijn uitgescheurd. Hij vraagt zich af wanneer dat is gebeurd.

Hij strijkt over de kleuren, haast bij wijze van afscheid. Hij is zestig jaar en zijn ogen gaan al bijna twintig jaar achteruit. Hij heeft hooguit nog vijf jaar waarin hij zal kunnen zien. Daarna zal herkenning overgaan in raadselachtigheid. Hij moet zijn ogen baden in met dauw aangelengde belladonna en honing, en licht boven een zekere sterkte laten voor wat het is, maar zelfs nu zijn er al secondenlange momenten waarin een schaduw hem wit lijkt, de hele lucht groen, of zijn handen zwart als roet. Kleine donkerblauwe vormpjes liggen als landmassa's in zijn blikveld. Of ineens schittert alles door afwezigheid, is er enkel een heldere verstraling die hij zelfs met gesloten oogleden registreert.

Hij is deze kamer binnengelopen om iets uit te kiezen dat hij onderweg zou kunnen lezen. Dit is het dik in Iraakse rozen ingepakte Bagdadhuis, de twee lokalen die voor Sofia zijn samengetrokken tot één vertrek. Hij draagt de atlassen naar de andere kant van de langwerpige ruimte. De afgelopen week zijn er tweehonderd dozen met boeken bij het huis afgeleverd. De chauffeur van de vrachtwagen waarin ze waren vervoerd had een brief voor Rohan en Sofia bij zich gehad. Een van zijn vroegere leerlingen – uit de begintijd van Geestrijk Vuur – was onlangs overleden. Hij had de brief kort voor zijn dood geschreven en er stond in dat het echtpaar in hem een hartstochtelijke liefde voor studie had gewekt, zodat hij in de loop van zijn leven duizenden boeken had vergaard. En deze boeken liet hij na aan Geestrijk Vuur, omdat hij nog wist hoe schamel de schoolbibliotheek destijds was geweest. Een twintigtal dozen was hier in Sofia's kamer neergezet, de rest was verdeeld over het huis, waardoor één gang plotseling half zo breed was geworden.

Rohan legt de atlassen in een van de dozen. Hij reist met Jeo mee naar Pesjawar omdat hij de familie van zijn overleden leerling wil opzoeken om hen te bedanken voor het geschenk en om bij het graf te bidden. Hij slaat even *Het Gilgamesj-epos* open, en vervolgens *De chartreuse van Parma* en *Taoos Chaman ki Mynah*, om daarna, terwijl de kaars in zijn andere hand dan ook beter zelfs doorbrandt, een blik te werpen in een geschiedenisboek.

Nadat Granada in 1492 was gevallen, werden tweehonderdduizend moslims met geweld tot het christendom bekeerd. De inquisitie liet zelfs lijken opgraven om te zien of zij niet met het gezicht naar Mekka begraven waren, en het werd vrouwen verboden gesluierd te gaan...

Hij hoort de claxon van de riksjarijder bij het hek. Terwijl hij de ramen afsluit kijkt hij naar de rivier, waar allerlei reigers zich in het hoge riet en de lisdodden ongetwijfeld gereed maken voor de nacht. Het nieuwe gebouw van Geestrijk Vuur aan de overkant van het groene, vrijwel roerloze water, is opgetrokken uit beton, glas en staal, maar nog steeds verdeeld in zes huizen. Vijf jaar geleden moest Rohan vertrekken, daartoe gedwongen door een voormalige leerling die de zaak had overgenomen en het niet langer verdroeg dat Rohan kritiek had op wat de kinderen werd onderwezen.

Hij loopt naar buiten en sluit de deur van het Bagdadhuis af. Hij is ontzettend trots op het feit dat Jeo graag naar Pesjawar wil gaan om daar te helpen. Hij weet dat hij, als hij zelf nog jong was geweest, niet in Pesjawar zou zijn gebleven, omdat hij de verleiding om Afghanistan binnen te gaan niet had kunnen weerstaan. En niet alleen om hulp en steun te bieden, nee, hij zou gewapenderhand hebben meegevochten voor de goede zaak. En ja, als hij in september in Amerika zou zijn geweest had hij al het mogelijke gedaan om de onschuldigen in die aangevallen steden voor het sterven te behoeden, en deelgenomen aan hun rampspoed.

Hoe kan een mens dezer dagen níét om hulp smeken – bij anderen, bij God – nu het lijkt alsof we worden omringd door de vernietiging van het mensbeeld zelf.

Terwijl hij naar de kamer van Jeo loopt, prevelt hij Koranverzen.

Men kan geloven in het bestaan van geur voordat de bloem geschapen werd om die te bevatten, en evenzo is het dat God de wereld heeft geschapen om Zichzelf daarin te openbaren, Zijn genade te openbaren.

Een of twee keer per jaar, mogelijk drie keer, bezoekt een vrouw de tuin. Haar gezicht is oud en haar ogen staan rustig, maar allesbehalve lijdzaam wanneer zij op de palissanderboom toeloopt en elk gevallen blad opraapt en aandachtig bekijkt. Of zij in het bezit is van al haar geestelijke vermogens is voor niemand duidelijk. Misschien is ze wel bij haar verstand en doet ze alleen uit zelfbescherming alsof ze getikt is. Tientallen jaren geleden – lang voordat het huis gebouwd werd, toen deze plek alleen nog een stuk wilde natuur was – had ze de naam van God ontdekt op een palissanderblad, waarvan de groene nerven zich tot een geheiligd schoonschrift hadden gekruld. Nu raapt ze zelfs het kleinste blad op, in de hoop dat het wonder zich opnieuw zal voltrekken terwijl ze het in haar handen houdt in een gebaar niet ongelijk aan dat voor een gebed. Om haar heen gaat het leven van het huis gewoon zijn gang, en zo nu en dan slaat ze de bewoners gade en volgt ze de meest alledaagse menselijke handelingen met een aandacht die gewoonlijk voor veel grotere gebeurtenissen wordt bewaard. Als het herfst is, is ze gedwongen urenlang in de tuin te blijven, blootgesteld aan de vlagen en rukken van de wind, die de gevallen bladeren naar alle hoeken drijft. Later, wanneer de schemering de hemel begint te verduisteren, zitten vrouw en boom bij elkaar, tot alleen de boom is overgebleven.

In welke behoefte haar zoektocht voorziet is niet bekend. Wellicht dat genezing al bestond voordat wonden en lichamen die geheeld moesten worden waren geschapen.

4

Wanneer een munt wordt geslagen, wordt hij door de duivel gekust.

Majoor Kyra staat op het dak van Geestrijk Vuur met naast zich zijn hond. Naar verluidt waakte een saloeki over de Profeet tijdens diens gebed, vandaar dat men binnen de islam een zwak heeft voor dit hondenras.

Hij loopt in militaire pas heen en weer langs de halvemaanvormige rand van het dak terwijl zijn vingers door de vacht van de saloeki strijken, die nat is van het hoge gras en het riet langs de oever van de rivier. In het donker wappert de vlag van Geestrijk Vuur. Hoog boven zich hoort hij, in de stilte van de nacht, duidelijk een vlucht kraanvogels die, klapwiekend en een reeks ijle, trillerige kreetjes slakend, op doortocht zijn van Centraal-Azië naar de woestijnen van Pakistan.

Steeds weer gaat zijn blik naar het oude schoolgebouw, waar met tussenpozen stipjes kaarslicht achter de ramen flakkeren. Daar woont tegenwoordig Rohan, de stichter van de school. Twintig jaar geleden, na de dood van zijn vrouw, heeft Rohan de school overgedragen aan een vroegere leerling, Achmed, omdat geld de smet van de duivel droeg en omdat hij de verwikkelingen die rijkdom, vermogen en bezit met zich meebrachten uit zijn leven wilde bannen. Hij behield alleen zijn directeurssalaris.

Maar tien dagen geleden is Achmed omgekomen in Afghanistan, waarna zijn broer, majoor Kyra, Geestrijk Vuur heeft geërfd.

De hond kijkt naar de maan alsof die hem verrast. Mist stijgt in lange, kronkelige lagen op van de rivier en oogt krijtwit boven het donkere riet. Achmed stond bekend als Achmed de Mot, een bijnaam die hij op zijn vijfde had gekregen in de moskee in Abbottabad waar hij als kind naartoe ging. Daar had men hem gezegd dat de volle zak die in het vuur geworpen was geld en speelgoed bevatte, waarna hij onbewogen was blijven toekijken hoe die verbrandde, maar toen men zei dat de zak in werkelijkheid gevuld was met bladzijden uit de Koran, had Achmed zijn handen verbrand in een poging ze te redden, met als gevolg dat hij de littekens en de naam ook als volwassene nog met zich had meegedragen.

Vorig jaar had majoor Kyra tijdens een bezoek aan Geestrijk Vuur met eigen ogen gezien dat een aantal jongetjes het klaslokaal was uitgekomen met verbonden handen. Ze hadden Achmed de Mot als onderdeel van hun scholing nagevolgd.

Hij weet dat Rohans zoon Jeo en zijn pleegkind Mikal vanavond naar Afghanistan zullen afreizen. En hij heeft de verzekering gekregen dat zij niet zullen terugkeren. Althans niet levend.

Kyra heeft al bijna drie etmalen niet geslapen. Hij heeft eergisteren ontslag genomen uit het leger, omdat hij zich niet kon verenigen met het feit dat de Pakistaanse regering een verbond heeft gesloten met Amerika en het Westen, en zo de grootmachten steunt bij de vernietiging van Afghanistan.

Nine-Eleven. Hij gelooft zo langzamerhand dat alles wat daarover verteld wordt één grote leugen is. Eén grote samenzwering. Een groot passagiersvliegtuig zo laag boven een stad laten vliegen lukt zomaar niet. Daarvoor heeft iemand op zijn minst de luchtverkeersleiding naar zijn hand moeten zetten. Daarvoor heeft iemand op zijn minst het alarmsysteem van het Pentagon buiten werking moeten stellen. Uit wat hij heeft gelezen en gehoord blijkt dat de luchtmacht pas na een uur in actie kwam. Kyra is militair en heeft dus verstand van dergelijke elementaire zaken. Het is allemaal in scène gezet, om een excuus te hebben om de moslimlanden een voor een binnen te vallen.

Hij kijkt naar de boog boven de toegangspoort van Geestrijk Vuur. Die was, toen de school van plek veranderde, van de ingang van het oorspronkelijke gebouw verwijderd en hiernaartoe gebracht. Toen Rohan en zijn vrouw de school hadden gesticht stond er op de boog te lezen: 'Kennis is de grondslag van recht en gezag'. Al snel waren door Rohan zelf de woorden 'van de islam' aan 'kennis' toegevoegd, naar verluidt tegen de zin van zijn echtgenote. In de loop der jaren is de leuze verder bijgesteld, van 'Kennis van de islam is de grondslag van recht en gezag' via 'De islam is de basis van het recht' naar 'De islam is de zin van het leven', terwijl er dezer dagen 'De islam is de zin van leven en dood' op staat.

Onder Achmed de Mot had Geestrijk Vuur betrekkingen aangeknoopt met de ISI, de Pakistaanse inlichtingendienst. Leerlingen werden geselecteerd voor gevechtstraining in door de ISI geleide jihadkampen, en uiteindelijk uitgezonden naar Kasjmir voor het uitvoeren van geheime operaties. Dat was ook de reden geweest voor de botsingen tussen Rohan en Achmed, de reden dat Rohan vijf jaar geleden uiteindelijk was gedwongen te vertrekken.

Maar nu Achmed dood is zijn de directe banden met de inlichtingendienst verbroken. Kyra had de contacten kunnen aanhouden, maar het leger en de ISI boezemen hem afkeer in, omdat zij Afghanistan in de steek hebben gelaten. De leerlingen van Geestrijk Vuur behoren nu hem alleen toe en door middel van hen zal hij zijn plannen in werking stellen, door hen te kneden tot strijders voor de heilige zaak, tot virtuoze misleiders van het Westen en tot zijn medestanders hier in eigen land.

Wij zijn geen mannen van de haat, wij dienen mannen van de gerechtigheid te zijn.

Toen hij gisteren op de school aankwam om het gezag over te nemen waren de oudere leerlingen zich aan het voorbereiden op hun vertrek naar Afghanistan, waar ze zouden gaan vechten. Velen waren in tranen vanwege het nieuws over de verwoestingen en de bloedbaden. Een miljoen nieuwe vluchtelingen zijn Pakistan binnengestroomd en acht miljoen zullen hulp nodig hebben. Sommige leerkrachten en oudere kinderen vertelden verhalen over heldhaftige reddingsoperaties uit de islamitische geschiedenis, over volkeren in nood die door godvrezende cavaliers waren gered, waarop de begeesterde toehoorders uitriepen: 'Vrees niet! Er is hulp op komst uit Heer!' In de hoop over duizenden jaren nog steeds gehoord te worden.

In een wijk ten oosten van de binnenstad staat een liefdadigheidscentrum met een madrassa die door Achmed de Mot werd geleid, maar die het eigendom is van de ISI. Die liefdadigheid is louter een façade waarachter jongens en jongemannen tot jihadstrijders worden getransformeerd. En gisteren had een van de mannen die daar werken hem een stapel papieren gebracht, omdat Kyra tot in detail had willen weten hoe Achmed zijn dagelijkse aangelegenheden had afgehandeld.

De man had uit de stapel een blad genomen dat vol met namen stond, en dat aan hem overhandigd. 'De naam boven aan de derde kolom.'

De naam Jeo had Kyra niets gezegd, maar een verraste uitroep was aan zijn mond ontsnapt toen hij in het vakje dat bestemd was voor *Naam vader* 'Rohan' zag staan.

'Hij is van plan naar een medisch centrum in de buurt van een van de gevechtsterreinen in Afghanistan te gaan,' zei de man, 'zonder dat hij dat aan zijn naaste familie heeft verteld.'

Kyra had naar het papier zitten staren. 'Waarom loopt er een rode streep van zijn naam naar die verder omlaag? Mikal.'

'Dat is een pleegzoon van Rohan. Zo'n lanterfanter, zo'n halve hippie. Een ongrijpbaar type. Ik heb overwogen of ik het Rohan moest vertellen. Ik vraag me af of we hem dat niet verplicht zijn vanwege zijn vroegere betrekkingen met Geestrijk Vuur.'

Kyra's woede-uitbarsting had zelfs hemzelf verrast. Slaapgebrek. De wijze waarop zijn broer nog geen twee weken geleden was gestorven. 'Dit is niet het moment om ons te laten leiden door gevoelens van mededogen en vergevingsgezindheid,' zei hij. 'Laat één ding duidelijk zijn: ik wil dat die jongen naar het heetst van de strijd wordt gestuurd, of dat er een gevecht wordt verplaatst naar waar hij zich bevindt. Doe dit ter nagedachtenis van Achmed. Je bent hém eerder iets verschuldigd dan Rohan. Weet je precies waar hij naartoe gaat?'

'Natuurlijk. Wij zijn degenen die hem uitzenden. We weten niet alleen de locatie, we weten in grote lijnen ook de route die hij zal nemen.'

'Zorg er dan voor.'

Er was een bom ontploft op een markt in Kasjmir, waardoor naast verschillende omstanders ook twee Indiase soldaten waren gedood. Tegelijkertijd ging er in een ander deel van Kasjmir voortijdig een explosief af, waardoor de jongen die het had moeten plaatsen om het leven kwam. Toen bleek dat Geestrijk Vuur bij beide incidenten was betrokken, had Rohan Achmed daarover aangesproken, waarop Achmed Rohan had laten weten dat hij allang ernstige twijfels koesterde of hij wel zuiver in de leer was.

'Je hebt me bij herhaling beloofd dat op deze school niets zou voorvallen wat met de jihad verband houdt,' zei Rohan. 'Je hebt me je woord gegeven.'

'Ik gaf het aan een ongelovige.'

'Niettemin was het je woord.'

'Het staat of valt met aan wie je het geeft.'

En vervolgens had Rohan iedereen doen walgen en tot razernij gebracht door te zeggen dat hij blij was dat de tweede jongen bij het installeren van het explosief om het leven was gekomen, en dat hij gelukkig en dankbaar was dat het doden van medemensen de jongen was bespaard. 'Allah heeft zich ontfermd over het misleide kind voordat het onschuldig bloed kon vergieten.'

Dát was het moment waarop men hem had gedwongen zich uit Geestrijk Vuur terug te trekken.

Majoor Kyra – hij moet nog leren over zichzelf te denken als enkel Kyra – daalt de trap af naar het Bagdadhuis, terwijl de saloeki met grote sprongen voor hem uit gaat, zich op de onderste trede omdraait en in één soepele beweging opnieuw omhoogrent. Wanneer Kyra een lamp aansteekt vangt hij in de ruit even een glimp op van zichzelf, met de littekens in zijn gezicht die hij twee jaar geleden, tijdens de oorlog met India, heeft opgelopen bij een explosie.

Hij denkt aan de trein die op datzelfde ogenblik Rohan en de twee jongens naar Pesjawar brengt, slaat de koran open en begint te lezen.

Bij de briesende strijdrossen, die met hun hoeven vonken uit de stenen slaan wanneer zij in de vroege ochtend aan komen galopperen, en het stof doen opdwarrelen wanneer zij dwars door het strijdgewoel gaan: waarlijk, de mens is tegen zijn Heer verhard, en hijzelf is daarvan getuige...

5

Als ze drie uur met de trein onderweg zijn, staat Mikal op van zijn zitplaats. Jeo heeft hem het nummer gegeven van de slaapcoupé die Rohan en hij voor zichzelf hebben gereserveerd, vier wagons verderop. De andere passagiers reageren niet wanneer hij langskomt door het gangpad; zelfs het lawaai van de trein is niet bij machte hen te storen achter de zware poort van de slaap.

Meteen na zijn eerste klopje doet Jeo de deur van de haak en komt naar buiten. Wanneer Mikal een glimp opvangt van de gestalte van de slapende Rohan, mager en broos onder zijn deken op het onderste bed, komt er een gevoel van tederheid in hem op. Rohan weet niet dat Mikal ook naar Pesjawar gaat. Ze hebben het hem niet verteld om nodeloze vragen te voorkomen, uit angst dat iets in hun antwoorden zijn argwaan zou kunnen wekken.

Jeo heeft de kaarten bij zich. Ze lopen het lange, smalle gangpad door, gaan vervolgens naast elkaar tegen het formica wandpaneel van de wagon zitten en bestuderen ze bij het licht van een zaklantaarn, terwijl achter het raam boven hun hoofd de nacht voorbijglijdt. De heldere lichtkring van de zaklantaarn strijkt over het gebied, zodat het lijkt alsof de zon de aarde heel dicht is genaderd, zoals dat, naar de Koran zegt, het geval zal zijn op de Dag des Oordeels, en niet hoger staat dan 'anderhalve speer'. Mikal leest de Engelse woorden op de kaarten heel langzaam voor, lettergreep voor lettergreep. Soms zelfs letter voor letter. Die taal was voor hem het grootste probleem geweest op school. De laatste keer dat hij het alfabet probeerde op te zeggen kon hij zich bepaalde stukjes al niet herinneren, laat staan dat hij de taal vlot kon lezen, schrijven of spreken.

'Daar heb ik vorig jaar nog met een stuk of wat mannen naar goud gezocht,' zegt hij, wijzend naar een van de bergen.

‘Wou je zeggen dat er goud zit in de bergen van Pakistan?’

‘Op sommige plekken. En toen ik daar was, op die berghelling, lag er zoveel sneeuw op de toppen dat de wolven erdoor naar het dorp beneden werden gedreven.’

‘Wanneer we uit Afghanistan terugkomen gaan we daarnaartoe. Heb je een pistool meegenomen, Mikal?’

‘Het is daar soms zo stil dat je de sneeuwvlokken kunt horen vallen. Ik neem je er mee naartoe.’

‘Dat zal Naheed geweldig vinden.’

Mikal gaat staan, keert zijn gezicht naar het raam en kijkt naar buiten, terwijl de trein een station passeert waarachter in de verte, verspreid in het land, de ivoorwitte lichtjes van huizen te zien zijn, terwijl de maan als een losse stralende muzieknoot in de elektriciteitsdraden naast het spoor hangt en de weerspiegeling ervan gerimpeld wordt door de stroming van het water van een rivier als een strak geknoopt tapijt, en de nachtzwaluwen hoog tussen de sterren op hun prooi jagen.

‘Hier ongeveer zitten we straks.’ Ook Jeo is gaan staan en wijst naar een landstreek die zich op de kaart net binnen Afghanistan bevindt. Het territorium van diverse families en stammen. Waar kinderen, naast sieraden en land, projectielen erven.

‘Het ziet eruit als een web van steen.’ Mikal houdt de kaart op armlengte voor zich.

Jeo glimlacht. ‘Mocht ik ooit verdwalen dan kun je mij zó vinden.’ Mikal kent de namen van alle zevenenvijftig sterren die ter navigatie dienen, en hun plaats aan het firmament.

Ze kijken naar de duisternis buiten.

‘Wat deed je daar precies in de bergen?’

‘Soms, wanneer ik zong, wist ik het bijna. Ongeveer een halve tel, maar daarna was het weer weg.’

‘Zingen maakte je duidelijk waar je naar op zoek was?’

‘Soms. Meestal hield ik mezelf voor: “Wanneer je het ziet, zul je het herkennen.” Maar dat is nooit gebeurd.’

Jeo vouwt de kaart weer op, neemt een andere uit de bundel en vouwt die open. ‘Bedoel je dat je het nooit hebt gezien, of dat je het wel hebt gezien, maar je nooit hebt gerealiseerd dat dat het was waarnaar je op zoek was?'

'Komt dat niet op hetzelfde neer?'

'Dit is me te moeilijk.'

'Mij ook.'

Jeo richt zijn aandacht weer op de kaart. 'Ze zeggen dat de oorlog niet snel afgelopen zal zijn. Dat het zeker nog een jaar, misschien wel anderhalf jaar, zal duren voordat Kaboel valt. Ik denk niet dat de strijd echt zal losbarsten voordat volgend voorjaar de dooi is ingevallen. Tot die tijd houden die westerse soldaten zich vast gedeisd in de heuvels en bergen, waar ze rond hun vuren van gedroogde mest gestoofd geitenvlees zitten te eten terwijl de sneeuwstormen om hen heen gieren.' Hij kijkt op zijn horloge. 'Ik denk dat ik maar gauw terug moet gaan. Vader zou zomaar wakker kunnen worden.'

'Ik kom aan het eind van de ochtend naar jouw ziekenhuis. Geef mij de kaarten zolang maar mee.'

'We zullen zo gauw mogelijk naar een bazaar moeten om een satelliettelefoon te kopen, zodat ik uit Afghanistan naar huis kan bellen en net kan doen alsof ik uit Pesjawar bel.'

Jeo draait zich om om weg te gaan en Mikal zegt, terwijl hij een tikje onder zijn arm geeft op de plek waar zich de Beretta in zijn holster bevindt: 'Jeo, ik heb er een bij me.'

Nadat Jeo is vertrokken steekt Mikal een sigaret op. De rook blaast hij uit het raam. In het rijtuig ernaast forceert hij het slot van een coupé en glipt naar binnen. Als een blinde beweegt hij zich op de tast door de pikdonkere ruimte naar de partij plastic lelies die hij daar eerder die avond naar binnen heeft zien dragen. Twee stations verder gaat de zoon van een leenheer trouwen en de familie heeft in nabijgelegen steden grootscheeps bloemen ingekocht. Als ze echt waren geweest had Mikal op de geur af kunnen gaan. Muskus, kaneel, riviermodder, ether, bloed, moessonmos. Ze groeien in Rohans tuin. Hij neemt uit elke bos één bloem en gaat terug naar het raam in de gang, met de witte vracht tegen zich aan gedrukt, als een tiend die hij de landheer verschuldigd is. Daarbuiten bevindt zich het cyclorama van de nacht, en elke keer dat de trein langs een of andere keet of hut dendert, gooit hij er een van de grote, witte bloemen naartoe, waarna hij met een snelle hoofdbeweging kijkt of hij hem ziet neerkomen, en of hij blijft steken in het verrotte riet van het dak of in de jutezak of het stuk karton dat als muur dienstdoet.

Hij keert terug naar zijn zitplaats en sluit de ogen. Op de middag dat hij Naheed voor het eerst had benaderd – om haar zijn allereerste brief te overhandigen – had ze in de schaduw van een boom op een riksja staan wachten. Ook hij had die lommerrijke plek betreden, zodat het door het gebladerte gevormde schaduwpatroon hen beiden had bedekt, maar was vervolgens weer teruggetreden in het zonlicht en had zelfs de klep van zijn baseballpet naar achteren gedraaid, zodat zijn gezicht duidelijk te zien was.

Onder hem maakt het spoor een bocht en hij voelt dat zijn bloed hem weer in het lood wil trekken.

Op een keer had zij – nadat ze zes weken lang brieven hadden uitgewisseld en elkaar in het geheim hadden ontmoet – terloops iets gezegd over een jongen uit de buurt die zij knap vond, waarna ze zich haastig min of meer had verontschuldigd, voor het geval zijn trots was gekrenkt. Maar hij had enkel zijn schouders opgehaald.

'Maar jij kijkt vast ook naar andere meisjes,' zei ze.

Hij had zijn hoofd geschud.

'Dat betekent dat jij meer van mij houdt dan ik van jou.'

'Dat weet ik.'

Dat inzicht had haar bijna met fysieke kracht getroffen. 'En daar heb je geen moeite mee?'

'Nee, ik ben al dankbaar dat je van iemand als ik houdt.'

Ze had gezegd dat ze na dat gesprek echt helemaal verliefd op hem was geworden.

Hij doet zijn ogen open, kijkt het duister in en trekt zijn jasje strakker om zich heen tegen de kou.

Ja, wat deed hij daar eigenlijk, in de bergen? Rond zijn dertiende was hij begonnen te spijbelen en vaak met de eerste de beste bus die uit Heer vertrok meegereden tot halverwege Karachi of tot aan de voet van de K2, of was hij met een groep rondreizende zangers meegetrokken door het zuiden van de Punjab, of via het dak bioscoopzalen binnengedrongen, of had hij zich in de woestijn van Baluchistan in leven gehouden met water uit door smokkelaars geslagen putten.

Rohan smeekte hem elke keer weer te vertellen wat er toch aan schortte, hoe ze ervoor zouden kunnen zorgen dat hij thuis zou blijven. Hij was Mikal, toen die vijftien was, op een ochtend gevolgd en had zo ontdekt dat hij werk had gevonden als automonteur. De jongen had niet willen vertellen waarvoor hij het geld nodig had en waar hij sommige nachten doorbracht, en iedereen was bang dat er heroïne in het spel was, of de jihad in Kasjmir.

Het geld was natuurlijk voor de kamer die hij huurde, het hoge vertrek met de muurschilderingen, met doffers en houtduiven als vast gezelschap, in de vervallen, honderd jaar oude buurt waar meer dan de helft van de stegen doodliep. Wie er niets te zoeken had meed de buurt, omdat daar huisbedienden en dagloners woonden, eunuchen en artiesten voor bruiloften en partijen, bedelaars en voddenrapers, en als logisch gevolg dieven, hoeren en andere wetsovertreders.

'Waar slaat dit op?' had zijn broer Basie gevraagd, toen die hem een keer naar de kamer was gevolgd.

'Geen idee,' weet Mikal nog dat hij had geantwoord, met ogen die ineens waren gaan prikken. Hij had zijn gezicht verborgen en was gaan huilen zoals kleintjes en zuigelingen huilen, mensenkinderen die nog niet hebben leren praten.

Basie was op hem af gestapt en had hem in zijn armen gesloten. Het was de kamer waarin zowel Basie als Mikal was geboren, waar de communistische kameraden van hun vader en moeder waren bijeengekomen, en vanwaar de vader was weggevoerd door overheidsagenten die heulden met de Verenigde Staten, de vijand van het communisme.

Zijn vader had gedroomd van een revolutie, maar ondertussen verzuimd voorzieningen voor zijn gezin te treffen, waarbij hij de twijfels die hun moeder en hijzelf wel degelijk koesterden de kop indrukte met de woorden: 'Over de toekomst van deze twee hoeven we ons geen zorgen te maken. Tegen de tijd dat zij volwassen zijn zal in de basisbehoeften van iedereen ruimschoots zijn voorzien. Niemand zal er persoonlijk bezit op nahouden en deze jongens zullen gelijken zijn onder gelijken. Laten we al onze krachten inzetten om die situatie te verwezenlijken.'

Op zijn zeventiende was Mikal zo'n beetje bij Rohan uit huis gegaan en in die kamer gaan wonen, waar de anderen hem zo vaak mogelijk opzochten. Omdat hij acht jaar ouder was dan Mikal had Basie bewustere en helderdere herinneringen aan hun moeder, terwijl Mikal hun vader zelfs helemaal niet had gekend.

Vaak lag Basie eindeloos te praten op de matras. Soms nam hij een slok uit de fles Murree-whisky die hij had meegenomen en die hij gekocht had in een van de clandestiene bars in Heer, waar ze afgesloten hokken hadden voor vrouwelijke drinkers, zowel om te voorkomen dat ze door de beschonken mannelijke cliëntèle werden aangerand, als om te voorkomen dat dronken vrouwen elke man die ze zagen keelden. Althans volgens Basie, Mikals oudere broer, een gezelligheidsdier dat veel van lachen hield, en om de vijftien zinnen welgemoed een krachtterm bezigde.

'Ik denk dat hij nog leeft,' had Mikal een keer tegen Basie gezegd toen de fles Murree bijna leeg was.

'Nee. Hij is doodgemarteld, hoogstwaarschijnlijk in de kerkers van fort Lahore.' Basie had zijn ogen geopend. 'Gaat het daarom? Je wilde hier zijn terugkomst afwachten.'

'Ik weet het niet.'

Dan ging Basie terug naar het huis van Rohan, nadat hij wederom vergeefs had geprobeerd hem over te halen mee terug te gaan, of hij bleef dagenlang bij Mikal.

Omdat hij doodsbang was in het donker deed Mikal nooit het licht uit wanneer hij ging slapen, en elke week stopte hij het geld dat hij verdiende in een kistje, omdat hij niet wist wat hij er anders mee moest doen nadat in zijn weinige eerste behoeften was voorzien. Op een dag had hij met de zinloze stapel geld in zijn handen gezeten en rondgekeken naar de muren van de lege kamer. Hij had het in een schaal gelegd, die midden in de kamer op de vloer gezet en het vervolgens in brand gestoken, zodat het tot as was vergaan.

Hij was achttien toen hij haar voor het eerst in de buurt van Rohans huis had gezien, het meisje met de serene, gouden oogopslag. Nadien zag hij haar steeds vaker, en ze was zo mooi dat hij nooit aan haar kon denken zonder dat het hem door de ziel sneed, maar op een middag had ze zijn blik even vastgehouden. De glimlach was kort geweest. Niets voor wie hem toevallig opving, alles voor wie er maar over bleef mijmeren.

Iets in de beweging van de trein die zich door de nacht spoedt, wekt Rohan uit zijn slaap, en hij knipt het lampje boven zijn hoofd aan. Jeo ligt te slapen in het bovenste bed; het licht valt van vlak onder de borst van de jongen op Rohan.

Toen Jeo nog klein was, was hij soms bang geweest dat hij hem te veel op een afstand hield, omdat het simpele feit dat Jeo bestond een beproeving voor hem was, hem voortdurend herinnerde aan zijn eigen verlies, en hij weet nog dat hij hem op een keer had gevraagd: 'Weet je wel dat ik van je houd?'

Jeo moet toen een jaar of vier geweest zijn, en het had Rohan met wanhoop vervuld toen hij nee had geschud.

'Weet je dat niet?'

'Nee.' Toen was het kind zijn gezicht zorgvuldig gaan bestuderen en had zelfs zijn handjes uitgestoken om zijn trekken te bevoelen. 'Hoe weet je of iemand van je houdt?'

Hij had gedacht dat het om een zichtbaar teken of zegel ging. Iets wat hij over het hoofd had gezien.

Jeo's arm hangt over de rand van het bed en slingert zachtjes heen en weer, en Rohan draait de hand voorzichtig om zodat hij op het horloge kan kijken. Het is bijna vier uur. Rohan zou moeten opstaan om een hoofdstuk uit de Koran te lezen voor de zielenrust van Sofia.

Hij gaat moeizaam rechtop zitten en strijkt met zijn hand over zijn gezicht en zijn baard. De zon zal om zes uur opkomen en de gebeden die voor het aanbreken van de dag moeten worden gezegd kunnen vanaf vijf uur worden gebeden.

Hij staat naast de slapende Jeo en ziet hoe mooi hij is, en hoe jong.

Een van zijn voeten steekt onder de deken uit en Rohan schikt voorzichtig de plooien er weer omheen, want hij kan niet aanzien hoe kwetsbaar en naakt Jeo eruitziet. Halverwege de voetholte zit een roestbruin moedervlekje, iets waarvan hij niet had geweten dat zijn zoon het had. Het raadsel van een ander menselijk wezen. Al de plekken die deze voeten hebben betreden en nog zullen betreden, en waarvan de vader geen weet zal hebben. Hij buigt naar voren en drukt een kus op het gezicht van zijn volwassen zoon.

Nadat hij op het toilet de rituele wassing heeft verricht, treedt hij weer naar buiten en begint uit de Koran te lezen. Hij vraagt of Allah op haar wil toezien in haar dood, zoals Hij ook toeziet op hem en zijn kinderen in hun leven. En of Hij haar wil vergeven. De passage uit de Koran gaat over het mensdom, en het vers dat hem de meeste angst inboezemt staat in de soera getiteld *De Mens*. Op zichzelf genomen is het best een mooi hoofdstuk, waarin gesproken wordt over de beloning die de gelovigen en getrouwen wacht in het hiernamaals, maar toen hij het Sofia tijdens haar laatste ogenblikken had voorgelezen, had ze een kleine verspreking van hem verbeterd. Het was duidelijk dat ze ermee vertrouwd was en heel precies wist wat ze verwierp. En dat is exact waar zijn vrees voor haar zielenheil vandaan komt. Sofia is gestorven als ongelovige, als afvallige.

Totdat zij weer zal opstaan op de Dag des Oordeels zal ze, als gevolg van het feit dat zij God heeft verworpen, aan folteringen onderworpen zijn. Na het einde van de wereld zal ze in de hel geworpen worden. Tijdens haar laatste uren had hij wanhopig geprobeerd haar tot inkeer te brengen. Ze was heel geleidelijk en niet van de ene dag op de andere van haar geloof afgevallen, en die afvalligheid had langzaam, als een klimplant, in steeds wijdere kringen om hen heen gewoekerd.

Volgens de Pakistaanse wet kon geloofsverzaking met de dood bestraft worden, en dus moest die van Sofia, nadat zij die aan hem had opgebiecht, geheim blijven.

‘Ik zal voor de vorm en omwille van onze veiligheid de schijn blijven ophouden. Maar tegenover jou kan ik niet langer verzwijgen dat ik niet meer geloof.’

Hij had vooraanstaande geestelijken en heilige vrouwen bij hen thuis uitgenodigd om haar de schoonheid van het geloof weer te doen inzien. Inwendig beschuldigde hij haar ervan hem voor hun huwelijk een verkeerde voorstelling van zaken te hebben gegeven, omdat hij nooit iemand zou hebben gekozen die zulke monsterlijke twijfels koesterde. Het huwelijk was naar alle waarschijnlijkheid nietig – een moslim kon niet gehuwd blijven met een ongelovige – maar hij bleef zichzelf ook voorhouden dat ze nog kon veranderen, en wachtte tot God haar Zijn tegenwoordigheid opnieuw zou doen gevoelen.

Na hun eerste kind hadden de artsen haar gewaarschuwd voor een tweede zwangerschap, maar toch was hij in zekere mate blij geweest toen zij zwanger was van Jeo, in de overtuiging dat het wonder van een nieuw leven ook haar ziel zou hernieuwen.

Hij leest in het Heilige Boek en probeert de gedachte te verdringen dat haar wonderschone lichaam, als speeltuig van Allahs demonen, op ditzelfde moment in de aarde wordt toegetakeld. Als gevolg van de martelingen die bekendstaan als *Kabar ka Aazab*. Ze leeft, daarbeneden in de onderwereld waaruit geen rook of kreet ontsnapt, in het volle bezit van haar zintuigen en bewustzijn. Een mens wordt onmiddellijk nadat het graf is gesloten weer tot leven gewekt en kan naar men zegt zelfs de verdwijnende voetstappen horen van de mannen die hem zijn komen begraven.

Na haar dood heeft hij Geestrijk Vuur overgedragen aan Achmed de Mot, omdat hij zich volledig wilde toeleggen op de verlichting van haar doodslijden, aangezien hij zich haar kreten van pijn, die vanonder zijn voeten opklonken, maar al te goed kon voorstellen. Er schoot weinig tijd over voor Jeo en Yasmin, zijn acht jaar oude dochtertje. Hij trok eropuit om met geleerden te spreken en zeldzame boeken te zoeken, op jacht naar afwijkende leerstellingen, commentaren en kanttekeningen, op zoek naar om het even wat waardoor haar zonden kwijtgescholden zouden kunnen worden. Soms was hij na zijn omzwervingen nog ongeruster dan hij was bij zijn vertrek, en soms meer in evenwicht.

Terwijl Rohan zich in deze zaken verdiepte, vervormde Achmed de Mot Rohans visie zodanig dat die nauwelijks meer als de zijne te herkennen viel en paste hij ook het halvemaanvormige bouwplan van Geestrijk Vuur aan zijn eigen doeleinden aan. Er werd een groene vlag ontworpen waarop in een boog in het midden zes vlammen gerangschikt waren, waarbij elke vlam oprees uit een paar gekruiste zwaarden. Die vlag wappert elke dag op het dak van Geestrijk Vuur en de jongens dragen groene tulbanden waarop, wanneer ze losgewikkeld worden, dezelfde zes zwaarden met vlammen blijken te staan. Het zijn de zes centra van verdwenen glorie, waarvan het verlies te vuur en te zwaard moet worden gewroken.

In de kleine toiletruimte wast Rohan de tranen van zijn gezicht en verricht de wassing opnieuw. Wanneer de afvallige sterft schreeuwt de plek in de aarde die zijn graf zal worden het uit in felle pijn, omdat hij de dode liever niet op wil nemen. Toen zij haar laatste adem uitblies had hij haar zachtjes gevraagd: 'Vertel me wat je ziet,' omdat alles over een minuut, over tien minuten, niet meer te herstellen zou zijn, omdat het te laat is voor berouw wanneer de ogen van de stervende een glimp opvangen van de Engel des Doods.

Maar na twintig jaar van bespiegeling vermoedt hij soms dat zijn gedrag zondige trekken had vertoond, die van de zonde van de hoogmoed. Was hij werkelijk van oordeel dat het Allah ontbrak aan mededogen, zelfs voor een afvallige? Ja, soms is hij bang dat zijn verdriet om haar dood – en daarvóór om haar twijfels en afvalligheid – iets beledigends begint te krijgen. Hoe kan hij zeker weten dat het stukje grond dat haar graf werd niet had gejuicht bij haar dood, 'zich had getooid als een bruid en had gejubeld omdat het haar weldra zou mogen omarmen', zoals de boeken van spirituele devotie zeggen over de deugdzamen?

Zij had samen met hem de school gesticht en kinderen onderwezen, maar alras hadden meningsverschillen de kop opgestoken, en ten slotte had zij het lesgeven eraan gegeven toen hij een leerling van school had gestuurd nadat was gebleken dat zijn moeder prostituee was.

Hij trekt de jaloezieën op en kijkt naar buiten, naar het spoor en naar de Grand Trunk Road die ernaast loopt. De eeuwigheid hangt boven de menselijke tijd, de sterren schijnen als korrels licht boven de wereld, deze wereld waar zij zo van had gehouden en die ze het enige paradijs had genoemd waar ze behoefte aan had. Ter voorbereiding op zijn komende blindheid legt hij alles vast in zijn geheugen, zoals zij alles op papier had vastgelegd. Hij schilderde de bloemen in de tuin en de vogels op het doek van zijn geest, en nog jaren na haar overlijden had de tuin eruitgezien alsof er iets belangrijks was gebeurd. De limoenbomen en acacia's leken om haar te rouwen, evenals de palissanders en de Perzische lelies, de heilige Indische vijgenboom en de koraalbomen, met al hun verschillende vruchten, bessen en sporen, zaden hard als een cricketbal of licht genoeg om een halfuur te kunnen blijven drijven. In de aarde beweenden zelfs de wortels haar, ook al hadden zij haar nooit gezien, evenals de witte teakboom waarvan de bast losliet in plakken ter grootte van een voetafdruk en de citroenboom die ieder jaar vijfentwintig manden vruchten opleverde. Hij wist zeker dat elk van die bomen, net als de bliksemsnelle tuinhagedissen, haar met hem beweenden, evenals de stug ritselende libellen, de violette houtbijen, de zwarte mierenketens, de zwaar bepantserde kevers en de diverse soorten slakken. In zijn verdriet had hij haar naam gefluisterd terwijl hij over de in de tuin uitgezette rode paden wandelde, en het woord had zich verspreid onder het glanzende, stralende zwart van de kraaien en de vlinders die ronddreven in het zonlicht, de gemarmerde pierrot, de bruine zandoogjes, de blauwe tijgers, de gewone luipaardvlinder, de pagevlinder en de dagpauwoog. Zij had van ze gehouden, en van de wereld waarin ze leefden, en ze had gezegd: 'God is gewoon een ander woord voor onze verwondering.' Er bestond niet zoiets als een ziel, maar alleen bewustzijn. Er bestond geen goddelijk plan, alleen zoiets als de natuur, en wij waren simpelweg een van de talloze gevolgen van haar willekeur. Haar laatste woorden waren geweest: 'Ik zal dit missen, want dit is alles wat er is,' en daarna had ze tersluiks het leven verlaten en hem veroordeeld tot tientallen jaren van vrees om harentwille, omdat hij wist dat de ziel wel degelijk bestond, en niet alleen dat, maar ook dat die verantwoording verschuldigd was aan Allah en Diens wonderbare wraak. In tegenstelling tot Sofia besefte hij dat de doden niet buiten schot bleven.

6

Als ze in Pesjawar zijn aangekomen vergezelt Rohan Jeo naar het ziekenhuis waar de jongen de komende maand zal doorbrengen. Als hij hem daar heeft afgeleverd neemt hij een riksja naar het huis van zijn vroegere leerling om de familie te bedanken voor de boeken. Het is hier in de bergen, ruim vijfhonderd meter boven zeeniveau, veel kouder, en dus knoopt hij zijn jas tot aan zijn hals toe dicht en slaat hij zijn kraag op. Verderop liggen bergen die hoger zijn dan de Pyreneeën en de Alpen samen. Gletsjers waar de troepen van Tamerlane in 1398 letterlijk op handen en voeten overheen hadden moeten kruipen.

Het is in zekere zin toepasselijk dat de boeken bezorgd waren door een vrachtwagen die schitterend beschilderd was met mythologische wezens, met heiligen en legendarische figuren, met vogels en bloemenkransen, want de riksja is op dezelfde wijze beschilderd. Als het voertuig verder de stad in gaat stuiten ze ineens op een massale demonstratie en stroomt de weg vol met mannen van uiteenlopende leeftijd die borden en spandoeken met zich meedragen. Het betreft een steunbetuiging aan de slachtoffers van de oorlog in Afghanistan. Wanneer de demonstrerende menigte aangroeit moet de riksjarijder vaart minderen en algauw kunnen ze voor- noch achteruit. Daarom stapt Rohan maar uit en gaat te voet verder, mee met de menigte die als een rivier door de bazaars en straten stroomt, terwijl het zonlicht dwars door het lawaai en de omhooggehouden borden op hen neervalt. 'Hoe komt het dat drieduizend joden op 11 september 's ochtends niet op hun werk in het World Trade Center verschenen...?' roept iemand, en een ander schreeuwt: 'Het Westen wil Pakistans kernwapens te pakken zien te krijgen...'

Uiteindelijk besluit hij naar het ziekenhuis terug te gaan en samen met Jeo te wachten tot de demonstratie voorbij is.

Het is al middag wanneer hij bij het ziekenhuis aankomt. Niemand kan vertellen waar hij Jeo zou kunnen vinden en hij zwerft door een doolhof van gangen, langs zalen waar het een enorme chaos is doordat de demonstatie uit de hand is gelopen, met doden en gewonden tot gevolg toen de politie het vuur opende. In sommige delen van de stad heerst een waar inferno en weldra laaien de vlammen ook in de buurt van het ziekenhuis op. Hij vraagt naar de dokter aan wie hij Jeo had toevertrouwd en krijgt te horen dat hij naar een hogere verdieping moet gaan. Er vliegt een traangasgranaat door het raam naar binnen, die op de trap ontploft, waardoor hij in een bijtende, verstikkende mist wordt gehuld. Rohan staat te trillen van de consternatie en wordt bekropen door een akelig voorgevoel. Zijn ogen tranen hevig. Buiten worden leuzen geroepen, zowel over gebeurtenissen van lang geleden als over de jongste feiten van deze week. De mensen van nu zijn even begaan met zaken van duizend jaar geleden als de mensen die toen leefden. Misschien zelfs wel meer. Maar een verpleegster schudt met een sarcastisch lachje haar hoofd en zegt tegen niemand in het bijzonder: 'Als je die gasten vertelt dat een straat verderop visa voor het Westen worden weggegeven, moet je eens zien hoe snel die demonstratie afgelopen is.'

Hij slaat, met een zakdoek tegen de onderste helft van zijn gezicht gedrukt, een volgende gang in. De dokter is bezig een Engelse journalist te onderzoeken die een bloedende hoofdwond en een gebroken arm heeft overgehouden aan het feit dat de woedende menigte hem te lijf wilde. Hij voelt zich belabberd maar blijft zeggen dat hij geen wrok koestert, dat hij zich, als hij in deze contreien woonde, ook niet zou kunnen inhouden en ook zijn woede zou afreageren op de eerste de beste westerling die hij zag.

Wanneer de dokter een paar tellen over heeft trekt Rohan hem aan zijn mouw en vraagt waar hij Jeo kan vinden. Hij krijgt te horen dat Jeo en zijn vriend Mikal drie uur geleden zijn vertrokken. Jeo had tegen een van de verpleegsters gezegd dat ze naar het oorlogsgebied in Afghanistan gingen en gevraagd welke medicijnen daar vooral nodig waren.

'Mikal?' vraagt Rohan. Hij wijst naar de plek tussen zijn wenkbrauwen.

De dokter knikt. 'Precies, die was het.'

Omdat hij zich voor deze onverwachte crisis te oud voelt en niet tegen de situatie is opgewassen, begeeft hij zich naar de dichtstbijzijnde telefoon en draait het nummer van Mikals broer Basie in Heer. Hij wil hem om raad vragen en hem zeggen dat hij onmiddellijk naar Pesjawar moet komen. Ze moeten de beide jongens achterna tot in het oorlogsgebied om ze terug te halen. Iedere minuut die verstrijkt brengt hen dichter bij de strijd, voor de vuurmond van de geschiedenis.

In Afghanistan heerst chaos. De taliban heersen met ijzeren vuist en straffen iedere verrader, informant, spion en agitator genadeloos. Maar de mensen komen in verzet, daartoe aangemoedigd door de heimelijke steun van Amerika. Commando's trekken, gekleed in sjalwaar-kamies, gewikkeld in omslagdoeken en met wollen hoofddeksels op, steeds driester te paard van dorp naar dorp en van stad naar stad, om de bevolking om te kopen en van wapens te voorzien. Tien dagen geleden is Achmed de Mot daar gestorven toen hij een bezoek bracht aan zijn talibanvrienden. Een groep gewone burgers had hem en een talibankrijger op een straathoek te pakken gekregen en hen weten te vloeren. Ieder grammetje woede, elke verkrachting, elke verdwijning, elke openbare executie, elke hand die in de afgelopen zeven jaar tijdens het bewind van de taliban is afgehakt, elke twaalfjarige knaap die door hen is gedwongen aan de strijd deel te nemen, elk tienjarig meisje dat heeft moeten trouwen met een moellah die acht keer zo oud was als zij, elke man die is gegeseld, elke vrouw die is afgeranseld, elke arm die is gebroken, elk been dat is verbrijzeld, kregen de beide mannen met vuisten, knuppels, stokken, voeten en stenen terugbetaald, en toen de geweldplegers eindelijk aflieten en zich weer verspreidden was er niets meer over van de twee. Het was alsof ze waren opgegeten.

7

De deur is opengegaan en allebei zijn ze de toekomst binnengetreden. Jeo zit samen met Mikal achter in het busje dat hen door het schimmige land van heuvels en hoogvlakten voert, waarbij zo weinig mogelijk gebruik gemaakt wordt van de koplampen, zodat de jongens zo nu en dan geen flauw idee hebben wat er vijf tellen verderop in het duister verborgen ligt. Later die avond bliksemt het boven hen, waardoor niet alleen de aarde en de wolken verlicht worden maar ook die plek in hun hoofd waar het denken de grens van de angst overschrijdt, terwijl de grond een paar tellen lang kristalhelder blauw oplicht en vergezichten zich openen als een visioen waarin zwarte gestalten dreigend opduiken, schaduwen wellicht, maar wellicht ook schepselen die enkel bestreden kunnen worden met wapens die gesmeed zijn door de geest, niet door het vlees, waarna ten slotte, naarmate de avond vordert, de sterren tevoorschijn komen, boven hen ronddraaien en hun eeuwenoude fosforescentie over de hemel uitsmeren.

Ze zijn met tien mannen en er wordt onderling gezwegen. Een paar van hen, onder wie Mikal, zijn diep in slaap verzonken. Zo nu en dan begint een van de mannen die niet slapen, zonder dat hij zich ervan bewust is, hardop de verzen uit de Koran op te zeggen die hij klaarblijkelijk in zijn hoofd aan het opzeggen is, en materialiseert zijn stem even in het duister, om kort daarop weer stil te vallen.

Jeo voelt in Mikals rugzak. Zijn vingers glijden langs het ijskoude metaal van de kogels voor de revolver. Hij klikt zijn kleine zaklampje aan, ziet dat er tussen de uit de atlas gescheurde kaarten brieven zitten en moet meteen lachen, omdat hij zich weer even zestien voelt. Destijds waren alle meisjes verliefd op Mikal. Hij haalt de brieven er voorzichtig tussenuit en doet ze terug in de rugzak, net op een moment dat het voertuig een vlakte oprijdt die bezaaid ligt met felgele etenspakketten, die daar door de Amerikanen vanuit de lucht zijn gedropt. De pakketten knerpen en ploffen zachtjes open wanneer de wielen eroverheen rijden, en hij haalt de brieven weer tevoorschijn. Een naam aan het eind van een brief heeft zijn aandacht getrokken, en nu ziet hij dat die ook onderaan een tweede staat. En onderaan een derde. Opeens begint zijn huid te gloeien omdat het handschrift in alle brieven hetzelfde is, en het dat van haar is. Het is bijna alsof Naheeds gezicht achter de zinnen opdoemt, met ogen die vlak langs hem heen kijken.

Mikal verroert zich vanwege een geluid van buiten en Jeo gooit alles terug in de rugzak, die hij snel dichtritst. Het zou een andere Naheed kunnen zijn. Hééft hij haar handschrift echt herkend?

Hij moet die brieven absoluut nog eens bekijken. Hij moet ineens denken aan die avond toen ze nog maar pas getrouwd waren en hij wakker schoot en merkte dat zij in het donker lag te huilen. Maanden later hadden haar ogen zich, terwijl ze in de tuin in zijn armen lag en glimlachend naar hem opkeek, opeens met tranen gevuld. Had ze zich bedroefd gevoeld omdat ze Mikal een paar tellen was vergeten? Of schuldig, omdat ze níét van Jeo hield?

In haar ogen kijken betekende beseffen dat ogen deel uitmaken van het brein. Dat gedachten daardoor en daarin zichtbaar waren. Vergiste hij zich?

De chauffeur heeft een Motorola-portofoon waarmee hij contact onderhoudt met de twee andere busjes uit hun konvooi. Jeo en Mikal hebben te horen gekregen dat ze naar verwachting tegen een uur of twaalf 's middags bij het medisch centrum zullen aankomen. De andere acht mannen in de laadbak zullen ergens anders naartoe gaan.

In de verte klinkt het gehuil van jakhalzen.

'Alles oké?' vraagt Mikal terwijl hij zijn arm om Jeo's rug slaat.

'Ja hoor.'

Zij is het wonder in zijn leven, dat hem vorig jaar plotseling vergund werd, juist terwijl hij zich geschikt had in zijn eenzame bestaan, waarvan zijn studie de voorlopige horizon vormde, in de wetenschap dat hij zekere aspecten van het leven niet zou ervaren voordat hij halverwege de twintig, na het voltooien van zijn studie, zou trouwen. Hij sluit zijn ogen, en wanneer hij ze weer opent vertelt zijn horloge hem dat hij twee uur geslapen heeft. Het is nog steeds donker, maar het busje is op een hoger gelegen bergkam gestopt. De chauffeur is uitgestapt en kijkt bij het licht van een zaklantaarn om zich heen. Jeo denkt aan zijn vader. Op dit ogenblik is hij ongetwijfeld wakker en bezig de gebeden voor Jeo's moeder op te zeggen.

'We zijn verdwaald,' zegt Mikal, naar de sterren wijzend. 'Ik heb het een uur geleden al tegen hem gezegd, maar hij wou niet luisteren. We rijden al een hele tijd de verkeerde kant op.' Hij stapt met zijn rugzak over één schouder uit het busje en Jeo ziet dat hij met de chauffeur gaat staan praten, waarbij hij nu eens naar de hemel en dan weer naar de kaarten wijst. Jeo stapt ook uit en voegt zich bij hem, evenals de anderen. Allen hebben een deken om zich heen geslagen tegen de kou, en hun zaklantaarns laten zien dat ze zich in de schamele resten van een enorme ijzergieterij bevinden. Over een afstand van honderden meters is de berghelling bedekt met de overblijfselen van eeuwenoude vuurbestendige ovens van speksteen, bestemd voor het smelten van ijzererts. Restanten van de cultuur van verdwenen boeddhistische volken die ooit deze streken bewoonden. De grond ligt bezaaid met kleine blokjes pyriet. En terwijl ze daar zo staan, omringd door die zonderlinge aarde en die zonderlinge hemel, hoort Jeo iets wat hij nog nooit eerder heeft gehoord, het afschuwelijke, doffe gedreun van ontploffende tankgranaten, explosies en geweervuur in de verte.

'Hoor je dat?'

'Ja,' antwoordt Mikal.

'Daar wordt gevochten, hè?'

'Ja.'

'Dat is de wereld,' zegt een van de mannen. 'Zo klinkt de wereld de hele tijd, we horen het alleen niet meer. Alleen soms, op sommige plaatsen, horen we het nog.'

Er volgt een reeks enorme inslagen, en opeens kan hij niet meer naar een stukje grond kijken zonder zich stukken metaal voor te stellen die eropaf schieten, grote en kleine stukken in allerlei vormen. De maan is al geruime tijd verdwenen, maar de sterren zijn zo talrijk dat ze schaduwen werpen binnen de dakloze ruïne, en dan is het opeens doodstil en hoort hij hoog boven zich de ijle kreetjes van vogels die in vage, gekalligrafeerde lijnen en halen oostwaarts vliegen, duizenden vogels te midden van al het smeulende zilver.

'Voor we gaan moeten we eerst onze waterflessen bijvullen,' zegt de chauffeur. Hij wijst naar Mikal en Jeo. 'We zijn een paar minuten geleden langs een bron gekomen. Pak de lege flessen uit de wagen en vul ze. Volg het spoor dat de truck in het stof heeft gemaakt, dan trap je niet op landmijnen.'

'Ik ga wel alleen,' zegt Mikal.

'Nee, neem je vriend mee. We wachten hier wel op jullie.'

'Ik zei dat ik wel alleen ging,' zegt Mikal met een verrassend vastberaden stem. 'Ik wil dat Jeo hier bij jullie blijft.'

De chauffeur loopt op hem af en grijpt hem met zijn grote handen met dikke polsen bij de kraag, zodat Mikal zowat zijn evenwicht verliest. Ze staan een tijdje zwijgend en loerend tegenover elkaar, totdat de man hem even plotseling weer loslaat. 'Doe wat je gezegd wordt.'

Jeo pakt Mikal lichtjes bij de mouw. 'Ik ga wel mee.'

Ze nemen de twee vijfliterflessen en lopen terug langs het spoor dat de banden in de kiezels en brokjes kwarts, gewone kalksteen en glimmer hebben achtergelaten, maar slagen er niet in de bron te vinden. Net wanneer ze op het punt staan de zoektocht op te geven bereikt hen echter vanaf de andere kant van een via leisteen en trapgesteente bereikbare kloof, het geluid van klaterend water. Ze dalen af naar een ander geologisch tijdvak en lopen door een uitgesleten droge rivierbedding in de richting van het water, nietig vergeleken met de reusachtige blokken steen die liggen waar ze tienduizend jaar geleden zijn neergeploft.

'Zorg dat je je fles echt helemaal vult,' zegt Mikal wanneer Jeo een van de flessen onder het verticale waterstroompje houdt dat van een uitloper omlaagsijpelt, een dun, zijden koord dat bij de geringste aanraking breekt. 'Anders hoor je het op een kilometer afstand klotsen.'

Net als Jeo, met zijn voeten weggezakt in de modderige aarde, de dop weer op de fles draait, ontwaart hij opeens een in het zwart gehulde figuur die amper tien meter verder op de grond zit. De man zit volkomen roerloos met zijn rug naar hen toe, maar er ligt geen gebedskleed onder hem en zijn gezicht is niet de goede kant op gericht, anders zou Jeo gedacht hebben dat hij zat te bidden.

Met de zaklantaarn op zijn rug gericht lopen ze langzaam naar hem toe. De steentjes op de grond schitteren in de lichtstraal alsof ze in folie gewikkeld zijn. Ze naderen de man over de steenslag en Mikal schraapt zijn keel om de onbekende op hun aanwezigheid opmerkzaam te maken. Ze lopen om hem heen en zien dan dat op zijn borst een stuk karton op zijn plaats wordt gehouden door de afgebroken punt van een speer die tussen zijn vijfde en zesde rib in hem is gestoken.

Jeo trekt de speerpunt eruit en het bloed gulpt uit de wond op de schoot van de man.

'Ik dacht dat doden niet bloedden,' zegt Mikal terwijl hij een stap achteruit doet.

'Dat doen ze ook niet. Maar de rechterzijde van het hart houdt het bloed ook na de dood vloeibaar. Die moet door de speerpunt zijn doorboord.'

Hij geeft het losgekomen stuk karton aan Mikal, die Pasjtoe spreekt. 'Er staat op: "Dit is wat er gebeurt met mensen die Allahs geliefde taliban verraden".'

Mikal schijnt met zijn zaklantaarn in het duister om hen heen, langs de lagen van de hellingen die zich van het noordwesten tot het zuidwesten aaneenrijgen. 'We moeten terug.'

Jeo doet zijn deken af en legt die over de dode man. Dan staat hij op. 'We zullen later voor hem bidden.'

Wanneer ze met het water terugkomen zien ze dat de drie busjes zijn vertrokken. Op de grond, waarvan het stof bij elke stap in wolkjes opdwarrelt, verdwijnen de bandensporen in het eindeloze duister. Minutenlang blijven ze sprakeloos naast elkaar staan.

'Al mijn spullen lagen in dat busje,' zegt Jeo. 'De satelliettelefoon, de zak met medicijnen en mijn kleren.'

Mikal heeft zijn rugzak nog om en kijkt omhoog naar de sterren om hun positie te bepalen. En ondertussen gaat achter de bergrug het vuurgevecht ononderbroken door.

'Er is vast iets gebeurd waardoor ze gedwongen waren snel weg te rijden. Ze komen zo terug om ons te halen.'

'Ze komen niet terug.'

Jeo kijkt Mikal aan. 'Hoe bedoel je?'

'Ze wilden ons hier dumpen, daarom wilden ze per se dat jij met mij mee zou gaan.' Terwijl hij dat zegt kijkt hij het duister in alsof het de nacht is tot wie hij zich richt. 'Ik denk dat we geruild zijn voor wapens. Of zouden we voor geld zijn verkocht? De taliban hebben soldaten nodig, versterkingen, en ik denk dat wij tweeën daar deel van uitmaken.'

'Daar had je het ook al over in Heer. Maar je vergist je.'

'Ik denk dat we moeten maken dat we hier wegkomen, het liefst zo ver mogelijk. Zo dadelijk komt iemand ons hier oppikken om ons naar de gevechtslinie te brengen.'

'Wou je zo de nacht in lopen? Wou je me soms dood hebben?'

'Wat?'

'Of je me soms dood wou hebben.'

Jeo pakt hem zijn zaklantaarn af en schijnt met het felle licht in het donker en vervolgens in zijn gezicht. 'Wat is de werkelijke reden dat je hier bent? Waarom besloot je ineens met mij mee te komen?'

'Ben je helemaal gek geworden?'

Jeo zet een stap naar voren en legt zijn hand op de rugzak. 'Geef me de kaarten.'

Mikal doet een paar stappen terug en draait zich bliksemsnel om. 'Ik pak ze wel,' zegt hij. Hij doet zijn rugzak af en steekt er met zijn rug naar Jeo toe beide handen in. Jeo is doordeweeks in Lahore in verband met zijn medicijnenstudie en komt alleen in de weekenden thuis; spreken Mikal en Naheed met elkaar af als hij er niet is?

'Ze weten dat ik geen vechter ben,' zegt Jeo rustig wanneer Mikal hem de kaarten aangeeft.

'Ze zullen je dwingen te vechten, Jeo. Ze hebben voor je betááld. We moeten hier zo snel mogelijk vandaan.'

Een halfuur later vinden ze in het donker een grot. Als ze naar binnen gaan sturen ze een lichtstraal voor zich uit langs de gewelfde rotswanden, waarin scherp gepolijste mineraalsplinters zitten, die helemaal tot boven in de grot hun ogen en stukjes van hun gezicht weerspiegelen. En overal waar het lantaarnlicht komt worden felgele en felrode kleuren tot leven gewekt. Ze hebben allebei heel sterk het gevoel dat ze in de berg zitten opgesloten en daar nu in rond bewegen.

Jeo raapt een armvol zanderig hout bijeen terwijl Mikal achter in de grot zwaluwenpoep verzamelt. Met behulp van het vonkmechanisme van een lege aansteker die hij in zijn zak heeft, maakt hij vuur, en samen zetten ze zich handenwrijvend voor de vlammen en laten hun handen op en neer gaan over hun kleren om de warmte waarvan die doortrokken zijn op te nemen, terwijl van de tegenoverliggende wand hun spiegelbeelden toekijken.

'Mikal, we moeten teruggaan om die dode man te begraven.'

'Je hebt gelijk.'

Jeo staat op om te kijken of hij meer hout kan vinden en loopt naar de hoge stapels stenen die dieper de grot in voeren, en daar vindt hij een stroomgenerator en een doos vol gloeilampen. Wanneer hij met de doos terugkomt is Mikal omsingeld door een groep gewapende, geheel in het zwart gestoken mannen, als wezens die uit het pikkedonker tevoorschijn zijn geroepen. Een van hen gebaart met zijn geweer dat Jeo bij Mikal moet gaan staan.

'Wat heb je daar in je handen?'

'Die heb ik net gevonden. Ik weet niet wat het zijn.'

Een van de mannen onderzoekt de inhoud van de doos terwijl de anderen Jeo en Mikal met trage oogbewegingen gadeslaan.

'Proberen jullie de Amerikanen in te seinen?'

Een van de mannen zegt dat hij onlangs op een vlak stuk terrein aan de rand van zijn dorp een hele sliert van die gloeilampen heeft gezien die op een gasgenerator waren aangesloten. De lampen lagen op de grond te schijnen en toen was er, daardoor geholpen, een helikopter geland, waar allerlei blanke mannen in spijkerbroek uit waren gekomen met computers, geweren en zware, zwarte canvaszakken. Ze waren meegegaan met de krijgsheer onder wiens bewind het dorp viel, een aanhanger van de taliban die nu met de Amerikanen heult. De zwarte canvaszakken hadden ongetwijfeld vol dollars gezeten waarmee hij was omgekocht.

'Wij hebben niets te maken met de Amerikanen,' zegt Mikal.

Jeo had hun zijn voorraad medicijnen kunnen laten zien, maar die ligt in het busje. Hij legt hun uit dat hij arts in opleiding is, en dat hij hiernaartoe is gekomen om zijn Afghaanse broeders en zusters te helpen.

'Wie van jullie is Jeo en wie is Mikal?' wil een van de mannen weten, terwijl hij hen aandachtig opneemt. 'Ze hebben ons verteld dat een van jullie de taal van de sterren beheerst.'

'Hoe kennen jullie onze namen?'

'We zijn het konvooi tegengekomen waar jullie bijhoorden. Vanaf nu reizen jullie met ons verder.' De helft van het licht dat door de gekleurde spiegeltjes over de wand van de grot wordt verspreid, wordt verduisterd door de zwarte kledij van de mannen.

Buiten vertoont het duister van de oostelijke hemel de beverige gloed van de nog niet boven de kim uitgestegen zon, terwijl de morgenster hoger aan het firmament is gerezen. Tussen de immense rotsblokken staan verschillende vrachtwagens waaruit allerlei mannen komen die Jeo and Mikal omhelzen en hen 'broeders' noemen. Iedereen bidt het ochtendgebed met het gezicht naar het inktzwarte duister in het westen gekeerd.

Wanneer de zon opkomt daalt een waaier van licht neer uit de hemel. Ze stappen in een vrachtwagen, waarna het konvooi zijn weg vervolgt. In het metalen dak zit een rij evenredig verdeelde kogelgaten, gevolg van het feit dat een van de jongens zijn woede niet had weten te beteugelen en doldwaas het vuur had geopend op een boven hen vliegende Amerikaanse helikopter.

'Hoe oud ben jij?' vraagt Mikal aan de jongen naast hem.

'Zestien.'

Mikal strijkt met zijn hand over de keel van de jongen, op zoek naar zijn adamsappel. 'Je bent twaalf. Hooguit dertien.'

De nieuwe jongens, die overlopen van moed en plichtsgevoel, zijn strijders en oudgedienden uit verschillende trainingskampen voor de jihad. In hun door zweet en stof gemarmerde kleren, op hun kapotte schoenen, en met hun door weer en wind getaande huid, voelen ze zich opgelucht en stiekem geprikkeld nu de heilige strijd naderbij komt. Ze spreken met grote ernst over de kruistochten en de jihad, over legendarische wapens en beroemde krijgers, en ze zijn afkomstig uit alle delen van Pakistan en de verdere moslimwereld, uit Egypte, Algerije, Saoedi-Arabië en Jemen, variëren in leeftijd van zestien tot vijfentwintig en zijn gerekruteerd op basis van een door de Saoedische geestelijke Sjeik al-Uqla uitgevaardigde fatwa, waarin de taliban worden geprezen voor het feit dat zij het enige land ter wereld hebben gecreëerd dat geen door de mens uitgevaardigde wetten kent. Verder zijn er Oezbeken en Tsjetsjenen, en er is ook een groep uit Noord-Engeland, waarvan verscheidene leden een tulband om hun baseballpet hebben gewonden zodat ze hem snel af kunnen doen. Onder hen bevindt zich een Pakistaan die alleen maar een Amerikaanse soldaat te pakken hoopt te krijgen, zodat hij de door Osama bin Laden uitgeloofde premie van honderdduizend dollar, ofwel meer dan een miljoen roepies per soldaat, zal kunnen incasseren.

Met slechts onderbrekingen voor het middag- en namiddaggebed reizen ze de hele dag door, en in de avond komen ze aan bij een op een lage berghelling gelegen dorp met uit leem opgetrokken huizen. Het fort dat erboven uittorent is het lokale hoofdkwartier van de taliban, waar ze, met verminderde snelheid vanwege de smalle straatjes, dwars door het dorp naartoe rijden. Mannen en vrouwen gaan het talibanvoertuig, zodra zij het zien aankomen, angstvallig uit de weg, en drukken zich met neergeslagen ogen tegen de muur. Bij veel huizen zijn er door kogels splinters uit het hout van deuren en ramen geslagen en op één plek is onlangs een groep mensen tegen de muur gezet en geëxecuteerd. De bloedplekken zitten nog steeds op de muur. Een daarvan ter hoogte van een kinderhoofd.

Een grijze hond keft naar de vrachtwagen en een talibankrijger springt van de truck en geeft het beest een deskundig geplaatste trap onder zijn bek, om het vervolgens, wanneer het weer is opgekrabbeld en terug grauwt, met zijn kalasjnikov dood te schieten, waarop de vrachtwagen opeens stopt en de chauffeur zijn hoofd uit het raampje steekt om de situatie in ogenschouw te nemen. Hij zegt tegen de soldaat dat hij weer in moet stappen, maar net op dat ogenblik klinkt er een metalig geluidje onder de boerka van een van de vrouwen die tegen de muur gedrukt staan, het getinkel van een armband of een oorbel. Van een hóórbaar sieraad. De chauffeur grijpt onder zijn stoel en haalt een leren zweep tevoorschijn waaraan over de volle lengte tientallen munten zijn genaaid. Hij stapt uit, met het twee meter lange slagtuig in zijn hand, en vraagt op barse toon wie de draagster is van dat luidruchtige sieraad, waarmee zij op slinkse wijze vrome mensen tracht te verleiden.

'Zeg op: wie is het?'

De vrouwen kruipen dicht tegen elkaar aan en de chauffeur slaat verscheidene malen met zijn zweep op de smoezelige hoop blauwe stof. Hij rent eromheen en haalt uit naar wie het uitschreeuwt, terwijl de andere soldaat met de kolf van zijn kalasjnikov een man die het waagt tussenbeide te komen een gat in het hoofd slaat.

'Ben jij moslim of niet? Verbiedt Allah vrouwen dergelijke dingen te dragen of niet?'

De strijders in de vrachtwagen zien de afstraffing aan met een gezicht waarop de overtuiging dat dit om een rechtvaardige zaak gaat duidelijk te lezen staat, en een van hen smeekt Allah of hij hen allen voor zonde wil behoeden.

Mikal raakt even Jeo's mouw aan. 'Links van je.' Zijn lippen bewegen nauwelijks.

Jeo werpt een snelle blik die kant op maar weet niet precies waar hij naar moet kijken.

'Zag je hem?' fluistert Mikal.

Jeo schudt van nee.

Mikal kijkt snel even. 'Hij is al weg.'

'Wie?'

'Een Amerikaan.'

De blanke man had achter een bovenraam aan de andere kant van de straat gestaan. Mikal heeft slechts een vluchtige glimp van hem opgevangen, maar opeens heeft hij het gevoel dat het om hem heen veel kouder is geworden. *Ze zijn hier. Ze zijn bezig een aanval voor te bereiden op het hoofdkwartier van de taliban, de plek waar ze Jeo en hem naartoe willen brengen.*

Als ze doorrijden naar het fort duikt er opeens een andere magere hond op, die hen op een afstand volgt en hen daarna blijft staan nakijken. Vanuit de boogvormige toegangspoort van het fort lopen tanksporen de stoffige weg af. De vrachtwagen rijdt de poort binnen en stopt dan voor een gebouwencomplex, waarna achter hen de poort weer wordt gesloten en zij met stramme leden uit de wagen klimmen.

Jeo wordt onmiddellijk meegenomen voor de verzorging van een groep gewonde talibankrijgers. Mikal taxeert met brandende ogen van vermoeidheid de muur om het fort. Die is tenminste tien meter hoog en zes meter dik, en overal in de borstwering zitten schietgaten, breed genoeg om een geweerloop heen en weer te kunnen bewegen.

Hij ziet Jeo pas terug wanneer iedereen in de moskee van het fort bijeen is gekomen voor het nachtgebed.

'Er zitten hier zo'n honderdtwintig man,' vertelt Mikal hem. 'Twee dagen geleden waren dat er nog honderden, maar die zijn, met een stel tanks en pantservoertuigen, als versterking afgereisd naar een paar dorpen verderop, waar een belangrijke slag wordt geleverd.'

'Vertel eens over die Amerikaan.'

'Ze gaan dit fort aanvallen.'

'Ik heb gehoord dat hier een paar Al-Kaidaleden zaten,' zegt Jeo. 'Maar die zijn vlak na 11 september verdwenen.'

'We zouden een vrachtwagen kunnen stelen.'

Het fort is – dat kan niet anders – de meest gehate en meest gevreesde plek van de streek. De mensen uit het dorp zullen geen enkele genade kennen wanneer zij hier straks met behulp van Amerikaanse commando's en met Amerikaanse wapens binnenvallen.

'Morgenochtend vraag ik om een pistool, dan zal ik je leren hoe je daarmee om moet gaan.'

'Nee.'

'Jeo, ik ga óók niemand doodschieten als het aan mij ligt. Ik wil alleen dat je weet hoe het wapen werkt en dat je het bij je houdt.'

'Wanneer de aanvallers een vuurwapen in mijn hand zien zullen ze denken dat ik een vijand ben.'

'Zo nauw zullen ze beslist niet kijken. Je hebt gezien hoe de taliban hen behandelen. Ze zullen hier nog geen mus in leven laten.'

Mikal wordt wakker met het gevoel dat er iemand in het donker naar hem staat te kijken. Ze delen de slaapzaal met een groep jongemannen, de matrassen zijn vettig en zitten vol ongedierte. Een hand heeft langs zijn gezicht gestreken en wellicht dat een nagel in aanraking is gekomen met een ijzeren knoop van zijn jas. Hij had zijn rugzak gebruikt als kussen en beseft nu dat die weg is. Hij tast in zijn zak en haalt de zaklamp tevoorschijn. Met zijn hand tegen het glas om het licht af te schermen steekt hij het ding omhoog. Het is als een gloeiende steen in zijn hand en verspreidt een nevel van licht over de slapende lichamen. Jeo is niet in de zaal.

Hij gaat naar buiten, de nacht in. De maan volgt hem als hij de binnenplaats over loopt met de zaklantaarn zo veel mogelijk naar de grond gericht. Het door de muren van het fort omsloten terrein is zo groot als een woonwijk, er zijn stallen en lapjes grond waarop maïs en tarwe wordt verbouwd, er is een beekje en zelfs een rozentuin. 'Jeo?' fluistert hij bij herhaling. Hij voelt aan de portierhandels van de vrachtwagens die bij de poort staan, maar ze zijn allemaal afgesloten. Zijn vingertoppen vriezen zowat aan het metaal vast. Een van de stallen staat tot de nok toe vol met wapentuig: granaten, raket- en vuurwapens, kratten vol ammunitie, alles wat maar de dood teweeg kan brengen, er liggen zelfs Lee-Enfields, met in de bajonetten een jaartal gestanst – 1913 – uit de tijd dat de Britten dit gebied betwistten. Om alert te blijven wast hij zijn gezicht in het beekje. Als hij door de rozentuin terugloopt, vindt hij een in tweeën gescheurde brief, een jaar geleden geschreven door een vrouw uit het lager gelegen dorp en gericht aan de Verenigde Naties, waarin staat dat zij lerares is en dat zij zich in de hel bevindt: 'Dit is mijn honderdzevenennegentigste brief in de afgelopen vijf jaar, help ons alstublieft...' Hij blikt op naar de duisternis boven de wereld en oriënteert zich met behulp van Cassiopeia in het noorden en de twee samengesmolten ruitvormen van Orion in het westen, en staart ernaar alsof ze hem de geheime wereldorde zullen openbaren. In het oosten staat de planeet Venus.

'Jeo?'

Naar verluidt heeft de Engel des Doods geen oren. Zodat hij niemands smeekbedes kan horen.

'Ja.'

Mikal vindt hem met zijn zaklantaarn. 'Heb jij mijn rugzak?'

'Nee. Ik dacht dat jij hem ergens naartoe had gebracht.'

'Hij is weg.'

'Je bent een vervloekte leugenaar.' De stem komt uit de zwarte lucht.

Twee mannen met kalasjnikovs duiken voor hen op. 'Wat voeren jullie hier uit?' De woorden komen op een blinkende dampwolk naar buiten.

'We konden niet slapen.'

De mannen treden naar voren. Ze gaan gekleed in Pakistaanse dracht, maar één van hen is duidelijk een Oezbeek. Hij zegt in het Punjabi tegen Mikal: 'We vroegen jou of je kaarten bij je had en je zei nee. Maar we hebben ze daarnet in je rugzak gevonden.'

'Die zijn niet van mij, die zijn van hem. Jullie vroegen het aan mij, niet aan hem.'

'Ik heb ze hem in bewaring gegeven,' zegt Jeo.

'Heb jij, heeft een van jullie, geld?'

'Een klein beetje, voor de eerste kosten.'

'Geen dollars?'

'Nee, geen dollars.'

'Je bent een vervloekte leugenaar.'

De andere man zegt: 'Wat voeren jullie hier uit, zo midden in de nacht? Als jullie in onze schoenen zouden staan zouden jullie ook denken dat jullie voor de Amerikanen spioneerden.'

'We zijn alleen naar buiten gegaan om te kunnen praten. We wilden de slapers niet storen.'

'Waarom kijken jullie naar de lucht? Verwachten jullie Amerikaanse vliegtuigen? Waarom wilden jullie niet dat wij die kaarten kregen? Op ditzelfde ogenblik worden overal in Afghanistan jullie broeders en zusters om het leven gebracht en jullie zijn te beroerd om ook maar een poot uit te steken.'

'Dat is niet waar,' zegt Jeo. 'We zijn hier juist omdat we willen helpen.'

'Mensen zoals jullie, die alleen maar aan zichzelf denken, zijn de reden dat het er met de islam zo ellendig voorstaat.'

'Geef me één kaart, dan mogen jullie de rest houden.'

'Mensen die niet bereid zijn offers te brengen,' schampert de Oezbeek. 'Ga weer naar binnen en laat ik jullie niet meer buiten zien.'

Ze keren terug naar hun matras, waar ze tot vlak voor het aanbreken van de dag roerloos blijven liggen. Daarna loopt iedereen door de ijzige kou naar de moskee om te bidden, en als de zon opkomt beginnen de strijders hun training, met kreten als 'God is groot!' voorafgaand aan elke oefening, en vuren ze kogels af op in water gedrenkte telefoongidsen van grote Pakistaanse steden, het bewijs dat de taliban gesteund en gefinancierd worden door de Pakistaanse overheid en het leger, waarna de taliban, precies zoals Mikal verwacht had, bekendmaken dat een informant uit het dorp zojuist heeft gemeld dat er een aanval op het fort ophanden is.

Het fort ontruimen is onmogelijk, aangezien alle uitgaande wegen geblokkeerd zijn. Buiten de muren hebben de inwoners van een half dozijn dorpen uit de omgeving zich verzameld en heeft zich een ononderbroken kring van flikkerende bajonetten rond de voet van de heuvel gevormd.

Aan de hemel hangt een overdaagse maan van witte as.

Mikal voelt het volle gewicht van de oorlog op hen neerkomen, terwijl zij over niets anders dan hun eigen lichaam en hun eigen wezen beschikken om het af te weren. Hij heeft de reservekogels voor zijn Beretta nodig en moet daarom zijn rugzak zien te vinden. Hij vraagt overal en gaat bijna op een holletje van hot naar haar. In de jaren tachtig werd het fort door Russische soldaten gebruikt voor het knevelen en martelen van de bevolking, en op verscheidene muren staan Russische woorden gekalkt. Gisteren heeft iemand Mikal verteld dat er ergens in een ondergrondse kerker een skelet aan de muur ligt geketend, waardoor hij moest denken aan zijn vader in fort Lahore.

'Je vriend Jeo vroeg daarnet ook al naar je rugzak,' zegt een man die bezig is de deur open te maken van het tuighuis dat Mikal de vorige avond heeft gezien. De wapens worden alras onder een moerbeiboom op een hoop gegooid, met bossen tegelijk worden ze aangesleept, zodat ze een breed zigzagspoor achterlaten in het stof. Hij blijft een paar minuten staan kijken terwijl hij zijn gedachten probeert te ordenen. Wanneer hij zich vervolgens verder haast herinnert hij zich hoe hij eens een soort van adderspoor heeft gevolgd dat een heilige man, een rondreizende fakir, op straat had achtergelaten. Mikal was een jaar of acht en had iemand horen zeggen dat de heilige man enigszins op zijn vader leek, met zijn droevige, wijze leeuwenkop. Bij wijze van boetedoening voor een ernstige misstap in het verleden liep de bedelmonnik door heel Pakistan met zware ijzeren ketenen die om zijn lichaam gewonden waren, in lussen neerhingen van zijn hals en polsen, en van zijn enkels achter hem aansleepten. Mikal was eropuit getrokken om hem te zoeken. Hij had het spoor kilometers lang gevolgd, maar had de man niet kunnen vinden. Het was de eerste keer dat hij zo ver van huis was gedwaald, en Basie en zijn moeder hadden zich dan ook geen raad geweten, thuis in de beschilderde kamers.

'De helft van deze jongens is niet militair geschoold,' zegt Mikal tegen de talibanleider. 'Ze kunnen maar beter uit de vuurlinie blijven.'

'Dat mag dan beter voor hen zijn, voor onze zaak is het dat niet,' zegt de man. 'Iedereen moet vechten.' Om er op besliste toon aan toe te voegen: 'Ook dit is in Allahs plannen inbegrepen.'

Zijn geest vermag niet in te zien welke hogere bedoelingen er zouden kunnen schuilgaan achter wat dan ook van dit oord, een plek die des te onherbergzamer is omdat hij ver verwijderd is van de werkelijke wereld, en een koud en kaal grensgebied van het leven vormt.

Uit de onder de moerbeiboom liggende hoop wapens, waarvan de zon de kilte uit de verschillende metalen heeft verdreven en waarop een vlinder is gaan zitten om de warmte van een trekkerbeugel in zich op te nemen, pakt hij twee machinepistolen en gaat op zoek naar Jeo. Moerbeibladeren, met hun uit tal van onverwachte krommingen bestaande contouren, heeft hij altijd al willen tekenen. Geen wonder dat Jeo's moeder de verleiding om ze te schilderen nooit heeft kunnen weerstaan.

In de slaapzaal legt hij een van de wapens op de grond en onderzoekt het andere. Hij kijkt op wanneer Jeo in de deuropening verschijnt.

'Pak op,' zegt hij, naar de pistoolmitrailleur aan zijn voeten wijzend. 'Ik zorg er wel voor dat je hem niet hoeft te gebruiken. Ik zal echt doen wat ik kan. Maar voor het geval je niets anders overblijft, wil ik dat je weet wat je moet doen.'

Buiten hoort hij jongens 'Allah is groot!' schreeuwen.

Jeo blijft staan waar hij staat en staart hem vanuit de deuropening aan. In zijn linkervuist houdt hij een half verfrommeld stuk papier.

Mikal loopt met het machinepistool voor zich uit naar hem toe. 'Je moet een schutter onder zijn neus proberen te raken. Dan gaat de kogel namelijk dwars door het hoofd en vernietigt hij de hersenstam. Daardoor raakt zijn hand meteen verlamd zodat hij de trekker niet meer kan overhalen, zelfs niet in een reflex.' Toen ze twaalf waren hadden ze in eendrachtige samenwerking een computer gemaakt. Hij sluit Jeo's vingers om het wapen. 'Hou je rechterhand hier...'

Er valt een druppel water op zijn pols, en als hij verbaasd opkijkt ziet hij dat Jeo's ogen vervuld zijn van een vreemd licht.

'Mijn vader...' zegt Jeo.

'Hè?'

Jeo steekt de hand waarin hij het papier houdt omhoog en Mikal ziet dat het een van Naheeds brieven is.

'Mijn vader...' zegt Jeo nog eens, terwijl hij ook de andere uit zijn zak haalt.

'Die brieven zijn oud, Jeo. Van voor dat jullie trouwden. Kijk maar naar de dateringen.'

Maar Jeo heeft andere gedachten. 'Mijn vader...' Hij staat te trillen op zijn benen en zijn ademhaling gaat gejaagd, wanneer hij Mikal met ware doodsangst in de ogen aankijkt. 'Heeft mijn vader de dood van mijn moeder op zijn geweten?' Hij bladert snel door de brieven. 'Hier staat...' Hij kan de brief die hij zoekt niet zo snel vinden en laat ze dan allemaal tegelijk los zodat ze, terwijl hij ernaar kijkt, op de grond vallen, en vraagt dan met smekende stem: 'Heeft mijn vader mijn moeder vermoord?'

Mikal schudt van nee. 'Zo is het niet gegaan.'

Jeo ligt nu op zijn knieën tussen de in het rond liggende brieven. Hij duwt sommige opzij om andere tevoorschijn te halen, leest losse flarden en kijkt aan beide kanten van het papier.

'Ze lag op sterven en hij wilde niet dat ze voor eeuwig verdoemd zou zijn. Hij onthield haar haar medicijnen in de hoop dat ze haar twijfels zou opgeven, om haar te dwingen het geloof in Allah opnieuw te omhelzen voor het te laat was. Sommigen zeggen dat ze toen een hartaanval heeft gekregen... Want toen ze ineens geen medicijnen meer kreeg...' Hij brengt zijn hand naar zijn voorhoofd. 'Waarom heb je ze in godsnaam gelezen?'

Hij doet een stap in Jeo's richting, maar Jeo grauwt hem met gesmoorde stem toe: 'Blijf uit mijn buurt.'

Mikal blijft staan.

'Naheed.' Jeo laat de brieven vallen. Op een ervan zitten als vlekken op het blad zeven kleurige bloemen geplakt. Ze had ze speciaal in Rohans tuin geplukt, zonder te weten dat ze binnen luttele maanden met Jeo zou trouwen.

'Ze houdt van jou,' zegt Mikal.

Jeo staat op en duwt hem met geweld tegen de muur. 'Hoe weet jij dat?' Door de klap is Mikal even buiten adem, zijn hoofd slaat tegen de blauwe verf en Jeo heeft nu het vuurwapen opgepakt en kijkt of hij ermee kan omgaan, terwijl hij het op Mikal gericht houdt. Het wapen kan vierhonderd kogels per minuut afvuren, en gaat uiteindelijk af wanneer Jeo's vinger twee, drie tellen tegen de trekker duwt, lang genoeg om dertig kogels af te vuren, waardoor uit de muur achter Mikal een kromme rij splinters geschoten wordt.

Even is Mikals wild kloppende hart het enige referentiepunt in het vormeloze duister dat zijn ogen vult. De lege patronen vallen als een rammelende ketting op de grond. Je hebt de bedelmonnik gezegd dat hij om jouwentwille een schakel aan de ketenen om zijn lijf moet toevoegen, een schakel die een verlangen van jou vertegenwoordigt, een speciale wens. En terwijl hij zo door het land trok, bad hij dat je verlangen vervuld zou worden. Zodra dat gebeurde, verdween de schakel wonderbaarlijk genoeg van het lijf van de fakir, en werd de keten korter. Voor hem was dat het bewijs dat Allah hem genadiglijk had aangezien en zijn last enigszins had verlicht, dat hem een klein deel van zijn schuld was vergeven.

En nu horen Mikal en Jeo allebei wat zij tot dusver niet hebben gehoord, dat er op de toegangspoort van het fort granaten worden afgevuurd. Ze horen hoe het hout van de poort versplintert en het begeeft.

Even is het volkomen stil, daarna stormen meer dan duizend aanvallers door de rook en het stof het fort in. Ze schieten hun wapens leeg en worden beschoten, en kussen hun wapen voor zij de trekker overhalen. Beide partijen roepen de naam van Allah. Elke keer dat er vanuit een onverwachte richting rumoer opklinkt, slaat de paniek toe als in een school vissen. Geluid uit de monden van mensen en uit vuurmonden. In de vorm van kreten en in de vorm van het gefluit van kogels, alsof de mannen tegen de wapens schreeuwen en de wapens terugschreeuwen. Mikal weet dat ze binnen vijf minuten hier in de slaapzaal zullen zijn. 'Denk erom,' houdt hij zichzelf voor. 'Korte, gecontroleerde vuurstoten.' Hij draait zich om naar de plek waar hij Jeo, een tel of een heel leven geleden, het laatst heeft gezien.

Even staat Jeo roerloos stil, dan begint hij Naheeds brieven bijeen te rapen. Vervolgens loopt hij rustig door de zaal en legt ze ergens in een nis.

Zes talibanstrijders stormen de slaapzaal binnen en vergrendelen de deur aan de binnenzijde. Acht mensen en hun noodlot. 'Niemand van jullie mag sterven voordat hij twintig vijanden heeft gedood,' zegt een van hen. Het is de chauffeur die hen hierheen heeft gebracht, de eigenaar van de leren, met Saoedische muntjes verzwaarde zweep.

Mikal kruipt naar het raam en heft zijn hoofd om naar buiten te kijken. Zalen, vrachtwagens en bomen staan in lichterlaaie, evenals de vergulde koepel van de moskee. Het gevecht woedt in onvoorstelbare hevigheid, honderden wapens die tegelijkertijd worden afgevuurd. De aanvallers rukken op en rekenen genadeloos af met iedereen die ze tegenkomen. Ze hadden verwacht meer talibanleden in het fort te zullen aantreffen en richten – teleurgesteld over het geringe aantal mannen – al hun woede en geweld, en alle voor meerdere mannen bedoelde kogels nu steeds op één persoon. Elke man sterft tien, twintig, dertig doden.

Iemand probeert de deur in te trappen, het hout bezwijkt bijna onder het geweld. En de hele tijd schreeuwt iemand het buiten uit van de pijn. 'Help me toch, laat iemand me helpen, laat iemand me alsjeblieft helpen.'

Een van de andere kant van de binnenplaats afgevuurde granaat dringt voor de helft door de muur van de slaapzaal, maar gaat niet af. Het ding blijft daar steken en begint te trillen. Gruis en pleisterkalk vallen op de grond en op de man die er recht onder staat. Hij, Mikal en Jeo, en alle anderen, kijken een paar tellen lang naar de granaat, verrukt, gefascineerd. Alles is teruggebracht tot angstige verwondering. De granaat had moeten ontploffen maar kan dat niet omdat de muur hem dat belet. In plaats daarvan vliegt hij in brand en drijft met doordringend gefluit een magnifieke vlam van vloeibaar staal recht in de borst van de man eronder. De tors van de man smelt, wordt verteerd, en wat er van hem rest valt achterover terwijl de oogverblindende rode en witte lava op hem neer blijft stromen en het schelle geluid tegen de muren weerkaatst.

Er volgt een tweede granaat, die ook blijft steken in de muur, vlak boven Jeo en Mikal, en ook gaat trillen, maar zonder dat hij geluid maakt. Enkel een zacht gezoem, het geluid van een boven elke illusie verheven voldongen feit. Mikal doorbreekt zijn staat van verlamming en sleurt Jeo mee eronder vandaan. Omdat er al een tijdje niet meer tegen de deur is getrapt doet Jeo hem open en kijkt naar buiten terwijl Mikal Naheeds brieven wil pakken. Ineens spuit het bloed onder uit Mikals hals, en als Jeo omkijkt ziet hij hem neervallen. Buiten staat de gang vol rook, en de jonge vrouw die daaruit op Jeo af rent heeft een woeste blik in haar ogen, ze lijkt buiten zinnen en straalt een enorme kracht uit. Wanneer heeft hij voor het laatst een vrouw gezien? De punt van de dertig centimeter lange dolk dringt Jeo's gezicht binnen door zijn linkerwang, dwars door de opening tussen zijn onder- en bovenkaak. Het scherpe metaal doorklieft zijn verhemelte tot aan zijn hersenen. Het lemmet schraapt langs het bot van zijn schedel dat erdoor versplinterd wordt, en meteen daarna nog eens als ze het mes weer naar buiten trekt. Beide keren hoort hij het schuurgeluid, vanbinnen, tussen zijn oren. De pijn is van een orde die hij zich nooit had kunnen voorstellen. 'Dit is voor wat jullie mijn man hebben aangedaan,' zegt ze, gewapend met de wraakzucht van de liefde. Een deel van hem merkt op hoe mooi de vrouw is, registreert de bloemen op haar jurk. Hij is met zijn gezicht opzij op de grond gevallen, en hij ziet Mikal aan de andere kant van de zaal liggen. Het rood stroomt uit zijn mond alsof het iets is wat hij zegt, zijn laatste woorden.

Wat is het toch eenvoudig om geesten te scheppen, denkt hij, wanneer de dood een minuut later zijn intrede doet en hij de ene na de andere kamer van zijn geest voelt dichtgaan, al die kamers waarin de herinnering aan Naheed besloten lag. En ondanks alles betekent het veel dat hij heeft liefgehad. Vlak voordat de wereld verdwijnt komt de hoop in hem op dat dit niet per se alles is geweest, en dat hij op de een of andere manier zal terugkomen.

Zijn arm gaat omhoog, alsof die zich weer herinnert dat hij ooit een vleugel is geweest.

8

'Nacht' was het woord waarmee de lange periode waarin Mohammed geen openbaringen van Allah kreeg, werd aangeduid.

Naheed ligt wakker in het huis van haar moeder en staart in het duister. Vijf dagen geleden heeft Rohan gebeld uit Pesjawar om te zeggen dat Jeo en Mikal naar Afghanistan waren verdwenen. Basie en diens vrouw, Jeo's zuster Yasmin, waren onmiddellijk naar Pesjawar afgereisd om zich bij Rohan te voegen. Ze zijn daar nog steeds druk aan het zoeken, en bellen iedere avond naar Heer, maar ze hebben geen nieuws.

De wekker gaat om haar moeder, Tara, te wekken voor het ochtendgebed. Op de door de aan de minaret opgehangen luidsprekers versterkte oproep tot gebed kun je geen staat maken, want soms is er geen stroom. Daarom zet Tara altijd bij wijze van voorzorg de wekker.

Maar deze keer slaapt Tara door. Dat gebeurt wel vaker, met name wanneer zij tot diep in de nacht over haar naaimachine gebogen heeft gezeten, in de weer met haar naaiwerk.

Naheed gaat haar niet wakker maken. Dan slaat ze maar een keer een gebed over. Allah heeft daar alle begrip voor. Soms staat Naheed zelfs midden in de nacht op om de wekker uit te zetten, zodat die niet zal afgaan. Laat haar maar uitrusten.

Naheed gaat overeind zitten. Ze wou dat ze in de kamer lag waar ze met Jeo slaapt. Er zit een hele reeks kleine littekentjes op de plek waar haar glazen armbanden tijdens de huwelijksnacht per ongeluk zijn gebroken tegen zijn borst. Waar de huid van een mannenlijf zacht is, is hij zachter dan welk plekje ook van het lichaam van een vrouw. Dat had ze ontdekt door Jeo aan te raken.

Ze vraagt aan de engel die zich ontfermt over het vijfde uur van de nacht of hij haar wil beschermen en stapt uit bed, het duister in. Vanaf het balkon kijkt ze omlaag, omdat ze beneden, waar de eigenaar van het gebouw, Sharif Sharif, zijn rituele wassing uitvoert, water hoort spetteren. Naheed is opgegroeid in deze kamer op de eerste verdieping, die Tara van hem huurt, en waar het 's winters ijskoud is en 's zomers ondraaglijk heet.

Ze daalt stilletjes de trap af, haar hand alvast uitgestoken om de klink van de voordeur op te lichten.

'Waar ga jij zo vroeg naartoe?'

Ze draait zich niet om. 'Ik moet naar het andere huis om iets te halen.'

'Zo vroeg al?' vraagt hij achter haar. 'Wacht, dan kom ik met je mee.'

'Dat is niet nodig, het is maar een paar minuten lopen.'

Het grote lijf van Sharif Sharif, met armen en schouders zo sterk als die van een grafdelver, staat strak van de animale levensdrift, recht en zelfverzekerd van houding. Vanaf dat Naheed een tiener was had hij zich ten opzichte van haar steeds ongepaster gedragen. Vorig jaar was hij op een keer naar boven gekomen met een boek, en had hij haar gevraagd of zij de betekenis wist van het Engelse woord dat hij had onderstreept. Toen Tara terugkwam van het boodschappen doen, had Naheed haar over het voorval verteld. Tara was kalm gebleven, maar het was duidelijk dat ze bang was. Nadat zij urenlang over de zaak had nagedacht was Tara naar Rohan gegaan, die, zonder dat Naheed daar iets van wist, enkele jaren daarvoor had toegezegd dat Naheed zijn schoondochter zou worden. 'Ik ben te oud en te zwak om nog langer voor haar te zorgen,' had Tara gezegd. 'Ze is achttien, een volwassen vrouw, en ze behoort jou toe. Ik smeek je, doe iets.' Haar hevige ongerustheid had tot gevolg dat Jeo en Naheed nog geen twee weken later getrouwd waren en dat Naheed vertrok en bij Rohan in huis ging wonen.

Ze is er niet zeker van of ze gevolgd wordt. Het zou het geluid van haar eigen voetstappen kunnen zijn dat in de stilte anders klinkt en hoorbaarder is dan overdag. Ze versnelt haar pas, maar als ze bij het omslaan van de volgende hoek achteromkijkt is ze ervan overtuigd dat ze een paar meter achter zich in het schemerduister iemand ziet lopen. Ze weerstaat de verleiding om het op een hollen te zetten, met haar sluier wapperend achter haar hoofd, en loopt langs de winkel waar djinns naar verluidt in het holst van de nacht wierookstokjes en reukwater komen kopen. De hoop komt in haar op dat de nachtwaker hier in zijn wijk aan zijn laatste rondes bezig is. Het Engelse woord dat Sharif Sharif had onderstreept was *nude*.

De lucht is koud en blauw, en in het maanlicht lijkt de straat wit als zout. Als ze het hangslot aan het hek naar Rohans tuin openmaakt, duikt er ineens een grijze saloeki op die haar vanaf de andere kant van de straat blijft staan opnemen. Het dier houdt zijn kop schuin, en dan verschijnt er mogelijk een man die achter het beest gaat staan, maar als ze even later opnieuw kijkt zijn ze beide verdwenen. Om haar heen nestelt het duister zich in nog dieper duister. Ze loopt de tuin door, over paden die zich splitsen, met een bocht terugkomen, in alle richtingen verdwijnen, onder deinende schaduwen, en boven haar is er beweging en klinken er geluiden, maar dat zouden vogels kunnen zijn die vastzitten in een strik. De vogelaflaatkramer had gezegd terug te zullen komen, maar heeft dat niet gedaan. De eerste vogels moeten gevangen zijn op de dag dat Jeo vertrok, dus die zijn inmiddels allang dood.

Ze vergrendelt de deur van de slaapkamer. Ze buigt zich dichter naar de vensterruit en kijkt naar de tuin, naar de paden die 's nachts naar de sterrenstelsels in de vijver leiden, of naar de gebroken weerspiegeling van de maan als er een maan is. De saloeki steekt de betegelde vloer van de veranda over, blijft staan en kijkt haar kant op. Ze blijft stokstijf staan en weet zich niet te herinneren of honden goed in het donker kunnen zien of niet. Het beest loopt verder, maar ze weet niet zeker of ze hem niet zo nu en dan hoort grommen, en of ze niet met tussenpozen vlak buiten de kamer menselijke voetstappen hoort.

De zon is opgekomen en ze loopt met een stoel door de tuin. Ze zet hem onder de grote Perzische sering, tegen de stam die zo verwrongen is dat het lijkt alsof hij met een onzichtbare kracht aan het worstelen is. Ze gaat op de stoel staan en kijkt op naar de bladeren boven haar die in het vroege ochtendlicht zelf licht lijken te geven. Met een schaar tussen haar tanden geklemd reikt ze omhoog en begint te klimmen, met haar voetzolen tegen de ruwe bast gedrukt terwijl ze zich met behulp van kwastgaten en takken verder optrekt, takken die zo dik zijn als mannenarmen, waardoor ze het gevoel krijgt steeds een zetje mee te krijgen. Er klinkt massaal vogelgekwetter, maar ze kan op geen enkele manier uitmaken welk gekweel afkomstig is van vrije vogels, die vol verrukking reageren op het aanbreken van de dag, en welk afkomstig is van gevangen vogels, die hun nood uitkrijsen. En hoeveel liederen ontbreken er in het koor dat ze hoort? Ze heeft geen idee.

Hoger klimt ze in dit machtige, zuchtende organisme. Als ze, eenmaal binnengedrongen in het gebladerte, om zich heen kijkt, beseft ze pas goed hoe groot het is en ziet ze overal om zich heen de tientallen gevangen vogels. Sommige hangen ondersteboven aan hun klauwtjes, aan hun vleugels, of met een strop om hun hals. Van verscheidene vogels zijn de stralende oogjes dof geworden en insecten zwermen over hun lichaampjes, mieren die hun geopende snavels binnengaan of onder de vleugels verdwijnen. Maar andere hebben de strijd nog niet opgegeven. Een wielewaal slaat met zijn vleugels als een door de wind aangewakkerd vuur. Een paar andere bewegen niet meer maar komen in verzet wanneer ze haar voelen naderen. In haar oren klinkt het gezoem van vliegen.

In een vlaag van waanzin probeert ze te fluiten, omdat ze denkt dat het de diertjes die door haar aanwezigheid in paniek zijn geraakt zal kalmeren, door ze te laten geloven dat zij een van hen is, maar haar moeder vond altijd dat fluiten iets voor losbollen was en had het streng afgekeurd, zodat ze er nu niet in slaagt een passend geluid voort te brengen.

Nu ze haar evenwicht in de zelden roerloze zee van bladeren heeft gevonden leunt ze met de schaar in de hand naar voren en knipt een draad door zodat de groene bijeneter, die langzaam aan een klauwtje ronddraaide, in haar andere hand valt. Ze blaast zachtjes over het diertje en ziet hoe teer het is, hoe klein. Ze zet het op een tak en haalt langzaam haar hand weg. Even blijft het vogeltje in elkaar gedoken zitten, maar wanneer het van de tak valt en tien meter lager op de grond terechtkomt slaakt ze een kreetje, en door de schrikbeweging die ze maakt, raakt ze met haar hoofd een draad aan, waarop er een strik ontstaat die zich rond een haarsliert van haarzelf sluit. Als ze zich uit de strik probeert te bevrijden stort er een grote reiger door het gebladerte wiens zandgele snavel als een gevelde speer naar haar stoot. Ze ziet hoe de strik zich rond zijn hals sluit en voelt de wind van zijn spookwitte vleugels langs haar gezicht strijken.

Hoe dichter ze bij het dier komt, hoe harder het probeert los te komen, zodat de strik nog strakker wordt aangehaald en er bloed opwelt dat met een plop op de bladeren eronder valt. Zo snel als ze kan snijdt ze het vlechtwerk van draden stuk en doet daarbij alsof ze de zwarte gier met een scherpe snavel zo groot als haar pols niet ziet. Gieren kunnen hele botten verslinden, weet ze. Het dier is gekomen om de dode vogels te verorberen, en in zijn ogen roert zich de kennis van een andere wereld.

Met de zwaar bebloede reiger onder haar arm tegen zich aan gedrukt begint ze aan de klim naar beneden, zich opeens bewust van het feit dat ze al een tijdje geklop op de tuinpoort hoort, terwijl ze tegelijkertijd beseft dat het gezoem van vliegen een paar minuten geleden is opgehouden, alsof de insecten naar elders zijn vertrokken.

'Is dit het huis van Rohan-sahib?' vraagt de man wanneer ze de poort opent.

Boeraq, het gevleugelde paard met het vrouwenhoofd dat Mohammed vanaf de minaret in Jeruzalem naar het paradijs bracht, is afgebeeld op de zijkant van de vrachtwagen die achter hem geparkeerd staat. Het vliegt door een regen van rozen.

'Ja. Maar hij is er niet,' zegt ze. 'Komt u ons nog meer boeken brengen?'

'Boeken? Nee, ik heb het lijk van zijn zoon in mijn wagen.' Hij kijkt naar het stuk papier dat hij in zijn hand houdt. 'Hier staat dat hij Jeo heet.'

De reiger valt op de grond en doet geen pogingen om overeind te komen. De bloedende hals van het dier ontspant zich langzaam op de grond. De man zegt iets en wijst naar de achterkant van zijn wagen, waarvan de achterklep omlaag is gedaan, zodat twee andere mannen een lichaam dat op een brancard ligt eruit kunnen tillen. Het is in een wit laken gewikkeld.

Naheed kijkt naar links en naar rechts. Het is een doodgewone ochtend. Vanaf de andere kant van de straat komt uit een open deur het geluid van een radio. Daar luistert een vrouw onder het huishoudelijk werk naar muziek. Natuurlijk komt de vrouw met een druipende schrobber naar de deur, waar ze blijft staan kijken hoe het lijk naar Naheed toe wordt gedragen. Dan brengt ze haar hand naar haar mond, loopt naar binnen en zet de muziek uit. Waarmee de ramp die Naheed heeft getroffen wordt bevestigd. Twee gieren die op het dak van het buurhuis zitten houden Naheed angstvallig in het oog, terwijl een derde gier, die op de vrachtwagen zit, zijn kop optilt.

Het lijk komt nader. Het hemd dat zij voor Jeo had gemaakt ligt boven op het witte laken. De grijze stof van het hemd is doordrenkt met bloed en er zwermen vliegen omheen. Haar handen grijpen in de lucht en krijgen ten slotte de frangipaneboom te pakken, waarvan prompt de broze tak afknapt, waaruit vervolgens dikke witte melk begint te sijpelen, in dikke druppels die elkaar uitzonderlijk snel opvolgen.

Ze deinst een paar stappen achteruit wanneer de mannen de poort wijd openzetten en ze ziet de verbaasde uitdrukking op hun gezicht wanneer zij omhoog naar het gebladerte kijken en daar de gevangen vogels zien die wild zitten te klapwieken alsof zij bezig zijn te verdrinken, terwijl veertjes van allerlei kleur langzaam omlaag dwarrelen. Ze zetten de brancard voor haar neer, naast de versufte reiger, tillen het witte laken op en vouwen de lijkwade eronder open, zodat het opgezwollen, kapotgestoken, met bloed besmeurde gezicht van Jeo zichtbaar wordt dat zij moet identificeren.

Tara zoekt in haar mandje met restjes afgeknipte stof. Een meisje dat bij Rohan in de straat woont is komen vragen of ze lapjes over heeft om er jurkjes voor haar poppen van te maken.

Toen Tara wakker was geworden, was Naheeds bed leeg, en dus wist ze dat haar dochter waarschijnlijk naar het huis was gegaan om de vogelaflaatkramer op te wachten. Tara had zich verslapen en daardoor haar ochtendgebed verzaakt. Een gebed verzaken is een zonde, maar vanmiddag mag ze het vergoedingsgebed *qaza* doen. Allah kent de menselijke zwakheid door en door en heeft in dit soort gevallen voorzien.

'Waarom huilt u?' vraagt het meisje.

'Ik huil niet.'

'Jawel, u huilt wel. Dat zie ik toch.'

'Omdat er oorlog is.'

Ze schrok op uit haar gedachten aan Jeo en diens besluit om naar Afghanistan te gaan. Ze heeft zich afgevraagd of Mikal soms verantwoordelijk is voor deze ingrijpende lotswending, Mikal die hier luttele dagen voordat het meisje met Jeo zou gaan trouwen Tara de hand van Naheed was komen vragen. Heeft hij Jeo nu meegenomen naar Afghanistan om hem daar te laten sneuvelen? Maar nee, ze mag zich niet overgeven aan dergelijke gedachten. Allah kan Jeo ieder moment volkomen ongedeerd naar huis brengen. En aangezien Allah kwaadsprekerij ten strengste afkeurt mag zij niets over Mikal zeggen of denken voor ze alle feiten kent.

In de knieën van haar broek zitten allemaal kleine kreukeltjes vanwege alle extra gebeden die ze de afgelopen vijf dagen heeft gezegd om Allah te vragen of Hij Jeo in het oorlogsgebied wil behoeden. Maar ze kan haar angsten niet volledig van zich af zetten omdat 2001 is begonnen op een maandag, wat volgens de almanakken een teken was dat de zwakken het de daaropvolgende twaalf maanden zwaar te verduren zouden krijgen onder de handen van de sterken en bruten.

Ze geeft de lapjes stof aan het meisje, dat verrukt is van de bonte kleuren, de lusthof aan bloemenprintjes, en de geometrische figuren.

'Voortaan niet meer zo vroeg hierheen komen, hoor,' zegt Tara tegen het meisje als het weggaat.

'Er staan een hele hoop mensen vlak bij ons huis,' zegt het meisje. 'Ik denk dat er iemand gaat trouwen. Ik ben eerst gaan kijken en toen naar uw huis gegaan.'

Tara vult een kom met water, dat ze vervolgens over het hennastruikje sprenkelt dat in een gebarsten pot op het dakterras groeit.

Ze dacht dat ze met een krankzinnige van doen had toen Mikal hier was verschenen en had gezegd dat hij van Naheed hield. Het onrechtvaardige van de zaak had haar bijna tot tranen gebracht, net toen ze meende dat ze haar dochter veilig buiten bereik van Sharif Sharif had gebracht. Ze kende Mikal uiteraard en wist van zijn problematische verleden, van alle keren dat hij verdwenen was, en ze had Jeo en hem samen gezien in Rohans huis.

'Je begrijpt toch zeker wel dat ik, als haar moeder, nooit kan toestaan dat Naheed met jou trouwt,' had ze gezegd. 'Jij zult haar nooit een betere toekomst kunnen bieden dan een arts.'

Hij had gezegd dat hij alles aan Jeo en Rohan zou vertellen en ervoor zou zorgen dat de bruiloft niet doorging, met een gedreven blik in zijn ogen onder zijn wenkbrauwen die in elkaar doorliepen, zodat het leek of zijn oogopslag door een of ander duister geheim werd belast.

'Wij houden van elkaar.'

'Wil je Jeo zo voor alles terugbetalen, door hem van zijn bruid te beroven? De jongen wiens vader je liefdevol in zijn gezin heeft opgenomen?' Bij die woorden had hij verslagen gekeken, maar ze was doorgegaan, want haar angsten en zorgen waren te groot. 'Je mag Jeo niet verloochenen.'

'Maar ik kan Naheed ook niet verloochenen.'

'Waar zou je in godsnaam met haar willen wonen? In dat kamertje dat je naar horen zeggen huurt in die vieze herriebuurt van jou?'

'Er mankeert niets aan de buurt waar ik woon,' had hij kalm gezegd. 'Mijn ouders hebben daar ook gewoond.'

Alsof de geschiedenis van zijn ouders haar soms niet beangstigde. Zijn vader was spoorloos verdwenen nadat hij een revolutie had willen ontketenen waardoor God zou worden afgeschaft, en zijn moeder had eindeloos geprobeerd te achterhalen waar hij was gebleven, om telkens weer afgepoeierd te worden door politiemensen en functionarissen van wie ze had gemeend antwoord op haar vragen te kunnen krijgen.

Tara had dat tegen hem gezegd en hij was volkomen verstard, bijna alsof hij staande dood was gegaan. Zonder het te beseffen had de onfortuinlijke jongeman haar de gelegenheid geboden alle eenzaamheid en lijden uit haar eigen leven de vrije loop te laten.

'Zelfs als zij ook van jou houdt, zou je het voor haar over moeten hebben haar nooit meer te zien. Ze zal een beter leven hebben met Jeo.'

Ze had Allah beloofd vijfhonderd dankgebeden te zullen zeggen wanneer het huwelijk zou doorgaan zoals voorzien. En ze had het spoor gevolgd van de geketende bedelmonnik die door de straten van Heer was getrokken en had hem gevraagd een schakel aan zijn ketenen toe te voegen, te weten haar wens dat Naheed gelukkig zou worden en Mikal voorgoed van het toneel zou verdwijnen.

En die wens was ingewilligd, dus de schakel zou wel van het lichaam van de bedelmonnik zijn verdwenen.

En terwijl ze de hennaplant water geeft houdt ze zichzelf voor dat ze haar vertrouwen weer op Allah moet stellen.

Uit de luidspreker van de moskee klinkt het geluid dat aan een afkondiging voorafgaat en de imam schraapt zijn keel. Tara spitst haar oren. Dit is geen tijdstip waarop wordt opgeroepen tot gebed, dus het moet om een speciale bekendmaking gaan, en die gaan meestal over een sterfgeval in de buurt, of over een zoekgeraakt kind. Ze moet denken aan het meisje dat net met haar restjes stof de deur is uitgelopen.

'Heren, luister naar de volgende bekendmaking...'

Soms mompelt Naheed wanneer ze dat hoort bij zichzelf: 'En wij dames dan?' wat haar een vermanende blik oplevert van Tara, die geen woord van kritiek op de moskee kan velen. De man maakt bekend dat Jeo, de zoon van Rohan-sahib, het voormalige hoofd van Geestrijk Vuur, is overleden, dat zijn lijk thuis ligt opgebaard en dat de begrafenis zal plaatsvinden na het middaggebed. De woorden komen aan als een mokerslag, maar secondenlang dringt de betekenis ervan niet tot haar door. Ze voelt de pijn in haar hoofd en borst maar weet er geen weg mee als ze langzaam de trap afdaalt en de deur uit gaat.

Wanneer ze in de buurt komt van Rohans huis, waar zich inderdaad zoals het meisje heeft gezegd een menigte heeft verzameld, is het alsof de grond onder haar voeten wegzinkt. Ze baant zich een weg door de menigte en loopt de tuin in. Ze weet waar ze Naheed kan vinden, aan het hoofdeinde van het lijk, maar er is geen lijk en er is geen Naheed.

Ze raakt het gezicht aan. Dat is verminkt, maar het is wel zijn gezicht. In zijn wang zit een snee, waaromheen het vlees is opgezwollen en het bloed onderhuids in donkere kleuren is gestold, zodat hij onherkenbaar zou zijn geweest als ze hem niet door en door had gekend. Het moedervlekje achter op zijn oor waarvan hij zelf niet eens wist dat het er zat. Vanaf het moment dat ze hadden ontdekt dat zij zich hier met hem heeft opgesloten, hebben vrouwen op de deur staan bonzen, maar ze doet alsof ze hen niet hoort en kijkt nu diep in zijn ogen die openstaan en die haar op hun beurt vanuit het geruïneerde porselein aankijken. Voorzichtig ontdoet ze hem geheel van de wade. Over zijn hele lichaam zitten steek- en kogelwonden, en ze stelt zich voor hoe hij het bij elk van deze verwondingen heeft uitgeschreeuwd toen ze hem werden toegebracht. Zijn buik is met twee overdwarse halen opengesneden, zo diep dat ook de ingewanden zijn doorgesneden. De bloeduitstortingen zijn zo fel van kleur dat ze meent bloed aan haar vingers te zullen krijgen, maar ze geven niet af, het is alsof ze aan de achterkant van de huid geschilderd zijn. Ze raakt de mond aan, een paarse vlek vol stroperig plasma en klonters bloed, waarvan lippen en tong samenkwamen om een woord te vormen of een kus, en ze buigt zich ernaartoe om de dode lucht in de neusgaten op te snuiven en ze ruikt aan het gescheurde hemd, een koude, mottige geur. Normaal gesproken zou het lichaam worden weggehaald om in de moskee te worden gewassen, waarna het geurend naar etherische olie en kamferextract zou worden teruggebracht, maar ze heeft daarstraks iemand horen zeggen dat hij niet gebaad mag worden, dat een martelaar begraven wordt met het bloed van de strijd nog aan zijn leden.

Met een pen gedoopt in een inktpot met eigen bloed heeft de geestelijke van de nabijgelegen moskee meer dan tien jaar lang de Koran zitten kopiëren in een blanco boek, met de bedoeling het heilige boek in zijn geheel te voltooien met zijn eigen lichaamsvocht. Maar een enkele keer, wanneer hij opgetogen is over een vrome daad van een kind, staat de geestelijke dat kind toe een druppeltje rood uit zijn vingertopje te offeren. Als jongetje was Jeo er trots op geweest dat hem was gevraagd een bijdrage te leveren, een paar puntjes in de naam van de profeet Ayoub.

Ze wikkelt de wade weer zorgvuldig om het lijk en bedekt het met het laken. Daarna loopt ze naar de deur om de mensen binnen te laten.

Niemand kan ook maar iets veranderen aan het feit dat hij dood is. Zelfs God kan het verleden niet ongedaan maken.

Tegen het vallen van de avond is vrijwel iedereen verdwenen, slechts een paar mannen hangen nog wat rond voor het huis, op de veranda zoekt iemand naar een kinderschoentje dat kwijt is geraakt, en in de keuken zijn een paar vrouwen bezig borden af te wassen en weg te zetten, waarna ook zij vertrekken. Naar Pesjawar zijn berichten gestuurd voor Rohan, Yasmin en Basie, maar zij kunnen niet getraceerd worden. Afgaande op geruchten zijn ze naar nabijgelegen stadjes getrokken om Jeo en Mikal te zoeken.

De vrouwen uit de buurt hadden in huis het heft in handen genomen, de taken verdeeld, bloemen van de klimplanten geplukt om daarmee het lijk en later het graf te bedekken, en jonge mannen de bomen in gestuurd om de strikken weg te halen. De vrouwen omringen Tara en Naheed en trachten hen te troosten door stuk voor stuk te vertellen over de laatste keer dat ze Jeo zagen of herinneringen op te halen aan de blijken van zijn intelligentie en vriendelijke aard, of aan momenten van hun trouwdag.

Naheed doolt door het grote huis. Het is tien uur, en kaarslicht is het enige beschikbare licht nu er geen stroom is. Met enkel een flakkerende kaars loopt ze door de donkere gang naar het Cordobahuis, blijft dan staan en zoekt steun tegen de muur, zodat het kaarsvet op haar voeten druipt. Aan de muur hangt een schilderij waarop Jeo staat afgebeeld, waar ze met een vragende blik naar blijft kijken. De drie mannen die het lijk hebben afgeleverd hadden maar weinig informatie. Ze zeiden alleen dat ze voor een normaal transportbedrijf uit Pesjawar werkten en dat zich bij hun depot een man had gemeld die hen had ingehuurd om Jeo's lijk op dit adres in Heer af te leveren.

Maar tot op zekere hoogte is het nog te vroeg om zich over dergelijke futiliteiten druk te maken. Toen een vrouw aan Tara had gevraagd hoe hij om het leven was gekomen, had Tara geantwoord: 'Dat kan me nu nog niet zoveel schelen.'

Het huis drijft weg in het duister. De jonge vrouw moet denken aan de tijd dat de tuin haar met zijn stralende pracht naar zich toe had getrokken, met al dat zonlicht en de invasie van tere insecten, de geuren van de Boom der Smarten en de Smarteloze Boom. Ze beseft dat alles voortaan anders zal zijn, omdat haar ogen – verdoft, onbeschut, verweerd, bevlekt, verblind – anders geworden zijn, niet langer volmaakt.

Waar is Mikal? Ze gaat op de grond zitten, met haar rug tegen de muur, en beweegt zich niet. Toen Mikal en zij afspraakjes begonnen te maken, had ze aanvankelijk iets gegeneerds over zich gehad. Het had allemaal schijn geleken, en wellicht dat ze wat ze deden nogal luchtig had opgevat. Maar zijn diepe ernst had haar gedwongen haar eigen leven serieus te nemen en haar doen inzien dat ook zij recht had op schoonheid en geluk.

Het is inmiddels elf uur en Tara bevindt zich in een nabijgelegen vertrek met een lamp en een koran. Het is bijna middernacht en er heerst volslagen stilte, alsof het huis zich heeft losgemaakt van de aarde en vrij ronddrijft. Zij tweeën zijn alleen met een oorlog, met de verbrande, ontweide ingewanden ervan. De geschiedenis wil hen met deze gebeurtenis iets duidelijk maken, maar geen van beiden weet wat.

Al snel nadat het lijk was bezorgd, had in de buurt het gerucht de ronde gedaan dat Amerikaanse soldaten Jeo hadden gedood. Een man had, toen hij dat hoorde, zijn geweer geladen en was naar buiten gerend, omdat hij dacht dat het Amerikaanse leger daadwerkelijk Heer was binnengevallen.

De as op de kleren van Naheed heeft sporen achtergelaten op haar polsen en hals. Toen de vrouwen hadden vernomen dat Tara as had laten halen om de rouwkledij mee te verven, hadden ze vrijwel allemaal perplex gestaan en gezegd dat dat een gewoonte van arme mensen moest zijn, van eenvoudige dorpelingen. En opnieuw hadden zij zich afgevraagd hoe een naaister er toch in was geslaagd haar dochter uit te huwelijken aan dit voorname huis. Halsbandparkieten moeten onder een neemboom worden begraven, en toen Tara's parkiet twintig jaar terug was doodgegaan was zij hier komen vragen of zij de vogel onder hun neemboom mocht begraven. Zo was ze met het gezin in aanraking gekomen, hoewel Rohan ook nog verre familie van haar overleden man was.

Naheed zit in Rohans kamer met de hoorn van de telefoon in haar hand. Het is nu één uur. Ze heeft weer geprobeerd contact te krijgen met Rohan in Pesjawar, maar er wordt niet opgenomen.

Op tafel ligt een robijn. Die hebben ze in Jeo's maag aangetroffen, glanzend en zuiver van kleur, met daarin in minuscule lettertjes Koranverzen gegraveerd. Op de plekken waar geen woorden staan is het oppervlak volkomen glad gepolijst, en toen zij de steen zagen hadden de mensen, ondanks de droeve omstandigheden, versteld gestaan van de overweldigende pracht. Een vrouw wist zich te herinneren dat de robijn had toebehoord aan Sofia, en dat hij lang geleden uit huis was verdwenen, vermoedelijk gestolen. De imam zei dat de druppels bloed die Jeo als kind had geschonken voor het kalligraferen van zijn koran in de vorm van een juweel in zijn lichaam waren gematerialiseerd.

Om twee uur zit Naheed nog altijd naast de telefoon. De kaars is allang opgebrand. Ze staat op en gaat op zoek naar een andere. Er zijn uren waarop een mens gezelschap nodig heeft, al is het maar van een vlammetje. In dat schijnsel laat ze zich langzaam op Rohans bed zakken.

9

Rohan droomt van een Amerikaanse soldaat en een jihadist die samen bezig zijn een graf te delven.

Hij opent zijn ogen en kijkt uit het raam van de auto die over de grotendeels onverlichte Grand Trunk Road onderweg is naar Heer. Ze hebben de hele nacht doorgereden, en het dashboardklokje geeft aan dat het 4.30 uur is. Ze kunnen rond een uur of acht thuis zijn. Basie rijdt en Yasmin ligt op de achterbank te slapen. Ze zijn er niet in geslaagd ook maar iets aan de weet te komen over de verblijfplaats van Jeo en Mikal en keren nu, uitgeput door het vele speurwerk dat ze in en rond Pesjawar hebben verricht, terug naar Heer, alle drie geschokt door wat er de afgelopen dagen is gebeurd.

Eerder op de avond hebben ze naar huis gebeld, maar er werd niet opgenomen. Naheed zal wel bij Tara zijn, en die heeft geen telefoon. Ze waren eerlijk gezegd opgelucht dat er niemand opnam. Ze hebben niets nieuws te melden en zouden hebben moeten vertellen dat ze onverrichter zake naar huis terugkwamen. Dat kan beter wachten tot ze thuis zijn.

De gedachte komt bij hem op dat Jeo en Mikal misschien wel dood zijn, een gruwel die op de loer ligt in het zwarte, dichtbebladerde woud van zijn geest, maar hij deinst meteen weer terug voor dergelijke gedachten.

Buiten op de vlakte schittert een rivier als uitgegoten metaal nu het licht van de sterren onder de juiste hoek op het water valt, en hij ziet honderden vleermuizen op hun leren vlerken over het watervlak scheren, op jacht naar nachtvlindertjes. Vlak voor hen is een kerk opgedoemd en dan moet Basie de auto met piepende remmen tot stilstand brengen. Een bebaarde man van Rohans leeftijd is ineens voor het voertuig opgedoken en steekt op minder dan vijftig meter afstand voor hen de weg over. Uit de lantaarn die hij omhoog houdt, straalt een zwak licht, dat geheel verloren gaat in de witte gloed van de koplampen, en hij biedt een opzienbarende aanblik, want hij gaat gehuld in zware ketenen. Ze zijn om zijn tors gewikkeld als garen om een klosje en bedekken zijn hele borstkas, van zijn heupen tot zijn oksels. Verder hangen er zeker vijfentwintig kettingen aan een ijzeren ring om zijn hals. Ze komen tot net onder zijn knieën en gaan dan weer omhoog, waar de ene helft is bevestigd aan een ring om zijn linkerpols en de andere aan een ring die om zijn rechterpols zit geklonken.

Hij kijkt Rohan recht aan terwijl iedereen in de wagen nog zit bij te komen van de schrik.

'Moeten we hem niet gaan helpen?' vraagt Yasmin.

'Het duurt in zijn geval alleen wat langer voor hij is overgestoken, lijkt me.' Basie kijkt om om te zien of er achter hem nog andere auto's aankomen, maar dat is niet het geval en de man loopt geen enkel gevaar.

Basie rijdt met een hoffelijk bochtje om hem heen, maar de man keurt hen geen blik waardig wanneer hij zijn trage oversteek naar de andere kant van de weg vervolgt. Zijn baard zit vol klitten en onder het stof, net als zijn hoofdhaar. Hij is mager en zijn gezicht is diepgegroefd en gebruind door de zon, maar er ligt een vredige uitdrukking op zijn gelaat.

Een dik ijzeren kledingstuk.

'Als kind dacht Mikal dat hij onze vader was,' zegt Basie zacht wanneer ze hem achter zich laten.

Die ketenen moeten minstens evenveel wegen als twee stevige mannen samen en een loodzware last vormen. Zij maken dat hij zich zo langzaam voortbeweegt.

'Ik had wel over hem gehoord, maar had hem nog nooit gezien,' zegt Rohan met een blik achterom. Wanneer Basie weer optrekt is de man al snel uit het zicht verdwenen, maar dan horen zij een hard geluid als van ijzer op ijzer, alsof een kolossale hamer neerkomt op een verhoudingsgewijs even groot aambeeld. Een geluid zo hard dat de lucht zelf erdoor verbogen wordt.

‘Iemand heeft net de kerk opgeblazen,’ zegt Yasmin.

‘We moeten terug.’

‘Hij zou gewond kunnen zijn. Hij stak over naar die kant.’

Dit is de tweede aanslag op een kerk in twee dagen tijd. Gisteren gebeurde het op klaarlichte dag en waren er verscheidene mensen gewond geraakt. Degenen die de verantwoordelijkheid hadden opgeëist hadden gezegd dat zij, omdat de christenen van het Westen in Afghanistan moskeeën bombardeerden en verwoestten, een campagne gestart waren om kerken in Pakistan te vernietigen.

De vuurzee is van een paar honderd meter afstand te zien. Het gebouw lijkt verzwolgen door een reusachtig inferno, en de rook golft omhoog in de zwarte lucht. De explosie heeft plaatsgevonden op de benedenverdieping, en langgerekte vlammen slaan uit de ramen en klimmen langs de gevel omhoog. Op het hoogste punt van het vuur breken de vlammen telkens af en verdwijnen in het duister.

Ze zetten de auto langs de kant van de weg en stappen uit, en Rohan voelt de vuurgloed als regen tegen zijn gezicht slaan, tegen zijn ogen, zodat hij om de paar tellen moet wegkijken. Het vuur binnen in de kerk is nog heller en heter, daarbij vergeleken stellen de vlammen aan de buitenzijde niet zoveel voor. Alsof een vuurzee aan een andere, veel meedogenlozer vuurzee tracht te ontkomen.

Hoewel het nog nacht is ontstaat er al snel een verkeersopstopping, en in alle chaos stappen mensen uit om hulp te bieden, gewoon te kijken of hun beklag te doen. Yasmin en Basie zeggen tegen Rohan dat hij bij de auto moet blijven, terwijl ze zelf gaan kijken of ze ergens van dienst kunnen zijn.

Hoewel hij, met de rug naar het felle licht gekeerd, niets zegt, wil hij niet dat zij weggaan. Er zou nog een tweede explosie kunnen volgen, bedoeld om diegenen te treffen die proberen het gebouw te redden. Of er zouden mannen op motoren langs kunnen komen om de helpers en kijkers met machinegeweervuur te bestoken. Angstig ziet hij over zijn schouder hoe ze weglopen.

De brand gaat gepaard met een bulderend geraas dat tot in de allerverste uithoek van zijn lijf doordringt, daar waar een man zijn moed heeft opgeslagen, en wanneer de wind draait is er enkel dat geraas dat hem eraan herinnert dat het geluid van vuur eerder op aarde heeft weerklonken dan de menselijke stem.

Basie en Yasmin geven allebei les aan de christelijke school in Heer, en de gedachte komt bij hem op dat ze na hun terugkomst wel eens gevaar zouden kunnen lopen, nu hun school en het daaraan vast gebouwde kerkgebouw een mogelijk doelwit vormen.

Enkele omstanders zijn opgetogen. Voor hen is dit niet je reinste waanzin, maar juist opperste *schoonheid*.

Rohan heeft zich een eindje van de Grand Trunk Road verwijderd als hij opeens in het gras de lantaarn ziet liggen, op zijn kant, maar nog steeds intact, nog steeds brandend. Verder ziet hij onder een langs de kant van de weg staande cipres de stapel kettingen die tot zijn knieën reikt en waarvan elke schakel iemands wens vertegenwoordigt, en het eerste wat hij denkt is dat ze bij de ontploffing van het lichaam van de fakir zijn gerukt en dat het betreffende lichaam ergens in de buurt moet liggen, maar dan komt de hoop schroot in beweging en verschijnt er een beverige hand.

Rohan loopt met de lantaarn naar hem toe terwijl de fakir volkomen daas overeind gaat zitten en de brokstukken van zijn ketenen begint te plukken. Hij moet zich vlak in de buurt van de kerk hebben bevonden toen de bom afging, en hier zijn beland en ineen zijn gezegen. Naar alle waarschijnlijkheid hebben zijn ketenen, het pantser van andermans verlangens, hem gered.

Soms, wanneer Allah hem niet genadig is en zijn gebeden ten gunste van derden niet verhoort, zodat de schakels niet verdwijnen, groeit hun aantal alleen maar verder, en moet hij ettelijke meters ketting achter zich aan slepen.

Rohan ziet hoe de man middels een reeks tussenhandelingen tot staan weet te komen, ondanks het immense gewicht van de kettingen.

Terwijl hij langzaam wegloopt verwijdert hij de stukken baksteen en gruis die door de explosie over hem zijn uitgestort en tussen de schakels zijn blijven hangen, zoals een ander het stof van zijn kleren zou slaan.

'Gaat het, broeder?'

De man blijft staan, de kettingen slingeren door.

'Ik wou u niet storen,' zegt Rohan.

Ze staan op een tiental passen afstand van een meertje, en bij het schijnsel van zijn lantaarn en onder het gerinkel van zijn kettingen loopt de man tot aan zijn knieën het water in, zodat het een gouden glans krijgt van het lantaarnlicht wanneer hij zich vooroverbuigt en zijn gezicht naar het wateroppervlak brengt. Alsof hij de geur ervan wil opsnuiven. Vervolgens neemt hij een slokje.

Rohan kijkt waakzaam toe, bang dat de man door het gewicht van de kettingen waarin hij verwikkeld zit zijn evenwicht zal verliezen en zal verdrinken, maar hij slaagt erin zich weer op te richten en het droge te bereiken.

Hij zet de lantaarn neer en laat zich vervolgens naast Rohan op de grond zakken, en samen kijken zij naar het oosten waar de zon moet opkomen.

'Ik wacht op mijn dochter en schoonzoon,' zegt Rohan, wijzend naar de rij bomen achter hen, waar de hemel donkeroranje kleurt vanwege de brandende kerk.

De fakir kijkt even peinzend die kant op, terwijl zijn adem in ijle wolkjes naar buiten komt in de oktobernacht. Die kettingen moeten ijskoud zijn, denkt Rohan. Op de plaats waar de beide dikke ringen of armbanden tientallen jaren langs de huid geschuurd hebben heeft zich op de polsen een eeltlaag gevormd.

'Wij zijn een paar dagen weggeweest,' zegt Rohan, verrast door de tranen die hij in bedwang probeert te houden. 'Om mijn zoon en mijn pleegzoon te zoeken.'

Hij voelt een sterke behoefte om te praten. Nadat hij zich de afgelopen dagen tegenover Yasmin en Basie flink heeft gehouden.

De man staart voor zich uit. Hij lijkt een ziel zonder wezen.

'Hoe valt de wereld te verklaren?' zegt Rohan bij zichzelf, terwijl hij naar zijn handen kijkt. 'Soms vrees ik dat het niet kan.'

De man schraapt zacht zijn keel en zijn stem is bijna een en al raspgeluid wanneer zij eindelijk klinkt. 'Het kan.'

Heel voorzichtig, alsof hij de woorden schrijft in plaats van uitspreekt, begint hij te praten. 'Het kan. *Ahl-e-Dil* en *Ahl-e-Havas*. In die twee groepen zijn wij met ons allen verdeeld. De eerste groep zijn de Mensen van het Hart. De tweede de Mensen van de Hebzucht, de sjacheraars, de wellustigen en de bedriegers.' Hij wacht even, om voldoende kracht te verzamelen voor hij verder kan. Er zijn mensen die beweren dat hij een djinn is, en ook dat God hem gezegend heeft met de levenslange onschuld van een derwisj en dat hij zijn ketenen heeft gebruikt om in de wildernis een djinn te vangen, die hij vervolgens tot de islam heeft bekeerd. Nadat hij een poosje heeft gezwegen zegt hij: 'De eersten zullen nooit iemand vertrappen om te krijgen wat ze willen. De tweeden doen dat wel. Zo is het met de wereld gesteld.'

Rohan zegt: 'Zo zou men de wereld inderdaad kunnen zien.'

'Wanneer ik een handvol aarde neem en u vraag of dat alle aarde is die er bestaat, zult u zeggen dat overal ter wereld aarde ligt. Meer korreltjes aarde dan er ooit geteld kunnen worden. Ik kan u dus slechts een handvol waarheid bieden. Daarnaast bestaan nog allerlei andere waarheden. Meer dan er ooit geteld kunnen worden.'

Terwijl de eerste sprankjes licht aan de hemel verschijnen en zij zwijgend naast elkaar zitten vangt Rohan ineens een geur op, en hij kijkt om zich heen om te zien waar die vandaan komt, want in zijn tuin groeit net zo'n boom. Het zijn de bloesems die de rondzwevende, aangename geur voortbrengen, hoewel zij groen zijn, en erg klein, welhaast onzichtbaar voor het oog, alsof ze zich liever laten vertegenwoordigen dan dat zij zich zelf vertonen.

De laatste keer dat hij met Naheed sprak was de vogelaflaatkramer nog steeds niet langs geweest.

Hij raakt een van de schakels aan. 'Waarom draagt u deze dingen?'

Met de punt van zijn wijsvinger schrijft de man een woord in het stof, hetzelfde stof dat door zijn ketenen was opgeworpen toen hij was gaan zitten.

'Behoorde u ooit tot de *Ahl-e-Havas*?'

De man zwijgt.

'Hebt u iemand gegriefd?'

'Het kan niet ongedaan worden gemaakt.'

'Hebt u iemand kwaad berokkend?'

Het woord dat hij heeft geschreven is 'begeerte'.

‘Ik heb fouten begaan toen mijn zoon nog klein was,’ zegt Rohan. ‘Zijn moeder is in staat van afvalligheid gestorven en als gevolg daarvan legde ik mijzelf en mijn kinderen een uiterste vorm van vroomheid op, ik dwong hen te bidden en te vasten, en onthulde hen zaken waarvoor zij veel te jong waren. De vergankelijkheid van dit leven, de kwellingen van de hel, en daaraan voorafgaande, die van het graf. Uiteindelijk hield ik daarmee op, omdat ik mijn dwaling inzag, maar zij moeten erdoor getekend zijn. Ik vraag me af of dat de reden is waarom hij naar Afghanistan is gegaan.’

De fakir kijkt naar de duizenden schakels rond zijn lichaam. Wellicht dat hij zich afvraagt of er in de loop van de nacht eentje is verdwenen. Het ijzer vangt het licht in wazige vlekken.

‘Wij denken dat mijn beide jongens in Afghanistan zitten. Wat u zei over *Ahl-e-Dil* en *Ahl-e-Havas*, verklaart dat ook wat er in Afghanistan gebeurt? De legers van het Westen. De uitwassen van de taliban.’

Hij weet niet zeker of de fakir wel luistert. Zijn ogen zijn gericht op het eerste zonlicht, waarvan de stralen de kloof tussen het onzichtbare en het zichtbare overbruggen. Maar dan kijkt de man hem aan. ‘Wie de macht in handen heeft wil die macht in handen houden. Dat geldt voor zowel de taliban als het Westen.’ Hij zit daar kalm te ademen in de morgenlucht en veegt vervolgens met voorzichtige handbewegingen – even toegewijd als toen hij het schreef – het woord dat hij geschreven heeft weer uit, letter voor letter.

‘Wat hebt u hiervoor gedaan?’

‘Ik stond in dienst van de wet. Twintig, dertig jaar geleden.’ Hij schudt zijn hoofd. ‘Niets is ooit voorbij. Tijd is onbelangrijk.’

‘U was politieagent.’

‘Erger nog.’ De man dooft het lantaarnlicht. ‘Ik was rechter.’

Vóór hen is de zon een bol van kokend glas, die met zijn licht de wereld wederom herschept, en nu staat de fakir langzaam op en begint langs de rand van het door het ochtendlicht beschenen meertje te lopen. ‘Mijn dag is niet meer dan een dag, mijn naam niet meer dan een naam,’ zegt hij met een hand tegen zijn borst gedrukt, het gebaar waarmee iemand trouw zweert. Rohan ziet hoe hij verdwijnt wanneer het zonlicht in splinters uit het water breekt.

Het loopt tegen het einde van de ochtend wanneer ze in Heer aankomen. De poort naar het huis zit op slot en Rohan maakt hem met zijn sleutel voor hen open.

Hij voelt zich meteen opgelucht wanneer hij het ijzerdraad van de vogelaflaatkramer op een hoop aan de voet van de jonge mangoboom ziet liggen. De strikken zijn gelukkig weggehaald. Hij neemt een paar minuten de tijd om te kijken hoe het er met de boom voorstaat, of hij gezond is en goed groeit. Jeo is dol op de vruchten, die licht naar terpentine ruiken en waarvan het vruchtvlees bijna vloeibaar is, zodat je het door een gat dat je bovenin maakt moet opzuigen.

Wanneer hij zich omdraait om verder de tuin in te gaan ziet hij tot zijn verdriet de tak liggen die van de frangipaneboom is afgebroken. Hij voelt met zijn vingers aan de wond en uit de hardheid van de gestolde latex kan hij opmaken dat de schade in de loop van de vorige dag moet zijn toegebracht.

Basie loopt via een van de rode paden naar het huis. Hij gaat een kamer binnen, maar komt even later weer naar buiten met het gevoel dat er iets ondefinieerbaar mis is. De gangen zijn niet aangeveegd – wat begrijpelijk is omdat Naheed waarschijnlijk bij haar moeder is gaan logeren – maar er staan wel heel veel voetstappen op de zanderige vloer. Het lijkt wel alsof de personages en bekende personen uit de boekendozen tot leven zijn gekomen en door het huis hebben gezworven.

Yasmin staat vanaf de veranda de tuin in te kijken en vraagt zich af waarom er aan de ranken en takken geen bloemen zitten en waarom er op een van de muren met stof of as de spookachtige afdruk van een menselijke gestalte is aangebracht.

Bij de vijver ziet Rohan de berg dode vogels liggen, waaruit een glinsterende werveling van zwarte vliegen opstijgt wanneer hij een paradijsmonarch optilt, de vogel met het paar lange witte linten dat drie keer zo lang is als zijn lijfje bij wijze van staart. Hij loopt naar de waslijn die tussen de eucalyptus en de grote, vrolijke palissander is gespannen. Hij was de lijn daarstraks voorbijgelopen zonder dat hij werkelijk gezien had wat eraan hing: één enkel stuk wasgoed, zo te zien het hemd dat Jeo zes dagen geleden aanhad toen ze naar Pesjawar gingen. Het hangt ondersteboven, de mouwen raken bijna het gras. In de stof zitten allerlei scheuren en de oorspronkelijke grijze kleur zit onder de vlekken, van bloed of donkerrode inkt zo te zien. Een of ander vod waarmee iemand iets roestigs heeft proberen schoon te maken. Heeft Naheed er twee gemaakt? Dan is dit waarschijnlijk een proefexemplaar geweest. En hij blijft staan om te kijken of er zomen in zitten.

Basie pakt van een plank de kleine bol van robijnkleurig glas waar Koranverzen in gegraveerd staan. Het moet wel glas zijn, want voor plastic is hij te zwaar en te doorzichtig. Het is een hanger voor een halsketting of een talisman die aan een zwart koord om de hals gedragen kan worden. Hij heeft het ding nog nooit eerder gezien en neemt het mee naar het raam om het tegen het licht te houden en te zien hoe de zon erin binnendringt en er bezit van neemt, en de verzen van binnenuit belicht.

Hij loopt naar Tara's huis, maar daar is niemand. Voor het huis ernaast zit een man in de zon. Er zit vochtige hennapasta in zijn haar, en een stuk krant moet de boord van zijn overhemd voor vlekken behoeden. Hij vertelt Basie dat de beide vrouwen in het huis van Naheeds schoonvader zijn.

'Daar kom ik net vandaan,' zegt Basie.

De man haalt zijn schouders op. 'Dan zijn ze misschien naar de dokter. Of naar de bazaar. Wie zal het zeggen, vrouwen hebben zo hun kuren.'

Basie gaat terug en hoort Yasmin en Tara, hoort ook Naheed en Rohan. Hij weet niet wat ze zeggen, hun stemmen bereiken hem alleen maar van ergens, en dan ziet hij Naheed op zich afkomen, met haar kleren onder de as, alsof ze door de bliksem is getroffen.

10

Een volgeling van Allah erkent geen toeval. In dit leven heeft alles zijn zin en betekenis. Dus waarom is dit gebeurd? Als een druppel van zijn bloedige zielenstrijd ligt de robijn te stralen in de palm van Rohans hand.

Hij kijkt naar de klok met de zwarte wijzers. Voordat Jeo geboren werd had hij zijn oor te luisteren gelegd op Sofia's huid, ietsje links boven de navel, en had hij de nietige tweede hartenklop gehoord, daar in het duister voor het begin van het leven. Nu verkeert de jongen in dat andere duister en weet Rohan niet hoe hij enig teken van hem zou kunnen opvangen, tegen welke muur, welk beschot, welke huid of sluier hij zijn oor zou moeten leggen.

In de nachtelijke tuin wiegen de bloemen van de hibiscus als vogeltjes heen en weer aan hun steel, alleen is hun karmozijnrode kleur een paar tinten donkerder geworden. De vruchtjes van de Perzische sering zijn giftig, dus zitten er het hele jaar door bessen aan de takken. De buulbuul is de enige vogel die tegen het gif bestand lijkt, en de hele dag door hebben die zich dan ook luidruchtig tegoed gedaan aan de trossen.

'Oom.'

Hij draait zich om en ziet Basie op het rode pad staan met een stormlantaarn in zijn hand. Achter hem staat Tara.

'Tante Tara zegt dat ze graag met ons tweeën zou willen spreken.'

'Het hoeft maar heel kort, broeder-ji,' zegt Tara.

Hij wijst naar het bankje onder de vijgenboom.

'Ik wil het met u hebben over de toekomst van Naheed,' zegt ze, terwijl ze stijfjes gaat zitten.

'De toekomst van Naheed? Zolang ik leef, zuster-ji, hoeft zij zich nergens zorgen over te maken. Dit blijft haar thuis.'

Basie, die naast haar is gaan zitten, valt hem bij.

'Nee.' Ze schudt haar hoofd. 'Ik wil dat zij hertrouwt.'

Basie en Rohan kijken elkaar aan.

'Natuurlijk,' zegt Rohan. 'Dat zou het beste zijn. Ze is pas negentien.'

Het licht van de lantaarn wordt gevangen onder het gebladerte van de boom, en schaduwen deinen over de grond terwijl zij zacht zitten te praten.

'Ik weet dat het eigenlijk nog te vroeg is om over dergelijke zaken te spreken,' zegt Tara, 'en ik schaam me dan ook dat ik erover ben begonnen terwijl Jeo nog geen tien dagen geleden is begraven, maar ik wilde gewoon niet dat u uw verantwoordelijkheid jegens Naheed zou vergeten.'

'Dat zal ook nooit gebeuren,' zegt Rohan. 'Zij staat mij even na als Yasmin.'

'Ik wil niet dat mijn dochter de rest van haar leven weduwe blijft.'

'We vinden wel een goede man voor haar,' zegt Basie. 'Er moet eerst wat tijd verstrijken, maar daarna gaan we zeker op zoek.'

'Meer hoef ik niet te horen,' zegt de vrouw en ze knikt.

'U moet nooit denken dat u er alleen voor staat, tante Tara,' zegt Basie tegen haar. 'U hebt ons.'

'Wat vindt Naheed er zelf van?' vraagt Rohan.

'Ik heb het er nog niet met haar over gehad.'

'Dat begrijp ik.'

Ze blijven nog een tijdje zo zitten, omgeven door een indringende stilte, totdat Naheed uit de keuken komt met een kaars in haar hand, waardoor het net lijkt of de bananenbladeren zelf licht afgeven. Ze kijkt door de tuin heen naar het drietal. 'Het eten is klaar.'

Ze komt naar hen toe, neemt Rohan bij de hand en voert hem weg. Tara loopt achter hen aan. Kort nadat ze het huis als bruid had betreden, haar voorhoofd versierd met stippen als sterretjes, had deze jonge vrouw in het huishouden de teugels in handen genomen. Dankzij haar had het werk van Yasmin kunnen floreren. Naheed kookte en stond erop dat Yasmin en Basie na schooltijd hiernaartoe kwamen in plaats van dat ze naar hun eigen huis gingen. Ze nam ook verschillende huishoudelijke taken van hen over, zodat Yasmin zich helemaal op haar lesgeven kon concentreren, en in de weekenden – wanneer Jeo naar huis kwam van zijn medicijnenstudie in Lahore – verzamelde de hele familie zich hier, en werd alles door haar geregeld en georganiseerd, waarbij ze onopvallend met raad en daad werd bijgestaan door Tara.

'Ik kom zo,' zegt Basie tegen hen.

Hij gaat op de veranda zitten waar Jeo's motorfiets naast de pilaar staat. Basie is bij verscheidene organisaties langsgegaan die jongens naar Afghanistan uitzenden, maar hij is er niet in geslaagd te achterhalen wie Jeo en Mikal hebben uitgezonden. Hij weet zelfs niet wie het gelukt is Jeo's lijk uit het oorlogsgebied naar huis terug te krijgen. En hij weet ook niet waar Mikal is, en of hij nog leeft of ook dood is.

Men zegt dat een gestorvene op vrijdagen de mensen herkent die een bezoek brengen aan zijn graf. Vergezeld van Tara, Yasmin en Naheed komt Rohan bij de begraafplaats aan om de gebeden voor Jeo's zielenrust te zeggen.

Bij de ingang staan vier van top tot teen in het zwart gehulde vrouwen, elk met een stok van wel een meter in hun hand. Om hun hoofd dragen ze een groene band met het vlammende-zwaardenmotief van de vlag van Geestrijk Vuur. De zwarte gedaantes versperren hun de weg en een van hen zegt, terwijl ze naar Naheed, Tara en Yasmin wijst: 'Jullie drieën mogen niet naar binnen.'

'Hoe bedoelt u?' vraagt Tara.

'Volgens ons geloof mogen vrouwen niet op begraafplaatsen komen.'

Ze reageren ongelovig, maar krijgen het nogmaals te horen: 'Vrouwen mogen volgens ons geloof niet op een begraafplaats komen.'

'Sinds wanneer is dat dan?' wil Rohan weten. 'Moslimvrouwen bezoeken al honderden jaren graven.'

'Dat is nieuwlichterij en dat moet afgelopen zijn. Daarom staan wij hier.'

Omdat hun ogen nu eenmaal zichtbaar zijn achter de spleet in hun boerka, verbergen de vrouwen de werkelijke kleur van hun irissen achter gekleurde contactlenzen, en de groene, rode en blauwe kringetjes schieten vuur.

Yasmin maakt een geërgerd geluid en probeert zich langs de vrouwen te wurmen, maar die staan pal en heffen allemaal hun stok.

Yasmin geeft het op. 'Ik wil naar mijn broer. Hij is in Afghanistan om het leven gekomen.'

Daar lijken de vrouwen even over na te moeten denken. 'Het maakt voor dit soort zaken niets uit. Je mag niet naar binnen, het is de wil van Allah.'

'Mijn moeder ligt hier begraven,' zegt Yasmin, en met een gebaar naar Naheed: 'En haar vader.'

'Je kunt thuis voor de zielenrust van je doden bidden. En wees ervan verzekerd dat wij dat ook zullen doen voor de man die in Afghanistan de martelaarsdood is gestorven. Hij was onze broeder en is gesneuveld bij het verdedigen van de islam.'

'Jullie beletten de weduwe van een martelaar hem te bezoeken,' zegt Tara. 'Dit is mijn dochter en zij was getrouwd met de gestorvene.'

'Als jij de weduwe van een martelaar bent,' richt een van de vrouwen zich tot Naheed, 'wat doe je dan buitenshuis met onbedekt gelaat?' Allen kijken nu naar Naheed. 'Je moet je schamen. Hij heeft zijn leven voor Allah gegeven en jij maakt hem te schande.'

Een andere bezoekster wie de toegang eveneens is ontzegd staat iets verderop onder een boom. 'Mijn zoontje van één ligt daar begraven,' zegt ze tegen Tara.

Yasmin doet een stap naar voren en een van de gestalten haalt bliksemsnel twee keer met de ijzeren punt van haar stok uit naar Yasmins gezicht, waarbij ze met elke uithaal een stap dichterbij komt. Yasmin doet elke keer een stap terug. De stokpunt scheert vlak voor haar gezicht langs.

'Het is aan mensen zoals jullie te wijten' – de vrouw wijst hen stuk voor stuk aan met haar stok – 'dat de islam er zo aan toe is. Dat smerige, gore, walgelijke ongelovigen straffeloos moslimlanden kunnen aanvallen.' En tegen Rohan zegt ze: 'Heb jij niks beters te doen dan wat rond te lopen met je onbedekte vrouwen, vuile pooier?'

Yasmin, die werkelijk de vriendelijkste en beminnelijkste vrouw is die er bestaat, verheft haar stem. 'Zo spreek je niet tegen iemand die drie of vier keer zo oud is als jij.'

'Leeftijd zegt niks,' zegt de vrouw furieus. 'Als hij fout is, sta ik in Allahs ogen boven hem en geeft Hij mij het recht die misselijke ellendeling tot de orde te roepen.'

Het is duidelijk onbegonnen werk. Rohan gaat alleen naar binnen om een gebed te zeggen terwijl Tara, Naheed en Yasmin buiten blijven wachten. Ze zullen het graf in het donker moeten bezoeken, in het holst van de nacht.

II

Het gezicht van Naheed duikt op tussen de rietstengels en ze hapt naar lucht, terwijl haar ogen zich, na de minuten die zij onder water heeft doorgebracht, weer met licht vullen. Ze komt het water uit, en haar haren, die ineens veel zwaarder zijn, vallen langs haar rug omlaag. Ze blijft staan om water op te hoesten, omringd door kleurige groepjes vlinders die op het groene slik zitten te zonnen. Vaak verlaten zij de tuin om in de gewelven van de moskee aan de andere kant van het kruispunt te gaan rondfladderen boven de geknielde gelovigen. Ze loopt door de tuin, waar plekjes zonlicht zich, afhankelijk van de bewegingen van het gebladerte daarboven, dan weer scherp, dan weer minder scherp aftekenen, en gaat het huis binnen om droge kleren aan te trekken. Ze laat zich neer op het bed en strijkt lichtjes over de sprei, die wit is, met in reliëf een geometrisch patroon van witte draden.

Buiten zit Rohan in een hoekje met mild zonlicht, en op haar nadering slaat hij zijn ogen op.

Ze gaat op haar hurken naast hem zitten.

'Zeg je de gebeden wel die ik je heb aangeraden?' vraagt hij. 'Om te boeten voor de zonde dat je Jeo's lichaam hebt gezien na zijn dood?'

'Ja.'

Een huwelijksoverkomst is nietig vanaf het moment dat een van de gehuwden overlijdt. Dan wordt een vrouw een vreemde voor haar eigen man en mag ze hem niet meer zien.

'Strikt genomen had je niet eens naar zijn gezicht mogen kijken. Maar Allah is begripvol. Wij mensen zijn zwak en daarom valt het ons moeilijk geen zonden te begaan.' Hij sluit zijn ogen. 'Het beste is altijd zo snel mogelijk met de boetedoening te beginnen. Op die manier hoeven we niet bang te zijn voor de gevolgen in het graf en straks op de Dag des Oordeels.'

Ze kijkt om zich heen.

'Ik wilde Sofia's gezicht zien voordat ze werd begraven,' zegt hij, 'verschrikkelijk graag zelfs, maar ik wist dat dat niet mocht.'

Opeens staat ze op en loopt met haastige passen bij hem weg, terug naar het huis, waar ze de kamer binnengaat die ze met Jeo deelde.

Ze blijft staan en kijkt naar de verste hoek; haar hart begint pijnlijk te bonzen in haar borst. Ze brengt haar handen naar haar voorhoofd; haar ogen zijn strak op het donkere brokaat van de leunstoel gericht.

Ze loopt ernaartoe, valt op haar knieën en voelt eronder. Haar handpalm strijkt over de vloer terwijl hij zich blindelings naar voren beweegt. Wanneer haar vingers in aanraking komen met het koude metalen ding onder de zitting gilt ze het bijna uit. Ze trekt haar hand terug en kijkt naar de vingers alsof ze verwacht daar een wond te zien.

Ze voelt opnieuw onder de stoel, met beide handen nu, alsof ze probeert een vogeltje te vangen, en grijpt het speelgoedvrachtautootje dat daar sinds het vertrek van Jeo stationair tegen de achtermuur heeft gestaan.

Haar vingers houden de beschilderde wieltjes vast om te voorkomen dat ze zullen gaan draaien en de energie zullen verbruiken die vanuit Jeo's lichaam in het stuk speelgoed is gestroomd toen hij het met het sleuteltje had opgewonden. Ze houdt het autootje stevig vast en blokkeert zo de wieltjes en de radertjes van het mechanisme.

Ze staat te trillen op haar benen. Bij wijze van proef laat ze de wieltjes een fractie van een seconde los, waarop die prompt gaan ronddraaien en zij een smartelijke kreet slaakt.

Ten slotte zet ze het vrachtwagentje op de grond en kijkt hoe het van haar wegrijdt. Ze loopt erachteraan naar het andere eind van de kamer, waar ze het autootje inhaalt en voorbijloopt, de kamer uit, omdat ze het niet kan verdragen getuige te zijn van het moment waarop het stopt.

12

Mikal zit met zijn rug tegen de muur in zijn koude cel. De kettingen aan zijn enkels rammelen bij elke beweging van zijn lichaam. Het voornemen om te ontsnappen is geen ogenblik, nog geen halve seconde, uit zijn gedachten geweest. Vanaf het moment in oktober dat hij weer bij kennis kwam in het fort van de taliban.

Hij weet niet waar Jeo is.

Het laatste wat hij zich herinnert van de gevechten op die oktoberdag zijn de rook boven het strijdgewoel en een felle, klaproosrode flits vlak voor zijn gezicht. Terwijl hij bewusteloos op de grond lag hebben ze hem met stukken prikkeldraad vastgebonden en vervolgens naar buiten gedragen, en toen hij zijn ogen weer opsloeg kon hij zich niet verroeren en waren naast hem een stel honden bezig van de met bloed doordrenkte aarde op de binnenplaats van het fort te eten.

Even ving hij een glimp op van de troep Amerikaanse soldaten die de strijd om het talibanfort hadden gecoördineerd. De Amerikanen zagen zich nu geconfronteerd met de lijken van meer dan honderd vijanden, en ze droegen hun Afghaanse bondgenoten op zich daar zo snel mogelijk van te ontdoen, voordat ze door een overkomende satelliet konden worden gefilmd.

Mikal werd gevangengehouden door een krijgsheer die van elk van beide handen de vinger waarmee je de trekker overhaalt liet afhakken, en de twee lichaamsdelen vervolgens, samen met die van tientallen andere gevangenen, aan een deurpost liet spijkeren.

Omdat hij bang was voor koudvuur had hij hen gesmeekt de kogels uit zijn lichaam te verwijderen, maar tevergeefs. Twee dagen later was er echter, terwijl hij lag te slapen, een grote, met scalpels en scheermessen bewapende groep strijders naar hem toe gekomen. Het gerucht had de ronde gedaan dat de Amerikanen kogels van puur goud hadden gebruikt.

Hij sprak hen aan om te vragen waar Jeo was, en vroeg of ze iemand kenden met die naam, maar kwam niets te weten.

Voorzichtig trekt hij zijn verbonden handen in zijn mouwen om ze warm te krijgen. Zijn lichaam is door de strijd getekend en ligt ook op sommige plekken open, waar de kogels naar binnen zijn gedrongen en waar ze eruit zijn gehaald. Zijn linkerarm, die door de punt van een dolk op zoek naar goud is opengereten, functioneert nog maar beperkt. Hij kan met zijn linkerhand wel zijn rechter- maar niet zijn linkerschouder aanraken.

Hij moet ontsnappen en Jeo vinden, en dan samen met hem terug naar Heer zien te komen.

13

Naheed komt de kamer binnen waar Tara in een stoel zit.

'Moeder, ik ben zwanger.'

Tara is bezig een rode glazen knoop aan een tuniek te zetten. Ze maakt de steek waaraan ze was begonnen af en komt dan pas overeind, voorzichtig, met beide handen steunend op haar knieën.

'Moeder, hebt u gehoord wat ik zei? Ik ben zwanger.'

'Weet je het zeker?'

De reactie is ingehoudener dan Naheed had verwacht.

'Ja. Ik heb geteld en...' Ze schudt haar hoofd. 'Laat maar. Ik ben zwanger.'

'Wanneer was de laatste keer dat Jeo en jij...?'

'Vlak voordat hij wegging.' Naheed gaat vlak voor haar staan. Ze slaat een arm om Tara's nek en legt haar hoofd op haar schouder. Tara omhelst haar met enige terughoudendheid.

'We zullen het aan vader moeten vertellen,' zegt Naheed. Ze wil weer weggaan, maar Tara, met haar gezicht vlak voor dat van Naheed, staat niet toe dat de omhelzing wordt verbroken. De vrouw kijkt haar recht in de ogen en zegt dan zeer stellig: 'Nee.'

Het duurt even voor het tot Naheed doordringt wat Tara bedoelt. Ze doet een stap terug.

'Wij vertellen hier niemand iets over.' Tara loopt naar de deur en doet die dicht terwijl Naheed ontzet toekijkt. 'Niemand zal nog met je willen trouwen wanneer je een kind hebt.'

'Dat kan me niet schelen.'

'Mij wel.'

'Ik moet er absoluut niet aan denken, aan wat u daar suggereert.'

Tara staat vastberaden met haar rug tegen de dichte deur. Maar even later zegt ze met een zachtere stem: 'Ik suggereer niks. Ik denk alleen dat we nog even moeten wachten voor we het aan Rohan vertellen.' Ze kijkt Naheed niet aan terwijl ze dat zegt. 'Vind je ook niet dat hij al genoeg te verduren heeft? We kunnen beter wachten tot we het volkomen zeker weten. Als zou blijken dat je je vergist hebt, zou je de arme man voor niks hoop hebben gegeven.'

Tara loopt bij de deur vandaan.

Naheed gaat op de stoel zitten, maar schudt dan haar hoofd en staat weer op.

'Waag het niet bij de deur te komen, Naheed. Als je alleen maar weduwe bent, lukt het me wel je weer uit te huwelijken. Maar als weduwe met kind... blijf je de rest van je leven alleen.'

Naheed kan haar oren nauwelijks geloven. Tara geeft haar zo'n harde klap in het gezicht dat ze terugdeinst en steun moet zoeken tegen de muur. In de paar tellen die het Naheed kost om zich te herstellen is Tara de kamer uit gelopen en heeft ze de deur aan de andere kant vergrendeld.

Nu alles ineens met de minuut kritieker wordt, dwingt Tara zichzelf snel na te denken. Ze kent een vrouw die in dit soort aangelegenheden hulp kan bieden.

'Honderdduizenden arme, weerloze Afghanen zijn door de Amerikanen in koelen bloede afgeslacht. Daar horen we nooit iets over...' Vanbuiten komt een stem uit een op een busje gemonteerde luidspreker, die de mensen voorhoudt dat dit een beslissend moment is voor de heilige oorlog in Afghanistan en iedereen oproept zich aan te sluiten bij de jihad. De laatste tijd rijden er veel van dit soort busjes door Heer, allemaal op de zijkanten beschilderd met de vlag van Geestrijk Vuur.

Tara grijpt naar haar boerka.

'En honderdduizenden Amerikaanse soldaten zijn door de heldhaftige moslimstrijders gedood. Ook daar horen we nooit iets over. De Amerikanen zijn bijna verslagen, dus het enige wat we nodig hebben is nog een stuk of wat vrijwilligers...'

Ze maakt de bandjes en knoopjes van haar boerka vast en loopt de trap af, het huis uit en de straat op. Opnieuw wordt zij verrast door het stilzwijgende, onverbiddelijke verstrijken van de tijd, van de maanden en jaren. De waarheid is dat ze niet had gemerkt hoe snel Naheed was opgegroeid, tot de dag waarop ze in een hoek van de kamer een met bloed doordrenkte zakdoek had gevonden, en haar eerste gedachte was dat een kat een dode spreeuw mee naar binnen had genomen en daar had opgegeten. Intussen verkeerde Naheed in de veronderstelling dat er binnen in haar een soort grote puist was opengebroken en probeerde ze het bloeden te stelpen met de eerste de beste lap die ze kon vinden.

Ze gaat langs bij de bewuste vrouw, die in de Soldatenbazaar woont, en koopt vervolgens een hangslot in een smal straatje waar voor veel winkeltjes werkloze jongemannen zitten die kwaad zijn en zich vernederd voelen, onder wie ook oud-leerlingen van Geestrijk Vuur. Ze werpen begerige blikken op elke vrouw die voorbijkomt, vallen ten prooi aan verhitte gevoelens en gaan zich, uit frustratie over het feit dat ze geen werk hebben, regelmatig te buiten aan gevoelsuitbarstingen en geweld, terwijl de leerlingen van goede scholen, zoals die waaraan Basie en Yasmin lesgeven, alleen maar naar westerse landen willen emigreren en zeggen dat dit slag jongemannen het land onbewoonbaar heeft gemaakt.

Ze herkent een van hen en roept hem bij zich om te zeggen dat ze het ding dat hij haar vorige week gevraagd had te naaien wel voor hem wil maken, iets wat ze destijds niet had willen doen. Maar nu heeft ze het geld nodig. Het middeltje dat ze Naheed wil toedienen is erg sterk, zelfs levensgevaarlijk, en ze zal er doodziek van worden. En dat brengt medische kosten met zich mee.

Ze geeft een roepie aan een bedelaar die ze vraagt te bidden voor de gezondheid en het geluk van haar dochter, en eenmaal thuisgekomen bevestigt ze het hangslot aan de deur voor de trap en sluit zo de enige weg naar buiten af.

Ze blijft staan bij de gesloten deur van de kamer en luistert gespannen naar de doodse stilte die er aan de andere kant heerst. Vervolgens begint ze in de keuken met de bereiding van het middel. Daarna gaat ze met het avondeten aan de slag, en als dat klaar is maakt ze de kamerdeur open, erop bedacht dat het meisje zal proberen naar buiten te rennen.

Maar Naheed zit stilletjes op haar stoel en verroert zich niet. Tara zet het bord met spinazie en twee in een wit servet gewikkelde chapati's voor haar neer.

'U hebt er iets doorheen gedaan.'

'Niet waar.'

Naheed legt een vingertop tegen de rand van het bord en schuift het langzaam van zich af. Het glijdt over de rand van de tafel en valt op de grond in stukken.

Tara komt met een nieuw bord.

'Een vrouw in jouw omstandigheden moet goed eten om op krachten te blijven.'

Er volgt geen reactie van Naheed.

'Ik heb er niets doorheen gedaan,' zegt ze aanmoedigend. 'En als je niet eet is dat absoluut schadelijk voor de ontwikkeling van het kind, dat weet je.'

Naheed breekt een stukje van een chapati, schept daarmee wat spinazie van het nieuwe bord en brengt het naar haar mond, maar laat het dan vallen.

'Ik heb deze wereld niet bedacht, Naheed. Op deze manier ruïneer je je leven.'

'Dit is het allerlaatste wat me aan Jeo herinnert.'

'Toen hij naar Afghanistan ging, heeft hij ook geen rekening met jou gehouden. Waarom doe jij dat dan wel met hem?'

'Dit is *mijn* kind. Ik zal het zelf opvoeden.'

'En hoe had je je dat voorgesteld?'

'Ik ga mijn akte halen en word onderwijzeres, en wanneer hij groot is kan hij voor mij zorgen.'

'Hij? En als het nou eens een meisje is? Waar halen wij over twintig jaar het geld vandaan om haar uit te huwelijken? Of gaat zij ook studeren en voor haar eigen bruidsschat zorgen?'

'Ik luister gewoon niet naar al die onzin.'

'En weet je zeker dat je slim genoeg bent voor zo'n studie? Je hebt je middelbare school niet eens afgemaakt.'

Als door een wesp gestoken kijkt Naheed haar aan. 'Dat ik het niet gehaald heb kwam door u. Doordat u zo onvoorzichtig was en voor twee jaar de gevangenis in ging. En zelfs vóór die tijd was u al gek.'

Tara doet een stap naar voren. 'Waarom spreek je op die toon tegen mij?'

'Toen u uit de gevangenis kwam moest ik weer maandenlang opboksen tegen die gekte van u. U met uw djinns.'

'Wat wou je daar precies mee zeggen?' vraagt Tara.

'Niks. Laat maar.'

'Ik ben alleen een paar keer ziek geweest. Ik heb geprobeerd je zo goed mogelijk op te voeden.'

'En dat ga ik met mijn kind nou ook doen.'

Ze zwijgt even, maar spreekt dan toch. 'En wat wou je daar precies mee zeggen?'

Naheed kijkt haar aan. Als kind was ze bang voor Tara. Doodsbang voor de djinns door wie ze bezocht werd. Soms zei Tara dagenlang geen woord en lag ze alleen maar in bed, met haar gezicht naar de muur gekeerd. Al heel jong had Naheed leren koken en voor haar moeder leren zorgen. Op een keer had een kind zelfs een steen naar Tara gegooid, zoals kinderen dat naar gekken doen. Naheed heeft zich altijd afgevraagd hoeveel haar moeder zich nog van die weken en maanden herinnert. Geen van tweeën heeft het er ooit met zoveel woorden over gehad. Als tiener kwam Naheed op het idee om onderwijzeres te worden, zodat ze later met een tas onder de arm en blakend van zelfvertrouwen door het leven zou gaan en haar haar van voren korter zou knippen zodat het op haar wangen zou vallen. Maar op school ging het niet erg goed. Ze weet nog hoe vernederd ze zich voelde toen ze was blijven zitten. En toen werd Tara opgepakt.

'Vader helpt me wel het kind op te voeden.'

'Zoveel heeft hij niet bij te zetten,' zegt Tara vanuit de leunstoel. 'Ik dacht dat hij rijk was, maar daar heb ik me op verkeken. Zelfs het huis is van de mensen van de school, en die zouden het best weer eens kunnen opeisen. Dat Jeo dokter zou worden was de enige toekomstgarantie die hij – en jij – had.'

Naheed kijkt naar het bord en duwt het weg.

'Het laatste geschenk dat je van jouw Jeo krijgt is dat je de komende vijftien jaar het speeltje wordt van die vent beneden, of van iemand als hij. Om daarna afgedankt te worden. Wil je je leven zo inrichten? Een keer in de maand mogen jij en je kind in het holst van de nacht door de donkere straten Jeo's graf gaan bezoeken.'

Naheed brengt het dienblad weer naar de keuken, komt terug met een doek en begint de troep die het eerste bord op de vloer heeft gemaakt op te ruimen.

'Ik wacht nog een paar dagen, tot ik er absoluut zeker van ben, en dan vertel ik het vader en Yasmin. Ik vind wel iemand die met me wil trouwen, ook al heb ik dan een kind. In de ogen van Allah is het een grote verdienste wanneer je de weduwe van een martelaar trouwt. Dat zeggen ze allemaal.'

'Woorden, loze woorden.'

Naheed gaat staan en kijkt haar aan. 'In dat geval red ik mijzelf wel.'

Als Tara op haar gebedsmat plaatsneemt en zich in de richting van Mekka buigt heeft ze het gevoel dat de jonge vrouw achter haar staat. Vanwege een klein klikgeluidje weet ze dat ze een schaar in haar hand heeft. Na twintig jaar lang de schaar gehanteerd te hebben kent ze elk mogelijk geluid dat hij maakt. Wanneer ze zich echter na het beëindigen van het gebed omdraait ligt de jonge vrouw nog steeds op bed. De schaar heeft zich evenwel van de plank naar de vensterbank verplaatst. Of misschien heeft hij daar ook wel de hele tijd gelegen.

Soms denkt Tara dat ze te weinig van het leven heeft verlangd. Soms denkt ze dat ze te veel heeft verlangd.

Toen Naheed veertien was, was Tara aangerand door een man die ze kort daarvoor had ontmoet. Ze ging naar de politie en daar vroegen ze haar, overeenkomstig de sharia, of er vier mannelijke getuigen waren die konden bevestigen dat er inderdaad sprake was van aanranding en niet van gemeenschap met wederzijdse instemming. Natuurlijk was niemand er getuige van geweest en Tara werd wegens overspel gevangengezet. Naheed ging bij haar grootmoeder in het dorp wonen, terwijl Rohan probeerde Tara vrij te krijgen.

Het was in de tijd dat ze in de cel zat en de toekomst met angst en beven tegemoetzag, dat Rohan haar had gerustgesteld met de belofte dat Naheed zijn schoondochter zou worden.

En wat betreft die gekte van haar waar Naheed het over had gehad, wat betreft die djinns van haar... in die uren en dagen had ze het gevoel dat er in haar hoofd werd ingebroken. Als jonge weduwe wier jeugd tanende was, had ze gewild dat haar man weer leefde. Ze kan amper geloven dat ze daar aan moet denken terwijl ze op een gebedsmat zit, en zich weer de dagen herinnert dat ze tegen haar verlangens vocht, het schuldgevoel dat ze had, elke keer dat ze aan een man dacht, hoe ze zich een misdadiger voelde omdat ze zoiets elementairs als liefde wenste en niet langer eenzaam wilde zijn, omdat ze zich tot in haar ziel verminkt voelde. Hoe zal Naheed met dergelijke zaken omgaan? Nadat ze weduwe was geworden had Sharif Sharif haar een paar jaar gebruikt en haar daarna afgedankt. Hij had al twee vrouwen, en haar hoop dat ze zijn derde vrouw zou worden was in rook opgegaan. Ze wil gaan staan, maar haar knieën laten dat niet toe, daarom komt ze op haar hurken overeind, trekt de fluwelen gebedsmat onder zich vandaan, vouwt hem op, geeft er een kus op en legt hem op haar schoot. Terwijl ze daar zit op de koude vloer beseft ze dat ze het meisje niet dezelfde fout mag laten maken. De koppelaarsters hadden haar bij herhaling verzekerd dat het feit dat zij een dochter had haar kansen op hertrouwen aanzienlijk verkleinden en raadden haar aan Naheed te laten adopteren. 'Zodra ze horen dat je nog iemand meebrengt die van je afhankelijk is, zien ze ervan af. Zeker als het gaat om een meisje dat moet worden grootgebracht, waarvan de eer en maagdelijkheid moeten worden beschermd, en waarvoor te zijner tijd een bruidsschat beschikbaar moet zijn.'

Ze had het kind weggestuurd, naar het dorp, maar zelfs toen waren de huwelijksonderhandelingen nooit verder gekomen dan een zeker punt. Men was zonder uitzondering verrukt om te horen dat ze afstamde van de profeet en begeesterd door het idee dat men via haar in aanraking kwam met de stamboom van Mohammed, maar zodra ze de toekomstige schoonfamilie bij haar thuis uitnodigde bleek het fataal hen met haar armoedige omstandigheden te confronteren. Een enkele kamer met een klein balkonnetje aan de voorkant, de steile trap en een veredelde kast die ze haar keukentje noemde. De laatste man die hier was geweest was uiteindelijk getrouwd met iemand wier familie een zaak in Riad bezat, en ongetwijfeld had de bruid in haar bruidsschat een wasmachine, een kleurentelevisie en een videorecorder meegebracht. 'Daar sta je dan met Mohammeds stamboom, maar zonder Saoedisch duimkruid,' had de koppelaarster gezegd.

Ze had Naheed teruggehaald, en zo waren de jaren verstreken. Ze begon te fantaseren over een man die ze regelmatig op straat voorbij zag komen, en op een dag had ze bij iemand thuis kort met hem gepraat, waarna ze zichzelf ervan had overtuigd dat hij ook van haar hield. Ze had hem een lange brief geschreven, waarop hij was langsgekomen, en volgens hem was het geen verkrachting en was haar brief het bewijs van zijn onschuld.

Het slot op de trapdeur blijft zitten waar het zit, de sleutel blijft in Tara's schortzak, en twee dagen en twee nachten lang eet Naheed niets van wat Tara haar voorzet.

'Een van de redenen waarom ik niet kan doen wat u wilt,' zegt Naheed met afgewend gezicht, 'is dat ik weet dat hij leeft.'

'Een vrouw kan het kind in haar zo vroeg nog niet voelen.'

'Ik heb het over Mikal.'

'Mikal?' Tara kijkt haar aan. 'Heb je iets gehoord? Heeft hij contact met je gehad?' Dan verstijft ze. 'Waarom wacht je trouwens op hem?'

'Ik weet zeker dat hij nog leeft en dat hij bij me terug zal komen. Wij hielden van elkaar.'

'Dat wist ik niet.'

'Jawel, dat wist u wel. Hij heeft er nooit iets over gezegd, maar ik denk dat hij hier is geweest om mijn hand te vragen. U moet hem het gevoel hebben gegeven dat hij een nietswaardige bedelaar was. Ik weet het zeker. We waren van plan vóór het huwelijk hier weg te gaan, we hadden een tijd afgesproken waarop we zouden vertrekken, maar hij is niet komen opdagen. Ik heb op hem gewacht, en dat ben ik in feite blijven doen.' Ze wacht even en haalt een keer diep adem. 'Misschien dat dit nieuwe wachten gewoon deel uitmaakt van het oude.'

'Hebben jullie dit met zijn tweeën uitgebroed?' zegt Tara rustig.

'Dat hij Jeo mee zou nemen en ervoor zou zorgen dat hij om het leven kwam, en dat jij zou wachten op zijn terugkomst? Is het kind van Mikal?'

'Zo zit het niet, moeder. Ik weet alleen zeker dat hij nog leeft, ik voel het.'

'Je kunt je leven niet baseren op een gevoel, Naheed. Ik mag dan gek zijn, maar dát weet ik wel.'

'Er is geen lijk en er is geen graf.'

'Dat betekent niet dat hij niet dood is. Sommige jongens die naar Kasjmir, Bosnië of Tadzjikistan zijn gegaan zijn ook nooit teruggekomen. Alleen het bericht van hun dood.'

Naheed barst in tranen uit. 'O moeder, ik weet niet wat ik moet denken. Maar begrijp alstublieft dat ik niet kan doen wat u van me vraagt. En ik heb nooit gezegd dat u gek bent.'

Tara staat op. Bij de deur blijft ze staan. 'Ja, hij is hier geweest en ik heb hem weggestuurd. Je hebt het al die tijd geweten?'

'Ja.'

'En jullie waren van plan weg te lopen?' Ze kijkt verslagen terwijl ze dat vraagt. 'Dus jullie wilden mij hier laten zitten, na alles wat ik ter voorbereiding van het huwelijk had gedaan, zodat ik maar moest zien hoe ik het aan Jeo's familie en de hele buurt zou uitleggen? Iedereen zou hebben gezegd dat ik een lichtekooi was die een schaamteloze, eerloze dochter had grootgebracht.'

Na een pijnlijke stilte van beide kanten komt Tara terug, haalt de sleutel uit haar zak en legt die naast Naheed op het bed.

Ze komt met een dienblad met eten en zegt dat hier niet mee gedokterd is, maar Naheed is nog steeds niet zover dat ze haar durft te vertrouwen.

'Maar zo verzwak je helemaal, en straks word je nog ziek. Geloof me alsjeblieft en eet wat,' zegt Tara, terwijl ze eerst naar het dienblad en vervolgens naar de koelkast in de hoek wijst. De keuken is zo klein dat er daar geen plaats voor is, daarom staat hij hier in de slaapkamer, hun enige kamer, waar hij de lucht vagelijk vult met de geur van de chemicaliën die uit zijn binnenste zijn gelekt vanaf het moment dat ze hem tien jaar geleden tweede- of derdehands had gekocht.

Ten slotte ontsluit Tara de deur naar de trap voor zichzelf.
'Ga dan naar Rohans huis en eet dáár iets.'
Het is bijna middernacht.
'Ik ga morgenvroeg,' zegt het meisje.

Een paar uur later wordt ze wakker van de honger. Het is diep in de nacht. Ze gaat de kamer uit en blijft staan onder de met sterren beklede hemel. In de keuken ligt een granaatappel van de boom in Rohans tuin, die ze een paar dagen geleden voor Tara heeft meegenomen. Hij is geschild en de zaden liggen te glinsteren in een stalen kom, omgeven door hun eigen weerspiegeling. Het rood doet haar denken aan de robijn. Ze pakt een zaadje en legt het op haar tong, om het vervolgens weer uit te spuwen. Tara zou er iets overheen gestrooid kunnen hebben.

Vanaf het dak kijkt ze, haast duizelig van de honger, neer op Sharif Sharifs binnenplaats, en de keuken van zijn gezin. Ze loopt de trap af, en de hordeur piept als ze de keuken binnengaat, een klein vogelgeluidje, of dat van een cicade. Ze blijft staan en kijkt om zich heen, bijna panisch bij de gedachte dat ze het leven dat ze in zich draagt moet voeden. Haar vingers reiken naar een glazen pot en tillen er blindelings het deksel van op. Aan de zoetige geur kan ze ruiken dat er suiker in zit. Ze neemt wat tussen duim en wijsvinger en legt het op haar tong, en voelt vervolgens de kristallen smelten in haar speeksel. Ze hoort een geluid, van iemand bij wie de adem ineens in de keel stokt. Of is het het schrapende geluid van een lucifer die wordt afgestreken? Zal zo meteen een geel vlammetje ergens in het donker het gezicht van Sharif Sharif belichten? Ze laat de pot vallen en hoort hoe die met meer lawaai dan je zou verwachten breekt, en ze hoort door het geluid van brekend glas heen het veel ijlere geluid van wegstromende suiker, een zacht gesis. Als ze de keuken uitschiet voelt het korrelig onder haar voeten.

Boven eet ze de granaatappel op en brengt ze de zaden met beide handen tegelijk naar haar mond.

Wanneer Tara een uur later opstaat voor haar ochtendgebed, ligt Naheed nog altijd wakker. Ze vraagt Tara of ze een ontbijt voor haar wil klaarmaken en tien minuten later brengt Tara haar een paratha en een omelet met koriander, ui en groene peper. Als de zon opkomt loopt ze naar buiten, de kant van Rohans huis op.

Ze neemt een slokje water en er dwarrelt een donkerrood draadje in haar glas.

Ze zet het terug op tafel en gaat weer op het bed liggen, rillend van de koorts. Haar huid gloeit en ze heeft het gevoel dat ze door een vuur heen kijkt.

'Hoe laat is het?'

'Het is nacht.'

'Welke dag is het?'

'Donderdag.'

Tara legt haar hand op haar voorhoofd, een hand vol zorgzaamheid en schamele menselijke vertroosting. Naheed kijkt haar in de ogen, de ogen waardoor ze voor het eerst tranen naar buiten had zien komen. Ze hoort Tara zeggen: 'Ik heb hier niks mee te maken. Ik heb niets in je eten gedaan.'

Op vrijdagmorgen gaan de amberkleurige ogen open, gaat ze overeind zitten in bed en vraagt ze of ze kan helpen met het huishoudelijk werk. Tara geeft haar een mand met erwten om te doppen. Wanneer Tara tien minuten later de kamer weer binnenkomt treft ze haar diep in slaap in de stoel aan. De mand is op de grond gevallen en de erwten zijn alle kanten op gerold.

Op zaterdag werkt ze aan de zoom van een tuniek die Tara heeft genaaid. Als ze daarmee klaar is gaat ze naar het toilet – Tara herinnert haar er nog eens aan dat ze de deur niet op slot moet doen – waar ze een hele poos blijft zitten, terwijl Tara bekommerd buiten staat, en zo nu en dan een klop op de deur geeft, zachtjes als een hartenklop, maar er komt geen antwoord.

Wanneer ze eindelijk naar buiten komt vraagt Tara: 'Is er iets gebeurd?'

Ze geeft een kort knikje. 'Het is voorbij.'

Hoewel ze een hele tijd slaapt, blijft ze hoge koorts houden, en al die tijd zit Tara naast haar bed met haar koran of haar naaiwerk.

'Ik hoorde van iemand dat u naaiwerk doet, beste tante,' had de jongeman gezegd, toen hij een week geleden de trap op was gekomen.

Tara maakt vrouwenkleding, maar soms komen er ook jongens bij haar die hun broek of hemd willen laten vermaken (meestal moeten die strakker gemaakt worden, iets wat hun eigen moeders weigeren te doen).

'Zou u een Amerikaanse vlag voor me willen naaien?'

'Een Amerikaanse vlag?'

'Ja, we gaan hem verbranden bij een demonstratie in de bazaar.'

Tara voelde er weinig voor. 'Ik maak dat soort dingen niet,' verklaarde ze haar weigering. 'En ik wil er ook liever niks mee te maken hebben.' Ze stelde zich al voor dat ze zou worden opgepakt wegens betrokkenheid bij het verstoren van de openbare orde.

Maar nu is ze blij dat ze de jongen weer gezien heeft bij de winkeltjes. Als Naheeds koorts niet zakt, kost een bezoek aan de dokter haar vijfentwintig roepies. En waarschijnlijk zal Naheed niet in staat zijn zelf naar de kliniek te lopen, zodat de dokter langs zal moeten komen, wat meer kost.

'Hoe ziet zo'n ding eruit?' had ze de jongen gevraagd.

Ze had hem mee naar huis genomen en in de kamer had hij op een stuk papier een tekening van de vlag gemaakt. 'Dit stuk is blauw, deze strepen zijn rood, en deze zijn wit.'

'O.' Ze had de tekening van zich af gehouden. 'Hij is niet zo duidelijk en simpel als die van ons, hè? En moet ik die sterren er ook op naaien?'

'Ja. Volgens mij zijn het er een stuk of honderd. Of waren het nou tachtig? Ik weet het niet meer. Vul dat hele blauwe vierkant in de hoek maar gewoon met rijen sterren.'

'En wanneer moet hij klaar zijn?'

'Het is voor na het vrijdaggebed van volgende week. En hij moet groot zijn, zeg maar zo groot als vier lakens aan elkaar. En zou u alstublieft stof willen gebruiken die niet al te snel of al te langzaam opbrandt? De vlammen moeten er inspirerend en beangstigend uitzien op de foto's.'

Vlak voordat hij weer wegging had hij haar beleefd gevraagd of hij iets voor haar kon doen, en ze had hem gevraagd het kapotte peertje boven aan de trap te vervangen, omdat zij zelf niet bij de fitting kon, ook al ging ze op een stoel staan. En Sharif Sharif wilde ze onder geen beding vragen.

De rest van de dag is ze bezig kleine strookjes stof in brand te steken om de aard, de intensiteit en de gelijkmatigheid van de vlammen te testen bij linnen, katoen en de weefsels die genoemd waren naar vrouwenfilms en -romans: *Teray Meray Sapnay*, *Dil ki Pyas* en *Aankhon Aankhon Mein*. Ze kiest uiteindelijk voor een combinatie en wisselt de stof die snel opbrandt af met stof die wat trager vlam vat. Ze knipt repen van een rol wit KT-stof – even zuiver als de pelgrimstocht naar Mekka – en maakt rode stroken van een stuk rood linnen. Voor de donkerblauwe rechthoek in de hoek van de vlag gebruikt ze een grote lap stof die is overgeschoten toen ze de blauwe tunieken naaide voor de uniformen van een meisjesschool uit de buurt. Blauw als de kleur die – zeggen ze – een kaarsvlam krijgt wanneer er een geest in de buurt is. Terwijl ze bezig is de lap uit te meten, zegt ze een gebedje voor de conciërge van de school, die de kosten van een noodzakelijke, dure hartoperatie niet kan opbrengen.

Voor de sterren snijdt ze een sjabloon uit een stuk karton, waarna ze die, ingenomen met het feit dat de stof zo mooi glanst, uit wit satijn begint te knippen, om ze vervolgens een voor een op de grond te laten vallen, waar ze glimmend en wel om haar heen blijven liggen. Ze moet dit goed aanpakken, want ze wil niet dat de jongen straks ontevreden is en haar minder betaalt dan ze zijn overeengekomen. Daarom raadpleegt ze bij herhaling de tekening die hij voor haar heeft gemaakt, waarbij ze zo nu en dan over haar knieën wrijft omdat er iets van de novemberkou in haar gewrichten is getrokken. Maar op haar leeftijd is pijn geen verrassing meer, dus gaat ze door met haar werk, terwijl ze zich afvraagt waar de verschillende onderdelen van de vlag eigenlijk voor staan.

Zijn de witte en rode banen rivieren van melk en wijn, die stromen onder een hemel die barst van het sterrengeflonker?

Of zijn het wegen die doordrenkt zijn met bloed, afgewisseld met wegen die bezaaid liggen met witgebleekt gebeente, die tezamen leiden naar een zee vol explosies?

Misschien betekent het blauw van de vlag dat de Amerikanen al het blauw van de wereld in bezit hebben: het water, de lucht, het bloed zoals je het in aderen ziet, de Blauwe Moskee van Tabriz, de schemering, de veer die de plek aangeeft waar ze in de koran is gebleven, haar naaikrijt, het plekje onder op de rug van pasgeboren zuigelingen, poststempels, de glazen ogen van buitenlandse poppen. Mohammed zwoer bij het rood van de avondhemel, en Adam betekent zowel 'levend' als 'rood'. Hebben de Amerikanen dat alles en ook al het overige rood in hun bezit? Het rood van de rozen, van alle vleessoorten, bepaalde soorten dode bladen, bepaalde soorten levende bladen, de liefde, de veren onder de staart van een buulbuul, de jurken en sluiers van bruiden, de feestdagen op de kalender, granaten en robijnen, geluk, blosjes, vermetelheid, oorlog, het Rode Fort van Delhi, de uitbarsting van gewelddadige overvallen die zo ernstig was geweest dat de mensen uit de buurt naar de politie waren gegaan, waar ze te horen hadden gekregen dat ze niet moesten zeuren en maar privé-beveiliging moesten inhuren, priklimonade, de band van haar koran, dat alles, plus alle andere tinten rood: karmozijn, vermiljoen, scharlaken, obsidiaan en magenta, het rood van kastanjes, frambozen, winterappels, geraniums en van de betraande ogen van de vrouw van drie deuren verderop, die Tara had meegedeeld dat ze niet wilde dat zij de kleren voor de uitzet van haar dochter naaide, nadat ze erachter was gekomen dat Tara bezeten was van de djinn, omdat ze bang was dat Tara haar onfortuin in de kleren zou naaien, de rode vlaggen van de revolutie waarvan de ouders van Mikal en Basie hadden gedroomd, het Alhambra in Spanje, de paden in de tuin van Rohan, in Shiraz geweven tapijten, de glimmende auto's die door de rijken van Pakistan werden ingevoerd, om er vervolgens achter te komen dat er geen goede wegen waren waarop ze ermee konden rijden. De ondergaande zon. De opkomende zon.

Ze werkt ononderbroken door, en naarmate de uren verstrijken krijgt de grote vlag steeds meer vorm in haar kamer. Hij beslaat de helft van het vloeroppervlak. Ze kijkt naar Naheed, maar het meisje blijft doorslapen. Haar haren zitten met zweet langs de randen van haar gezicht geplakt. Nog even en de winter zal aanbreken, als een mes dat openklapt, en de kamer is koud. Ze neemt een test met gloeiende kooltjes en zet die naast Naheed, die nu wel koel aanvoelt. Wanneer het tijd is voor het nieuws zet ze de radio wat harder, waarna haar wordt meegedeeld dat Kaboel eerder op de dag is gevallen en dat de taliban zijn gevlucht, met medeneming van alles wat ze maar te pakken konden krijgen, inclusief zes miljoen dollar uit de centrale bank. Afghanistan is bevrijd en Amerikaanse troepen krijgen snoepgoed en plastic bloemen aangereikt door de vrije burgers van Kaboel en muziekwinkels openen hun deuren weer, maar terwijl mannen hun baard afscheren, kiezen vrouwen er vooralsnog voor zich in hun boerka's te blijven verschuilen. En Tara weet dat dat verstandig is. Tijdens haar hele volwassen leven is er niet één dag geweest waarop ze niet gehoord heeft dat er een vrouw was vermoord met een kogel, een scheermes of een touw, verdronken of gewurgd met haar eigen sluier, levend begraven of verbrand, vergiftigd of gesmoord, de neus afgesneden, het hele gezicht verminkt met een bijtend zuur of geheel aan stukken gesneden, door een auto overreden of met een stuk brandhout doodgeslagen. Elke dag hoor of lees je wel dat een vrouw in de naam van eer-en-schande of van Allah-en-Mohammed iets dergelijks is aangedaan door haar vader, haar broer, haar oom, haar neef, haar tantezegger, haar man, haar schoonvader, haar zwager, de oom van haar man, de neef van haar man, de oomzegger van haar man, haar zoon, haar schoonzoon, haar geliefde, of iemand die een vete wilde beslechten met haar vader, met haar man, met haar zoon, haar schoonzoon, haar geliefde. Vandaar dat Tara blij is dat de vrouwen van Kaboel zo verstandig zijn hun boerka's aan te houden, omdat je als vrouw maar zelden een tweede kans krijgt of op vergiffenis mag rekenen wanneer je een misstap hebt begaan of verkeerd bent begrepen.

Ze werkt door tot middernacht, tot één uur, en het lijkt alsof zij de enige is die nog wakker is. Zij alleen is de islam.

Naheed doet haar ogen open en gaat overeind zitten.

'Je gelooft me toch wel wanneer ik zeg dat ik niks gedaan heb?' vraagt Tara. 'Ik heb dat spul weggegooid. Ik heb het, na die eerste paar keer, nooit meer door je eten gedaan. Dat zweer ik op de Koran.'

'Ik weet het,' zegt Naheed zwakjes.

'Soms bewerkstelligt Allah zelf voor ons hetgeen waarvan hij weet dat het beste is.'

'Ik ben naar een verpleegster gegaan en heb haar gevraagd me een paar spuitjes te geven,' zegt het meisje. Ze kijkt Tara aan. 'Het was Allah niet. Ik heb het zelf gedaan.'

14

De bladeren van de Smarteloze Boom hebben een ruw oppervlak en zijn daarom uitstekend geschikt voor politoerwerk. Mensen die in de meubelwinkel bij het kruispunt werken komen regelmatig vragen of ze er een paar mogen hebben. Wanneer hij deze ochtend gaat opendoen omdat er is aangebeld, denkt Rohan dan ook dat er zo iemand voor de deur zal staan.

'Herkent u me niet?' zegt de man.

'Neem me niet kwalijk, maar ik zie het inderdaad niet.' Misschien is het een bijenverkoper.

'Ik ben in oktober bij u geweest om vogelstrikken te spannen. Ik ben Abdoel, de vogelaflaatkramer.'

In gedachten ziet Rohan weer de fiets voor zich met de reusachtige vogelkooi achterop.

'Ik kom mijn draden weer ophalen.' De man kijkt omhoog naar het gebladerte boven de muur om het erf. 'Ik zie ze niet meer. Ik neem aan dat ze zijn weggehaald.'

Rohan staart sprakeloos naar de kleine man met de zachte gelaatstrekken en de witte baardstoppeltjes op de lichtbruine huid van zijn wangen. Aan één kant mist hij een tand.

'Zo te zien herinnert u zich mij helemaal niet meer,' zegt Abdoel.

'O jawel. Komt u binnen, we hebben uw draden bewaard.' Rohan was een ochtendlang bezig geweest om ze uit de knoop te halen en netjes op te rollen om de stukken van een verzaagde tak rozenhout.

De vogelaflaatkramer volgt hem op de voet wanneer ze naar de schuur lopen. De noordhoek van de tuin staat vol rook, omdat hij heeft gesnoeid en nu bezig is de twijgen en takken die anders ziektes zouden overbrengen te verbranden. Een Javaanse goudrugspecht kruist hun pad in golvende vlucht. Hij heeft zich eerst uit de Australische pijnboom laten vallen om te ontsnappen aan de rook en stijgt nu weer op om te verdwijnen in de tamarinde, waarvan verscheidene takken, die in de winter kaal worden, boven hun hoofd een soort zenuwnetwerk vormen.

Rohan blijft staan, draait zich om en kijkt de man aan. 'Ik zie niet in waarom u niet op een andere manier aan de kost zou kunnen komen.'

De vogelaflaatkramer laat de woorden even bezinken. Dan zegt hij: 'Het spijt me dat ik niet op de afgesproken dag ben langsgekomen.'

'Dat is maar goed ook.' Rohan is verbaasd over de woede die in zijn stem doorklinkt, en al even verbaasd over hoe snel de ogen van de man zich met tranen vullen. Maar Rohans woede laat niet af. 'Welk excuus zou u voor uw gedrag kunnen aanvoeren?'

Abdoel veegt de tranen uit zijn ogen met de voorkant van zijn hemd. 'Er is absoluut geen excuus voor de overlast die ik u heb bezorgd.'

'Ik sprak namens de vogels, die daar vijf dagen lang gevangen hebben gezeten. Hongerig, dorstig, doodsbang.'

De vogelaflaatkramer haalt een opgevouwen vel papier uit zijn zak en steekt het Rohan toe. 'Dit maakt duidelijk wat mij is overkomen.'

Rohan pakt het papier met de nodige aarzeling aan, maar vouwt het niet open.

'Toen ik die middag, nadat ik de strikken had gespannen, thuiskwam, hoorde ik dat mijn zoon van veertien was weggelopen om in Afghanistan te gaan vechten. Ik kon de volgende dag niet naar u toe komen om de vogels op te halen, omdat ik hem eerst moest zien te vinden. Ik heb diezelfde avond nog de trein naar Pesjawar genomen.'

Rohan staart naar hem en vervolgens naar het opgevouwen stuk papier in zijn hand.

'Ik heb hem in Pesjawar niet kunnen vinden, en ik ben nu al maanden naar hem op zoek. Steeds als ik thuiskom, vraagt zijn moeder: "Weet je al iets van hem?" Ze is halfgek geworden en loopt te huilen alsof hij al dood is.' De man wijst naar het papier. 'En toen kregen we ineens gisteren deze brief. Hij was onder de deur door geschoven. Hij wordt gevangengehouden in de kerker van een of andere krijgsheer in Afghanistan. Ze hebben hem gevangengenomen toen hij voor de taliban vocht, en de mensen van de krijgsheer willen dat ik naar Pesjawar kom om met hen te bespreken hoe ik hem vrij kan krijgen.'

Rowan vouwt langzaam het vel papier open en leest de paar regels die erop staan.

Kom naar elektriciteitspaal 29 in de Bazaar van de Kopersmeden in Pesjawar. Zaterdag 22 december om acht uur 's ochtends. Wij brengen uw zoon mee, zodat u zeker weet dat wij hem hebben.

'Dat is over twee dagen,' zegt Rohan.

'Ja. Ik dacht, ik ga nog een keer bij u langs om te kijken of ik mijn strikken nog eens mag spannen om een paar vogels te vangen. Ik heb geen geld meer voor de trein naar Pesjawar. Mijn vrouw heeft haar oorbellen al verkocht, en ik mijn fiets. Dat waren de enige dingen van waarde die we hadden.'

'U moet het me niet kwalijk nemen, maar ik kan u die strikken niet weer laten spannen.'

'Dan moet ik een andere plek met veel bomen zien te vinden. Mijn fiets is weg, dus zal ik de kooi vol vogels op mijn rug moeten dragen.'

Rohan kijkt naar de brief. *Ga niet naar de politie. Dan doden wij hem of leveren hem uit aan de Amerikanen die hem zullen martelen.*

'U weet dat waarschijnlijk niet,' zegt Abdoel, 'maar duizenden van onze jongens zijn naar Afghanistan gegaan.'

'Dat weet ik wel.'

'Hoe dan ook, als die aanslagen van september werkelijk nodig waren dan spijt het me dat ze tijdens mijn leven moesten plaatsvinden. Ze hebben mijn leven verwoest. Terwijl ik zo ver van de plaats woon waar het gebeurd is. Wat weet Heer nou van New York, of New York nou van Heer? Het zijn werelden van verschil.'

'Is dat de naam van uw zoon?' vraagt Rohan met een blik naar de plaats in de brief waar hij vermeld staat. 'Jeo?'

De man knikt. Rohan geeft hem de brief terug, draait zich om en samen lopen ze door naar de schuur. Rohan pakt de stukken rozenhout waar het draad omheen gewonden zit – knoestige stukken tak, als het gebeente van een boom –, doet ze in een linnen tas en ziet dan hoe de vogelaflaatkramer over het tuinpad wegloopt en de poort uitgaat, waar de grond bezaaid ligt met de laatste bloemen van de flamboyant. De uitgeputte blik van de man lijkt op de uitgeputte blik van Basie, die, sinds ze uit Pesjawar zijn teruggekomen, ieder gerucht over Mikal heeft nagetrokken en wiens geest voor het moment haast geknakt is, al zal zijn vitaliteit te zijner tijd ongetwijfeld terugkeren.

Elke keer dat een jongen uit de buurt van huis was weggelopen om de moslimbroeders in Kasjmir te steunen in hun vrijheidsstrijd tegen het Indiase bewind, bleven de mensen over zijn lot speculeren en kwamen ze nog maanden en jaren later met loze berichten daaromtrent naar zijn ouderlijk huis. De jongen zou gezien zijn in een bos bij Anantnag en aan geheugenverlies lijden. Hij zou een nieuw leven zijn begonnen in China. Hij zou door een roversbende zijn ontvoerd en gewoon hier in Pakistan, in een kalkoven in de buurt van Quetta, voor losgeld gevangen worden gehouden. Naar verluidde spookten de geesten van de vermiste jongens rond in villa's in Delhi, naar verluidde waren de jongens gewurgd door gokkers in Mansehra en verbrand in huizen in Srinagar. En op een keer had zich een jongeman bij een ouderlijke woning gemeld met de bewering dat hij de vermiste zoon was, maar hij bleek een patiënt te zijn die uit een psychiatrische inrichting was ontsnapt.

Rohan loopt naar de poort. De vogelaflaatkramer is al bijna aan het eind van de straat, maar Rohan heeft nog nooit zijn stem in het openbaar verheven. Hij kijkt rond of er niet ergens een kind is dat hij kan vragen hard te schreeuwen om de aandacht van de man te trekken. Maar net op dat ogenblik kijkt de vogelaflaatkramer om en kan Rohan hem met een handgebaar wenken.

'Ik ga met u mee naar Pesjawar,' zegt hij tegen de man. 'We gaan samen naar de afspraak met de mensen van de krijgsheer om te zien wat we kunnen doen om Jeo terug te krijgen.'

Hij is bang dat hij Naheed, Yasmin en Basie niet zal kunnen overtuigen van de noodzaak van de reis. Hij heeft bedacht dat hij hen eraan zal herinneren dat hij in zijn jeugd met maar weinig geld of begeleiding Saoedi-Arabië, Irak, Spanje, Egypte, India en Turkije heeft bezocht. Maar omdat hij zeker weet dat ze zullen zeggen dat dat lang geleden was, zegt hij niets over de zoon van de vogelaflaatkramer. Hij zegt dat hij naar Pesjawar gaat om de familie van zijn oud-leerling te bezoeken en hen alsnog te bedanken voor de dozen met boeken, iets wat er de vorige keer bij ingeschoten is.

In de Bazaar van de Kopersmeden in Pesjawar vinden ze al snel elektriciteitspaal 29 waar ze blijven wachten tot ze zullen worden benaderd. Ze staan vlak voor een werkplaats waar riksja's worden hersteld, tegenover een kraam waar ze geld en bloed voor de taliban inzamelen. Na de val van Kaboel kon men in tal van huizen in Rohans buurt in Heer geweeklaag horen opklinken. De imam van de moskee vlak bij Rohans huis had gedurende vrijwel zijn hele, twee uur durende vrijdagpreek staan huilen, en zijn geween was door de luidsprekers te horen geweest. De man uit het busje van Geestrijk Vuur vertelde dat hij, toen hij hoorde dat het Westen Afghanistan had veroverd, in de Koran had zitten lezen, en dat het heilige boek van pure schaamte uit zijn handen was verdwenen.

Het is acht uur 's ochtends, het in de brief aangegeven tijdstip, maar de enige die naar hen toekomt is een jongetje van een jaar of zes, dat vraagt of hij hun schoenen mag poetsen.

Ze blijven staan wachten, en om tien uur verschijnt er een man met een kalasjnikov over zijn schouder die hun nors vraagt zich te identificeren.

Hij deelt mee dat ze voor twintigduizend roepies de zoon van de vogelaflaatkramer zullen vrijlaten.

'Zoveel geld heb ik niet,' zegt Abdoel, waarop de man een zucht van ergernis slaakt. De bergpieken zetten hun witte tanden in de hemel rond de stad. De decemberkou is bijtend. In de rivieren en wateren zullen ongetwijfeld schotsen ijs meedrijven.

'In het briefje stond dat jullie de jongen zouden meebrengen,' zegt Rohan.

De man wijst naar een rood busje aan het andere eind van de bazaar.

Ze lopen ernaartoe, de man doet het achterportier open en zegt tegen Rohan en Abdoel dat ze naar binnen moeten gaan, waarna hij het portier onmiddellijk achter hen sluit. Er zitten geen ramen in het achterste deel van het busje, het is een soort pikzwarte ijzeren kist, en Abdoel knipt zijn aansteker aan. Het vlammetje geeft maar erg weinig licht, dus draait Abdoel het met het wieltje aan de zijkant zo hoog mogelijk. Ze kijken om zich heen, met gebogen hoofden vanwege het lage dak, en ineens dringt het tot hen door dat wat er aan de andere eind van de laadruimte ligt niet een hoop vodden is, maar een jongen. Wanneer de vogelaflaatkramer naar hem toe gaat krimpt de knaap ineen en slaakt een gil.

Abdoel blijft staan, kijkt naar de jongen en gaat dan naar het portier. 'Dat is mijn zoon niet,' zegt hij terwijl hij erop bonkt.

Rohan ziet dat de jongen huilt. 'Alstublieft, neem me mee,' smeekt de jongen ten slotte met een ijl stemmetje en neergeslagen blik. 'Ze houden ons gevangen. Ze doen dingen met je waardoor je er alleen maar een eind aan wilt maken. Alstublieft, neem me mee,' fluistert hij.

'Zelfmoord is een zonde,' zegt Rohan. 'Dat soort dingen mag je niet zeggen.'

Abdoel bonkt op het portier, maar er komt van de andere kant geen enkele reactie.

'Ze doen vaak een spelletje dat ze "pinnen" noemen. Ze beginnen met de jongste gevangenen en vragen hun hoe oud ze zijn. Als de jongen "twaalf" zegt sturen ze twaalf man op hem af. Zegt hij "veertien" dan krijgt hij er veertien. Dan nemen ze hem mee naar een kamer, trekken hem zijn broek uit en duwen de jongen omlaag, waarna je allemaal geschreeuw hoort. De mannen schreeuwen harder dan de jongen, alsof ze gek geworden zijn of in wilde beesten zijn veranderd. En terwijl ze dingen met hem doen schreeuwen ze: "Pinnen! Pinnen! Pinnen!" '

Dit zou zelfs de sterren de stuipen op het lijf jagen. En de vuisten van Abdoel beuken nog harder op het portier. De vlam van de aansteker flakkert en gaat vervolgens uit. 'Alstublieft, help me,' klinkt de stem van de jongen. 'Allah zal u en uw vrouw belonen.' En dan wordt het portier opeens opengerukt en stroomt het licht in hun ogen.

Rohan en Abdoel mogen uitstappen, waarna het portier weer wordt dichtgesmeten voor de neus van de jongen, die nog een laatste keer wanhopig 'Ik maak er een eind aan!' schreeuwt voordat het busje met een schok naar voren beweegt en wegrijdt.

'Dat is mijn zoon niet,' zegt Abdoel. Daarop halen de mannen die het losgeld geëist hebben een stapel foto's tevoorschijn die twee keer zo dik is als een spel kaarten en vragen aan Abdoel of hij die wil bekijken. Tegen het eind van de stapel herkent Abdoel zijn zoon Jeo.

'We zullen hem volgende week meenemen. Zelfde tijd.'

'Ik kan het losgeld en de reis niet betalen,' zegt Abdoel. 'Ik of mijn vrouw zal een nier moeten verkopen. Dat duurt een poosje. Kunnen we niet over een maand afspreken?'

'Een maand?' zegt de man nadenkend.

'Kennen jullie dan geen enkele schaamte?' schreeuwt Rohan, die niet in staat is zijn ontsteltenis en woede te onderdrukken en Abdoel opzij heeft geduwd, tot zijn eigen verbazing de man recht in het gezicht. De mensen staren hem in het voorbijgaan aan, en hij heeft het gevoel dat hij het middelpunt is van een hele zwerm ogen. 'Hoe kunnen jullie losgeld eisen voor kinderen en hun ouders dwingen zichzelf zoiets vreselijks aan te doen?' Hij is niet bij machte ook dat andere aan de orde te stellen, zozeer is hij daardoor geschokt.

De man wordt razend, en even lijkt het alsof hij naar Rohan zal uithalen.

'Ik snijd die jongen de strot door en jou maak ik ook af!' brult hij terwijl Rohan hem vol haat aankijkt. 'Die jongen van jou hebben we opgepakt terwijl hij tegen ons aan het vechten was. Waarschijnlijk heeft hij een paar van onze mannen doodgeschoten. We hebben geld nodig om te voorkomen dat de weduwen en de kinderen van die gesneuvelden moeten gaan bedelen.'

Abdoel probeert hem tot bedaren te brengen. 'Ik kom over een maand terug en dan heb ik het geld bij me. Behandel mijn jongen in de tussentijd alstublieft goed.'

'Nee,' zegt Rohan, ineens vastbesloten. 'Nee. We willen Jeo hebben en we gaan hem vandaag nog halen.'

'Maar hij is in Afghanistan.'

'Dan gaan we naar Afghanistan.'

'Dat is vier, vijf uur rijden.' De man wijst naar het oosten, voorbij de stad.

'Afghanistan is geen vier of vijf uur rijden,' zegt Rohan.

'Goed, zes of zeven uur dan.'

'Het is zelfs nog meer, maar dat kan me niet schelen. Ik wil Jeo terug.'

'Goed, kom dan maar met me mee. Het is nog steeds moeilijk langs de officiële route Afghanistan binnen te komen, maar ik kan jullie zonder problemen via oude smokkelroutes heen- en terugbrengen.'

Hij is zich bewust van de risico's. Nu ze verslagen en verjaagd zijn trekken bendes taliban- en Al-Kaidastrijders door Afghanistan, en natuurlijk wemelt het in het land van de westerse soldaten.

'Dat wordt een duur reisje voor jullie,' zegt de man. 'En ik zal eerst moeten bellen om alles te regelen en te zorgen dat mijn meerderen akkoord gaan.'

'En hoe moet het met die twintigduizend roepies?' vraagt Abdoel aan Rohan.

Rohan steekt zijn hand in zijn jaszak en vist er aan een zwart koord de robijn uit. Zowel Abdoel als de eiser van het losgeld staan versteld van de grootte en de schoonheid van het juweel, en van het ongeëvenaarde rode licht dat zich daarbinnen verzameld heeft. Ze kunnen hun ogen niet van de steen afhouden, en staren naar de jaszak waar hij in zit wanneer Rohan hem weer heeft opgeborgen.

Rohan kijkt om zich heen. 'De Straat van de Vertellers is die kant op. Waar is de Juweliersbazaar?'

De eiser van het losgeld heeft een auto, en nadat ze de robijn op de Juweliersbazaar hebben laten taxeren, rijden ze naar de oostelijke buitenwijken van Pesjawar. De officiële weg naar Afghanistan loopt via de Khyberpas, maar zij nemen allerlei smalle weggetjes en sluiproutes door heuvelland dat dichtbegroeid is met mesquitestruiken. Het kalksteen van de heuvels rond Maneri is doorschoten met zwart-groengeel dooraderd marmer, of marmer dat zuiver groen en zuiver geel is, en het gebedssnoer in Rohans handen is van dat laatste gemaakt, met om en om gele en groene kralen. Op de grote keien op de rivieroevers staat *Jihad is je plicht* gekalkt, witte letters tegen de grijze en zwarte achtergrond. Dat stond er nog niet in oktober, toen Rohan met Yasmin en Basie door deze streek trok. *De overwinning of het martelaarschap. Bel nu voor jihad-training*. Er staat een telefoonnummer bij.

De juwelier taxeerde de robijn op vijftigduizend roepies. Op het bord boven de winkel stond dat de eigenaar edelstenengenealoog was en dat hij van elke kostbare steen op aarde herkomst en soort wist te duiden. Rohan had hem gevraagd het bedrag op te schrijven onder het toeziend oog van de losgeldeiser.

'Ik zal uw krijgsheer dit kleinood geven in plaats van geld, dan moet hij ons Jeo geven.'

Terwijl ze de Afghaanse grens naderen voert de losgeldeiser het woord. 'Toen de Amerikanen een bom op mijn dorp gooiden zijn daar zeventig mensen bij omgekomen,' zegt de man. 'Dat verwijt ik die Amerikanen, maar ook de strijders uit het buitenland, zoals uw zoon, want de Amerikanen probeerden hen te elimineren.'

En steeds weer wil hij de robijn hebben.

Op een afgelegen plek in de buurt van de grens zet hij de auto langs de kant en vraagt hij hun uit te stappen. Hij is over een uur terug, zegt hij. En weer wil hij de robijn hebben. 'Dat bespaart jullie de reis. Geef mij het juweel mee, dan breng ik jullie de jongen.'

Maar dat weigert Rohan, en de man rijdt weg. Het lijkt alsof de vallei van Pesjawar eeuwen geleden het bekken was van een groot meer, waarvan de oevers door de rotswanden en pieken van het omringende Himalayagebergte werden ingesloten, en Rohan heeft het gevoel alsof hij door die grote binnenzee wordt verzwolgen.

De navolgende woorden van de profeet ontving ik van Adam bin Ayaas, die ze heeft ontvangen van Ibn Abi Zyeb, die ze heeft ontvangen van Syed Makbari, die ze op zijn beurt heeft ontvangen van Aboe Horaira. Aldus sprak de profeet: 'Indien iemand een ander onrecht heeft aangedaan, dient hij zich van de vergiffenis van het slachtoffer te verzekeren voor het te laat is. Anders zullen, op de Dag des Oordeels, wanneer slechts het goede wat men op aarde verricht heeft telt, de goede werken van een onrechtvaardig man op zijn slachtoffer worden overgedragen. En indien hij geen goede werken heeft verricht, zullen de zonden van zijn slachtoffer op hem worden overgedragen.'

Rohan bladert in het *Boek met uitspraken van de profeet* en blijft even hangen bij deze uitspraak, het is nummer 2286. Hij huivert van de kou. Het is inmiddels twee uur geleden dat de man met de auto is vertrokken. De vogelaflaatkramer ligt in een deken gewikkeld onder een boom te slapen.

‘Waarom kijk je zo bedrukt?’ vraagt een vrouwenstem.

Rohan kijkt op. Haar haren zijn wit en haar gelaatstrekken zijn gevangen in een web van rimpels. Hij glimlacht en schudt zijn hoofd.

Ze wijst naar de zwerfkeien en het scherm van struiken aan de overkant van de weg. Rohan ziet dat er achter de bladeren en takken een lage lemen muur staat.

‘Loop erheen.’

Rohan richt zijn aandacht weer op het boek. Nummer 2279: *De navolgende woorden van de profeet ontving ik van Osman Ibn Ani Sheeba, die ze heeft ontvangen van Hasjeem, die ze heeft ontvangen van Obaidoellah bin Abu Bakr bin Uns, die ze heeft ontvangen van Hamit Tavail, die ze op zijn beurt heeft ontvangen van Uns bin Malik. Aldus sprak de profeet: ‘Sta immer uw (moslim) broeder bij, of hij nu een tiran is of een slachtoffer.’*

De vrouw komt aangezweefd en beroert zijn schouder. ‘Het is een begraafplaats. Het lijk van een jongen die in de strijd tegen de Amerikanen in Afghanistan is omgekomen is hierheen gebracht en begraven. Hij is een martelaar en zal je voorspraak zijn bij Allah. Vraag Mikal of je lijden verlicht kan worden.’

Rohan slaat het boek dicht, stopt het in zijn schoudertas en staat op. Hij steekt de weg over en loopt de begraafplaats op waar een paar honderd zielen begraven liggen en een paar vervallen graftombes en wat doornstruiken staan. Tegen de hemel tekenen de bergen zich duizelingwekkend steil af en overal vertonen het land en de hellingen sporen van de verdwenen zee, het werk van stromingen, golven, bronnen, beken en rivieren. Op elke grafsteen staan Koranverzen, alsof de graven ze opzeggen, of onderling een gesprek voeren met behulp van louter heilige woorden. Vlak achter de muur van de begraafplaats ligt een aardhoop van zeker tien meter lengte, overladen met kleurrijke bloemen, riviergrond met stukjes zoetwaterschelp en schilfers zachtblauwe leisteen uit een in de nabije heuvels gelegen groeve. Bij de aardhoop staat een groepje vrouwen Koranverzen op te zeggen. Aan het hoofdeinde steekt een man een wierookstokje aan, en de rook stijgt in trage blauwe slierten op in de koude lucht.

‘Hij was een reus.’ Een vrouw kijkt Rohan aan als hij dichterbij komt. ‘Nee,’ verbetert de man met het wierookstokje haar, terwijl hij naar de andere kant van de tien meter lange grafheuvel loopt om de stokjes daar aan te steken. 'Hij had een normaal postuur, maar is op het slagveld zo groot geworden.'

Langs de rand van de grafsteen staan sterren gegraveerd. En daar staat Mikals naam, plus zijn geboortedatum en zijn sterfdatum: de dag nadat Jeo en hij naar Afghanistan gingen.

'Ze zeggen dat hij in zijn eentje zes gevechtsvliegtuigen heeft neergehaald en dertig vrouwen heeft behoed voor verkrachting door Amerikaanse soldaten.'

Hij kijkt naar de bloemen waaronder de jongen bedolven ligt. De zon schijnt verblindend in zijn ogen en hij voelt zich ineens doodmoe. Verderop zijn sporen van adelaarsklauwen gevonden die wegleidden van de martelaar, de heilige krijger, vertelt iemand hem. Zijn ziel moet een adelaar zijn geweest.

Hoe is Mikals lichaam hier beland? Door de verwarring en de chaos van de oorlog. Hij kijkt omhoog naar de steile rotswanden. Overal is de begroeiing even weelderig. Nadat de zeespiegel was gedaald werd dit tropisch moerasland, geliefd territorium van de neushoorn, de flamingo en de tijger, dicht begroeid met riet, biezen en coniferen. Hij prevelt het Koranvers dat in de robijn gegraveerd staat. *Rijkdom en nageslacht zijn slechts kortstondige versiering van het naaste leven.* Hoelang hij daar in al zijn verwarring staat weet hij niet, maar hij komt pas weer bij zijn positieven wanneer hij Abdoel van de andere kant van de muur zijn naam hoort roepen.

Zeventien uur duurt de reis naar hun bestemming in Afghanistan, dwars door bergland, over bruggen, door een kilometerslange zandstorm, en door stromen waarin tientallen baarden drijven die vluchtende Al-Kaidamilitanten hebben afgeschoren. In diepe schemer steken ze een brede, vlakke vallei met een rivier vol zandbanken over. Op de plek waar een 'Daisy Cutter'-bom is neergekomen is alles zwart geblakerd, tot as, puimsteen, lava gereduceerd, en zijn de hellingen uiteengereten, en over dit alles ligt de gele waas van de nog niet opgekomen maan, terwijl vanuit het oosten de koude nacht over hen neerdaalt en de sterren aan hun loop door het zwarte bergland beginnen.

Het lijkt alsof deze plek is getroffen door een kosmische inslag, als van een meteoriet, niet door mensenhand gemaakt. Het aantal gesneuvelde Amerikanen bedraagt twaalf in de afgelopen twee oorlogsmaanden, terwijl er duizenden en duizenden Afghanen zijn omgekomen, strijders zowel als toevallige omstanders, en Rohan heeft geen idee wie straks de gecompliceerde waarheid zal vertellen, en hij slaat alles aandachtig gade, alsof hem op zeker moment in de toekomst zal worden gevraagd wat hij gezien heeft. Tegen het einde van de reis passeert een konvooi Amerikaanse soldaten hun voertuig. Hij vraagt zich af of hij hun kan vragen te helpen om de vrijlating van de door de krijgsheer gevangengehouden jongens te waarborgen. Net wanneer hij het konvooi uit het zicht ziet verdwijnen meldt de radio dat een Britse moslim is gearresteerd toen hij boven de Atlantische Oceaan een passagiersvliegtuig probeerde op te blazen met explosieven die in zijn schoenen verborgen zaten.

Wanneer ze om drie uur 's nachts in een compound zijn aangekomen worden ze naar een vertrek gebracht dat sterk naar stof ruikt, en waar ze, naar hun wordt gezegd, de rest van de nacht moeten blijven. De muren zijn opgetrokken uit mortel en op de grond liggen honderden kapotte beelden. Hopen torso's, armen, voeten en gezichten in allerlei maten van de boeddha en de verschillende personen die in zijn leven een rol hebben gespeeld. Hij kijkt naar de boog van een wenkbrauw die uiterst nauwkeurig met de steenhouwersbeitel boven het oog van een man is aangebracht. Naar de bloemen die aan het haar op een vrouwenhoofd lijken te ontspruiten. Rohan en de vogelaflaatkramer kunnen nauwelijks een voet verzetten, daarom maken ze ruimte door een stuk of wat brokstukken op elkaar te stapelen, waarna de vogelaflaatkramer zich neerlegt tegen een stuk draperie van een meter dat van de rokken van een nimf of een tempeldanseres is afgehakt. Rohan herinnert zich dat hij, toen Sofia op sterven lag, een tekening die zij van een bodhisattvabeeld gemaakt had, heeft verbrand. En hij weet dat sommige mensen uit de buurt, toen ze hoorden dat zijn gezichtsvermogen langzaam achteruitging, zeiden dat Allah hem op die manier strafte voor het feit dat hij haar tijdens haar laatste uren zo had gekweld. 'Hij wilde niet zien wat zij had afgebeeld, en nu zal hij die dingen zelf niet meer kunnen zien.'

Hij valt in slaap terwijl hij naar de foto op de muur tegenover hem ligt te kijken. Daarop drukt de krijgsheer de hand van een Amerikaanse kolonel. Volgens de datum op de lijst is de foto vorige maand genomen, kort na de val van het talibanregime. Het tegenovergestelde van oorlog is niet vrede maar beschaving, en de prijs van beschaving is geweld en koelbloedige moord. En oorlog. Deze man moet miljoenen dollars verdienen met het beveiligen van de bevoorradingstransporten van de NAVO die door zijn gebied komen, en met de militie die hij op de been heeft gebracht om aan de zijde van Amerikaanse mariniers de taliban- en Al-Kaidastrijders te bekampen.

Hij wordt wakker voordat de sterren zijn verdwenen en zegt zijn ochtendgebeden. Hij heeft geslapen in een twee meter grote handpalm, waarbij de muis van de duim hem tot kussen heeft gediend. Wanneer hij uit een naburig vertrek de kreet 'Pinnen! Pinnen!' meent te horen komen, onderbreekt hij zijn gebeden en schuifelt voetje voor voetje door het duister van de compound, maar het geschreeuw is opgehouden, en er is niets dan de afnemende maan aan de hemel die zijn vage schaduw op de grond werpt en de klare sterrenkaart die hem aan Mikal doet denken, de skelettengeometrie van de sterren.

Tegen het eind van de ochtend betreedt een man met ernstige, gitzwarte ogen het vertrek en vraagt aan Rohan en de vogelaflaatkramer of ze hem willen volgen. Hij brengt hen naar de ondergrondse kerker van de krijgsheer, door de verzonken gangen die aan weerszijden geflankeerd worden door getraliede cellen. Achter een brede stenen boog bevindt zich een groot zwembad, dat nu evenwel is gevuld met benzine; de groezelige wanden zijn beschilderd met de nog altijd fraaie bloemen, parkieten en buulbuuls uit de tijd dat het nog echt als binnenbad werd gebruikt. Er staan pompen waarmee de benzine kan worden overgeheveld in jerrycans, bestemd voor voertuigen of generatoren. Terwijl zij door de gangen lopen steken schimmen van mensen een arm door de tralies van hun cel, schudden met vuile mokken en roepen: 'Water!' Het stinkt er naar zweet, urine en uitwerpselen, naar etterende wonden en rottend vlees. Deze gevangenen moeten allemaal van weinig betekenis zijn, want de belangrijke worden voor vijfduizend dollar per stuk aan de Amerikanen overgeleverd.

Een traliedeur wordt geopend en de gids gebaart dat degene die zich in de cel bevindt naar buiten moet komen. De jongen die naar voren treedt is totaal versuft en blijft schuin in het halfduister staan, tot hij door de man in de richting van de vogelaflaatkramer wordt geduwd. Hij draagt een vuile sjalwaar-kamies, is griezelig mager, en zijn handen trillen wanneer hij ze naar zijn gezicht brengt om zijn tranen af te vegen. Wanneer zijn vader hem omarmt, komen de armen van de jongen uit zijn gescheurde mouwen, en Rohan ziet dat de huid kriskras is getekend door diepe sneden. Abdoel mompelt alsmaar woorden van vreugde, blij als hij is met de hereniging, maar de jongen zwijgt in alle talen en kijkt alsof hij liever zou begrijpen wat er aan de hand is dan zelf iets zeggen.

Als ze zijn teruggekeerd in het vertrek waaruit ze kwamen, overhandigt Rohan de robijn aan hun gids. Die zegt onmiddellijk dat hij die niet kan aannemen.

'Dit is gewoon glas,' zegt de man.

'Het is geen glas,' zegt Rohan. 'Het is onmiskenbaar een echte edelsteen.'

De man blijft met de steen in zijn hand staan. Dan slaakt hij een zucht en zegt dat de krijgsheer er niet is en dat ze moeten wachten tot hij terug is. Hij loopt weg met het juweel en Rohan gaat naar de deur om te kijken in welk van de vele vertrekken rond de binnenplaats hij verdwijnt. Overal in de compound hangen posters met de krijgsheer erop aan de muren. Het is duidelijk dat hij op een ministerspost hoopt.

'Hoe ben je hier beland?' vraagt Rohan aan Jeo, maar de jongen weigert te spreken, niet bereid zich de tijd en de plaats te binnen te brengen waar zijn banden met het menselijke werden verbroken. Hij kijkt naar zijn vader en fluistert: 'Zijn jullie gekomen om mij te halen?'

'Ja.'

'Vorige week was de vader van een van de andere jongens hier. Hij is ijsventer en zei dat hij probeert elke dag tien roepies opzij te leggen voor het vrijkopen van zijn zoon. Dat kost hem twintig jaar. Jullie moeten me vandaag nog meenemen.'

'Wij zijn hier om jou mee te nemen, vanochtend nog, maak je maar geen zorgen,' zegt Rohan, die nog steeds de kant op kijkt die de man met de robijn is opgegaan, terwijl hij zijn hand voorzichtig op het hoofd van de jongen legt.

De jongen krimpt ineen onder de aanraking.

'Je hoeft niet bang voor hem te zijn,' zegt Abdoel. 'Hij is een goed mens.'

'Hoeveel gevangenen zitten er daarbeneden in die cellen?' vraagt Rohan, met een blik naar de vloer. Misschien bevinden ze zich wel recht onder zijn voeten.

'Een stuk of honderd. De anderen die met mij hier kwamen zijn doodgegaan.'

Wanneer de krijgsheer binnenkomt met de robijn in zijn hand, zichtbaar verrukt van de schoonheid ervan, herkent Rohan hem onmiddellijk van de foto aan de muur. De man heeft maar één oog, een groot hoofd en een brede borst, die vooruitsteekt alsof hij naar voren wordt gedreven door de krachtige klop van een hart dat voor niets en niemand bang is.

'Ik kom zien wie mij dit geschenk gebracht heeft.' Hij glimlacht breed terwijl hij op Rohan af loopt. 'U mag de jongen meenemen,' zegt hij, terwijl hij zijn hand uitsteekt om die door Rohan te laten drukken.

Rohan kijkt naar de hand, maar grijpt die niet. Hij is niet bij machte zijn gevoelens te verbergen, en de glimlach van de man bevriest. Zijn bedienden, die zich achter hem verzameld hebben, verstijven. De uitgestoken hand hangt doelloos in de lucht, en Rohan had er net zo goed een klap tegen kunnen geven. Iedereen houdt de adem in, terwijl de robijn in 's mans andere hand fonkelt. Heldenmoed is de eigenschap waarmee de edelsteen in verband wordt gebracht. De moed om te allen tijde de waarheid te zoeken. Het vermogen tirannen recht in de ogen te kijken. Deze wereld vol vernieling, boosaardigheid en verwoesting, waar het bloed van onschuldigen niet telt, is geknipt voor deze man en zijn soortgenoten.

Rohan loopt de deur uit, gevolgd door Jeo en de vogelaflaatkramer, zonder de krijgszuchtigen verder nog een blik waardig te keuren. Maar hij krijgt meteen al spijt van zijn optreden, omdat hij daarmee de veiligheid van Abdoel en de jongen wel eens op het spel zou kunnen zetten.

Ze lopen door de poort naar buiten, zonder oogcontact te maken met de gewapende mannen die daar de wacht houden. Buiten de poort hebben zich allemaal mensen verzameld die de krijgsheer eer willen bewijzen of op geld en bijstand hopen. Op het moment dat de wachters de poort openen om het drietal naar buiten te laten, begint de menigte luidkeels haar noden uit te schreeuwen, terwijl men als bezeten met stukken papier zwaait en smeekt de krijgsheer te mogen spreken. Vanonder de plooien van blauwe of crèmekleurige boerka's klinken vrouwenstemmen op. In de berm van de weg zitten mensen te ontbijten met thee en pakken biscuits.

Jeo kijkt naar een kat die langs een muur loopt. Hij zegt tegen zijn vader: 'Ze vergeten soms dagenlang je eten te geven, en op een keer toen ik vreselijke honger had, heeft die kat me een dode hop gebracht om te eten.'

Rohan ziet het konvooi Amerikaanse legervoertuigen aankomen over de weg.

'De andere gevangenen zitten daar nog gewoon,' zegt Jeo terwijl hij naar de compound van de krijgsheer wijst. Zijn ogen trillen bijna van de intensiteit waarmee hij achterom kijkt. 'Zien jullie die getraliede vensters onder aan de muur? Dat zijn de hoge ramen waar we in onze ondergrondse cellen naar opkeken.'

Het uit zes voertuigen bestaande konvooi is nu vlakbij, en Rohan posteert zich midden op de weg.

Het voorste voertuig stopt tien meter voor hem, en de piepjonge blanke soldaat achter het stuur kijkt hem door de voorruit aan. Na een paar tellen leunt zijn bijrijder met zijn geweer uit het raampje en schreeuwt: 'Opzij!'

Boven hem geeft de plots geopende hemel zicht op de ijskou van de kosmos.

Gekweld door dromen over gerechtigheid op aarde wil Jeo iets doen, als een ster die licht afvuurt om zichzelf gestalte te geven. Voor zijn vader beseft wat hij doet heeft hij een stuk baksteen dat voor zijn voeten ligt opgepakt en het in één beweging door naar de mannen gegooid die bij het gebouw op wacht staan, waarbij hij een van hen op nauwelijks een halve meter mist. Hij blijft uitdagend staan, alsof hij kracht put uit het feit dat hij zich weer onder de blote hemel bevindt en op deze manier duidelijk wil maken waar hij staat in deze wereld, als mens onder de mensen. Een van de wachters komt met geheven geweerkolf op hem afgerend, maar Abdoel stapt naar voren om hem te kalmeren. Hij haalt een sigaret uit zijn zak, schopt hem tussen de lippen van de wachter en steekt hem zelfs voor hem aan, de hele tijd verontschuldigingen mompelend.

'Opzij!'

Rohan geeft geen gehoor aan het bevel. In plaats daarvan loopt hij op de jeep af. De andere voertuigen zijn achter het voorste gestopt en soldaten leunen met hun wapens in de aanslag uit de raampjes, sommige onzeker, andere in paniekerige angst.

'Ik moet met u spreken,' zegt Rohan in het Engels.

'Opzij!'

Rohan steekt beide armen in de lucht. De soldaat weigert hem te zien als een onschuldige oude man. 'Ik heb uw hulp nodig om een stel kinderen uit dat gebouw daar te bevrijden,' zegt hij, wijzend met zijn hand.

'Niks mee te maken.'

'Ze worden daar misbruikt.'

'Niks mee te maken. Ik waarschuw niet nog eens!' Ze richten hun vuurwapens op hem en naar alle kanten, achter hem, links, rechts, op de groep smekelingen, de loop steeds onverbiddelijker naarmate de paniek toeneemt. 'Wegwezen! Nu! Ik waarschuw niet nog eens!'

Rohan vangt een glimp op van Jeo, die naar de ramen van de kerker gelopen is en daardoor naar binnen tuurt.

Langzaam loopt Rohan naar de rand van het wegdek, niet genegen het konvooi helemaal uit de weg te gaan, nog steeds op zoek naar woorden die hij tegen de soldaten zou kunnen zeggen, en de voertuigen naderen vol achterdocht, uiterst langzaam, het zigzagprofiel van de banden rolt centimeter voor centimeter verder, en hij ziet hoe de poort van het gebouw opengaat en de krijgsheer naar buiten komt. Hij blijft staan en kijkt naar Rohan.

Een van de mannen van de krijgsheer is naar voren gestormd om Rohan van de weg te trekken, en smijt hem met geweld tegen de grond. Terwijl hij valt ziet hij het Amerikaanse konvooi optrekken, en ook dat Jeo om de een of andere reden zijn hemd heeft uitgetrokken, waardoor zijn uitgemergelde, weerzinwekkend gekneusde lijf zichtbaar wordt. De jongen grist de aansteker uit Abdoels hand, steekt zijn hemd in brand en rent met het brandende vod naar de rij ramen van de ondergrondse cellen.

Rohan ligt in het stof en bedenkt dat de man van de krijgsheer dolgelukkig moet zijn geweest dat hij het obstakel voor de Amerikanen uit de weg heeft kunnen ruimen. Maar de man houdt Rohan nog steeds in zijn greep, en inmiddels zijn er ook anderen verschenen die hem zó hard tegen de grond drukken dat hij meent dat ze een poging doen hem levend te begraven, dat ze hem met enkel de kracht van hun armen de grond in willen duwen. De krijgsheer torent boven hem uit met uitgestoken hand, de hand die hij had geweigerd te drukken. De tijd vertraagt terwijl de krijgsheer zijn hand verder omlaagbrengt en Rohan ziet dat hij de verpulverde resten van de robijn in zijn handpalm houdt. De steen is in minuscule stukjes vergruizeld. Kalm drukt de man een vingertop in het verbrijzelde juweel, zodat het messcherpe gruis eraan blijft kleven, waarna hij die vingertop naar Rohans ogen brengt.

Een seconde, twee, drie – en dan explodeert het zwembad vol benzine, waar Jeo zijn brandende hemd van bovenaf in heeft gegooid.

Rohan komt overeind. Het licht is zo sterk dat alles daarin uiteenvalt. Het is alsof hij zich in een veld van pure energie bevindt. Rohan veegt met zijn hand voor zijn hoofd langs om de lap weg te halen die over zijn ogen is gevallen, maar dan dringt het tot hem door dat er geen lap ís. De wereld verwijdert zich en alles wordt kleiner, maar dan keert zijn gezichtsvermogen voor enkele ogenblikken terug en ziet hij hoe het vuur zich wervelend over de grond verspreidt. Hij is moe, moe van het leven zonder Sofia, en wanneer hij tegen iets aan botst, tegen de grond smakt en een strook schamel gras onder zijn handen voelt, beseft hij dat hij blind is.

15

Aan één kant van het huis in Heer, tussen het raam van Rohans studeerkamer en het groepje hoog oprijzende kapokbomen, zit een soort wastafel aan de muur bevestigd. Toen ze nog klein waren vonden Jeo en Mikal het heerlijk om 's ochtends daar hun gezicht te wassen, te midden van vogelgezang en de briesjes uit de tuin. Op bepaalde uren schijnt de zon in de spiegel die erboven hangt, en boven die spiegel groeit een bougainville met zijn hartvormige bladeren en zijn bloemen van crêpepapier, waarvan de lange takken soms voor de spiegel hangen zodat je ze opzij moet duwen om je eigen gezicht te kunnen zien. Soms worden ze opgebonden of in een vierkant weggesnoeid, zodat de spiegel weer vrij komt. De donkeroranje bloemen van de bougainville met de roestkleur van belegen appelpartjes, vallen met tientallen tegelijk in de wastafel en moeten eruit worden gevist voordat de kraan kan worden aangezet.

Naheed maakt haar gezicht nat, maar vermijdt oogcontact met haar spiegelbeeld. Ze keert haar gezicht naar de decemberzon en blijft zo een minuutlang staan, terwijl ze haar huid voelt opdrogen. Ik weet dat hij leeft, had ze tegen haar moeder gezegd, ik voel zijn aanwezigheid.

Ze loopt terug naar haar stoel en pakt het boek op waarin ze heeft zitten lezen en dat ze uit een van de dozen heeft gevist. Rohan is twee dagen geleden naar Pesjawar gegaan om de familie van de gulle gever te bedanken. Hoewel ze al een tijdje in huis staan, vergeet zij ze zo nu en dan toch, zodat ze als ze een deur uitkomt tegen een zuil van dozen aan loopt, alsof ze erin zou willen binnendringen en verdwijnen.

Er is geen lijk, er is geen graf. Dat blijft ze zichzelf voorhouden. Als zon en maan zouden twijfelen, zouden ze uitdoven.

Zo nu en dan kijkt ze op van haar boek. Dankzij de as vertoont haar tuniek een patroon van grijze bloemen en zwarte bladeren, een tuin tijdens de schemering.

De liefde maakt geliefden niet onkwetsbaar, leest ze. *Maar zelfs indien de schoonheid van de wereld en de liefde op het punt staan vernietigd te worden, moeten wij ons aan hun zijde scharen. De overwinning van de haat verandert daar niets aan. Verslagen liefde is nog altijd liefde.*

II

DE TUIN VAN DE BLINDE

Ook indien God niet bestaat,
Is de mens niet alles toegestaan.
Nog steeds is hij zijns broeders hoeder
En het is hem niet toegestaan zijn broeder te bedroeven
Door te zeggen dat God niet bestaat.

Czesław Miłosz

16

Adam kreeg vergiffenis in de winter.

Die gedachte komt bij Mikal op terwijl hij buiten in de kou staat, en zijn adem voor hem zichtbaar wordt en weer verdwijnt. In zijn omzwachtelde rechterhand houdt hij de gedroogde bloempjes die hij in zijn zak verstopt had. Aan beide handen ontbreekt de wijsvinger. De bloempjes zijn verbleekt en geknakt, maar met al dat grijs om hem heen zijn ze nog altijd het meest kleurrijke binnen zijn blikveld. Hij schermt ze af zoals hij met een kaarsvlam zou doen, alsof hij wil voorkomen dat hun kleuren worden uitgewist. Hij strijkt met een vinger over het hart van een van de bloempjes, waarvan hij de afzonderlijke deeltjes, hoe klein ze ook zijn, toch kan voelen, fijn als garen met piepkleine stuifmeelzwellinkjes.

Mikal draait zich om en loopt het gebouw weer binnen.

Het is de bergwoning van de krijgsheer wiens gevangene hij is. De ketting aan zijn enkels is net lang genoeg om er langzaam mee te kunnen lopen, maar te kort om ermee te kunnen rennen. Hij loopt zonder te stoppen door de keuken, gaat de trap op en loopt vervolgens door een lange gang naar een vertrek helemaal aan het eind waar tal van stemmen klinken.

Drie dagen geleden heeft hij 's nachts de Boötiden-meteorenzwerm gezien, daardoor weet hij welke maand het is. Meteorenregens komen steeds ongeveer in dezelfde tijd van het jaar voor, en de Boötiden zijn altijd begin januari te zien.

Hij deed een ontsnappingspoging, in de nacht dat hij ze zag. Het huis wordt omringd door hoog oprijzende pijnbomen en met sneeuw bedekte bergtoppen, de meeste vertrekken zijn afgesloten en de enige menselijke aanwezigheid bestaat uit een zestal manschappen uit het gevolg van de krijgsheer.

Hij weet nog altijd niet waar Jeo is. In de vier maanden die zijn verstreken sinds hij in oktober gevangen werd genomen, is hij door verschillende krijgsheren geruild en weer doorverkocht, en naarmate de tijd verstreek kwamen er steeds minder woorden uit zijn mond, meestentijds helemaal geen. De huidige krijgsheer weet zelfs niet hoe hij heet.

Hij gaat het vertrek binnen waar de mannen ineengedoken rond een vuurkorf met een kolenvuur zitten. De krijgsheer is een bandiet en de zoon van bandieten, en Mikal heeft uit verhalen begrepen dat hij uitermate gevreesd wordt vanwege zijn bloeddorst. Op een keer hadden de inwoners van een dorp, toen ze gehoord hadden dat hij van plan was het dorp te plunderen, 's nachts al hun juwelen en kostbaarheden op straat gelegd, zodat duizenden bankbiljetten gewoon ronddwarrelden toen hij kwam aangereden.

Mikal pakt een granaatappel van een schaal en hurkt neer in de verre hoek van het vertrek. Terwijl hij luistert naar wat ze zeggen breekt hij de vrucht met zijn tanden en zijn vingers open en draait hem behoedzaam rond, want de wonden van de vingers die hij kwijt is zijn na zoveel maanden nog altijd gevoelig. Elke krijgsheer heeft hem gezegd dat hij losgeld voor hem ging vragen. Maar hij had steeds geweigerd hun een contactadres te geven, wat ze ook met hem deden. De enige manier waarop ze van hem konden profiteren was door hem elke dag aan het werk te zetten op een bouwplaats, wanneer ergens een school werd gebouwd of een vrouwengevangenis er een vleugel bij kreeg, waar hij zich dan geketend en wel afbeulde, terwijl hij met de week magerder werd en zijn kleren hem als vodden om het lijf gingen hangen. Zijn haar werd lang en lag dik en onhandelbaar als een soort muts om zijn hoofd, en hij droeg nog altijd de laarzen die hij in oktober gedragen had, alleen had hij het bloed eruit gespoeld. Hij werkte zo hard hij kon, want hij was bang dat ze hem anders zouden doodschieten omdat hij op hun kosten teerde. Maar aan de andere kant was hij bang dat hij zich dood zou werken.

Hij kauwt op de granaatappelzaadjes en laat het rode sap uit zijn mond op de omzwachtelde delen van zijn handen druipen, want hij weet dat dat een bijzonder helende werking heeft.

Een van de mannen beklaagt zich over een pistool dat alsmaar weigert. Het is een M9 Beretta, en Mikal weet hoe eenvoudig het probleem kan worden opgelost. Hij zou de man kunnen vertellen dat hij een stuk isolatieband over de opening onder in de greep van het pistool moet plakken om te voorkomen dat er stof in komt. Maar hij houdt zijn mond, ervan doordrongen dat het wapen op zeker moment bij een vluchtpoging tegen hem gebruikt zou kunnen worden.

Hij is hier naar de bergwoning gebracht om te helpen bij een opdracht: er moet iets gestolen worden. De mannen rond het vuur nemen net de laatste details van het plan door. De veertienhonderd jaar oude mantel van de profeet Mohammed wordt sinds 1768 bewaard in de moskee van Kandahar. Maar toen de Amerikanen in oktober met hun bombardementen begonnen is de mantel uit veiligheidsoverwegingen naar het bergland overgebracht, en hij is nog niet naar Kandahar teruggehaald. Hij bevindt zich nog altijd in een hooggelegen moskee op zo'n tachtig kilometer van dit huis, en de krijgsheer wil hem zich toe-eigenen ter verhoging van zijn aanzien, en om zijn voordeel te doen met de wonderbaarlijke krachten die ervan uitgaan.

De handigste dieven van de krijgsheer zullen samen met Mikal de mantel van de profeet proberen te bemachtigen. Het betreft een vader en een zoon, die even oud is als Mikal. Het heilige kledingstuk wordt ongetwijfeld bewaakt, en wanneer ze tijdens de diefstal worden betrapt zal er een gevecht ontstaan. Mikal zou liever niet aan het misdrijf meedoen, maar moet wel gehoorzamen. Bovendien heeft de krijgsheer gezegd dat hij zal overwegen Mikal vrij te laten als het hen lukt hem de mantel te bezorgen. Mikal gelooft niet dat de man woord zal houden, daarom besluit hij tijdens de tocht alert te blijven op elke mogelijke ontsnappingskans.

Als ze klaar zijn voor vertrek staan ze op, en iedereen loopt mee naar buiten, naar de voorste binnenplaats, om hen uitgeleide te doen. Mikal blijft wat in het vertrek treuzelen en is de laatste die door de deur naar buiten gaat. Zo snel als zijn geketende benen het toelaten graait hij de geweerpatroon mee die hij meteen bij zijn binnenkomst onder een van de stoelen heeft zien liggen. Terwijl hij door de duistere gang achter de anderen aan loopt, stopt hij het ding achter zijn broeksband.

Zelfs door de stof heen voelt het metaal koud aan op zijn huid.

Wanneer ze buiten naar het busje toe lopen komen er minieme bevroren vochtdeeltjes aangedreven door de verder droge lucht. Ze schitteren in de late ochtendzon als blinkend zand, stof of glas. Het huis heeft hoge stenen muren met kijkgaten, en vijf Duitse herders lopen 's nachts los rond over de compound. Desondanks heeft hij drie keer geprobeerd te ontsnappen, en bij elke poging was hij verder gekomen dan bij zijn vorige. Het was slechts de vrieskou die hem had gedwongen terug te keren. Hij had zijn enkelketting in lompen gewikkeld om het gerammel te dempen, maar uiteindelijk had hij niet snel genoeg kunnen lopen om voldoende warmte te ontwikkelen nu de berghellingen in de witte kluisters van de winter gevangenzitten.

De vader neemt plaats achter het stuur, en hij en zijn zoon zeggen eenstemmig in het Arabisch de zin die elke goede moslim geacht wordt uit te spreken voor hij aan een reis begint: 'Moge Allah deze reis voor ons als veilig te boek hebben gesteld.'

Mikal klimt op de voorste achterbank. Hij moet gereed zijn om bij de eerste de beste gelegenheid zijn kans te grijpen. Hij weet al twee dagen dat er iets mis is met het voertuig en dat het tijdens de tocht wel eens pech zou kunnen krijgen. Eergisteren waren ze op hertenjacht in het bos, en toen ze terugkwamen hadden de herdershonden het geluid van het busje niet herkend en waren ze gaan blaffen zoals ze anders doen bij het geluid van een onbekend voertuig. In de motor zit ergens een mechanisme dat op het punt staat het te begeven, een breuk die zich door het chassis zal verspreiden.

Wanneer ze wegrijden voelt hij aan zijn pijnlijke arm. Een tijdje was hij vanwege zijn wonden haast maniakaal gefixeerd op bijen en had hij elke bij op zijn vlucht gevolgd, in de hoop dat die hem naar de bijenkorf zou voeren, begerig als hij was naar de gele subsantie die in de wassen cellen ligt opgeslagen, omdat hij wist dat niets het vlees zo goed doet herstellen als honing, die zelfs wonden heelt die tien jaar lang niet zijn dichtgegaan.

Het wordt kouder in het busje naarmate ze dichter bij de sneeuwgrens komen, langzaam stijgend tussen de rotsen en de immense zwerfkeien, het landschap verscheurd door zijn eigen elementaire krachten. Wanneer het tijd is voor hct namiddaggebed onderbreken ze hun tocht, stappen uit en spreiden een deken uit op de met steenslag bedekte grond, terwijl de wind links van hen huilend door een kloof jaagt. Ze gaan naast elkaar op de deken staan met hun gezicht naar de westelijke bergen gekeerd en maken vervolgens de buigingen naar Mekka, dat duizenden kilometers verder ligt.

Mikal is eerder klaar dan vader en zoon en haast zich terug naar het voertuig. Onderweg wurmt hij de patroon achter zijn broeksband vandaan. Het is een kaliber .22 patroon waarmee hij zo snel als hij kan de zekering van de koplampen vervangt. Het duurt precies dertig tellen, en de hele tijd is hij bang dat vader en zoon hun gebeden zullen beëindigen en naar hem zullen kijken, maar het geluk is met hem. De patroon past precies in de zekeringkast naast de stuurkolom. Na zo'n kilometer of twintig, vijfentwintig zou de patroon te heet moeten worden en afgaan, en zou de kogel in het been van de chauffeur moeten dringen. Alsof hij door een geweer was afgevuurd.

Als hij klaar is gaat Mikal naar buiten zitten kijken, wachtend tot ook zij klaar zijn met bidden. De hemel bestaat uit roze, gele en grijze strepen die boven hun hoofden in Allahs strikte ordening herhaald worden. Wanneer ze terugkomen geeft de vader hem een uitbrander omdat hij zijn omgang met Allah heeft afgeraffeld, en daarna rijden ze weer verder. De koplampen, die ze al hadden aangedaan voordat ze in de namiddagschemer gestopt waren om te bidden, beschijnen reusachtige stenen platen die onder allerlei hoeken de aarde uit zijn gedreven, alsof de plek van binnenuit met houwelen en mokers is bewerkt, met hele terreinen vol stervormige breuken als gevolg.

In de bergen zijn de dagen kort, en de grijsheid neemt toe als het ene uur verstrijkt en het volgende een aanvang neemt. Wanneer ze een smalle bocht nemen ziet Mikal dat de zolen van soldatenkistjes een aantal diepe indrukken hebben achtergelaten in de modderige grond. Amerika is overal. De afdrukken zijn groot, alsof ze willen zeggen: 'Zó laat je een indruk achter in de wereld.' Na de overwinning in november was de oorlog al snel overgegaan in een eindeloze reeks bliksemaanvallen en klopjachten op terroristenleiders en hun handlangers. Dit moeten mariniers geweest zijn, op zoek naar een mogelijke schuilplaats of een mogelijk graf van Osama bin Laden.

Hij zit naar voren geleund, met zijn hoofd tussen de twee voorste stoelen door. Wanneer de kogel in het lichaam van de chauffeur dringt zal dat een ongeluk veroorzaken. Het voertuig zal beschadigd raken en de kans bestaat dat het de zoon niet zal lukken de auto naar een veilige plek te sturen, en dat ze hier, in deze woestenij, dood zullen bloeden. Iets in hem wou dat hij de sabotage ongedaan kon maken, en na een poosje probeert hij dat ook.

'Stop!'

'Hoezo?' vraagt de man terwijl hij zich naar Mikal omkeert.

'Wij moeten ons avondgebed zeggen.'

'Daarvoor is het nog wat te vroeg,' zegt de chauffeur, en het busje rijdt door, terwijl het licht van de koplampen in de berghelling brandt. Mikal reikt naar voren en grijpt het stuur, waardoor het busje even een scherpe ruk naar links maakt. De zoon grijpt Mikal bij zijn halsboord, duwt hem terug en schreeuwt dat hij zich gedeisd moet houden. Mikal gaat weer zitten en de vader geeft hem, zonder zich om te draaien, een klap in het gezicht. Zijn vingers zijn bedekt met kleurrijke edelstenen. Het voertuig vervolgt onverbiddelijk zijn weg. Mikal zegt nog eens: 'We moeten stoppen.'

Daarna duurt het nog een paar tellen voordat het busje de lucht boven de afgrond in schiet, begeleid door het geluid van langs steen schurend, scheurend metaal, dat wordt voorafgegaan door de knal van de patroon die afgaat, die Mikal pas achteraf hoort. Zes meter onder hen, onder de overhangende takken van treurbomen, stroomt een rivier, en terwijl ze aan hun duik omlaag beginnen wordt alles daarbuiten ineens in het duister gehuld, doordat de kogel, toen hij vanuit de zekeringkast werd afgevuurd, de bedrading van de koplampen kapot heeft geschoten.

'Het is een kogelwond,' zegt de vader met een mengeling van schrik en verwarring. Hij keert hen tweeën de rug toe, maakt zijn broek open en bekijkt zijn bovenbeen. 'Ik ben beschoten.'

Zij hebben met veel moeite de oever weten te bereiken, waarbij de man ernstig met zijn been trok, nauwelijks in staat rechtop te staan. In Mikals lijf is elke pijn teruggekeerd na de klap tegen zijn ruggengraat toen het voertuig in de ondiepe rivier terechtkwam.

'Beschoten? Hoe kan dat nou?' zegt de zoon, die om hem heen loopt om de wond te bekijken. 'Zou het niet een onderdeel van het busje zijn dat door je been is gegaan?'

'Ik weet hoe een kogelwond eruitziet,' zegt de vader. Hij is een forse man, maar op dit ogenblik lijkt elke inspanning om zijn stem te verheffen hem te veel.

Achter hen in het ijskoude water loopt een dik koord van bloed aan de chauffeurskant uit het busje en golft mee met de trage stroom. Het lijkt alsof het metaal zelf bloedt.

'We moeten het eruit halen,' zegt de vader terwijl hij naar het busje wijst. Mikal merkt aan alles dat vader én zoon, nog afgezien van de rest, doodsbang zijn omdat ze het eigendom van hun meester vernield hebben.

'Daar is zo geen beweging in te krijgen,' zegt Mikal. Hij kijkt onder zijn hemd om te zien of hij verwondingen heeft opgelopen. Het is een tijdje stil, en iedereen overpeinst wat er is gebeurd. De kletsnatte lijven rillen vanwege de ijzige kou en de zoon krimpt ineen als hij aan de meer dan vijf centimeter lange snee in zijn voorhoofd voelt. 'Het is een waarschuwing van Allah,' zegt de jongen zachtjes. 'Het is verkeerd en zondig wat we willen doen, de gezegende mantel stelen. Ik vind dat we terug moeten gaan...'

Zijn vader kijkt hem doordringend aan. 'Je weet niet waar je het over hebt. Klets niet.'

De jongen schudt zijn hoofd. 'We moeten teruggaan. Je bent beschoten met een onzichtbaar pistool. Het is een waarschuwing van Allah...'

'Zwijg,' zegt de man in een poging greep op de zaak te houden, en de zoon kijkt weg, niet wetend voor wie hij het bangst moet zijn, Allah of zijn vader. De man verliest heel snel bloed, de zwartrode vloeistof loopt uit over de kiezelstenen aan zijn voeten. Het is net alsof er onder het gewicht van zijn lichaam iets uit de aarde omhooggeperst wordt. 'We kunnen hier niet blijven,' zegt hij. 'We zullen die laatste tien kilometer naar de moskee moeten lopen.'

'Kijk eens of je de veiligheidsgordels eruit kunt krijgen,' zegt Mikal tegen de jongen. 'We moeten het been van je vader afbinden.' En aan de vader vraagt hij: 'Liggen de sleuteltjes van mijn boeien in het busje?'

'Ik heb ze niet bij me.'

Mikal weet niet wat hij hoort. 'Hoe had je gedacht dat ik je bij het stelen zou gaan helpen?' Hij gelooft niet dat de man de waarheid spreekt. 'Stel dat ik had moeten rennen?'

De dief brengt zijn pistool omhoog en richt het met onvaste, bibberende handen op Mikal. De pijn zorgt voor een moorddadige blik in zijn ogen. 'Ik heb ze niet bij me. En denk maar niet dat je weg kunt lopen. Ga die veiligheidsgordels maar halen.'

Nadat ze de wond hebben afgebonden beginnen ze te lopen. Ze vinden een pad dat hen weer terugbrengt naar de plek waar ze van de weg zijn gevlogen. De dief laat een glinsterend spoor achter. Ze lopen in kletsnatte kleren door de vrieskou, en al snel worden de passen van alle drie onvaster, maar ze zetten zwijgend door. Het gerammel van Mikals kettingen is het enige waarneembare geluid. Toen hij twee jaar geleden, in Pakistan, op dezelfde hoogte was gaan jagen, had hij bevriezing weten te voorkomen door zijn hele gezicht met isolatieband te omwikkelen, met alleen een smal spleetje voor zijn ogen en nog eentje voor zijn neusgaten. Nu ziet hij hoe de krachten van vader en zoon langzaam afnemen. Hij weet dat hún krachten het eerder zullen begeven dan de zijne, ook al omdat de vader op de zoon moet leunen terwijl zij voortstrompelen. Hij moet de laatste restjes warmte in zijn lijf mobiliseren. Naheed. Het woord waarin alle betekenissen samenkomen.

De vader is de eerste die, net als zij een bergkam naderen, ineenzakt. De zoon bezwijkt een ogenblik later, alsof hij daar toestemming voor nodig had. Vanwaar hij ligt doet de man in plotselinge wanhoop een greep naar Mikals hemd. Hij wil zich aan hem vastklampen, maar alle kracht is uit hem weggezogen door de bergen, de hellingen en de toppen, die als gestolde stilte om hen heen staan, als tijd die op een andere manier zichtbaar is gemaakt, oeroud en op een langgerekte schaal.

In een roes van vrijheid loopt Mikal door naar de kam. Nog een halfuur, dan zal het volkomen donker zijn. Hij kijkt over zijn schouder en ziet dat de gewonde man, die op de grond ligt, een poging doet zijn pistool op hem te richten. De loop danst op en neer alsof hij een vlinder wil raken die nergens wil neerstrijken.

Hij gaat over de bergkam heen en blijft dan abrupt staan als hij ziet wat zich aan de andere kant bevindt. 'Wat zullen we nou krijgen?' Pas vele seconden later doet hij weer een stap voorwaarts.

Hij staat voor een kerkhof van vliegtuigen en helikopters, Russische MiGs en Hinds, die daar onder de vreemdste hoeken liggen met opengerukte cockpits en verbrijzelde raampjes, en met kapotgesneden en weggerotte banden. Er liggen er tientallen, een veld vol karkassen dat zich uitstrekt tot de volgende bergkam, zowat een kilometer verder.

Hij loopt naar een helikopter en kijkt naar binnen. In de dofmetalen wanden is van alles in het Russisch gekrast: namen, hele zinnen, harten met initialen erin. Het inwendige van de toestellen is volledig gestript, van de stoelen tot en met het instrumentenpaneel. Elk luchtvaartuig is weinig meer dan een lege peul of schelp, een voor een reus bestemde doodskist, en het metaal van elk toestel moet duizenden kilo's wegen. Op een bepaald moment heeft er zich, laag na dikke laag, mos op afgezet, dat inmiddels tot een harde korst is opgedroogd. Hij vervolgt zijn weg in een vrijwel rechte lijn tussen de toestellen door, en soms er dwars doorheen, in en uit deuropeningen klauterend, onderwijl zachtjes in zichzelf pratend, om te voorkomen dat hij zijn concentratie verliest. 'Mikal is eindelijk vrij. Mikal blijft doorlopen. Mikal hoort het gerammel van zijn kettingen. Mikal heeft geen enkel gevoel meer in zijn vingers. Mikal gaat niet dood in dit ijzeren kerkhof. Mikal heeft waarschijnlijk de dood van een man op zijn geweten. Mikal wil Naheeds gezicht weer zien. Mikal wil samen met haar in die kamer in Heer wonen. Mikal moet Jeo vinden.' Na een poosje blijft hij staan en draait zich om.

Wanneer hij weer bij de eerste gevechtshelikopter is teruggekeerd ziet hij dat vader en zoon hebben geprobeerd hem te volgen. Het is hun gelukt over de bergkam te komen, maar daarna zijn ze aan deze kant opnieuw ineengezakt, de een voorover, de ander achterover. Hij loopt naar hen toe en tot zijn verrassing weet de vader zijn hevig trillende arm met het pistool opnieuw omhoog te brengen in een poging het wapen op hem te richten. De ogen van de zoon blijven gesloten, maar zelfs in bewusteloze staat blijft het lichaam doorschokken. Mikal, die haast net zo hard trilt als zij, bevrijdt het wapen uit de greep van de vader, gaat met zijn voeten zo wijd mogelijk uit elkaar staan en richt de loop op de strakgespannen ketting. Het mechanisme is stijf van de kou, haast even stijf als zijn tot op het bot verkleumde lijf, en omdat hij het wapen moet bedienen met een hand waaraan de vinger waarmee de trekker normaal gesproken wordt overgehaald ontbreekt, lukt het hem niet zuiver te mikken. Twee keer vuurt hij in de harde grond, waarna verpulverde granietdeeltjes en de blauwe rookslierti van het pistool heel langzaam naar zijn gezicht opstijgen.

Hij steekt het pistool in zijn zak en ontwringt ook het wapen van de zoon aan diens verstijfde vingers. Uit de zak van de vader vist hij de koperen aansteker. De man staart hulpeloos naar hem op, te ver heen. Onder de duister wordende hemel met de nu al ontelbare sterren, en met zijn voeten nog altijd geketend, loopt Mikal op een MiG af.

De MiG is zowat vijf meter hoog. Hij gaat onder de met een dikke laag gedroogd korstmos bedekte vleugel staan, brengt zijn hand omhoog en knipt de aansteker aan. Bij zijn zesde poging vat het mos vlam en gloeit een deel ervan paars op, waarna de gloed zich zijdelings verspreidt en in een helderrood waas ontvlamt. Hij doet een paar passen achteruit. Eerst is het enkel de vleugel, maar al gauw wordt het hele vliegtuig in de heldere vlam gehuld en ontbrandt het kurkdroge korstmos ineens in een explosie van hitte. Er ontstaat een magnifieke trek omhoog, een vacuüm van een volle tel. Binnen twintig seconden staat het toestel van boven tot onder en van voor tot achter in lichterlaaie en jaagt een vurige transparantie over de vijftien meter lange metalen vorm. Een vogel van vlammen.

Hij heeft het nog altijd koud, zijn kleren zijn nat, maar zijn hand wordt wat vaster, en hij haalt het pistool uit zijn zak en schiet op de ketting, waarbij hij de zevende van de dertien schakels verbrijzelt.

Hoewel de twee anderen nog altijd op de plek liggen waar ze zijn neergevallen, is hun bloed ook weer begonnen te stromen en keert het leven weer in hun leden terug. Een enorm gebulder vult de lucht. Het uit zijn slaap gewekte metaal ontdekt dat het in vuur en vlam staat en schreeuwt het uit, en het is alsof het vliegtuig ieder moment brandend en wel zou kunnen opstijgen.

'Kom deze kant op,' roept hij over zijn schouder.

De mannen komen overeind en lopen langzaam naar de warmtebron, een vlaag augustushitte in januari. Stukken mos zo breed als een mannenhand maken zich los en drijven omhoog als vlokken verblindend licht. En dan dooft het vuur, even snel als het is opgelaaid, zichzelf weer uit en begint het vliegtuig hol te kraken terwijl het hier en daar wat nasmeult. Op de grond liggen stukjes verkoold hout waarlangs vuurrode puntjes kronkelen.

Het geblakerde metaal geeft nog steeds hitte af, en vader en zoon gaan zo dicht bij het toestel staan als ze kunnen verdragen. Met het pistool wenkt Mikal hen dat ze hem moeten volgen wanneer hij naar een volgend vliegtuig loopt en de aansteker opnieuw aanknipt.

Zo begeven ze zich van karkas naar karkas, van het ene verheven, helder oplaaiende vuur naar het andere, en de rotorbladen van de Hind-helikopters branden als vijftien meter brede gouden sterren boven hen, zodat zij baden in het licht. Op hun doortocht in deze stalen necropolis, waarbij de stoom van hun kleren slaat, laten zij een slingerpad achter zich.

Wanneer het begint te sneeuwen sissen de vlokken als ze op het verhitte metaal neerkomen.

Uiteindelijk houden Mikal en de zoon op met rillen en valt het losse riviergruis van hun opgedroogde kleren. Maar de vader heeft te veel bloed verloren; hij gaat zienderogen achteruit, zijn gezicht is doodsbleek, zijn lippen zien zwart.

'Hij knapt wel weer op zodra we bij de moskee zijn,' zegt de zoon.

Mikal kijkt hem aan. 'Dat hoop ik. Maar ik ga niet met jullie mee. Ik moet mijn eigen weg gaan.'

'Ga alsjeblieft niet weg,' zegt de jongen zacht. 'De meester zal ons straffen.'

Mikal schudt zijn hoofd. 'Ik moet echt gaan. Maak het tourniquet om het kwartier even los.'

'Maar als je wegloopt krijgen wij straks stokslagen. En we zitten ook al met het kapotte busje.'

'Ik kan jullie niet helpen. Ik moet echt gaan.'

'Hij slaat ons dood.'

'Ga dan niet terug,' zegt Mikal, die opeens woedend op de hele wereld is. 'Ga dan ook weg.'

'We móéten wel teruggaan,' schreeuwt de zoon. Er klinkt wanhoop door in zijn stem. 'De rest van ons gezin bevindt zich bij de meester. Als wij weglopen zal hij ze martelen om erachter te komen waar we zitten om ons te dwingen tevoorschijn te komen.'

Mikal kijkt naar de grond, dan schudt hij zijn hoofd. 'Dat kan ik niet.'

Half bezwijmd opent de vader heel even zijn ogen en wijst naar Mikals vingers. 'Misschien dat de pijn van je wonden overgaat wanneer je de mantel van de profeet aanraakt.'

Mikal loopt weg, nog altijd nee schuddend.

'Hoe kun je andere moslims zo in de steek laten? Help me dan alleen hem naar de moskee te dragen. Daarna kun je weggaan.'

Mikal blijft staan en kijkt om.

'Ik kan hem niet in mijn eentje dragen, dat zie je toch?' zegt de zoon, die op het punt staat in tranen uit te barsten. 'Zo bloedt hij dood.'

'Goed dan. Jij en ik brengen hem naar de moskee en daarna ga ik weg. En we stelen niks.'

Het is al middernacht geweest als ze de moskee in de verte zien opdoemen, beschenen door een glazen maan. Het gewijde bouwwerk staat op een vlakte van blauwwitte sneeuw, alleen, op zichzelf, zodat het lijkt alsof het op een vlakke hand gepresenteerd wordt. De zoon is hier vorige maand op verkenning geweest, maar het gebied heeft door alle sneeuw en ijs een totale metamorfose ondergaan. Hij fluistert: 'Ere zij Allah die Zijn wereld verandert en hem opnieuw verandert, zonder Zelf ooit te veranderen.'

De vader heeft de hele tijd wartaal uitgeslagen, hij hallucineert nu hij begint dood te gaan.

'Loop snel naar de moskee om hulp te halen,' zegt de zoon tegen

Mikal wanneer de man zwijgt. Vervolgens legt hij zijn vader op zijn rug en veegt de sneeuw van zijn borst om naar zijn hart te kunnen luisteren. In zijn andere hand houdt hij de fakkel die ze van een boomtak en een aan repen gescheurde tulband hebben gemaakt. Hoewel het is opgehouden met sneeuwen is hun lichaam met zo'n dikke sneeuwlaag bedekt, dat ze voor de helft onzichtbaar zijn.

Mikal klopt het witte goedje van zijn gezicht en kleren, zodat hij weer helemaal zichtbaar wordt, en begeeft zich op weg naar de moskee, langzaam, want als hij snel loopt wordt hij duizelig. Zijn geest registreert nauwelijks indrukken terwijl hij de afstand naar de reusachtige deur overbrugt. Zo nu en dan blijven de beide stukken van de gebroken ketting achter iets haken, en wanneer hij een bevroren plas op zijn pad aantreft breken er soms dunne flinters ijs onder zijn voeten. Hij komt aan bij het klooster, maar in plaats van meteen aan te kloppen verzekert hij zichzelf dat hij gerust eerst even kan gaan liggen bijkomen. Hoelang hij daar voor de deur ligt weet hij niet, maar wanneer hij op zeker moment zijn hoofd wil omdraaien merkt hij dat zijn haar in ijs zit vastgeklonken, en later dat de twee stukken enkelketting ook aan de grond zijn vastgelast.

Vanaf de plek waar hij ligt kijkt hij omhoog naar de moskee waarvan de muren, koepels en bordessen van buiten zijn beschreven met de volledige tekst van de Koran. Naar verluidt zijn ook de muren en plafonds van binnen van kalligrafie voorzien. Hij kijkt met halfopen ogen naar de maanbeschenen gevel, en het is alsof het inkt heeft geregend en elke druppel die ergens op is neergekomen een woord heeft gevormd in plaats van een spatvlek.

Terwijl hij in slaap wegzinkt kijkt hij naar de hemel. Ook daarboven in de kosmos is alles met Arabisch schrift beschreven, zo weet hij. Van de zesduizend sterren die met het blote oog te zien zijn hebben 210 een Arabische naam. Aldebaran, de volger, Algol, de demon, Arrakis, de danser, Fomalhaut, de vissenbek, Altair, de vogel... Hij valt in slaap en er is een stad onder de sterren in een onontdekt land, waarin achter geen enkel raam licht brandt. Het enige licht dat er is komt van de gesterntes en van de minaretten van de stad, die stuk voor stuk in brand staan, als een grote vuurpluim, waarvan de vlammen zo nu en dan uitwaaieren in de wind. Hij loopt de verlaten stad in en weet dat hij gevolgd wordt door een groep in het zwart geklede figuren. Hoewel hij ze niet ziet, weet hij op de een of andere manier zeker dat ze over de natuurlijke gevechtskracht van bergleeuwen beschikken, en hij is al verscheidene brandende minaretten gepasseerd voordat hij een deur openduwt en een huis in gaat. Enige tijd later hoort hij zijn achtervolgers binnenkomen. Ze verspreiden zich door de vertrekken en doen geen enkele poging hun stemgeluid te dempen om te verhelen dat ze naar hem op zoek zijn. Hij klimt over de muur in de aanpalende moskee. Hij pakt een boek uit een nis, scheurt er een bladzijde uit, verfrommelt die in zijn hand, strijkt hem vervolgens weer glad en legt hem op de vloer. Hij doet hetzelfde met een andere bladzijde, die hij eerst verkreukelt en vervolgens op de vloer legt naast de eerste, en dan met een volgende en een volgende, en uiteindelijk met alle bladzijden, bij het licht van de brandende minaret, zich langzaam terugtrekkend terwijl hij de bladen op de vloer uitlegt. Als iemand erop gaat staan zal hij dat horen. Wanneer de vloer om hem heen bezaaid ligt met de bladzijden gaat hij in het midden liggen en sluit de ogen, in een rechthoekige uitsparing met de precieze afmetingen van een graf.

Af en toe is hij zich vagelijk bewust van wat er zich in het duister afspeelt. Mensen die zich om hem heen bewegen. Handen die hem aanraken. Kaarslicht. Uiteindelijk slaagt hij erin volledig te ontwaken en worden de dingen weer tot aanzijn geroepen. Hij ligt op een laken dat is uitgespreid op de kale vloer, zonder kussen, en hij heeft een stel droge kleren aan. Een bejaarde man heeft zich zorgzaam en ongehaast over hem ontfermd, zijn baard valt op zijn buik in twee zilveren helften uiteen.

'Hebben jullie ze uit de sneeuw gehaald?'

'Wie?'

'Er lagen buiten nog twee mensen.' Mikal gaat langzaam overeind zitten en kijkt om zich heen.

'Er is niemand buiten.'

'Misschien dat jullie ze niet zien omdat het donker is.'

'Het is geen nacht meer. Het is al ochtend.'

De moskee is een ruïne, en de man verstookt een biezen gebedsmat en een partij strooien gebedskapjes om het warm te houden. Tegen de zuilen staan woorden die van de muren gevallen zijn, regels schoonschrift die zich doelbewust krommen en verstrengelen, en gaandeweg aan kracht, verrukking en uitstraling winnen.

Hij gaat staan en slaat, terwijl hij overeind komt, het laken om zijn schouders. 'In welk vertrek wordt de mantel van de profeet bewaard?'

De man biedt hem een homp brood aan. 'De mantel van de profeet is in Kandahar. Wat zou hij hier moeten doen?'

'Ik had gehoord dat hij hiernaartoe was gebracht.'

'Nee. De mantel is altijd in Kandahar geweest.' De man voelt aan zijn voorhoofd. 'Je bent moe. Ga liggen en rust uit.'

'Ik droomde dat ik bladzijden uit een liedboek scheurde om mezelf te beschermen.'

De man denkt een ogenblik na. 'Er is een boomsoort waarvan de bladeren nooit afvallen,' zegt hij, 'en daarin is hij als de ideale moslim. Maar Allah begrijpt het wel als het ons niet lukt volmaakt te zijn in deze onvolmaakte wereld.' Hij glimlacht naar Mikal.

Mikal neemt een eerste hap van het brood, dat vanbinnen klef en gaterig is. De man vertelt hem dat hij uit Jemen komt en een buitenlander is die in Afghanistan vastzit. Verspreid over allerlei delen van de moskee treft Mikal anderen aan zoals hij, mensen die meer naar wilde dieren dan naar mensen ruiken, hele gezinnen uit Arabische landen, vrouwen en kinderen die een gebroken indruk maken. Zij zijn al sinds oktober op de vlucht, alsmaar onderweg naar plekken waar het veilig is, op zoek naar een weg terug naar hun vaderland. Een meisje houdt zich afzijdig van de andere kinderen, zij doet niet mee aan wat de anderen doen, en het duurt even voor het tot hem doordringt dat zij geen armen heeft.

Hoewel hij zich nog altijd moe en zwak voelt, opent hij de deur naar de zuidelijke minaret en bestijgt de trap, onderweg steeds een blik naar buiten werpend door de kleine, inspringende raampjes. Met elke bocht van de wenteltrap ziet het landschap er anders uit. Boven aangekomen stapt hij de buitenlucht in en bekijkt hij zijn omgeving. De hemel is een watervlek op een vel papier. Hij kan niet begrijpen waarom ze hem hebben wijsgemaakt dat de mantel zich in de moskee bevond, waarom ze hem hierheen hebben gestuurd.

Naast hem op de gevel trekt een mier door het ondiepe gootje dat gevormd wordt door het woord 'Allah'. Hij sleept een tarwekorrel mee in zijn bekje en probeert uit het woord te klauteren, maar valt er telkens weer in terug.

Als hij zich omdraait om weer naar beneden te gaan, wordt hem, op het moment dat hij naast zijn voeten een grote laarsafdruk in de sneeuw ziet staan, in een flits van herkenning ineens alles duidelijk. De krijgsheer heeft hem hiernaartoe gestuurd om door de Amerikanen opgepikt te worden. Ze moesten hem afleveren.

De Amerikanen betalen vijfduizend dollar voor iedereen die van terrorisme wordt verdacht.

Hij rent zo snel hij kan de wenteltrap af, waarbij de twee stukken ketting steeds voor zijn voeten vallen, zodat hij er vaak bovenop gaat staan, en vraagt of ze de krijgsheer kennen die hem gevangen heeft gehouden.

'Jazeker,' antwoordt de bebaarde man. 'Hij was degene die ons allemaal naar de moskee heeft gestuurd. Hij vertelde ons dat we ons hier moesten verzamelen en moesten wachten tot we uit Afghanistan gehaald zouden worden.'

Mikal telt het aantal mannen; het zijn er met hemzelf erbij tweeëntwintig. 5000 x 22 = 110 000.

Dan vangt zijn gehoor de buitenste kring van een geluidsgolf op, iets wat zich op de grens van wat nog hoorbaar is bevindt, en zijn hart maakt een enorme sprong om vervolgens bij wijze van terugslag ogenschijnlijk stil te vallen. Er ontstaat enige beroering, de anderen kijken vragend, maar dan vangen ook zij de weerklank op van Amerikaanse helikopters die door de lucht aan komen zetten. Behoedzaam begeeft Mikal zich naar de deur van de moskee, maar net wanneer hij zijn hand uitsteekt om de beide panelen uiteen te schuiven wordt de deur ineens vanaf de andere kant opengeworpen, vult verblindend sneeuwlicht zijn ogen en klinkt er verward geschreeuw. Hij wordt door enkele figuren overmeesterd, ziet hoe de bejaarde man naar de andere kant van de gebedshal rent en hoe een Amerikaanse soldaat een stoel grijpt en die over de volle afstand naar de man slingert. De stoel beschrijft een zuivere boog en treft de wegvluchtende man feilloos tegen de schouders, waarna hij met een schrille kreet neervalt. Mikals handen en voeten worden met kabelbinders vastgesnoerd en hij wordt naar buiten gedragen, naar de grote vogel met de dubbele propellors. Hij hoort geweervuur uit het gebouw komen, en het gegil van vrouwen en kinderen. Ze leggen hem op zijn buik naast het toestel en gaan weer naar binnen, en hij ziet hoe de andere mannen een voor een naar buiten worden gebracht en naast hem op hun buik op de grond worden gelegd.

17

Naheed is met Rohan in de plantenkas.

'Weet je wat ik heb bedacht?' zegt Rohan. 'Dat je, als je wilt weten hoe de kleur rood er ook alweer uitzag, het beste iets warms aan kunt raken. Wat dat gevoel voor je hand is, is de kleur rood voor je ogen.'

'Uw ogen zullen genezen, vader.' Ze zorgt ervoor dat ze het met een zekere luchtigheid zegt en hoopt dat de woorden hoorbare aanwijzingen bevatten dat ze glimlacht.

Zijn ogen zijn omzwachteld.

'En de sterren,' zegt hij, 'met hun getwinkel. Dat breng ik mij te binnen door de palm van mijn hand in de regen te houden.'

Ze stelt zich voor hoe hij probeert voor alles wat voor hem verloren is gegaan overeenkomstige zintuiglijke ervaringen te vinden. Voor de lucht. Voor zijn eigen hand. Voor de harde, doorzichtige huls van een libel.

Hij heeft nog steeds een beetje licht in de ogen, maar de artsen die ze hebben geraadpleegd hebben gezegd dat dit het laatste restje is, en dat ook dat binnen een paar maanden zal verdwijnen.

'Het komt weer helemaal goed,' herhaalt ze. 'De specialist waar we vanmorgen naartoe gaan is volgens iedereen de beste van de hele provincie.'

Ze zijn bezig met de verzorging van zijn Himalayaanse orchideeën. Hij voelt met zijn vingers langs de steel en zegt dan waar zij de snee moet maken. Zij houdt de scalpel in een komfoor met gloeiende kooltjes waarmee ze het lemmet om de paar minuten steriliseert, terwijl ze de incisies met kaneelpoeder bestuift om infecties te voorkomen. Zijn handen rusten op de tafel alsof hij de wereld wil stabiliseren, of ervoor wil zorgen dat die op zijn plaats blijft. Elke keer dat ze hem de zwachtels afdoet is het alsof ze de kap van een valkenkop neemt.

Gespannen jaagt hij op kleuren en vormen. Hij weet niet wanneer hij een dag heeft waarop hij iets kan zien, en op de meeste dagen ziet hij helemaal niets.

Hij kruipt dichter naar het komfoor toe.

'Hebt u het koud? Ik zal u naar binnen brengen.'

'Ze zeggen dat er dit jaar in het noorden heel veel sneeuw is gevallen. Moge God de armen daar bijstaan.'

Ze leidt hem naar het huis en dan door de gang naar zijn kamer. Het Mekkahuis. Hij zet zich in de leunstoel van vervaald blauw brokaat. Op de tafel liggen een paar boeken die ze uit de dozen heeft gehaald en waaruit ze hem heeft voorgelezen, onder andere een boek met brieven die een Amerikaanse dichter tijdens een oorlog die langgeleden in Amerika heeft gewoed, aan de familie van Amerikaanse soldaten heeft geschreven.

Washington, 10 Augustus 1863. Aan de heer en mevrouw Haskell.

Waarde vrienden: Ik meen dat het U wellicht tot troost kan strekken om in het kort iets te vernemen omtrent de laatste dagen van Uw zoon Erastus Haskell, dienende bij Compagnie K van het 141ste Regiment Vrijwilligers van New York...

Ze kijkt naar de vinger die ze in de kas per ongeluk heeft opengehaald. Wanneer ze zichzelf snijdt, is het Jeo's bloed dat ze ziet. En dat van Mikal. Rohan keerde terug uit Pesjawar zonder licht in zijn ogen en met het nieuws over Mikals graf. Basie heeft het daarna bezocht. Ze hebben een herbegrafenis in Heer overwogen, maar er is een heilige plek van gemaakt, omgeven door tal van mythen en legenden, en dat zullen ze zo laten.

'Hoe gaat het met de zoon van de vogelaflaatkramer?' vraagt Rohan. 'Ik moet die mensen een keer opzoeken.'

'Basie en Yasmin zijn gisteren bij ze langs geweest,' zegt ze. 'De jongen laat geen enkele man in zijn buurt toe.'

Hij knikt. 'Voorlopig kunnen Tara, Yasmin en jij hem bezoeken. Wij moeten dat gezin helpen waar we kunnen.'

'Ja, vader.'

Zij slaat het boek met de brieven dicht. Eronder ligt het *Lexicon der kleuren* opengeslagen.

Dragon – Een heldere geelgroene kleur.

Drakenbloed – De helderrode hars uit de schors van de drakenbloedboom Dracaena Draco *(of mogelijk van de heester* Pterocarpus Draco*).*

Beenderzwart – Een diepzwart pigment, gemaakt van veraste dierenbotten.

Ze had hem alle kleuren een voor een moeten beschrijven, in elke schakering en nuance.

Engels rood – Een rood oxidepoeder*, gebruikt bij het poetsen van gouden en zilveren vaatwerk.*

Moederschootrood – Gekenschetst als scharlakenrood, doch zonder enige aanwijzing omtrent de oorsprong van de benaming.

Ze loopt naar buiten en gaat door de tuin naar de keuken, die ze via het bananenbosje binnengaat.

'Heb je nog nagedacht over wat ik tegen je gezegd heb?' vraagt Tara, terwijl ze de snee in Naheeds vinger verbindt.

Ze leunt naast naar moeder tegen de muur.

'Naheed, heb je nog nagedacht over wat ik tegen je gezegd heb?'

'Ik ga niet hertrouwen.'

'Je zei dat je op Mikal wilde wachten. We hebben nu de bevestiging dat hij ook dood is.'

Naheed zwijgt. Even later neemt ze de schaal met bloem uit de kast en gaat met haar hand door het meel, waar ze, met de bezeerde vinger omhooggestoken, al roerend en kammend ribbels en piekjes in aanbrengt, terwijl ze de klontjes wegwerkt. Ze giet vanille-essence en gemalen amandelen in de kom van haar hand en voegt ze aan het beslag toe. Daarna schept ze met haar hand de witte boter uit een pot. Bedreven kneedt ze die door de bloem. Terwijl ze met water verdunde melk langs haar drie niet-bezeerde vingers in de kom laat lopen, vormt ze al knedend met haar andere hand het deeg.

'De doden keren niet weer, Naheed.'

Ze kijkt haar moeder aan en zegt na een tijdje: 'Ik wil er niet over nadenken.'

'Ik wil er ook niet over nadenken, maar ik moet wel.' Tara pakt de zoutpot en doet een snufje zout in de kom, iets wat Naheed altijd vergeet. 'Hoe kan ik ooit je vader onder ogen komen op de Dag des Oordeels? Wat moet ik zeggen wanneer hij me er in tegenwoordigheid van

Allah van beschuldigt dat ik je niet het best mogelijke leven heb geschonken?'

Het meisje schudt langzaam haar hoofd.

'Ik ga kijken of ik een goede partij voor je kan vinden,' zegt Tara.

Naheed draait zich van haar weg. Ze maakt een neteldoeken lap nat en legt die over de kom met deeg. 'Ik moet zo meteen met vader naar de dokter. Zou u naar het kruispunt willen lopen om een riksja voor ons aan te houden? Zeg maar tegen de man dat we naar de kruising van de Meubelbazaar en de Koopjesbazaar moeten.'

Tara had liever gehad dat Yasmin en Basie met Rohan naar de dokter zouden gaan. Om ze, al is het maar voor even, weg te houden van de christelijke school waar ze lesgeven. Eergisteren is er opnieuw een bomaanslag gepleegd op een kerk. De zorg om hun veiligheid houdt haar de hele dag bezig. Ze staat op, trekt haar boerka aan en doet de lange rij knoopjes aan de voorkant dicht. 'Ik hoop dat die nieuwe dokter iets anders zegt dan de anderen.'

Door het raam ziet Naheed haar langs de moerbeiboom lopen, waarvan de roze vruchten naar honing smaken, maar alleen wanneer je ze aan de voet van de boom eet, want de smaak is zo fragiel dat hij vervliegt wanneer je hem wilt meenemen. Maar een paar minuten later is Tara al terug, met Sharif Sharif in haar kielzog. Hij gaat in het wit gekleed en heeft een krokodillenleren tas met een gouden ritssluiting onder de arm. Wanneer hij Naheed ziet trekt hij een kam uit zijn zak en haalt die een keer langs beide zijden van zijn hoofd.

Ze loopt naar de keukentafel en pakt de lege kop die haar moeder daar heeft laten staan. Hij is nog steeds warm, en de warmte gaat over op haar huid. De kleur rood.

Tara neemt de man mee door de gang. Ze was hem net buiten de poort tegengekomen, en hij had gezegd dat hij Rohan wilde spreken.

Ze kondigt hem aan en trekt zich vervolgens zonder ook maar één blik in zijn richting terug. Haat is een mannenzaak. Wanneer ze aan deze man moet denken roept dat vooral woede in haar op.

'Ik ben gekomen vanwege een delicate kwestie,' zegt Sharif Sharif. Hij is op de stoel naast Rohan gaan zitten en heeft diens hand, die hij gedrukt heeft, nog altijd vast. 'Het betreft uw schoondochter.'

'Naheed?' Rohan hoort het geritsel van gesteven kleding en het metaalgerinkel van zijn polshorloge.

'Ja. Ik koester diepe gevoelens voor haar.'

'U bent goed geweest voor haar en haar moeder. De hele buurt weet dat u de arme vrouw al een tijdlang slechts een minimale huur in rekening brengt.'

'Ik doe wat Allah mij toestaat te doen. Ik zoek mijn beloning niet in deze wereld. Maar ik zie dat de beide vrouwen opnieuw door het lot zijn getroffen. En u, de enige man die beslissingsbevoegd is aangaande Naheed, eveneens.' Sharif Sharif slaakt een zucht. 'Maar dezer dagen lijkt het, met die oorlog, alsof Allah heeft besloten álle moslims te beproeven. Hoe het ook zij, ik ben gekomen om u te zeggen dat ik genegen ben uw last te verlichten.'

'Ik begrijp u niet.'

'Ik ben bereid met Naheed te trouwen om zo een einde te maken aan uw zorgen én aan haar weduwschap.'

Rohan richt zich op in zijn stoel.

'Ik heb al twee vrouwen, maar ons geloof staat ons toe nogmaals te huwen als we kunnen aantonen dat wij in staat zijn zowel in financiële als in emotionele zin voor de nieuwe echtgenote te zorgen...'

'Sharif Sharif-sahib, ik moet zeggen dat ik enigszins verrast ben. Zij is pas negentien.'

'Dat betekent dat zij een volwassen vrouw is.'

'Jazeker. Maar waar ik op wilde wijzen is het leeftijdsverschil.'

Hij zwijgt. Op tafel liggen allerlei vergrootglazen die uit Sofia's werkkamer komen, en Rohan hoort dat hij eraan zit. Met behulp daarvan bestudeerde zij twijgjes, bloemblaadjes, snaveltjes, veren en stuifmeelkorrels voordat zij ze ging schilderen, en in de tijd dat hij nog kon zien heeft Rohan er de wereld mee onderzocht, om kennis te vergaren.

Ten slotte zegt Sharif Sharif: 'Wees zo goed er eens rustig over te denken. U bent een wijs man en weet ongetwijfeld dat het niet goed is wanneer een jonge vrouw zonder man zit nadat zij er een heeft gehad. Allicht dat zij dan her en der gaat zoeken wat zij ooit heeft gekend.'

Rohan gaat staan. 'Dank u voor de betoonde belangstelling en goedheid.'

'Een vrouwenhart is zwak en goed van vertrouwen, het kan al te licht worden verdorven.'

'Dank u voor de getoonde belangstelling en goedheid.'

'Denk erover na en laat me uw besluit weten. Maar dat is niet de enige reden dat ik ben gekomen. Gaat u alstublieft weer zitten. Alstublieft. Ik wilde u ook iets over uw ogen vragen. U hebt ongetwijfeld geld nodig voor een behandeling en mogelijke operaties, en ik vroeg me af of ik u daar op de een of andere manier bij zou kunnen helpen.'

Wat zou deze figuur precies suggereren? Meent hij werkelijk dat Rohan zou kunnen overwegen hem Naheed te geven in ruil voor geld? 'Ik dank u voor uw komst,' zegt hij kortaf.

Het blijft even stil, dan hoort hij hoe Sharif Sharif het vertrek verlaat. Zonder omhaal zegt hij in de richting van de man: 'Zolang ik leef zal het meisje goed verzorgd zijn. En na mijn dood heeft ze Basie, die haar als zijn zuster beschouwt.'

'Ik heb u geloof ik beledigd,' zegt Sharif Sharif vanuit de deuropening.

'Ik heb één dochter grootgebracht die op een eerlijke en eervolle wijze in haar levensonderhoud voorziet, en ik zal zorgen dat Naheed diezelfde weg kan bewandelen als zij dat verkiest.'

Hij gaat weer zitten en beseft dat hij trilt van angst en woede.

Onderweg met het meisje luistert hij naar alle straatrumoer wanneer de riksja de grote straten kruist en het drukke stadsdeel met de bazaars binnengaat. Zij houdt zijn rechterhand omvat, met haar ene hand eronder en haar andere hand eroverheen. Onder de zwachtels en de gesloten oogleden zitten lichtvlekjes als gekleurd zand, een groots visueel lied van de cellen die zo hun innerlijk leven tot uitdrukking brengen, en daarbuiten is nog een ander lied, het heet Heer, het heet Pakistan, met de mensen die loven en bieden, iets vragen, schreeuwen, de minaretten die op elke straathoek het paradijs verkondigen, en voor zijn geestesoog ziet hij de uithangborden van de winkels, met hartroerende precisie wonderschoon beschilderd door mensen die nauwelijks kunnen lezen en schrijven, en hij luistert naar de kletsende geluiden die de worstelaars, glimmend van de olie, maken wanneer ze elkaar vastgrijpen, de bogen waaronder stukken vlees liggen te sissen, knusse winkeltjes waar ze Japanse naaimachines verkopen, Engels tweed en Chinees bestek, de fruitverkopers achter een muur van opgestapelde sinaasappelen, en vrouwenkleding die in hoezen van louter lijn en kleur in de etalages hangt en de mensen leert wat sierlijkheid in een mensenleven betekent, en hij wou dat Sofia er was, zodat hij haar kon vragen dat alles voor hem te beschrijven, de vrouw wier hele leven bestond uit zien, die vol verrukking het leven van alledag gadesloeg en precies wist in welk deel van het huis het meeste maanlicht naar binnen viel op een bepaalde nacht van de maankalender, en hij vraagt zich af of dit soms de manier is waarop de doden rouwen om de wereld die ze verlaten hebben, of dit soms de manier is waarop zij er daar onder de grond om rouwt.

Wanneer ze de spreekkamer binnenkomen zit de dokter Rohans dossier te bestuderen. Hij is een jonge man die onlangs naar Pakistan is teruggekeerd na een opleiding in het Westen. Hij staart in volstrekt stilzwijgen naar Rohans gezicht.

Hij verwijdert de zwachtels en neemt de kussentjes van watten, die hij voorzichtig met zijn vingers uit elkaar trekt, van de oogleden.

'Kunt u mij zien?'

'Nee.'

De dokter neemt Rohan mee naar de onderzoeksruimte naast de spreekkamer. Naheed vangt nog net een glimp op van de zo te zien zware apparatuur van dofgrijs staal en glimmend chroom voordat het groene gordijn zich achter hen sluit.

Zij zit alleen in de spreekkamer en kijkt in het boek dat ze heeft meegenomen. Deze specialist is hun laatste hoop. Een van de andere artsen heeft gezegd dat ze de oogleden voorgoed aan elkaar moeten laten naaien. Vorige week was Tara bij de imam van de moskee langs gegaan om te kijken of er specifieke Koranverzen konden worden opgezegd voor het herstel van het gezichtsvermogen. 'Waarom bent u niet eerder bij me gekomen?' had de geestelijke gezegd, niet in staat zijn gekrenkte gevoelens te verbergen. Maar hij was niet omwille van zichzelf bedroefd of verongelijkt. 'Jullie meenden moderne mensen te zijn, jullie wilden eerst zo veel mogelijk doktoren raadplegen voordat jullie je tot Allah wendden. Volgens mij is het een kwestie van "laten we Hem ook maar een keertje proberen".'

Twintig minuten verstrijken, dan gaat het groene gordijn weer open en leidt de dokter Rohan de onderzoeksruimte uit.

Terwijl hij op zijn stoel gaat zitten tast Rohan naar Naheeds hand.

'Goed. Zoals ik uw schoonvader zojuist heb uitgelegd,' zegt de dokter tegen haar, 'moeten er in de komende zes tot acht maanden een aantal behandelingen worden uitgevoerd om het gezichtsvermogen te herstellen.'

'Zal hij dan weer kunnen zien?'

Voordat de dokter kan antwoorden zegt Rohan: 'We kunnen ons die operaties niet veroorloven, Naheed.'

Naheed probeert te slikken, maar dat lukt haar niet.

De dokter kijkt naar het dossier. 'Ik weet zeker dat we ook zijn oorspronkelijke aandoening kunnen corrigeren. Gezien de nieuwe medische ontwikkelingen in het Westen is er geen enkele reden waarom hij überhaupt blind zou moeten zijn.' Naheed kan niet nalaten haar opgetogen verbazing daarover uit te spreken, maar Rohan zegt nog eens: 'We kunnen ons die operaties niet veroorloven, Naheed.'

'Kunt u niet iets verkopen?' vraagt de dokter. 'Woont u nog altijd in dat grote huis met die tuin dat vroeger een school was?'

Rohan kijkt zijn kant op. 'Ik was me er niet van bewust dat we elkaar kenden.'

'Ik heb bij u in de klas gezeten. U hebt mij van school gestuurd omdat mijn moeder een zondares was.'

Rohan zwijgt.

Naheed kent het verhaal van de zoon van de prostituee. De jongen die een spade uit de schooltuin had proberen te stelen. Hij wilde ermee naar de begraafplaats gaan om wat zijn moeder altijd het graf van zijn vader had genoemd te onderzoeken.

De dokter kijkt Rohan met een volkomen serieus gezicht strak aan.

'Ik herkende uw naam ogenblikkelijk toen ik uw dossier onder ogen kreeg, en ik herkende u meteen toen u hier binnenkwam.'

'Ik heb de afgelopen jaren regelmatig aanleiding gehad aan u te denken.'

'En ik aan u.'

'U bent dokter geworden.'

'De kliniek is genoemd naar mijn overleden moeder.'

Naheed ziet hoezeer dat Rohan aangrijpt. 'Dus de operaties waarover u het had...'

De man draait zijn zwarte stoel haar kant op. 'We zullen snel moeten handelen. U moet samen zo snel mogelijk het geld bij elkaar zien te krijgen. Helaas telt in gevallen als deze elke dag.'

'En ook de oorspronkelijke kwaal kan nog genezen worden?'

'Ja. Het ziet ernaar uit dat u verouderd advies hebt gekregen. De wetenschap heeft de laatste tijd enorme vorderingen gemaakt.'

Probeert hij Rohan kapot te maken? Wordt hij alleen maar beter van die operaties, of zijn ze echt nodig? Zal hij het geld alleen maar verspillen aan nodeloze ingrepen en vervolgens beweren dat hij zijn best heeft gedaan? Maar nee. Ze zeggen dat in elke menselijke ziel iets zit dat voorkomt dat hij van een blinde profiteert of hem voor de gek houdt. In de Koran wordt iemand – sommigen menen dat het om Mohammed zelf gaat – berispt omdat hij tijdens een bijeenkomst van invloedrijke stamhoofden een blinde links heeft laten liggen.

'Mijn redenen om je van Geestrijk Vuur te verwijderen kwamen mij destijds overtuigend voor,' zegt Rohan ineens.

De arts zegt geen woord. 'Voor wanneer zal ik de volgende afspraak noteren?' Hij steekt Rohan het dossier toe. Die steekt zijn hand uit in de richting van het geluid en neemt het aan, nadat hij eerst een keer mis heeft getast, als een vogel die op een tak probeert neer te strijken bij harde wind.

'Wanneer is uw moeder overleden, als ik vragen mag?'

'In het jaar dat ik als arts afstudeerde.'

'Ik herinnerde me haar naam niet,' zegt Rohan. 'Het spijt me te moeten horen dat ze is overleden. Moge Allah erbarmen hebben met haar ziel.'

'Wat bedoelt u daarmee?'

'Ik wou alleen maar zeggen... Allah vergeeft iedere zonde...'

'Zij was de meest rechtschapen mens die ik ooit heb gekend.'

Naheed ziet hoezeer Rohan zich concentreert op de woorden van de man. Ze weet van Mikal hoe sterk de stem bij machte is iets van iemand bloot te geven. Soms sloot ze, wanneer hij iets zong, haar ogen en besefte ze dat elke emotie die in zijn gelaatsuitdrukking zichtbaar was geweest ook in zijn stem uitdrukking vond.

'Het spijt me te horen dat ze is overleden,' zegt Rohan opnieuw. 'Er zijn tal van manieren om een deugdzaam leven te leiden, en Allah vergeeft iedere zonde.'

De dokter kijkt hem aan en drukt vervolgens met een kalm, beheerst gebaar op een bel, ten teken dat de volgende patiënt binnen kan komen.

'Wel bedankt,' zegt Naheed, terwijl ze opstaat. 'We nemen nog contact met u op over de volgende afspraak.'

'Ik hoor graag weer van u,' zegt de dokter zonder op te kijken.

Het is nacht, en hij loopt door zijn tuin met zijn handen voor zich uitgestrekt, en beroert zo in het duister de huid van de wereld. Hij loopt langs de nachtelijke geur van de bloemen, voelt in de boombast de namen die Jeo en Mikal daar als kinderen in hebben gekerfd.

Die middag, dertig jaar geleden, toen de jongen zijn kamer werd binnengebracht, had Rohan niet het geringste vermoeden gehad dat hem een van de donkerste jaren van zijn huwelijk te wachten stond. De jongen was lief en plichtsgetrouw, maar hij was naar hem toe gebracht omdat hij iets had geprobeerd te stelen uit de tuin van de school, uit deze tuin hier. Sommige brutalere jongens deden dat wel vaker, die stalen vruchten van de bomen of pikten vogeleieren. Maar hij had geprobeerd een stuk tuingereedschap uit de schuur te stelen. Aanvankelijk wilde hij niet vertellen waarom hij dat had gedaan. Uiteindelijk zei hij: 'Ik wil mijn vader opgraven om te zien of hij er net zo uitziet als op de foto die mijn moeder in de kast heeft staan.' Zijn klasgenoten hadden hem ermee gepest. Sommigen moesten ook bij Rohan komen, waarna de hele affaire tot in de details aan het licht kwam. Er was helemaal geen vader, zijn moeder was een gevallen vrouw.

Diezelfde middag nog had Rohan haar opgezocht. Hij had bij haar thuis aangeklopt en gewacht tot een knaap, niet ouder dan de oudste jongens op Geestrijk Vuur, naar buiten kwam. Opeens had hij als het ware voor zich gezien hoe de vrouw zijn hele leerlingenpopulatie ten verderve zou voeren. Op Geestrijk Vuur bestonden geen vooroordelen. Op de school waren allerlei stromingen binnen de islam vertegenwoordigd. Shia's, Deobandi's, Wahabi's. Toen Rohan had gehoord dat een onderwijzer een Shia-leerling een lager cijfer had gegeven dan hij verdiende, had hij de zaak onmiddellijk uitgezocht. Maar dit lag anders.

Tot zijn grote verbijstering betoonde de vrouw geen enkel berouw. Hij bood aan haar het lesgeld voor haar zoon kwijt te schelden als zij haar praktijk zou opgeven. Een week lang ging hij elke dag bij haar langs om te proberen haar hiertoe te bewegen. Vrijwel elke leerling was er zo langzamerhand van op de hoogte, en een aantal verontruste ouders had Rohan opgezocht en gedreigd dat ze hun kinderen van school zouden halen. Hij was midden onder een les het lokaal in gegaan en had de jongen gevraagd zijn spullen te pakken.

'Meneer, het spijt me dat ik uw spade heb willen stelen.'

'Dat is niet de reden dat je wordt weggestuurd,' weet hij nog dat hij, strak voor zich uitkijkend, gezegd heeft. 'Jouw moeder is een zondige vrouw.'

Toen ze in de riksja zaten had de jongen zijn hand in zijn schooltas gestoken en er een gummetje uitgehaald. 'Meneer, dit heb ik van Fareed Chaudhuri geleend. Zou u het alstublieft aan hem terug willen geven?'

Rohan stak het stuk vlakgom in zijn zak. 'Dat zal ik doen.'

De vrouw was naar de deur gekomen en had de jongen zonder iets te zeggen binnengelaten.

Sofia was tegen hem uitgevaren. Tot zijn afgrijzen wilde ze naar het huis van de vrouw gaan om de jongen terug te halen. Vanaf die dag hadden ze meer dan een jaar geen oogcontact gehad. Hij had zich miskend gevoeld, vanuit de overtuiging dat hij, gezien de omstandigheden, het enige juiste had gedaan, en hij had Allah gesmeekt om kracht, en Hem gesmeekt Sofia bepaalde woorden te vergeven die zij in haar woede had geuit.

Op een vroege ochtend, terwijl de opkomende zon het huis rood kleurde, had zij in de tuin gezegd dat zij bij hem wegging.

Ze hadden allebei aan de Punjab Universiteit van Lahore gestudeerd, zij het niet tegelijkertijd, omdat hij vijf jaar ouder was. Hij was geboren en getogen in Heer, en omdat hij bovendien ontzettend verlegen van aard was, had hij zich niet weten aan te passen aan het universitaire leven en aan het leven in de grote stad. Zijn pogingen om zichzelf en zijn tijd te doorgronden ondernam hij in eenzaamheid, en hij leefde in voortdurende angst voor – en wellicht zelfs met een lichte weerzin tegen – het gedrag van de andere studenten. Hij onderscheidde zich zelfs in die zin dat hij zich er niet toe kon brengen westerse kleren te dragen, zo'n broek waarin op de meest ongepaste plekken, voor en achter, zakken zaten waaruit etenswaren gehaald werden om genuttigd te worden, handen om geschud te worden, of documenten om te worden overhandigd. Zij daarentegen was, hoewel ze ook afkomstig was uit Heer, aan de universiteit opgebloeid. Ze was een stralende schoonheid, blakend van zelfvertrouwen. Hij gaf al les aan een openbare school toen ze elkaar ontmoetten. Zij was de nieuwe lerares Engels, en een maand nadat ze aan elkaar waren voorgesteld betrapte ze hem toen hij een schrift opensloeg waarin zij eerder had zitten schrijven. Vol verlangen naar haar had hij haar handschrift willen zien. Een glimp van iets wat wezenlijk van haar was. Iets intiems. En hij besefte dat zij wel eens zijn enige kans op geluk zou kunnen zijn. Aan het einde van het jaar was zij het vertrek binnengekomen, had zich aan zijn voeten gezet en hem opgedragen haar ten huwelijk te vragen. En ze had haar hand over zijn leugenachtige mond gelegd toen hij wilde protesteren.

Haar emoties hadden altijd dichter onder het oppervlak gelegen dan de zijne.

Op die ochtend had ze de grote koffer op de commode in hun slaapkamer gelegd en al haar kleren erin gestopt, waarna het ding daar een jaar was blijven liggen. Zelf was ze naar haar werkkamer verhuisd. Soms hoorde hij haar 's nachts hun slaapkamer binnenkomen en dan deed hij alsof hij sliep. Om twee uur 's nachts, om drie uur, vier uur. Dan ging ze een poosje op de stoel naar hem zitten kijken. Vervolgens stond ze weer op, haalde een paar kledingstukken uit de open koffer en ging weer weg. Toen op een dag hadden haar kleren plotseling weer in de kast gehangen. Haar ouders waren overleden en haar broer had zelf een gezin. Ze kon nergens heen, ook al omdat haar broer haar eraan had herinnerd dat zij verkozen had met Rohan te trouwen zonder eerst zijn raad in te winnen. 'Wees dan nu ook maar de moderne vrouw die je zo graag wilt zijn,' had hij gezegd. 'En ga maar ergens gescheiden en wel alleen wonen.' Hij had al die jaren gewacht om het haar betaald te zetten dat ze hem had gepasseerd.

Hij keert zijn gezicht omhoog, naar waar de zichtbare planeten zich vurig moeten aftekenen aan de oostelijke hemel. Hij komt bij de vijgcactus en heft langzaam zijn handen naar de doornige takken terwijl hij zich afvraagt hoe hij er nu achter moet komen welke van deze loten volgend jaar moet worden geamputeerd om de symmetrie te herstellen.

18

De februariavond is doorschoten met flarden mist waar de saloeki nu eens uit opduikt, dan weer in verdwijnt. Majoor Kyra loopt het Bagdadhuis van Geestrijk Vuur binnen. De jongen die de schoolpoort voor hem heeft geopend loopt een paar passen voor hem uit en roept naar de hond. Hij loopt tegen de twintig en staat bekend om zijn hartstochtelijke natuur. Zijn armen en benen zitten vol beteugelde beweging en in zijn ogen kan opeens iets opflakkeren zoals wanneer er stro op een smeulend vuur wordt geworpen. Hij bezit een dodelijke dolk, die zo fraai is als een stuk speelgoed, en zijn naam is Achmed. Vijf maanden geleden was zijn vader aan het werk in de ijsfabriek toen er ineens een rechthoekig blok ijs ergens vanaf gleed en aan stukken viel. Een dertig centimeter lange ijssplinter schoot omhoog en drong van onderen door zijn middenrif. Vervolgens doorboorde hij de linkerlong om daarna het hart binnen te dringen. Hij viel achterover op de vloer, en zo werd hij een halfuur later gevonden. Tegen die tijd was de ijssplinter die in hem stak volledig gesmolten. De vrouwen uit de buurt beweerden dat hij door Achmeds moeder met een spookdolk om het leven was gebracht. De vrouw was het jaar daarvoor overleden, nadat zij haar leven lang louter genadeloze minachting van haar echtgenoot had ondervonden.

In oktober had de jongen zich aangesloten bij de jihad en was hij naar Kaboel vertrokken, waaruit hij pas veertien dagen geleden was teruggekeerd.

Nadat hij de saloeki in de gang aan een stoelpoot heeft gebonden, volgt majoor Kyra de jongen door de gang.

De dagelijkse gang van zaken in de zes huizen van Geestrijk Vuur – dat van Mekka, Bagdad, Caïro, Cordoba, Delhi plus het Osmaanse – valt onder de verantwoordelijkheid van zes van de oudste jongens, waar Achmed er een van is. En ze zitten allemaal bij elkaar wanneer majoor Kyra en Achmed het vertrek betreden.

Het kaarslicht werpt meer dan levensgrote schaduwen op de muren. Kyra laat zich zakken op het wollen tapijt dat afkomstig is van de smokkelaarsmarkt in de noordwestelijke grensprovincie. De zes jongens gaan in een halve kring voor hem zitten.

Met zijn door het vuur getekende handen – ze zien eruit alsof ze uit verschillende stukjes leer zijn samengesteld – houdt Achmed Kyra een vel papier voor. Daarop staat de plattegrond van de christelijke school en die van de kerk van Heer. Naast alle buitenmuren van beide gebouwen staat hoe lang ze zijn, en alle wegen eromheen zijn voorzien van hun naam.

'Met het opblazen van de kerk of de christelijke school bereiken we niets,' zegt Kyra. 'Dergelijke aanslagen elders hebben het Westen er niet van weerhouden de oorlog voort te zetten, en evenmin de Pakistaanse regering gedwongen hun steun aan de westerse bezetters in te trekken.'

'Wij zijn de zevende kernmacht ter wereld,' zegt de jongen van het Osmaanse huis rustig, 'en toch danst onze regering naar het pijpen van de Amerikanen, alsof we ordinaire schoothondjes zijn.' De wetenschap dat hij volkomen machteloos is maakt hem, als broer van iemand die in oktober naar Afghanistan is gegaan en van wie wordt aangenomen dat hij zich in Amerikaanse hechtenis bevindt, razend.

'Twintig of dertig Pakistanen – het doet er niet toe of het christenen zijn of moslims – die bij een bomaanslag in Pakistan omkomen veranderen daar niets aan,' zegt Kyra. 'Noch onze eigen regering noch wie dan ook in het Westen zal zich daar iets aan gelegen laten liggen.'

Het hoofd van het Osmaanse huis zegt: 'Maar als we nu niet een signaal afgeven zullen ze ook andere moslimlanden aanvallen.'

De jongen van het Delhihuis steekt een hand uit naar Achmed. 'Vertel het hem.'

'Wat moet hij mij vertellen?' vraagt Kyra. Onder de jongens heerst een kameraadschap die waarschijnlijk nooit in hun leven overtroffen zal worden.

'Waarom overvallen we de school niet en nemen iedereen in gijzeling? De onderwijzers en de leerlingen. En daarna geven we een lijst met eisen vrij. We vragen de Amerikanen om Afghanistan te verlaten en al onze broeders die ze gevangenhouden vrij te laten.'

Kyra bestudeert het papier. 'Hebben we genoeg mankracht voor een dergelijke operatie?'

'Wij met ons zessen vormen de harde kern. Daarnaast hebben we nog een stuk of twaalf anderen nodig. Maar die vinden we wel.'

'De bezetting zou meerdere dagen kunnen duren,' zegt Kyra.

'Ja,' zegt Achmed. 'We moeten precies berekenen hoeveel en wat voor wapens we nodig hebben. We zullen er een aantal moeten kopen.'

Nu Geestrijk Vuur niet langer gelieerd is met het Pakistaanse militaire apparaat en de ISI is de geldstroom opgedroogd. Vroeger had de ISI het zo geregeld dat er in tal van steden verspreid over heel Pakistan collectebussen stonden waar mensen een gift in kon doen. Twee jaar geleden had Geestrijk Vuur tijdens het feest ter herdenking van het offer van Abraham een bijdrage ontvangen van bijna twee miljoen dollar, hoofdzakelijk afkomstig van de verkoop van de vachten van geofferde schapen. In diezelfde maand werden er nog eens miljoenen bijeengebracht door de 675 000 Pakistanen die in Engeland wonen. Verder kwam er nog geld van moslims uit India, uit de deelstaten Kasjmir, Andhra Pradesh, Tamil Nadu, Karnataka, Maharashtra en Gujarat. Maar de beschikking daarover is Kyra tegenwoordig ontzegd. Hij zal zich van zijn eigen geld moeten bedienen.

'Het zal een riskante onderneming worden,' zegt Achmed, 'maar het gaat om een zaak die het waard is om voor te sterven. En wat de andere kant van de zaak betreft: de stichter en directeur van de school, pater Mede, is een ongelovige. De onderwijzers zijn weliswaar moslims, maar verraders van de islam, doordat zij de hoofden van de kinderen vullen met on-islamitische zaken als muziek, biologie en Engelse literatuur. En de leerlingen zijn ook verraders.'

'Ze lachen ons uit,' zegt de jongen van het Osmaanse huis. 'Ze maken leerlingen die op scholen als Geestrijk Vuur zitten, uit voor *ezels*. Ze zeggen dat mensen zoals wij Pakistan onleefbaar hebben gemaakt.'

'Pater Mede is blank,' zegt Kyra. 'Een Engelsman. Het wordt een internationale kwestie.'

'Precies,' zegt het hoofd van het Mekkahuis, terwijl hij zich naar voren buigt. 'Wanneer er iets met een blanke gebeurt móéten ze er wel aandacht aan besteden. We zouden een paar onderwijzers kunnen doodschieten om te laten zien dat het ons ernst is en hém als het belangrijkste voorwerp van onderhandeling kunnen vasthouden.'

'Er zal geen sprake zijn van onderhandelingen, broeder,' zegt het hoofd van het Caïrohuis.

'Goed, om druk mee uit te oefenen dan.'

'Hij is boven de zeventig,' zegt Achmed.

'Denk je soms dat ze eerst geboortebewijzen opvragen voor ze bommen op Afghanistan gooien?'

'Broeder,' zegt Achmed, 'je begrijpt me verkeerd. Ik dacht gewoon dat het de autoriteiten tot meer haast zou aanzetten. Het is in ons voordeel. Wat zou je ervan zeggen wanneer we hem in gijzeling namen en hiernaartoe brachten?'

'Het is niet goed ongelovigen in huis te hebben,' roepen drie van de jongens in koor.

De deurbel gaat en Achmed verlaat het vertrek om te gaan kijken wie er is, er wel voor wakend zijn rug naar de koran en andere religieuze teksten op de plank te keren.

Kyra slaat het boek met de uitspraken van de profeet open. Nummer 813: *De navolgende woorden van de profeet ontving ik van Hukm bin Nafa, die ze heeft ontvangen van Sjaib, die ze heeft ontvangen van Zehri, die ze heeft ontvangen van Abu Salma, die ze heeft ontvangen van Abu Horaira. Aldus sprak de profeet: 'Het Einde der Wereld zal pas komen wanneer twee legermachten ten strijde zijn getrokken, zich beroepend op een en hetzelfde doel.'*

Wanneer Achmed terugkomt wordt hij vergezeld door een vrouw van middelbare leeftijd in een omslagdoek, wier gezicht de diepe rimpels vertonen die wijzen op berusting en zelfbeheersing. Ze bewaart nadrukkelijk eerbiedig afstand tot de kring van kaarslicht waarin de mannen zitten, begroet iedereen en gaat in de verste hoek van het vertrek zitten.

'Waarmee kan ik u van dienst zijn, zuster-ji?' vraagt Kyra.

Ze glimlacht. 'Ik ben de moeder van een van de vroegere leerlingen van Geestrijk Vuur. Hij staat op het punt naar het buitenland te vertrekken om te gaan studeren.'

'Ik ben blij te horen dat het een van onze leerlingen zo goed gaat.'

'Hij heeft hier bij uw oudste broer – hij ruste in vrede – een goede start gemaakt,' zegt de vrouw tegen Kyra. 'Mijn zoon heeft alleen maar zijn eerste twee schooljaren op Geestrijk Vuur doorgebracht, daarna zijn we naar een andere buurt verhuisd en moest ik hem hier van school halen.'

'Moge Allah zijn pad blijvend met welslagen bekronen, zodat Pakistan en de islam trots op hem kunnen zijn. Naar welk land gaat hij? Indonesië, Maleisië of Egypte?'

'Hij heeft een beurs voor Amerika. Zijn hele opleiding wordt betaald door een universiteit daar.'

Daar moet Kyra even over nadenken. 'Het was beter geweest als hij voor een moslimland had gekozen, in plaats van voor het Westen met zijn met bloed bevlekte rijkdommen. Naar welke stad in Amerika gaat hij?'

De vrouw lachte zenuwachtig. 'Dat kan ik me niet herinneren. Maar ik zal hem naar u toe sturen, dan kunt u het hem zelf vragen.'

'Stuur hem maar.'

Nu buigt de vrouw zich naar het kaarslicht. Ze ziet eruit als iemand die zich ervan bewust is dat ze een van de belangrijkste gesprekken uit haar leven voert. 'Ik moet u om een gunst vragen, broeder Kyra. Hij heeft ervoor gekozen om op zijn aanmeldingsformulier niet te vermelden dat hij op Geestrijk Vuur heeft gezeten. Het moet u bekend zijn dat scholen als deze de laatste tijd een zekere naam hebben gekregen. Als de Amerikanen achter de waarheid komen, zouden ze de toezegging voor een plek aan de universiteit weer kunnen intrekken. Of ze zouden hem op het vliegveld kunnen arresteren.'

Kyra ziet de schok die dit bij de jongens teweegbrengt, en de wezenloze glimlach die er op het gezicht van Achmed verschijnt, terwijl hij met het gebedssnoer in zijn handen friemelt en zich merkbaar verbijt.

De vrouw lijkt niet te weten waar ze haar blik op moet vestigen. 'Bovendien zou, nu het nieuws van zijn succes zich door de buurt verspreidt, een jaloers iemand de Amerikanen attent kunnen maken op het feit dat mijn zoon twee jaar op Geestrijk Vuur heeft gezeten. Die gedachte beangstigt me.'

Met ijzige beleefdheid zegt Kyra: 'Het doel van Geestrijk Vuur is jongeren fatsoen en de liefde voor de islam bij te brengen, zuster-ji. Dat was in het verleden het geval, dat is tegenwoordig zo en dat zal ook in de toekomst het geval zijn.'

'*Insjallah*,' zeggen de jongens in koor.

'Daar ben ik het geheel mee eens, broeder-ji, maar toch verzoek ik u om, als iemand navraag bij u komt doen, te ontkennen dat mijn zoon bij u op school heeft gezeten.'

'Wat is belangrijker voor u, waarde tante,' vraagt Achmed hoorbaar geërgerd, 'de waarheid of uw kinderen?'

'Allebei. Ik wil dat de waarheid in mijn kinderen leeft. Ik geloof niet dat ik een van beide hoef op te offeren.'

'Niettemin vraagt u van ons voor u te liegen.'

'Ik vind het vreselijk dat ik met dit verzoek bij u gekomen ben,' zegt de vrouw overstuur en verward. 'Ik ben een ongeletterde vrouw, dus u weet beter dan ik hoe het er in de wereld aan toe gaat sinds de joden in Amerika een terroristische aanslag hebben gepleegd. U weet heel goed dat de kans bestaat dat mijn zoon deze buitenkans verspeelt.' Opeens begint ze te huilen. Ze bedekt haar gezicht met haar omslagdoek en is bijna een halve minuut niet in staat iets uit te brengen. Ten slotte zegt ze: 'Hij is het enige wat ik heb. Hij moet studeren en rijk worden. Hij heeft vier zusters voor wie hij een bruidsschat moet opbrengen.'

Achmed gaat staan en gebaart in de richting van de deur. 'Ik zal u uitgeleide doen, waarde tante.'

'Mijn broer heeft altijd alleen maar het beste voor zijn leerlingen gewild,' zegt Kyra. 'Waarom kan uw zoon niet gewoon hier blijven en in Pakistan studeren?'

Het hoofd van het Osmaanse huis kijkt naar de vrouw met een niet te doven vuur in zijn ogen. 'Waarde tante, een dollar is tweeënzeventig Pakistaanse roepies waard. Weet u waarom? Ik zal het u zeggen. Omdat elke Amerikaan tweeënzeventig keer meer van Amerika houdt dan een Pakistaan van Pakistan. Daarom.'

‘Wij zijn bijna allemaal verraders,’ zegt de jongen van het Cordobahuis, met gebogen hoofd zijn zielenpijn verbijtend. ‘En nu, waarde tante, laat broeder Achmed u uitgeleide doen. Het is donker en u zou thuis moeten zijn.’

De vrouw veegt haar tranen af met haar omslagdoek, komt overeind en fluistert een afscheidsgroet. Terwijl de twee het vertrek verlaten blijven de jongens bijeenzitten in een stilte die steeds meer weg krijgt van een zoeken. In het vertrek rest niets dan de waarheid, en in het licht van de kaars, dat weliswaar zwak is maar niets aan duidelijkheid te wensen overlaat, zien zij hoe gigantisch hun strijd is. Ze zijn zich er allemaal van bewust dat er overal op aarde in tien talen van alles over hen wordt gezegd, dat er duistere, goddeloze plannen worden gesmeed om hen uit de weg te ruimen.

‘We worden op de proef gesteld,’ zegt een van hen zacht. ‘We worden van alle kanten tot in onze ziel door het Westen aangevallen.’

‘We moeten de moed niet laten zakkken,’ zegt Kyra. ‘Vergeet niet: het aambeeld houdt het langer vol dan de hamer.’

Achmed komt terug en neemt zijn plaats in de halve kring weer in. ‘We moeten plannen maken voor de bezetting.’ Hij vouwt het papier met de twee plattegronden open en bestudeert het zorgvuldig. Hij wendt zich tot de jongen van het Caïrohuis. ‘Wat zijn de laatste berichten over pater Mede?’

‘Hij is niet in Heer. Hij doet zijn jaarlijkse ronde door de Punjab, waar hij andere vestigingen van de school bezoekt. En hij gaat een nieuwe vestiging in Faisalabad openen.’

‘Het is een provocatie,’ zegt het hoofd van het Mekkahuis. ‘Ik heb vorige maand een van hun leerkrachten op straat aangesproken en haar gezegd dat ze hun activiteiten moeten indammen en de christelijke school niet verder mogen uitbreiden, maar ze keek me aan alsof ik lucht was.’

Achmed haalt een pen uit zijn zak en tekent pijlen bij alle ingangen van de school. ‘Reken maar dat ze ons zullen opmerken,’ zegt hij. ‘Desnoods slepen we zijn lijk en dat van zijn leerkrachten over de Grand Trunk Road. Ze zullen ons gauw genoeg opmerken.’

19

Overal in de helikopter die Mikal naar de Amerikaanse gevangenis brengt weerklinken de vervloekingen en gebeden van de andere gevangenen. Sommige van hen zijn neergeschoten toen ze probeerden te ontvluchten of zich tegen hun gevangenneming verzetten. Mikal ruikt hun bloed en hij weet dat sommigen uit angst de controle over hun blaas hebben verloren.

Met de armen en benen vastgesnoerd met kabelbinders en een kap over zijn hoofd wordt hij uit de Chinook gedragen, en de plek waar ze hem naartoe brengen ruikt als het binnenste van een ballon. Wanneer ze hem de kap afdoen ziet hij dat hij zich in een tent bevindt waarin ter isolatie een witte, rubbergecoate binnentent aan het groene canvas is bevestigd. Er staan een stuk of tien ziekenhuisbedden, maar hij is de enige gevangene hier. Een van de twee Amerikanen die een oogje op hem houden schrijft met een zwarte viltstift het nummer 121 op zijn hemd. *Ben ik de honderdeenentwintigste gevangene hier?* Maar het wordt in 120 veranderd wanneer een derde blanke man binnenkomt en in het Engels iets tegen de anderen zegt. Misschien dat ze verkeerd hebben geteld of dat een van de andere gevangen zojuist is overleden.

Ze laten hem zijn mond opendoen en schijnen met een lichtstraal in zijn keel en daarna in zijn oren en ogen, waarna met behulp van een verbandschaar de oude, bebloede lappen stof worden verwijderd die als zwachtels om zijn handen hebben gediend. Hij hoort honden blaffen. Misschien dat de gevangene die zojuist is gestorven probeerde te ontsnappen. Zijn wonden worden snel maar vakkundig schoongemaakt en opnieuw verbonden, waarbij de nieuwe zwachtels elkaar steeds overlappen als de biezen van een mand die wordt geweven. Ze zijn zo blinkend wit dat het zeer doet aan zijn ogen en ze doen hem denken aan de sneeuw waaruit hij is opgevist. Vervolgens kijken de mannen naar de kogelwond in zijn hals en ontbloten ze zijn borst om de messteken en kogelwonden op zijn tors te onderzoeken, en de medicijnen die ze toedienen verlichten zijn pijn op verbijsterende wijze. Hij zou het willen uitschreeuwen van opluchting.

In een andere ruimte, waar hij de honden duidelijker kan horen, grijpen ze hem met zijn allen vast wanneer hij zich ertegen verzet dat zijn broek wordt uitgetrokken, waarna ze al zijn kleren van zijn lichaam wegsnijden, en wanneer hij daar poedelnaakt voor hen staat halen ze een slijptol waarmee ze de kluisters aan zijn voeten doorslijpen, waarbij een regen van milde vonken over de grond en in de beharing van zijn benen spat. Vol ontzetting spartelt hij heftig tegen wanneer ze zijn aars aan een onderzoek willen onderwerpen, en hij grauwt en brult, en ze moeten hem met zijn allen tegen de grond drukken, en daarna trekken ze hem een soort overall aan en slaan zijn enkels weer in hun eigen glimmende boeien, die als puzzelstukjes in elkaar passen, en ook zijn polsen worden opnieuw geketend. *Waar zijn we? Is hij nog altijd in Afghanistan?* Ze maken een foto van hem voor een meetlat en daarna scheren ze zijn haar en zijn baard af en maken ze nog eens een foto van hem.

Zijn hoofd verdwijnt weer onder een kap, waarna ze hem ergens een tijdje alleen achterlaten, niet meer dan een paar minuten, maar hij valt wel als een blok in slaap, want van uitputting voelen zijn botten aan alsof ze stijf in elkaar gedraaid zijn als een ramshoorn, en daarna komen ze hem halen en brengen ze hem ergens anders naartoe. Wanneer ze hem de zwarte kap weer afdoen ziet hij dat hij zich in een kleine ruimte bevindt, van hooguit drie bij vier meter. Een hokje of een cabine. In de linkerhoek zit een grote blanke man onder een poster met de Twin Towers op het moment dat het tweede toestel de toren binnendringt, met de vuurbal die aan de zijkant van het gebouw vastzit.

Er staat een tafel met aan weerszijden een stoel, recht tegenover elkaar, en Mikal moet op een daarvan gaan zitten. Een andere blanke, even lijvig en meer dan één meter tachtig lang, komt binnen met een man die dezelfde huidskleur heeft als Mikal. De man met de bruine huid zegt in het Pasjtoe dat hij de tolk is, en vervolgens, wanneer Mikal niet reageert, hetzelfde in het Urdu, Punjabi en Hindko. Mikal blijft nietszeggend voor zich uit kijken, waarop de man in alle vier de talen zegt dat hij onder geen beding van zijn stoel mag komen. En dat de man onder de poster van de militaire politie is en dat de andere blanke man hier is om een paar vragen stellen.

'Mijn naam is David Town,' laat de laatst binnengekomen blanke via zijn tolk weten. 'Ik werk voor de Amerikaanse overheid. De dokter heeft me verteld dat je fit genoeg bent om met me te praten. Hoe heet je? Ik wil je familie verwittigen van het feit dat je hier bent.'

Mikal geeft geen antwoord.

'Zeg me hoe je heet en hoe we je familie kunnen bereiken.'

De blanke man heeft een erg bleke huid. Mikal heeft nog nooit eerder een echte blanke van zo dichtbij gezien. Het is verbluffend hoe bleek hij is.

Wat zullen ze doen om hem aan het praten te krijgen? Zullen ze een pistool tegen zijn hoofd zetten of zijn nagels uittrekken, zoals de Pakistaanse gevangenbewaarders met zijn vader hadden gedaan?

'We weten dat je kunt spreken. Je hebt in je slaap gesproken. Soms in de taal van een Afghaan, soms in de taal van een Pakistaan. Ben jij Pakistaan, Afghaan, of een in Afghanistan geboren en getogen Pakistaan?'

Mikal geeft geen antwoord, zijn geboeide handen liggen op het tafelblad. *Heeft hij lang genoeg geslapen om te kunnen praten?*

De man legt een boek met foto's op tafel. 'Vertel me eens of je iemand hieruit herkent.' Langzaam slaat hij de bladzijden om. Mikal kijkt naar de mannen met Arabische hoofdbedekking, Palestijnse sjaals, gladgeschoren en met een stropdas, jong en oud, met lange en met korte baarden.

Op dat moment komt nog een blanke het verhoorkamertje binnen en gebaart dat David naar buiten moet komen.

Wanneer David een paar minuten later terugkomt is hij een ander mens. Nog voor hij is gaan zitten begint hij tegen Mikal te schreeuwen.

'We hebben je aangetroffen in een moskee waar we in de kelder vaten met wit poeder hebben ontdekt. Wat is dat voor poeder?'

Mikal geeft geen antwoord.

'Is het antrax of ricine?'

Mikal heeft gehoord dat ze in november in een safehouse van Al-Kaida recepten voor ricine hebben gevonden, en er zijn video-opnames van Al-Kaida-experimenten op honden met zenuw- en cyanidegas.

De man blijft tegen hem schreeuwen, soms met zijn gezicht op luttele centimeters van dat van Mikal.

'Of is het wat anders?' Wanneer de man spreekt houdt Mikal zijn blik strak op diens mond gericht en luistert hij naar de klanken die eruit komen, zonder dat hij kijkt naar de tolk naast hem die van die klanken woorden maakt. Het is alsof een lichaamloze stem hem doet begrijpen wat de blanke man allemaal zegt. 'Wat is het voor goedje, en hoe zijn jullie eraan gekomen? Wat deed jij daar in die moskee?'

Iedere man in de moskee was opgepakt. Alleen de vrouwen en kinderen hebben ze er achtergelaten. De man haalt een zilverkleurige digitale camera tevoorschijn en laat Mikal op een flatscreen monitor foto's van vrouwen zien. 'Dit waren de vrouwen in de moskee. Welke is jouw vrouw? Je zuster of je moeder?'

Alle vrouwen hebben dezelfde uitdrukking op hun gezicht. Bang voor het pistool, maar vol minachting voor de hand die het wapen vasthoudt.

'Misschien moeten we ze hierheen halen. Misschien kunnen zij me vertellen hoe je heet en wie dat poeder naar de moskee heeft gebracht.'

Hij sluit zijn ogen, en de man van de militaire politie schreeuwt dat hij ze moet opendoen.

'Als dat poeder niet van jou is en daar door iemand anders is neergezet, moet je dat tegen ons zeggen. We hebben wat proefjes gedaan en we denken dat het antrax is. Jij moet ons vertellen wat je weet, en een beetje snel ook, want wie weet is de hele omgeving besmet. De vrouwen en kinderen daar moeten geëvacueerd worden. De Amerikaanse chemische teams kunnen er alleen iets tegen ondernemen als jij ons vertelt wat je weet. Verspil geen tijd, die vrouwen en kinderen hebben jouw hulp nodig. Hoe heet je en wat weet je van dat poeder?'

'Ik weet niets,' zegt Mikal. 'Ik hoor niet bij de moskee. Ik ben gewoon een gevangene. Eerst van iemand anders, nu van jullie.' Hij spreekt in het Pasjtoe, om hen zo ver mogelijk uit de buurt van zijn ware identiteit te houden.

'Hoe heet je?'

'Ik weet niets van dat poeder.'

'Wat is er met je handen gebeurd? Hoe ben je aan die kogelwonden in je lichaam gekomen? Heb je met de taliban tegen de Amerikanen gevochten?'

'Misschien is het poeder wel een verdelgingsmiddel. Ik heb achter de moskee een grote moestuin gezien.'

'We weten zeker dat het dat niet is, we hebben al een paar proeven gedaan. Hoe heet je? Hebben ooit mensen in dure Toyota SUV's de moskee bezocht?'

'Ik hoor niet bij de moskee.'

Hij is erg moe, hij knikkebolt, en de MP'er schreeuwt tegen hem dat hij wakker moet blijven, en David wil weten of hij ooit in Soedan is geweest, of hij in Kasjmir heeft gevochten, of hij betrekkingen onderhield met de man die in 1999 het vliegveld van Los Angeles had willen opblazen, of hij ooit in Bosnië is geweest.

'Zeg dan iets. Al is het maar dat wij, ongelovigen, het nooit zullen winnen van jullie slag, omdat wij van het leven houden en jullie van de dood.'

Om hem te straffen voor zijn zwijgzaamheid vraagt David hem van zijn stoel op te staan. Hij wordt gedwongen neer te knielen en zijn armen naar weerszijden uit te steken. David en de tolk verlaten het vertrek en hij blijft vijfendertig minuten lang in deze houding zitten, en elke keer dat zijn armen omlaagzakken of dat hij van vermoeidheid of uit behoefte aan slaap naar voren helt, begint de MP'er tegen hem te schreeuwen.

Wanneer David terugkomt wil hij weten of hij ooit Osama bin Laden, moellah Omar of Ayman al-Zawahiri heeft ontmoet. Mikal weigert te spreken, en ze brengen hem naar een kaal vertrek zonder ramen, waar ze een ketting aan zijn polsen bevestigen, hem vragen zijn armen boven zijn hoofd te tillen en vervolgens de ketting aan een ring in de zoldering vastmaken. De ruimte is fel verlicht. Het is een slaapdeprivatiecel.

Elke keer dat hij in slaap valt wordt hij door pijnscheuten vanuit zijn aan de zoldering vastgeklonken armen gewekt.

De gevangenis is een verlaten steenfabriek. In een enorm pakhuis in het hoofdgebouw bevinden zich twee rijen ijzeren kooien, vol jongens en jongemannen, van wie sommige een kap over hun hoofd hebben, en die vierentwintig uur per dag worden beschenen door koud, wit kunstlicht.

Nadat hij in de slaapdeprivatiecel het bewustzijn heeft verloren, merkt hij, wanneer hij weer bijkomt, dat hij poedelnaakt is uitgekleed en met behulp van een brandslang wordt schoongespoeld. Een MP'er droogt hem af en brengt hem naakt als hij is naar de tent die naar ballonnen rook, waar zijn wonden opnieuw worden verbonden. Ze trekken hem een overall aan en slaan zijn armen en benen weer in de ijzers, waarna hij naar een van de kooien in het pakhuis wordt gebracht, waar hij in foetushouding op de grond gaat liggen.

'Waar kom je vandaan?' vraagt de jongen in de kooi naast de zijne.

Mikal weet niet of hij op de vraag, of op de taal heeft gereageerd.

'Ik heet Akbar,' zegt de jongen tegen Mikal in het Urdu en daarna in het Pasjtoe.

Terwijl Mikal op de grond ligt vertelt de jongen waar de andere mensen om hen heen vandaan komen, waarbij hij steeds de betreffende kooi aanwijst. Uit Algerije. Soedan. Rusland. Saoedi-Arabië. Hij heeft een gezicht dat ernstig en mooi is, net als zijn stem, en hij vertelt dat hij taxichauffeur was in Jalalabad toen hij werd gekidnapt en voor vijfduizend dollar aan de Amerikanen werd verkocht.

'Hoe heet je?'

Mikal sluit zijn ogen en dwingt zichzelf niet te reageren. De jongen is vast naast Mikals kooi geplaatst om hem informatie te ontlokken.

'Waar kom je vandaan? De man aan de andere kant van mij komt uit Marokko. Zie je hem, die met dat verband om zijn hoofd? Hij is nogal onhandelbaar. Hij spreekt Engels, maar hij heeft een vreselijk accent, daarom heeft hij een tolk nodig, en hij wil altijd dat zijn antwoorden precies worden vertaald.' Mikal hoort de kettingen van de jongen rammelen als hij zich beweegt. 'Hij haat Amerika en vindt het nodig om dat zijn ondervragers steeds weer onder de neus te wrijven, en hij wordt kwaad wanneer de tolk weigert zijn volledige antwoord te vertalen en in plaats daarvan "enzovoort, enzovoort" zegt. Of: "Nu bazelt hij weer over de Koran, de kruistochten, de glorie van de islam en de Dag des Oordeels," of: "En nu is het weer tijd voor zijn obsessie met de dood".'

De jongen praat maar door, terwijl Mikal uit een naburige kooi het geluid hoort van iemand die ligt te huilen, en van elders het geluid van iemand die aan het bidden is, en het geblaf van honden. Hoewel hij dodelijk vermoeid is concentreert hij zich op alles en probeert hij wakker te blijven, omdat hij bang is dat hij in zijn slaap zal gaan praten en zo misschien iets zal verraden. Maar de strijd om zijn ogen open te houden weet hij slechts met tussenpozen te winnen. Tijdens zijn slaap ziet hij iemand een rood gewaad schoonspoelen in vlietend water. Door het in de stroom heen en weer te halen. Als hij dichterbij komt ziet hij dat het geen gewaad is, maar zijn bloed, het lichaamsvocht dat als een eenheid, als aan één stuk, aan zijn lichaam is onttrokken en nu in de rivier wordt weggespoeld, zodat al zijn kennis eraan wordt onttrokken.

Drie blanke mannen betreden het verhoorhokje – dat naar braaksel stinkt – en beginnen tegen hem te schreeuwen zonder dat de tolk ook maar één woord vertaalt, ze schreeuwen gewoon meer dan tien minuten lang recht in Mikals gezicht. Dan houden ze ineens op en vertrekken weer.

'Hebben jullie de vrouwen veilig uit de moskee gekregen?' hoort Mikal zichzelf aan David vragen.

'Vertel mij eens wat over Jeo.'

Mikal kijkt op van het tafelblad.

'Jeo heeft me alles over jullie tweeën verteld.'

'Hebben jullie Jeo ook opgepakt?'

'Blijf op je stoel zitten.'

'Ik wil hem spreken.'

'Dat kan niet. Blijf op je stoel zitten.'

'Waar is hij?'

'Hij heeft ons alles verteld.'

'Er valt niks te vertellen. Waar is Jeo? Is alles goed met hem?'

'Vertel ons welke ontsnappingsroutes de Arabische strijders gebruiken om uit Afghanistan naar Pakistan en Iran te komen.'

'Ik wil Jeo spreken.'

'Hij zegt dat jullie twee jaar geleden een *bayt* van trouw aan Osama bin Laden hebben gezworen.' Hij gebruikt het Arabische woord *bayt*, wat bloedeed betekent.

'Dat liegt u.'

'Of *ík* lieg, of *híj* liegt. Ik zeg alleen wat hij tegen mij gezegd heeft.'

'Ik wil hem spreken.'

'Dus het is een leugen?'

'Ja.'

'Waarom zou hij tegen ons liegen?'

'Dat weet ik niet.' Opeens dringt een verschrikkelijke mogelijkheid zijn hoofd binnen. 'Wat hebben jullie met hem gedaan dat hij zoiets bekent?'

'Blijf zitten,' zegt de MP'er luid vanuit zijn hoek. Hij gaat in zijn volle lengte – ver boven de één tachtig – staan, waardoor hij Mikal het zicht op de poster achter hem ontneemt. Toen hij het over de Marokkaan met zijn verbonden hoofd had, had Akbar gezegd dat een vrouwelijke ondervrager hem gevraagd had wat hij ervan vond toen hij hoorde van de aanslagen op de Twin Towers. De Marokkaan had gezegd dat hij dol van vreugde was geweest, en toen ze hem vertelde dat de eerste jongen die ze ooit had gekust in een van de torens was omgekomen, had hij gezegd: 'Heb jij iemand gekust met wie je niet getrouwd was? Als je familie van mij was, zou ik je meteen de keel doorsnijden en met het bloed de vloer dweilen, vuile teef die je bent.' Hij had haar bespuugd en de MP'er was buiten zichzelf geraakt en had hem ongenadig afgetuigd.

'Volgens Jeo hebben jullie de nummers van de satelliettelefoon van verscheidene Al-Kaida-leiders uit het hoofd geleerd,' zegt David. 'Geef die aan mij.'

'Hebben jullie hem geslagen? Hij is zo zachtaardig. Hij zou alles zeggen om maar van de pijn af te zijn.'

'Als iemand alles zou zeggen om van de pijn af te zijn, is de kans groot dat hij met de waarheid zou beginnen, denk je niet?'

Mikal sluit zijn ogen en roept zo de toorn van de MP'er over zich af, die tegen hem buldert dat hij wakker moet blijven en moet luisteren.

'Zal ik je eens wat zeggen?' zegt David. 'De reden dat de Verenigde Staten jou niet martelen, je niet onder stroom zetten of gaten in je botten boren, zoals ze in sommige landen van de wereld doen, is niet omdat martelen niet zou helpen. Martelen helpt wel degelijk. Maar wij doen het niet omdat we vinden dat het niet hoort en dat het onbeschaafd is.'

'Ik wil Jeo spreken.'

Heeft Akbar hem ook gezegd dat hij nooit mag toegeven aan de verleiding om het pistool van de ondervrager te grijpen? 'Ik denk dat ze het pistool in het kamertje bij zich dragen omdat ze willen dat je het probeert te grijpen om ze dood te schieten, zodat ze ten minste iets hebben om je voor aan te klagen.' De soldaten dragen het zelfs wanneer ze de gevangenen wassen en aankleden, en de handen en voeten van de gevangenen niet geketend zijn.

'Alles wat u zegt over Jeo is gelogen. Als jullie hem in handen hebben, vraag hem dan eens hoe ik heet. En kom me dat dan maar vertellen.'

'Dus wat hij ons verteld heeft is een leugen? Het staat genoteerd. We zullen zorgen dat hij begrijpt wat de consequenties zijn wanneer hij tegen ons liegt. En vertel me nu maar hoe je heet en waar je vandaan komt.'

'Vraag maar aan Jeo.'

'Toen we hem gevangen namen had hij duizenden Omaanse rials, Amerikaanse dollars en Pakistaanse roepies bij zich. Waarom had hij die bij zich, denk je?'

'Dat moet u hem vragen.'

'Hebben jullie ooit geld vanuit Pakistan naar Afghanistan gesmokkeld, geld dat jullie van je Al Kaida-agenten in Pakistan hadden gekregen?'

'Vraag maar aan Jeo.'

Hij droomt dat zijn vader en moeder over land en zee naar hem toe reizen, en dat hun pad door een zielenvlam wordt verlicht. Zij komen aan, bevrijden hem van zijn ketenen en halen hem uit de kooi. Hij droomt dat hij is veranderd in een wild zwijn en vervuld van een geheimzinnig geluk door de bonte kleuren van diverse landkaarten snelt, door een hele atlas, op zoek naar zijn vrouwtje, en wanneer hij haar vindt wordt hij een man in een wereld die zo intens is dat het geluid van een zich ontvouwende bloemknop al dodelijk kan zijn en de buulbuul zit in de letters waarmee het woord buulbuul wordt gespeld. Nu ze niet langer door hun vleselijke gestalte worden ingeperkt begeven zij beiden zich tussen oeroude sterren, omgeven door volmaakte kristallen in de vorm van helden, heldinnen en demonen, waarachtige boeken en muziekinstrumenten. Buiten zijn slaap heeft de nacht alle spiegels verzegeld, maar in het spiegelglas van zijn droom bewegen zij tweeën zich onverschrokken langs het firmament, op weg naar de kennis van het ontstaan van de wereld, maar ook van haar ondergang.

'Heb je geprobeerd de tanden van een wolf te tellen?' vraagt Akbar, wijzend naar de plekken waar de vingers ontbreken.

'Waarom hangen er tekeningen in de gang?' zegt Mikal. Hun felle kleuren hadden pijn gedaan aan zijn ogen. Hij komt er elke dag langs wanneer ze hem naar de medische tent brengen, waar het verband om zijn bovenlijf en handen wordt vervangen, en hij injecties krijgt met wat volgens hen antibiotica is.

'Die hebben kinderen uit Amerika gemaakt.'

Tekeningen van vlinders, bloemen, geweren waarmee geschoten wordt op mannen met baarden, en helikopters waaruit bommen worden geworpen op kleine figuurtjes met een tulband op.

'Het zijn brieven van schoolkinderen voor de soldaten. De woorden betekenen: "Pak de boeven", "Ik hoop dat jullie ze allemaal doodschieten" en "Kom weer veilig thuis". Ik heb er zelfs een gezien waarop stond: "We bidden voor je en hebben vandaag op school de rozenkrans voor je gebeden".'

'Ik ga ontsnappen,' zegt Mikal tegen Akbar.

'Niet doen. Ze hebben iemand die het geprobeerd heeft doodgeschoten.'

Hij zal moeten uitzoeken waar Jeo zit en hem ook bevrijden, dan kunnen ze er samen vandoor gaan. Of zal hij eerst alleen ontsnappen en later Jeo komen halen?

'Hoeveel bewakers zijn er?' Mikal telt de MP'ers die zich in de buurt van de kooien ophouden. Alle gevangengenomen Arabieren worden uiteindelijk naar Guantánamo Bay gestuurd. Van de anderen moet eerst worden vastgesteld of zij ook moeten worden doorgestuurd. Vandaag zal er een groep verscheept worden en vanaf gistermiddag zijn de MP'ers bezig geweest met de voorbereidingen. Ze hebben nieuwe overalls, beenkluisters en duikbrillen met overgespoten glazen op de grond klaargelegd, zodat iedereen in de kooien ze kan zien. Ze trekken aan de beenkluisters en klikken de glimmende, verchroomde handboeien open en dicht om te controleren of alles het doet. Niemand kan het gerammel ontgaan, en niemand weet wie er afgevoerd zullen worden.

Opeens is het tijd, en de MP'ers hebben de grootste moeite om sommige gevangenen uit hun kooi te krijgen. Een van de gevangenen klemt zich vast aan het gaas van de kooi en snikt het uit terwijl ze hem loswrikken. Een ander valt op zijn knieën en schreeuwt jammerend iets in het Engels. 'Hij smeekt om genade,' zegt Akbar. '"Je hebt me beloofd dat ik niet weg hoefde, Andrew. Je hebt het beloofd, Steve, je hebt het beloofd."' En hij kust de handen van de blanken. Maar anderen lopen gewoon hun kooi uit, berustend in hun lot, en zeggen verzen uit de Koran op.

Een MP'er komt op de kooi van Mikal af, maar loopt door en gaat de kooi naast de zijne binnen, waarin zich een Nigeriaan genaamd Mansoer bevindt. Hij had regelmatig geklaagd dat alles in Afghanistan veel slechter was dan in Afrika. Zelfs de regen en de wind waren hier van mindere kwaliteit. Hij is een voormalig christen die zich tot islam heeft bekeerd, die in het verhoorkamertje voortdurend probeerde de Amerikanen te bekeren, en die nu wordt klaargemaakt om op het vliegtuig gezet te worden.

'Hoe heet je?' vraagt David.

Mikal zwijgt.

Op dat moment klinkt aan de andere kant van de muur een ijselijk geschreeuw. Van iemand die helse pijnen lijdt.

'Wie is dat?'

'Wie denk je?' zegt David. 'Jeo heeft tegen ons gelogen, dus nu gaan we zorgen dat hij de waarheid spreekt.'

De jongen in het verhoorkamertje ernaast klinkt als een offerdier dat naar de slachtbank wordt geleid.

Dat is Jeo niet. Hij moet kalm blijven.

'Hoe heet je?'

Het is Jeo niet. Is er iemand ter wereld die weet waar zij beiden zijn? Is er iemand naar hen op zoek?

'Hoe heet je?'

Maar hij kan het niet langer verdragen en zegt ten slotte: 'Hou op hem te slaan.'

'We proberen alleen maar de waarheid te achterhalen. Blijf zitten.'

'Hou alstublieft op. Doe hem alstublieft geen pijn. U hebt gezegd dat jullie niet aan martelen doen.' Hij gaat staan en steekt zijn handen uit naar David, maar draait zich dan in een en dezelfde beweging om en rent, ontregeld, verward, naar de deur om Jeo te gaan helpen. Wanneer hij op de grond valt, omdat hij een klap in zijn nieren heeft gekregen met de wapenstok van de MP'er, krijgt hij opnieuw een beuk, tegen zijn schouder, en hij slaat de man met zijn geboeide polsen vlak boven zijn oor en nog eens, met nog meer kracht, onder het oor, waarna de man zich over hem heen buigt en hem in het gezicht slaat, één, twee, drie keer, terwijl Mikals nek onder de laars van de man tegen het beton wordt gedrukt. Hij proeft bloed en weet niet meer welke van de kreten die hij hoort van hemzelf zijn en welke uit het kamertje ernaast komen. Dan wordt hij weer op de stoel gekwakt.

'Hij spreekt de waarheid,' zegt hij, 'hij spreekt de waarheid. Ik héb trouw gezworen aan Osama bin Laden. Hou op hem pijn te doen, alstublieft, hou op met hem pijn te doen. Ik heb gelogen, niet hij.' Er vallen druppels bloed van zijn gezicht op de tafel, en met elkaar vormen ze verbazend snel een bloedplas.

'Hoe heet je?'

In het kamertje ernaast blijft Jeo schreeuwen, en er klinken nog andere geluiden, alsof hij tegen de muren wordt geslagen. Het hokje schudt ervan.

'Hoe heet je? Waar kom je vandaan? Wat is er met je handen en je lijf gebeurd, en wanneer ben je neergeschoten?'

Ze zouden zijn broer hierheen kunnen halen – ze zouden ze allemaal uit Heer hierheen kunnen halen – en, gewapend met verdachtmakingen en valse beschuldigingen, met hen hetzelfde kunnen doen wat ze met Jeo doen. Basie en Yasmin, Rohan en Naheed. Ze zullen hen in de kooien naast hem opsluiten.

'Ik ben een gevangene. Ze hebben me voor geld aan jullie verkocht. Ik heb met die hele oorlog niks te maken.' Zijn ribben en gezicht doen verschrikkelijk zeer vanwege de klappen, en de pijn in de kogelwonden is weer helemaal terug.

In het kamertje ernaast is Jeo zacht aan het jammeren.

'Hoe heet je? Als je onschuldig bent zullen we je vrijlaten zodra je onze verdenkingen hebt weggenomen. Je moet ons laten zien dat je voor gerechtigheid bent door met ons samen te werken. Alle anderen die tegelijk met jou gevangen zijn genomen zijn al vrijgelaten. Maar als je je zo blijft gedragen, kom je uiteindelijk op Cuba terecht.'

'Ik zal jullie alles vertellen als jullie me met Jeo laten spreken.'

'Uitgesloten.'

Hij kijkt naar de muur die hem scheidt van Jeo, wiens gesnik inmiddels is verzwakt.

Ten slotte zegt hij tegen David: 'Ik zal u alles vertellen, als u Jeo vraagt om u iets te vertellen dat alleen ik kan weten.'

Hij wordt naar een vertrek gebracht waarvan de muren, de vloer en het plafond volledig zwart zijn geschilderd, en zijn geheven, geboeide armen worden aan een ring boven zijn hoofd vastgemaakt. Nadat de MP'er is weggegaan doen ze het licht uit en verandert het vertrek in een van volstrekt alles ontdane leegte. Het is als de duistere schaduw van het graf na de dood. Hij kan zich niet precies herinneren wanneer hij voor het laatst een ster heeft gezien, of het rode ochtendlicht, pulserend als het bloed in de aderen van een levend wezen, maar nu houdt de tijd helemaal op te bestaan, nu hij – een halve dag, twee dagen, een week? – in deze onmetelijke leegte staat of hangt. Hij weet zeker dat er in deze ruimte mannen zijn doodgegaan, en hij ziet hun schimmen. Op een zeker moment gaat het licht weer aan en betreedt een blanke man die Mikal nog nooit eerder gezien heeft de cel. Negentien bewaarders zijn over de hel gesteld, zegt de Koran. De man gaat voor hem staan en barst zomaar in lachen uit, en hij weet van geen ophouden, terwijl hij zijn zielloze blik op Mikal gericht houdt en hem hard uitlacht omdat hij de vloer heeft bevuild, omdat hij nietswaardig is, om zijn rampzalige liefde voor Naheed, omdat hij niet bij machte is Jeo te helpen, om Pakistan en zijn armoede, een lach die doortrokken is van minachting voor hem en voor zijn land, waar er geen water uit de kraan komt, waar geen suiker, rijst of bloem in de winkels te krijgen is, waar er voor de zieken geen medicijnen zijn en voor de auto's geen benzine is, zijn weerzinwekkende, walgelijke land waar iedereen bezig lijkt ieder ander om het leven te brengen, een land van wraakaanvallen, waar de slager bedorven vlees aan de melkboer verkoopt om op zijn beurt melk verkocht te krijgen die is aangelengd met dodelijke witte chemicaliën, en allebei verkopen ze hun vlees dan wel hun melk aan de dokter, die onnodig medicijnen voorschrijft om zo de bonussen van de farmaceutische industrie te kunnen opstrijken, en de fabriek waar de medicijnen wordt gemaakt loost zijn giftige afval rechtstreeks in de watervoorziening, in rivieren en stromen, waardoor de zonen en dochters van de politieagent die zelf bij een verkeersongeluk om het leven komt op het moment dat hij steekpenningen aanneemt – een ongeluk dat veroorzaakt wordt door een vrachtwagen die net geschikt voor het verkeer is verklaard door een vervoersinspecteur die daartoe is omgekocht – sterven, misvormd raken, blind of verminkt worden, een land vol mensen wier absolute toewijding aan hun geloof weinig meer is dan een onwrikbare trouw aan ongelukkig zijn en kleingeestigheid, en de blanke blijft maar lachen met ogen vol haat, beschuldiging, spotzucht en vermaak om deze ingezetene van een land dat schaamteloos de hand ophoudt, een land vol leugenaars, schijnheiligen, mannen die vrouwen, kinderen, dieren en zwakken slaan, onbeschaamde verkrachters en onbestrafte moordenaars, folteraars die in Fort Lahore het lichaam van zijn vader waarschijnlijk hebben opgelost in een vat met bijtend zuur, misleide imbecielen en idioten die onafhankelijk wilden zijn van de Britten en een eigen land wilden, maar nu staan te trappelen om dat land te verlaten en te emigreren, emigreren, emigreren naar Engeland, de Verenigde Staten, Canada, Australië, Dubai, Koeweit, Singapore, Indonesië, Maleisië, Thailand, Japan, China, Nieuw-Zeeland, Zweden, Zuid-Afrika, Zuid-Korea, Noorwegen, Duitsland, België, Chili, Hongkong, Nederland, Spanje, Italië, Frankrijk, alles is goed, alles is goed, alles is goed, zolang het maar geen Pakistan is, ze weten niet hoe snel ze weg moeten komen, nadat ze van het land één grote puinhoop hebben gemaakt, hun hoogsteigen ruïnekalifaat. Als een kwaadaardige god stort de man zijn gelach over Mikal uit, hij loopt rood aan van het lachen en het zweet parelt op zijn voorhoofd, en hoewel hij Mikal elke schanddaad, krenking, vernedering, smaad, nederlaag en ontering die hij in zijn twintig levensjaren heeft ondergaan opnieuw laat doormaken, fluistert Mikal nu terug: 'En jij dan? En jij dan? En jij dan en jij dan...' Hij rukt aan zijn ketenen en begint te schreeuwen. 'Welke rol heb jij daarin gespeeld?' Hij wou dat hij het in het Engels kon zeggen. *Als ik toegeef dat wat jij zegt waar is, wil jij dan toegeven dat jouw land heeft meegeholpen mijn land te verzieken, al was het maar een beetje?* Hij vraagt zich af of de man wel echt bestaat, ondanks het feit dat zijn gelach nog steeds aanzwelt in het vertrek, bulderend als een reusachtige golf die steeds luider klinkt naarmate hij zijn hoofd dichter omspoelt. Hij herinnert zich een gevangene die, na negenentwintig uur onafgebroken te zijn verhoord, hallucinerend naar zijn kooi was teruggebracht, en mensen en dingen zag die er helemaal niet waren. En dan opeens gaat het licht uit en stopt het gelach, en hoort hij niets in zijn cel dan zijn eigen ademhaling. De pijn in zijn armen is zo hevig, dat die hem toeschreeuwt met een echte stem, met menselijke woorden.

'Ik wil Jeo spreken,' zegt hij in het verhoorkamertje.

'Kop dicht. Wanneer heb je trouw gezworen aan Osama bin Laden?'

Hij moet iets zeggen, anders zullen ze Jeo aan de andere kant van het beschot weer pijn gaan doen. 'Dat weet ik niet meer. Wanneer zei Jeo dat het was?' Na de donkere cel heeft hij moeite zijn blik te focussen.

'Het is niet de bedoeling dat jij mij ondervraagt. Ga op je knieën zitten en steek je armen uit.'

Mikal doet wat hem gezegd wordt, en de MP'er maakt zijn handboeien los, waarna David en de tolk het vertrek verlaten. De MP'er blijft in zijn hoek zitten.

Een halfuur later komt David terug en beveelt Mikal weer op de stoel te gaan zitten. Zijn polsen worden weer geboeid.

David wijst naar de poster met de Twin Towers. 'Als je denkt dat wij jullie de kans zullen geven nog eens te doen wat jullie vijf maanden geleden gedaan hebben, vergis je je lelijk.' En vervolgens zegt hij, terwijl hij Mikal strak in de ogen kijkt: 'Wat vond jij ervan toen het gebeurde?'

'Ik vond het walgelijk, misdadig.'

'Dat vinden de meesten van jouw volk anders niet. Die waren maar wat blij.'

'Dan weet u nu dat wij er niet allemaal hetzelfde over denken.' De ogen van de man hebben hem nog geen fractie van een seconde losgelaten. 'Hoeveel mensen van mijn volk kent u trouwens?'

'Ik heb er hier genoeg leren kennen.'

'Wilt u dat ik mijn oordeel over úw volk baseer op degenen die ik hier heb leren kennen?' *Laat hem mij vragen op mijn knieën te gaan zitten en mijn armen uit te steken.*

David leunt achterover op zijn stoel. 'Je wilde dat wij Jeo iets zouden vragen wat alleen jullie tweeën weten. Hij heeft ons één woord gegeven.'

De man zegt het woord en het trekt dwars door Mikal heen, het reist door zijn aderen en dan knapt er iets in zijn hoofd. Hij voelt zich opeens gewichtloos, het gevoel dat een pijl moet hebben op het moment dat hij wordt afgeschoten. De spieren van zijn armen doen onbeschrijflijk zeer van de gespannen houding waarin ze hebben verkeerd, en daarvoor waren ze aan het plafond van zijn cel gekluisterd, en toch haalt hij met ontblote tanden over de tafel heen uit naar David, zijn enige wapen, het dierlijke in hem.

Naheed.

20

Ik vervloek deze stad. De koning heeft een dwaling begaan door de man te laten doden die ik bemin... Ze kijkt op van de bladzijde die ze zat te lezen en slaat het boek dicht. Ze verbeeldt zich dat er iemand is gekomen, dat er iemand aan de andere kant van de tuinpoort staat. Misschien dat er zelfs geklopt is. Ze loopt het terras op en staart, omgeven door de natuurgeluiden van de tuin, tussen de bomen door naar de poort. De as op haar kleren laat een duidelijke afdruk achter op de witte pilaar naast haar. Die halfschimmen duiken ook elders in huis op, doordat ze in het voorbijgaan langs een muur schampt of zonder erbij na te denken even tegen een kast leunt. Ze zijn vaag – alleen zij kan ze zien – en net als de andere zal ze ook deze, zodra zij hem heeft opgemerkt, wegvegen.

Het is de eerste ochtend met bestendige hitte dit jaar, en ze gaat op de stenen treden zitten. Ze slaat het boek op haar schoot open en begint te lezen. *Shilappadikaram*. Een tekst uit de derde eeuw. *De geschiedenis van Kannagi, die, nadat zij haar echtgenoot had verloren door een gerechtelijke dwaling aan het hof van de koning der Panya's, wraak nam op zijn koninkrijk.* Wanneer ze opkijkt heeft de poort zich geopend om Mikal binnen te laten.

Zijn ogen vinden haar.

De palissander staat in bloei, en na een regenbui dringt de geur in de schemering zo sterk het huis binnen, dat ze zich op haar bed soms afvraagt of hij ooit weer zal weggaan. De boom staat halverwege tussen Mikal en haar in, en als ze erbij is aangekomen blijft ze staan. Is het zijn schim die haar ervan komt overtuigen dat ze een leven zonder hem moet opbouwen? Of is hij het echt, en hebben haar gedachten hem in haar aanwezigheid opgeroepen?

Ze doet een stap terug en hij doet een overeenkomstige stap naar voren.

‘Wanneer iemand met voldoende verlangen en liefde aan ons denkt of van ons droomt,’ had Tara ooit eens tegen haar gezegd, ‘verdwijnen we van de plek waar we ons bevinden.’ Naheed was bang geworden dat ze zo sterk aan Mikal zou denken dat hij in de kamer zou opduiken, zonder dat ze aan Tara zou kunnen uitleggen wie hij was.

Ze draait zich om en loopt weg met een blik over haar schouder om te zien of hij haar volgt. Maar als ze weer bij het terras aankomt, loopt hij niet langer achter haar. Toen ze bij de notenboom was gekomen had ze een stap opzij gedaan, en het is alsof hij zijn vaart niet heeft kunnen inhouden en in de bast is verdwenen.

Ze beroert de stam van de boom.

Ze wacht tien, vijftien, twintig tellen om te zien of hij weer tevoorschijn komt, en kijkt vervolgens om zich heen, speurend in het licht dat overal door het bladerdak filtert. Haar blik glijdt langs de moerbeibomen die nu zowel bladeren als bloesems aan hun takken dragen. De dikke, zachte bladeren glinsteren tussen alle andere tinten groen in de tuin, het ampele, heldere groen van de banyan, de cipressen die daarmee vergeleken haast zwart lijken, de appelgroene populieren. Ten slotte ziet ze hem staan naast de vijgenboom in de buurt van de verste tuinmuur. Ze stelt zich voor dat hij door deze boomstam is opgestegen en daarna via de elkaar daarboven rakende boomkruinen naar de vijgenboom is gegaan om daar door de stam weer af te dalen. Of misschien is hij de grond wel ingegaan en dwars door duisternis en aarde naar de vijgenboom toe gelopen, met de boomwortels als houten bliksemschichten om zich heen, en vervolgens in de boom weer opgerezen.

21

Wanneer Basie en Yasmin de school binnengaan staat pater Mede bij het raam van zijn kamer naar hen te kijken. Ze lopen zo dicht naast elkaar als het fatsoen dat toelaat in dit land dat zowel minder onschuldig als onschuldiger is dan welk ander land ook. Zij worden omstraald door het maartse zonlicht, dat zo dicht is als vilt. Als kind had hij zich afgevraagd waarom Eva uit een rib van Adam was gemaakt. Nu, tegen het einde van zijn leven, zoveel tientallen jaren later, weet hij dat dat was omdat de rib dicht bij het hart zit. Basie en Yasmin hebben allebei een broer verloren en hij ziet wel dat ze die klap nog niet te boven zijn, als dat al ooit zal gebeuren. Hij betwijfelt of hij zijn gevoelens hieromtrent voldoende duidelijk heeft kunnen maken. Hij heeft elk van beiden omhelsd en verder die paar platitudes gemompeld die mensen bezigen bij verdriet. Tweeduizend jaar zijn verstreken sinds alle mensen op aarde elkaars broeders werden, maar nog steeds zijn er geen woorden bedacht waarmee het dragen van een bepaald kruis kan worden verlicht.

‘Wie is die jongeman daar op het pad bij de cipressen?’ vraagt Yasmin, terwijl ze langs de kamer van pater Mede loopt. ‘Goedemorgen, pater.’

‘Goedemorgen, Yasmin.’ Hij kijkt op van de stapel brieven op zijn bureau. ‘Is het soms een van de hulpjes van de tuinman?’ Pater Mede loopt naar de deur en kijkt naar de cipressen. ‘Hij neemt soms zijn kleinzoons mee.’

De hemel is zo smetteloos blauw dat het aan vreugde grenst.

‘Hij is er niet meer,’ zegt Yasmin. ‘Daarnet stond hij er nog.’

‘Het zal de kleinzoon van de tuinman wel zijn geweest.’

Kinderen komen de poort binnen voor het begin van hun schooldag, de meisjes in een wit met rode sweater, de jongens allemaal in het marineblauw. *En ten oosten van de hof van Eden plaatste Hij een cherub met een vlammend zwaard dat naar alle kanten bewoog om de weg naar de boom des levens te bewaken...*

Hij kijkt naar Yasmin. 'Je draagt het horloge van je moeder.'

Ze kijkt er vluchtig naar.

'Dat heeft haar tweehonderdvijftig roepies gekost,' vervolgt hij. 'Ze heeft het eind jaren zestig van haar eerste loon gekocht. Ze kwam speciaal hierheen om het me te laten zien, dat weet ik nog goed. Ze zei dat ze voor honderdvijftien roepies boodschappen had gedaan bij de Army Canteen Stores. Koekjes. Koffie. Gecondenseerde melk. Chocolaatjes. Stuk voor stuk dingen die ze zich anders nooit kon permitteren. Plus dat horloge van Favre-Leuba.' Pater Mede tikt tegen de wijzerplaat. Hij glimlacht. 'En aan je gezicht te zien heb ik je dat al veel vaker verteld.'

Yasmin haakt haar arm in de zijne en loopt met hem zijn kamer in. 'Hoe was uw reis?'

'Vermoeiend.'

'U wordt een dagje ouder.'

'Maar ik voel me niet oud. Ik voel me gewoon een jong iemand met wie iets mis is.' Hij zet zich in zijn stoel. 'Hoe gaat het met je vader?'

Ze kijkt heel even van hem weg.

Pater Mede knikt. 'Ik wens hem het allerbeste.' Toen Rohan het moeilijk had met Sofia's geloofscrisis had hij gevraagd of pater Mede alsjeblieft niet langs wilde komen, en Sofia verzocht hem niet te ontvangen. De breuk was nooit helemaal geheeld. 'Is dat as op je mouw?'

Yasmin probeert het vlekje weg te vegen. 'Van mijn schoonzuster.'

'Volgens de oude Grieken zijn we uit as ontstaan.'

'Deze tuniek is van mijn moeder geweest.'

'Dat weet ik.'

Als ze weer wil weggaan wijst hij op de papierwinkel die zich tijdens zijn afwezigheid op zijn bureau gevormd heeft. 'Basie en jij moeten me maar een uurtje komen helpen om althans een deel hiervan weg te werken.'

'U maakt misbruik van ons, pater.'

'Dat weet ik. Eerst de koloniale tijd en nu dit.'

Het meisje vertrekt met een glimlach om de lippen. Ze is net haar moeder. Toen Sofia naar de Punjab Universiteit in Lahore ging voor haar letterenstudie was ze binnen de kortste keren door de grote stad in verwarring geraakt, en was ze naar Heer teruggekomen met het vaste voornemen nooit meer terug te gaan. Haar vader – wiens droom het was dat zijn kinderen een studie zouden volgen – had pater Mede met klem ontboden. Pater Mede had haar hier op het St. Joseph lesgegeven, en samen hadden ze haar weten over te halen weer naar de universiteit terug te gaan. Ze stemde toe maar was een paar weken later alweer terug en had hem verteld dat ze zich buitengesloten voelde door de andere studenten, de moderne meisjes en jongens van Lahore, van wie sommigen lachten om de manier waarop ze zich kleedde en sprak, en om haar boerka. Haar vader dacht een week lang over de situatie na en sprak toen de vijf woorden die de hele familie, ja, zelfs de meest verre takken in afgelegen stadjes en dorpen, tot op zijn grondvesten deed schudden:

'Trek die boerka dan uit.'

Sofia was sprakeloos.

'Kun je dat?'

'Natuurlijk niet.'

'Zou je je minder bekeken voelen?'

'Misschien wel.'

'Probeer het dan eens. Eerbaarheid en fatsoen zitten in je hoofd, niet in een boerka. Ik wil dat je een goede opleiding krijgt en zo te zien houdt deze kwestie je daarvan af.'

En ze was zonder boerka teruggegaan, tot afschuw van haar moeder en broer, die wisten dat haar kansen om een fatsoenlijk huwelijk te sluiten nu volkomen waren verkeken. Het was al erg genoeg dat zij, als ongetrouwde jonge vrouw, niet bij haar ouders woonde, maar in een studentenhuis in de grote stad, zonder ouderlijk toezicht.

Het viel niet uit te maken of ze in die vreemde omgeving te snel in paniek was geraakt en te zijner tijd met wat kleine aanpassingen haar draai wel zou hebben gevonden. Wat er gebeurde was dat ze na haar terugkeer aan de universiteit helemaal opbloeide. In haar derde jaar probeerde ze het nog wel een keer met de boerka, maar ze was hem inmiddels ontwend geraakt. Ze kocht vijf kasjmieren omslagdoeken waarmee ze haar lichaam en hoofd bedekte wanneer ze lesgaf aan Geestrijk Vuur, en voor de koudste winterdagen had ze een schitterende bordeauxrode mantel met een bontkraag en op de linkerschouder een broche in de vorm van een sierspeld op de tulband van een keizer.

Pater Mede staat op en loopt over de vloer met een patroon van zwarte en witte griffioenen naar de andere kant van het vertrek. Hij blijft staan voor een klein schilderij aan de muur dat Sofia ooit voor hem gemaakt heeft. De gekruisigde Christus, met de wenende figuren aan de voet van het kruis. Het stelt zijn moeder en zijn dierbaren voor, en ze huilen omdat dit – de kruisiging – plaatsgrijpt, en het maakt zo'n diepe indruk omdat het lijden van de gemartelde man en het lijden van degenen die dit moeten aanzien in een en hetzelfde beeld zijn gevangen. In één blik samenvallen. Onrecht geschiedt niet ergens in een of andere verborgen uithoek, en de verwanten van het slachtoffer rouwen niet ergens ver weg, op een plek die losstaat van het misdrijf. Hij zal sterven, en de mensen die van hem houden kijken naar hem, en dat alles wordt gadegeslagen door de beschouwer.

'Pater, wie zijn die twee jongemannen die ik daarnet bij het muzieklokaal zag?' vraagt Basie, die de kamer binnenkomt.

'Waren ze met hun tweeën? Ik denk dat het de kleinzoons of de hulpjes van de tuinman zijn.'

'Ik ken zijn kleinzoons. En die waren het niet.'

'Ik ga er straks wel even achteraan.'

'Hoe was uw reis?' vraagt Basie, terwijl hij weer naar de deur loopt en een blik in de gang werpt. 'Volgens mij waren ze ook te netjes gekleed voor tuinhulpjes.'

Pater Mede slaat zich tegen het voorhoofd. 'Ze hebben vast de engelen gebracht.'

'Zijn de engelen terug?'

Pater Mede opent een lade en haalt er de sleutel van de aula uit.

Samen lopen ze naar de zuilengang, met aan de ene kant de lange rij lokaaldeuren en aan de andere kant de oogverblindende maartse tuin. Het is nog vroeg, dus er is pas een handjevol leerlingen aanwezig, en in de lokalen heerst een verdachte stilte. Ze komen een meisje van veertien tegen dat drie jaar geleden op een dag in tranen was uitgebarsten, pater Mede bij de hand had gegrepen en vol liefde en onbegrip had staan huilen. 'U bent zo goed, hoe kunt u nou christen zijn? Waarom bekeert u zich niet tot de islam?' Ze zei dat ze niet wilde dat hij in de hel zou branden, en hij had haar gevraagd voor zijn zielenheil te bidden. Hij was in dit land altijd omzichtig te werk gegaan waar het religieuze zaken betrof. Hoewel het St. Joseph een christelijke school is, is het niet langer een missieschool, zoals in de vorige eeuw, en bij openbare plechtigheden wordt er zowel uit de Bijbel als uit de Koran voorgelezen, en alle feesten van beide geloven worden in de loop van het jaar gevierd.

Pater Mede ontsluit de aula, waarvan de vloer met grote, in krantenpapier gewikkelde, onbestemde vormen bedekt blijkt. Het zijn er in totaal een stuk of honderd, en als hij van één ervan het papier verwijdert, komt het gezicht van Rafaël eronder vandaan. De engel die verantwoordelijk is voor de genezing van de kwalen en wonden van mensenkinderen.

Deze levensgrote houten figuren zullen aan staalkabels worden opgehesen en boven in de aula komen te zweven. Ze waren tijdelijk de deur uitgedaan om opnieuw in de verf te worden gezet door een firma die de vrachtwagens en riksja's van Heer beschildert, en nu zijn ze dus terug, badend in levendige kleuren, en Rafaëls wangen zien weer cyclaamroze. Elk oog is een turquoise glazen schijfje dat op zijn plaats wordt gehouden door een smal spijkertje, bijna een speld. Ze liggen op hun buik op de vloer, en de vleugels die vanuit hun rug omhoogsteken komen boven Basie en pater Mede uit.

Basie haalt het krantenpapier van de zijkant van de figuur vlak naast hem. Er komt een hand bloot die een zwarte ketting vasthoudt. Hij haalt ook het papier van het gezicht en de borst af.

'Na de zondeval werd Gabriël naar de aarde gestuurd om Adam te troosten,' zegt pater Mede, 'en Michaël om Eva te troosten.'

Michaël, die binnen de islam Mikal heet. Volgens de omschrijving is hij in het bezit van smaragdgroene vleugels en bedekt met saffraangele haartjes, die stuk voor stuk een miljoen gezichtjes hebben die Allah in een miljoen talen vergiffenis vragen voor de zonden van de gelovigen.

Pater Mede legt zijn hand op Basies schouder. Basie raakt hem even aan en bedekt vervolgens Michaëls gezicht weer.

'Ze zijn compleet,' zegt pater Mede. 'De engelen van de zeven dagen van de week. De engel van de aardbevingen. De engel van de bekoring. Van het stof. Van de duiven.' Hij kijkt omhoog naar de ringen die aan de zoldering bevestigd zijn en waaraan ze zullen worden opgehangen.

'Dus de jongens die ik gezien heb hebben ze hierheen gebracht?'

'Dat zou kunnen. Ze zijn met drie vrachtwagens hiernaartoe gebracht, en er was een klein legertje nodig om ze uit te laden.'

'Ik zal de bewaker bij de poort eens vragen,' zegt Basie. 'We moeten voorzichtig zijn.'

'Als je de kinderen maar niet bang maakt.'

De vorige dag was vanuit het busje van Geestrijk Vuur omgeroepen dat er berichten waren over een religieuze school in Afghanistan die door de Amerikanen was gebombardeerd, waarbij een aantal kleine kinderen om het leven was gekomen. Het busje was stapvoets langs het St. Joseph gereden. 'Wij zullen Amerika terugbrengen tot de omvang van India, en India tot de omvang van Israël, en Israël tot niets,' had het uit de luidspreker geschald toen het busje was blijven treuzelen bij het monument aan het einde van de weg, een reusachtige, fiberglazen replica van de berg waaronder Pakistans kernbom was getest. De kleur geeft het precieze ogenblik aan waarop het wapen was ontploft. Toen hij na miljoenen jaren uit zijn sluimer was gewekt, was de berg spierwit geworden. Het binnenste ervan is hol en wordt 's nachts van binnenuit verlicht. In het bleke avondlicht ziet pater Mede het vanaf het balkon van zijn kamer boven de school aangaan. Het ene moment is het nog doods en grauw, maar dan opeens verspreidt zich, als een koortsblos, vanuit het binnenste over de hellingen een gloed die aanzwelt en helderder wordt, tot zijn schittering die van de maan naar de kroon steekt en men de silhouetten van de bedelkinderen die er hun toevlucht in gezocht hebben langs de stralende flanken kan zien bewegen.

De gekreukelde krant trekt weer recht en komt los te zitten, en nadat Basie is weggegaan ziet pater Mede hoe de figuur van Michaël hier en daar onder het papier vandaan komt, zodat hij een glimp kan opvangen van het gouden gewaad, de kettingen waarmee hij Satan gekluisterd houdt, en het zwaard in zijn andere hand. Men zegt dat cherubs geschapen zijn uit de tranen die Michaël over de zonden van de wereld heeft vergoten. Naast hoofd van de Orde der Deugden en aanvoerder van de aartsengelen, is hij tevens de Vorst van de Goddelijke Aanwezigheid, de Vorst des Lichts, en de Vorst van God. Hij is de engel van het Berouw, de Genade en de Rechtvaardigheid, de Hoeder van de Vrede en de engel der Aarde, en de schutsheilige van politieagenten en soldaten.

Pater Mede draait de auladeur op slot en loopt terug naar zijn kamer.

Herstel ons, o God van ons heil,
Doe teniet uw afkeer van ons!
Zult Gij voor altoos tegen ons toornen,
Uw toorn uitstrekken van geslacht tot geslacht?

Naar verluidt heeft Michaël deze regels geschreven. Psalm 85. De regels die worden aangewend om hem op te roepen.

22

‘Stap niet op dat stukje grond,’ waarschuwt Naheed Rohan wanneer ze in de tuin wandelen. ‘Daar heb ik in oktober de dode vogels begraven.’

Rohan richt zijn blik op de aarde. Hij kan vandaag een beetje zien, de plekken waar de zon helder en onbelemmerd schijnt. Eerder had ze hem aangetroffen met de Koran opengeslagen in zijn handen, want een van zijn grootste kwellingen is dat hij geen Koranverzen kan lezen voor het zielenheil van Sofia.

‘Staat de granaatappel in bloei?’

Ze leidt zijn hand ernaartoe en hij beroert de bloesems, de harde buitenste kelken en de stukjes gekreukelde zijde in het midden die de bloemblaadjes vormen. Hij snuift de geur ervan op en vertelt haar dat de naam Granada is afgeleid van de granaatappels die in die streek van Spanje groeiden. Basie en Yasmin hebben sinds het bezoek van Naheed en Rohan aan de oogarts nog verschillende keren met de specialist gesproken, en de reeks behandelingen die hij heeft voorgesteld vormt de enige oplossing.

‘Spanje was ooit een moslimland,’ zegt Rohan, terwijl hij zijn handen om de bloemen vouwt. ‘In oktober 1501 gaven de katholieke Spaanse vorsten bevel om alle islamitische boeken en manuscripten te vernietigen. Duizenden korans en andere teksten werden publiekelijk op de brandstapel geworpen.’

Ze laat hem praten terwijl ze kijkt of ze Mikal ergens ziet. Maar al wat ze ziet is de ijsvogel die de beide oevers van de stroom aaneenrijgt met de kleurrijke draden van zijn vlucht.

‘Een winkelier werd gearresteerd omdat hij “O Mohammed!” mompelde toen iemand had geweigerd zijn waren te kopen. En een andere man werd voor de inquisiteur geleid omdat hij zijn handen had gewassen op een manier die verdacht veel op een islamitische handwassing leek. Toen men hem folterde bekende hij moslim te zijn en betichtte hij ook nog een aantal van zijn buren daarvan, om zijn bekentenis vervolgens meteen weer in te trekken. Hij werd een tweede keer gemarteld en is in de gevangenis aan zijn verwondingen bezweken.'

Ze neemt zijn hand in de hare. Ze moet er tegenwoordig voor zorgen dat hij alles opeet wat op zijn bord ligt, ondanks zijn tegenwerpingen dat hij geen trek meer heeft. Tara en zij maken zijn chapati's groter en dikker, met als gevolg dat hij, wanneer hij denkt dat hij er maar één eet, er in feite één en een kwart eet, of anderhalf.

Ze is blij dat Basie en Yasmin het contact met de oogspecialist voor hun rekening nemen. Het zien van de verpleegsters in het ziekenhuis had een vreemde angst in haar wakker geroepen. Inwendig worstelde ze met allerlei spookbeelden, en ineens was er de vreemde angst geweest dat een van hen wel eens de verpleegster zou kunnen zijn die haar in november de injecties had gegeven die een einde moesten maken aan het leven van het kind en dat de dokter dat, omdat hij woedend op hem was, aan Rohan zou vertellen. *Waarom ben ik bang?* had ze zich aanvankelijk afgevraagd. *Wat zou iemand me kunnen aandoen wanneer hij of zij te weten komt wat ik gedaan heb?* Maar nee, ze maakt zich geen zorgen om zichzelf. Ze is bang dat ze Rohan, Yasmin en Basie er verdriet mee zal doen. De waarheid zou hén pijn doen. Dáárom moet de zaak geheim worden gehouden.

Haar stilzwijgen valt Rohan op. 'Wat is er?'

'Alleen een beetje hoofdpijn.'

'Heeft je moeder iets gezegd?'

Ze schudt ontkennend haar hoofd. En omdat ze zich afvraagt of hij het gebaar wel heeft kunnen zien, zegt ze: 'Nee.'

'Ik had gisteren een gesprek met haar.'

Ze reageert niet. Er beweegt iets tussen de druivenstokken, waar de allereerste groene knoppen aan de takken verschenen zijn. Tegen juni zullen de druiven volgroeid zijn en zal het velletje soepel van het vruchtvlees glijden.

'Ze maakt zich zorgen om jou.'

'Dat is nergens voor nodig.'

'Je zou weer moeten trouwen.'

Ze kijkt omhoog naar waar de tamarinde, in zijn imposante behoefte aan beweging, zijn takken roert. De afstervende bladeren die de boom de vorige maand van een roodkoperen waas hadden voorzien, zijn verdwenen en vervangen door stralend groene.

'Het is nog te vroeg,' zegt ze.

'Ja, waarschijnlijk wel. Maar je moeder heeft een jongen op het oog, en tegen de tijd dat alle antecedenten zijn onderzocht en alle voorbereidingen zijn getroffen, zijn we heel wat verder. Dat soort zaken vergen veel tijd. Ik weet dat het huwelijk met Jeo snel was geregeld, maar dat was een uitzondering.'

De afgelopen week heeft Naheed tegen Tara gezegd: 'Dit jaar wil ik vader helpen met al zijn oogproblemen. En daarna wil ik een onderwijsakte halen.' Ze heeft ineens een leeshonger bij zichzelf ontdekt, alsof de dozen die bij het huis zijn afgeleverd alleen voor haar zijn bezorgd. Ze haalt er van alles en nog wat uit, rijp en groen. Gedichten en verhalen uit allerlei verschillende periodes, boeken met foto's en plaatwerk, werken over de oosterse en westerse geschiedenis. Sommige zeggen dat zij de rede moet prijsgeven ten gunste van de verwondering, andere dat zij de verwondering moet vervangen door de rede. Ze slaat een ragdunne verluchte bladzijde op en ziet ineens een bandiet in een schilderachtige boomgaard, met boven hem de Perzische hemel die geheel met bladgoud is bedekt. Mikal was ineens opgedoken toen zij Al-Shirazi's veertiende-eeuwse werk *Een boek van mijn hand over astronomie, doch ik wil van alle blaam gezuiverd worden* had ingekeken. Diep in de nacht leest ze verhalen uit Zuid-Amerika, IJsland, India. *Ze veranderde zichzelf in een hinde en ijlde van hem weg, doch hij veranderde zichzelf in een hertenbok en had, nadat hij haar had ingehaald, gemeenschap met haar. Daarna was zij een pauwhen die van hem wegrende, doch hij werd een mannetjespauw en paarde opnieuw met haar. Vervolgens was zij een koe die door hem in de gedaante van een stier werd nagezeten, waarna hij ten derde male gemeenschap met haar had...*

'Maak je maar geen zorgen,' zegt Rohan wanneer ze naar het huis teruglopen. 'We zullen alles grondig nagaan. En wanneer Tara de eerste vragen heeft gesteld, zal ze mij en Basie van alles op de hoogte brengen, waarna Basie het antecedentenonderzoek zal uitvoeren. Hij is je broer.'

Opeens is het haar allemaal te veel. De tranen komen zo snel dat ze twee handen nodig heeft om ze op te vangen.

'Waarom is dit gebeurd?' fluistert ze.

Rohan draait zich om en sluit haar, nadat hij een paar maal heeft misgetast – doordat ze uit het zonlicht naar binnen zijn gekomen is zijn gezichtsvermogen nog verder verminderd – in zijn armen.

Hij streelt haar zachtjes over het hoofd. Nog steeds komen vage kennissen langs om hem te condoleren met de dood van Jeo, omdat ze het nieuws pas onlangs hebben gehoord. Dan zien ze dat zijn ogen omzwachteld zijn. De dood van Jeo en Mikal heeft hem evenzeer verwond, maar het vreemde was dat niemand die wond kon zien. Het is een van de grote raadselen van het bestaan, al die mensen die leven met een verborgen verdriet, ongezien en ongetroost. Zo draagt Naheed de dood van Jeo in het verborgene met zich mee, het volle, kolossale gewicht ervan. Ook Yasmin en Basie dragen het met zich mee. En Tara. Maar als ze met zijn allen ergens naartoe zouden gaan, zou men alleen aan Rohan kunnen zien dat hij door leed was getroffen. De kwetsuren van de ziel en het hart blijven onopgemerkt. Die vereisen een andere wijze van zien.

Wanneer het meisje enigszins tot bedaren is gekomen laat hij haar weer los. Hij had haar nader willen uithoren over de zoon van de vogelaflaatkramer, omdat Tara en zij de vorige avond bij de familie langs zijn geweest. De jongen is langzaam aan het herstellen, maar het onderwerp ligt nog steeds gevoelig en daarom besluit hij het niet aan te roeren.

Ze leidt hem naar voren en laat hem in zijn leunstoel zakken.

'Het is elf uur,' zegt ze.

Het heeft geen enkele zin meer dat hij een horloge draagt. Het verlies van zijn gezichtsvermogen viel nagenoeg samen met de dood van de beide jongens. Het lijkt één en dezelfde gebeurtenis te zijn. Wanneer hem in de komende jaren gevraagd wordt hoelang hij al blind is, zal hij zich afvragen hoelang Jeo en Mikal al dood zijn.

'Hij zei dat hij rond deze tijd zou komen.'

Vorige week was er bij het huis een brief van majoor Kyra bezorgd, waarin hij om een onderhoud met Rohan had verzocht. Toen hij had gehoord van de dood van Achmed de Mot had Rohan een paar keer geprobeerd bij Kyra langs te gaan, maar telkens hadden de jongens aan de poort van Geestrijk Vuur hem gezegd dat hij er niet was, en hadden ze iets vijandigs over zich gekregen zodra Rohan zich bekendmaakte.

'Ik twijfel er niet aan dat ze van plan zijn Irak en Iran binnen te vallen,' zegt Kyra tegen Rohan wanneer Naheed binnenkomt met het dienblad met de theespullen. 'En daarna is Pakistan natuurlijk aan de beurt, wanneer onze regering hen niet ter wille is.'

Naheed schenkt een kopje thee in en geeft dat aan de voormalige militair.

'De president van Amerika gebruikte het woord "kruistocht" in de eerste toespraak die hij na de terroristische aanslagen hield,' zegt hij. 'En ze zeiden dat ze Pakistan, als wij hen niet wilden steunen in de strijd tegen Al-Kaida en de taliban, aan gort zouden bombarderen. Dat hebben ze letterlijk gezegd.'

Ze leunt tegen de deurpost. Ze heeft het gevoel dat ze weet waarom hij hier is, ook al weet Rohan dat niet.

Hij kijkt haar aan en wendt zich vervolgens tot Rohan. 'Goed, dan moeten we het nu hebben over de reden waarom ik om een onderhoud heb verzocht.'

'Ik ben blij dat u gekomen bent,' zegt Rohan. 'Ik heb al een paar keer contact met u gezocht...'

De man negeert hem. 'Het betreft een delicate kwestie. Wij krijgen niet veel donaties voor Geestrijk Vuur meer binnen. De lafhartige regering heeft de financiële steun aan eerzame, vaderlandslievende instellingen zoals de onze ingetrokken. Sinds de samenzwering van afgelopen september is de situatie alleen maar verslechterd, en mensen zoals wij worden ervan beschuldigd zogenaamd terreur te zaaien. Ik wilde u spreken om te zien wat we kunnen doen.'

'Ik zou niet weten hoe ik u in deze zaak zou kunnen helpen.'

'Ik hoopte dat u een alternatief onderkomen zou kunnen vinden.'

'Een alternatief onderkomen?'

'Ja.'

'Hij wil dat wij verhuizen,' zegt Naheed.

Kyra doet alsof hij haar opmerking niet heeft gehoord. 'Het zou niet op stel en sprong hoeven,' zegt hij tegen Rohan. 'Ik kan u zes weken de tijd geven, twee maanden eventueel, om iets anders te vinden. Maar we hebben dit huis wel nodig.'

'Het is mijn huis.' Rohan steekt zijn hand op en Naheed komt naar voren en pakt hem vast.

'Ja, maar het ís van mij.' Kyra haalt een stel papieren uit zijn zak. 'De school is van mij. Evenals dit huis. Mijn broer heeft u hier uit piëteit laten wonen en vanwege het respect dat hij, ondanks alles, voor u had.'

'Ik hoef die papieren niet in te zien. Ik weet precies wat ik heb ondertekend.'

'Dan begrijp ik niet hoe u kunt beweren dat het huis van u is.'

'Ik was van plan contact met u op te nemen om u te zeggen dat u het huis aan mij terug moest geven. Ik schaam me het te moeten bekennen, maar ik overweeg het te verkopen, zodat ik met het geld mijn oogoperaties kan bekostigen.'

Hij weet zijn gevoelens heel goed af te schermen, maar Naheed weet dat Rohan doodsbang is om helemaal blind te worden. Hóé bang heeft hij nog nooit aan iemand laten merken. Misschien omdat hij niet op zijn wanhoop wil worden afgerekend, noch door de mensen noch door Allah.

'Ik denk dat u maar beter kunt vertrekken,' zegt Naheed tegen Kyra.

Hij draait zich naar haar toe, en zijn houding houdt het midden tussen die van een beminnelijke heer en een struikrover.

'U hebt gehoord wat ze zei,' zegt Basie, die net binnenkomt.

Kyra recht zijn rug. 'Jij moet Basie zijn.'

'Ik wil dat u vertrekt,' zegt Basie, met een woedende blik in zijn ogen. Kyra komt langzaam overeind, klaar om de strijd met Basie aan te gaan.

'Linksom of rechtsom, maar ik zal u kapot maken,' zegt Basie, met een verbijsterende agressie en minachting. 'Ik heb hier en daar geïnformeerd, en ik denk dat ú verantwoordelijk bent voor de dood van Jeo en mijn broer.' Hij pakt hem de papieren af en verscheurt ze. 'Ik heb met een stel ouders gesproken,' zegt hij, 'en die vertelden mij dat u hun zoon naar Afghanistan hebt gestuurd. U verzekerde de vader dat de jongen goed getraind zou worden voordat hij naar het oorlogsgebied zou worden gestuurd. U hebt hun uw woord gegeven dat er goed op de jongen gelet zou worden. Maar hij is afgemaakt.'

'Dat moest ik wel tegen de vader zeggen. Hij is in alle opzichten een zwakkeling, een verrader en een ongelovige, die weigerde zijn zoon aan de jihad te laten meedoen. Wat moeten we anders? Voor Amerika door de knieën gaan?'

'Eruit!'

'Dus dít is wat ze jullie daar bij die christenen hebben geleerd,' zegt Kyra vanuit de deuropening, 'op die school van die Engelsman. Minachting voor mensen die voor hun vaderland door het vuur gaan.'

Na zijn vertrek blijven ze gedrieën achter in gedeeld stilzwijgen.

Ten slotte zegt Basie, met een blik op de foto in de krant die op tafel ligt: 'En u kunt ook naar de hel lopen, meneer de president.'

'Wat is er gebeurd?' vraagt Tara aan Naheed, als ze het huis binnenkomt om te helpen met de voorbereidingen van het middagmaal.

'Majoor Kyra wil dat we uit dit huis weggaan.'

Tara mompelt het Koranvers dat men verondersteld wordt op te zeggen bij het horen van slecht nieuws.

'Basie heeft hem eruit gezet.'

'We moeten voorzichtig zijn, die mensen zijn gevaarlijk.' Tara kijkt naar Rohans kamer. 'Hij heeft elk papier getekend dat ze hem hebben voorgelegd. Nu zit hij daar misleid en wel zijn baard te strelen.'

'Niemand heeft hem misleid, moeder.'

'O jawel. Na de dood van Sofia was hij half buiten zinnen. Je kon alles van hem gedaan krijgen.' Tara geeft Naheed een mand met groene kalebassen. 'Maar ik wil niet dat je je druk maakt over het huis. Ik ga wel naar de moskee en vraag aan de imam om een talisman, en dan bidden we...'

'Bidden,' mompelt Naheed. 'Wie luistert er nou naar onze gebeden?'

'Hoe durf je dat te zeggen? Dat er wel eens een paar gebeden onverhoord blijven wil nog niet zeggen dat geen enkel gebed ooit verhoord wordt.'

'Een paar?'

'Stil. Bidden tot Allah heeft me door mijn gevangenistijd heen geholpen.'

'Zonder Allah en Zijn wetten was u daar helemaal nooit terechtgekomen.'

Tara doet een stap in haar richting. 'Hou je mond! Waag het niet ooit nog zoiets te zeggen.'

Naheed kijkt haar razend van woede aan. Haar ogen staan vol tranen, omdat ze in haar hunkering geen kant op kan, en ze draait zich om.

'Heb je gehoord wat ik zei?'

'Ja.'

Ze gaan samen aan het werk in de keuken, allebei opgesloten in hun woede, allebei zwijgend, alleen Tara's lippen bewegen voortdurend als zij geluidloos haar Koranverzen opzegt.

Na een kwartier vraagt Naheed, zonder op te kijken van de kalebassen die ze in partjes aan het snijden is: 'Wat wilde Sharif Sharif eigenlijk toen hij die dag bij vader langskwam?'

'Niks,' zegt Tara, zij het niet meteen. 'Wat ik al zei: hij kwam gewoon even langs, een buurpraatje maken. Horen hoe het met de ogen van Rohan ging.'

'Ach, schei uit, moeder.'

'En hij vroeg om jouw hand.'

Naheed legt het mes neer.

'Hij heeft aangeboden in ruil daarvoor zijn oogoperatie te betalen.'

Na een minutenlange stilte brengt Naheed de kom met groene en witte stukjes kalebas naar de andere kant van de keuken. Ze draait de kraan open en zet de partjes onder water, zodat ze fris blijven tot ze gekookt worden. 'En dan nog iets,' zegt ze rustig vanaf die kant.

'Ja?'

'Vader zegt dat u iemand voor me gevonden hebt.'

'Ik heb een jongen op het oog.' En wanneer Naheed niet reageert, vervolgt ze: 'Het kan gewoon niet anders.'

Naheed glimlacht gespannen, haar ogen staan op ontploffen. 'Het kan wél anders, moeder. Er zijn honderden manieren waarop het anders zou kunnen. Ik ben het zat alsmaar bang te zijn...'

'De wereld is vol gevaar.'

'Laat me uitspreken, moeder. Het was verkeerd dat u me zo bang hebt gemaakt dat ik mijn kind heb laten weghalen. Het was verkeerd dat u Mikal hebt afgeschrikt. Wat u ook allemaal hebt moeten doormaken, het mag er nooit toe leiden dat u jongeren opzadelt met uw eigen angsten. Dat u me wilde waarschuwen begrijp ik, maar u hebt al uw angstgevoelens op mij overgedragen. Laat me alstublieft met rust. Ga weg, neem die wereld van u mee, en laat ons met rust. En dat geldt voor jullie allemaal.'

'Maar als...'

'Maar als, maar als. Maar als de wereld morgen nou eens vergaat?'

'Dat zou heel goed kunnen. Alle tekenen wijzen erop.'

Naheed loopt naar Tara toe en legt haar hand liefdevol op haar schouder. 'Moeder, zó bang mag u niet zijn. De wereld vergaat morgen heus niet.'

23

Kyra en de zes jongens van de zes huizen van Geestrijk Vuur bespreken Operatie St. Joseph.

'De bezetting zal een paar dagen duren,' zegt Achmed. 'Dus moeten we wat zakken amandelen meenemen voor de energie.'

De jongen uit het Cordobahuis is op de proppen gekomen met een gedetailleerde, getekende plattegrond van de school – waarop zowel hoogte als lengte van alle muren staat aangegeven, plus het aantal ramen per klaslokaal – en die ligt nu voor hen uitgespreid op het tapijt.

Er is besloten dat ieder van de zes jongemannen slechts vier betrouwbare strijdmakkers zal meenemen, zoals ook de profeet vier metgezellen had. In totaal moeten er dus vierentwintig man worden gevonden. Ze zijn begonnen met zoeken en hebben al een eerste selectie gemaakt. Voor een deel zullen het leerlingen van Geestrijk Vuur zijn, maar de rest zal van buiten moeten komen en worden uitverkozen op basis van hun toewijding, kracht en durf.

'Omdat de bezetting misschien lang gaat duren,' zegt het hoofd van het Mekkahuis, 'zal iedereen vijf of zes rugzakken moeten meenemen met reservemunitie, medicijnen en flessen water, voor het geval de leiding probeert ons via het kraanwater te vergiftigen.'

'Dat Allah hem op de een of andere manier moge belonen,' zegt Achmed, 'want de bewaker bij de ingang van het St. Joseph heeft ons heel goed geholpen door allerlei bijzonderheden te vertellen over het gebouw, en over de roosters en de looproutes van de staf en de leerlingen. Die portier is een vrome vijftiger die zei dat hij wel wist tot wat voor bedenkelijk volk de leerlingen van het St. Joseph later zouden uitgroeien. In de loop der jaren had hij de villa's van heel wat rijken in Heer bewaakt, en hij walgde van wat hij daar allemaal had gezien – het onzedelijke gedrag van de vrouwen, de gruwelijke verraderspraat, de arrogante houding tegenover minderbedeelden, het alcoholgebruik, de voortdurende godslastering – en hij was meer dan eens ontslagen omdat hij er wat van had durven zeggen, of was zelf opgestapt omdat hij de moed niet had gehad om te zeggen wat hem dwarszat.

Ze hadden tegen de portier gezegd dat ze de informatie nodig hadden om het gebouw te plunderen en vernielen.

'Als we straks binnen zijn,' zegt het hoofd van de afdeling Caïro, op de plattegrond wijzend, 'zal die rij bomen daar bij de zuidmuur ons zicht op buiten belemmeren. De politie en het leger zouden de school vanaf die kant kunnen bestormen.'

Achmed bestudeert de plattegrond. 'Daar zullen we dan iets aan moeten doen.'

Hij komt overeind en gaat bij het raam naar buiten staan kijken. Hij heeft de jongens doorlopend gevoed met tactieken, strategieën en strijdlust. Toen hij in het leger zat, heeft hij een geluidsdemper ontwikkeld voor de AK-47 kalasjnikov, iets wat tot dan toe wereldwijd alleen voor een enkeling beschikbaar was, en hij heeft ook een 'guerrillamortier', zoals hij het noemde, ontwikkeld van een type waarover alleen de meest geavanceerde troepenmachten ter wereld konden beschikken en dat zo compact was dat het in een middelgrote sporttas kon worden verborgen. Hij was gespecialiseerd in stadsguerrillatraining en zijn inzichten waren de belangrijkste inbreng gebleken bij de reeks angstaanjagende guerrilla-aanvallen op Indiase kazernes in Kasjmir. In februari 2000 hadden commando's van het Indiase leger een dorp in Pakistaans Kasjmir overvallen, veertien burgers gedood, een aantal Pakistaanse meisjes ontvoerd naar Indiaas gebied, en van drie van hen de afgehakte hoofden op een goed moment naar Pakistaanse soldaten aan de andere kant van de grens gegooid. De Pakistaanse guerrillaleider, die meteen de volgende dag met vijfentwintig strijders het door India bezette deel van Kasjmir was binnengetrokken om een wraakoperatie uit te voeren tegen het Indiase leger in de sector Nakyal, was door Kyra opgeleid. Ze hadden een Indiase officier ontvoerd en vervolgens onthoofd, waarna ze triomfantelijk met het hoofd door de bazaars van Kotli in Pakistaans Kasjmir hadden geparadeerd.

Hij heeft alle facetten van de operatie op het St. Joseph goed doordacht en is net terug van een driedaags bezoek aan China, waar hij heen was gereisd voor de aanschaf van wapens en nachtkijkers. Het grootste probleem was nog geweest om ze langs de Pakistaanse douane te krijgen. Hij had een oude vriend gebeld, een legerkapitein die een van de veiligheidsfunctionarissen is van de president. De kapitein was naar het vliegveld gekomen in de officiële presidentiële limousine en had Kyra bij de immigratiebalie opgevangen. In aanwezigheid van de kapitein had niemand een vinger naar Kyra's bagage durven uitsteken. Er zijn in het leger dus toch nog mensen te vinden wier eer en geweten niet is aangetast. Hij zoekt zijn oude legermakkers regelmatig op en probeert ze dan duidelijk te maken dat ze zich moeten schamen voor hun zwakke islamitische overtuigingen en voor het feit dat ze in het Pakistaanse leger dienen, en hij is dan altijd blij als hij hoort dat sommigen overwegen om er, net als hij, uit te stappen. Na het St. Joseph vertrekt hij met een paar anderen naar de Afghaanse provincie Helmand om daar Britse militairen te doden.

'We moeten dus iets doen aan die bomen langs de zuidmuur,' zegt hij als hij terugloopt naar de jongens. 'En we moeten een camcorder kopen, om de onthoofdingen te filmen.'

24

Yasmin loopt de aula binnen, waar ze Basie aantreft tussen de in krantenpapier verpakte engelen. Hij staat er roerloos bij. Met hangend hoofd. Ze vergrendelt de deur achter zich en loopt tussen de ingepakte gestalten door naar hem toe. *Wij zijn op ieder willekeurig moment verstrikt in het verleden van de gehele mensheid. Onze hoofden worden omringd door de echo's van ieder woord dat ooit is gesproken.* Zo staat het geschreven in een van de dagboeken van zijn vader. Ze gaat achter hem staan, slaat haar armen om zijn middel en drukt haar lijf dicht tegen het zijne aan. Er ontsnapt hem een kreunend geluid, een uitdrukking van de oudste aller menselijke gemoedstoestanden, gevolgd door een siddering van verdriet, die zij in zich opneemt, volgens de oudste aller menselijke verstandhoudingen.

Hij draait zich om, omsloten door haar armen. 'Ik wil een kind.'

'Ik ook.'

Het is alsof hij haar niet gehoord heeft. 'Ik wil een kind,' herhaalt hij, met gesmoorde stem.

'Laten we naar huis gaan.'

Vanaf de gang komen de geluiden van het einde van de schooldag, het lawaai en geroezemoes van stemmen, flarden van op hoge toon gevoerde gesprekken. Ze neemt hem mee de gang op, waar ze terechtkomen in de stroom kinderen, die zich voor hen splijt en dan weer om hen heen sluit.

25

Mikal weet dat de Amerikanen op het punt staan om hem te executeren. Ze hebben wel gezegd dat hij zal worden vrijgelaten, maar hij weet dat dat een leugen is. Ze gaan hem straks executeren.

David Town, zijn ondervrager, heeft hem via de tolk laten weten dat hij vrijkomt. Zijn boeien zijn afgedaan, ze hebben hem wat geld gegeven, plus een stel nieuwe kleren, een lichtblauwe sjalwaar-kamies met een licht jasje dat zo zacht is dat het met dons gewatteerd moet zijn. Hij wordt vrijgelaten omdat de krijgsheer die hem aan de Amerikanen heeft verraden nu zelf is gearresteerd. David heeft verteld dat de krijgsheer op westerse militairen heeft geschoten, militaire konvooien en installaties heeft aangevallen, en vervolgens willekeurige mensen heeft opgepakt om die tegen een beloning aan de Amerikanen uit te leveren. 'Hij is in hechtenis genomen,' aldus David. 'Hij wordt hier vlakbij in de steenfabriek vastgehouden, in afwachting van overplaatsing naar Cuba.'

Maar Mikal weet dat dit gelogen is. Het dient alleen maar ter voorbereiding op zijn executie.

'Vrijgelaten gevangenen worden altijd weer afgezet op de plek waar ze zijn opgepakt,' vertelt David hem terwijl hij samen met hem de steenfabriek uitwandelt. 'Je wordt teruggebracht naar de moskee waar we je in januari hebben aangetroffen.' Hij wijst naar de helikopter aan de andere kant van de compound, waarvan de malende rotorbladen djinns van stof opwerpen. Klaar om met hem weg te vliegen naar de wildernis en een ondiep graf.

Mikal kijkt omhoog naar de hemel. Hij voelt zich licht in zijn hoofd en onbeschut na zo'n lange tijd binnen te hebben doorgebracht. 'Waar is Jeo?' vraagt hij.

Hoewel de tolk de vraag vertaalt, lijkt David hem niet gehoord te hebben. Hij loopt, strak voor zich uit kijkend, door.

'Waar is Jeo?' Hij wendt zich tot dc tolk. 'Vraag hem waar Jeo is.'

Maar opnieuw komt er geen reactie.

'Welke maand is het?'

'April.'

Wanneer ze de rand van de door de rotorbladen opgeworpen stofwolk bereiken, blijft David staan. Naast de helikopter staan twee blanke leden van de Militaire Politie in het wervelende stof, en David gebaart naar Mikal dat hij naar hen toe moet gaan.

'Ik ga niet weg zonder Jeo.'

David kijkt even naar de twee MP'ers, die vervolgens op Mikal af stappen. Een van hem pakt hem bij de arm.

'Ik ga niet weg zonder Jeo.'

'Ik wens je het beste voor de rest van je leven,' zegt David en reikt hem de hand.

Wanneer ze beginnen te dalen in de richting van de moskee kijkt hij uit het raam van de helikopter. De winter is voorbij, de sneeuw en het ijs zijn verdwenen. De moskee staat aan de rand van een meer waarvan het weer bevrijde water een en al beweging is.

Mikal kent beide MP'ers. Een van hen heeft een uur geleden zijn in handschoenen gestoken vingers in Mikals mond gestoken om te voelen of hij iets verborgen hield onder zijn tong. De man draagt een camouflagejack met mouwen waarop zakken zijn genaaid die van een legerbroek zijn afgehaald. Tijdens zijn verhoor, dat een paar dagen in beslag had genomen, had David een zwaargewonde, ijlende Arabische gevangene – wiens polsen met kabelbinders aan het frame van de brancard waren vastgesnoerd – wijsgemaakt dat deze man zijn vader was, en zo hadden ze hem allerlei nuttige informatie weten te ontlokken.

Van begin januari tot april. Meer dan drie maanden waarin Mikal tegen zijn wil intraveneus vloeistoffen en drugs kreeg toegediend en onder dwang klysma's kreeg die ervoor zorgden dat zijn lichaam goed genoeg bleef functioneren om de verhoren te kunnen blijven ondergaan. Ondervragingen namens de CIA, FBI, MI5, MI6. Hij werd langdurig vastgebonden op een draaistoel, keiharde muziek werd afgewisseld met witte ruis om hem uit de slaap te houden, het werd ondraaglijk koud gemaakt in zijn cel, er werd water in zijn gezicht gegooid, hij werd gedwongen tot Osama bin Laden te bidden en hem werd gevraagd of moellah Omar hem ooit van achteren had genomen. Er werd gedreigd met deportatie naar landen waarvan bekend was dat gevangenen er werden gemarteld. 'Als ze daar klaar met je zijn, zul je nooit meer trouwen, zul je nooit meer kinderen krijgen, en zul je nooit meer een *fucking* Toyota kopen.' Er werden bedreigingen uitgesproken jegens zijn familie, inclusief de vrouwelijke leden daarvan, hij werd gefouilleerd en gevisiteerd, soms wel tien keer per dag, werd gedwongen zich uit te kleden, ook in aanwezigheid van vrouwelijke medewerkers, er werd gedreigd de koran voor zijn ogen te ontheiligen, hij werd gedwongen urenlang in ongemakkelijke houdingen door te brengen en vele dagen en nachten in een strakke dwangbuis opgesloten, en naast dit alles werd hij af en toe ook daadwerkelijk afgetuigd vanwege zijn 'bedreigende gedrag'.

Wanneer ze landen vraagt Mikal zich af of ze hem in de gehavende moskee zullen doodschieten, omsloten door de in de muur gegraveerde teksten uit de Koran. De wind die vanaf het water komt ruikt metalig. Zouden de vrouwen en kinderen die in januari werden achtergelaten nog daarbinnen zijn?

De twee MP'ers klimmen samen met hem uit het toestel.

Gedrieën lopen ze tot waar de rotorbladen eindigen. Daar blijven de twee mannen staan en gebaren naar Mikal dat hij door moet lopen.

Met zijn blik gericht op de moskeedeur voor hem zet hij een stap en dan nog een, en dan ruikt hij het, de zweem van zwavel die het onmiskenbare teken is dat er een kogel is afgevuurd. De rotorbladen maken zoveel lawaai dat hij het schot niet eens hoort. Hij houdt, als een parelduiker, een minuut lang zijn adem in. De zwavelgeur wordt sterker en dan draait hij zich om en trekt het pistool uit de holster op de heup van een van de MP'ers, stomverbaasd over de vrijheid die zijn niet-geboeide armen genieten en stomverbaasd dat zijn incomplete handen hem nu in staat stellen het pistool zomaar tegen de hals van de man te zetten en moeiteloos de trekker over te halen. De lucht achter de nek stulpt uit in een rode nevel. Er volgt een korte, krachtige schokgolf, en even staat alles stil en ziet hij zijn eigen spiegelbeeld in de Amerikaanse ogen van de man. In elk van beide ogen wordt naast Mikal de zon weerkaatst, zodat de zon en hijzelf in beide diepblauwe cirkels naast elkaar staan. Hij merkt tot zijn verbijstering dat hij de trekker opnieuw heeft overgehaald en dat de borst van de man nu eén bloedende wond vertoont. Hij richt de loop op de andere man en schiet ook op hem. De kogel dringt de arm bij de elleboog binnen en komt er bij de pols weer uit. Hij realiseert zich te laat – de trekker is voor de vierde maal overgehaald en de kogel vliegt van dichtbij op het gezicht van de blanke man af – dat er vanuit de moskee op de helikopter wordt geschoten en dat er vanaf de minaretten een regen van metaal op hen af komt, en daarna pas het geluid.

Hij rent omhoog, de berg op. Aan de oost- en zuidkant is de helling steil, maar aan de noord- en westkant loopt het terrein meer geleidelijk op. Boven zijn hoofd trekt de dag zich in lange goudgele banen uit de hemel terug en al snel bevindt hij zich hoog genoeg op de helling om de moskee beneden hem te kunnen zien en het meer dat hij in een boot is overgestoken. De helikopter is opgestegen zonder de dode lichamen. Hij ziet ze liggen. De piloot heeft verschillende keren geprobeerd ze te bergen en Mikal gevangen te nemen, maar het geweervuur vanuit de moskee was te heftig. Mikal had het pistool laten vallen en was in de richting van de boot gerend die in het riet en de giftige wolfsmelk op de oever van het meer lag. Ongetwijfeld zullen ze binnenkort met meer mensen terugkomen om de jacht op hem te openen.

Als het zomer was geweest, zou hij handenvol wilde rozenblaadjes plukken en die opeten vanwege de suiker in het zoete vocht dat ze bevatten, maar in het voorjaar heb je alleen de melkwitte bloemen van de bosanemoon die zijn vingers in het voorbijgaan plukken, met hun zweem van roze en hun licht bittere geur die doet denken aan rottende bladeren en vossen. Hij stopt er onder het rennen zijn zakken mee vol. Hij is in Pakistan in bergdorpen geweest waar de eerste bosanemoon van het jaar op kledingstukken wordt genaaid, met de gedachte dat schoonheid ziekten en plagen weg zal houden. Hij bereikt een bergplateau waar hij even bij een bron gaat zitten en van een van de bankbiljetten die de Amerikanen hem hebben gegeven een bootje vouwt, dat hij loslaat op de stroom. Hij loopt een grot binnen, maar verlaat die een paar minuten later alweer nadat hij in een rotsspleet een verzameling paspoorten heeft gevonden en een lijst met drieëndertig Joodse instellingen in New York. De avond valt, maar hij blijft doorlopen, met de bewolkte hemel als een grote, ondoorgrondelijke stenen tafel boven zijn hoofd, en zoals altijd is de stilte van de berg iets fysieks – een ding, met gewicht – en hij voelt de innerlijke drang te blijven lopen, verder de berg op te gaan, tot aan de hooggelegen ijsvlakten, om Gods buurman te worden.

Hij komt bij een dorpje, twintig lage huisjes langs een kronkelige straat, en klopt op de eerste de beste deur. Na de begroetingen vraagt hij de man in het Pasjtoe of hij zijn kleren zou willen hebben.

De man voelt aan de stof van zijn sjalwaar-kamies, maar zegt dat hij geen geld heeft.

Mikal legt uit dat hij ze alleen maar wil ruilen voor andere kleren.

'Zit iemand u achterna?'

'Nee.'

'Bent u een rover? Een minnaar die een rivaal heeft gedood?'

'Nee.'

De man schrikt ineens van de mogelijkheden die hij heeft opgeworpen en doet de deur dicht.

Na een klop op de volgende deur verschijnt er een jongere man die gretig op Mikals voorstel ingaat en goedkeurend voelt aan het jasje met de kleine op de schouders geborduurde merkjes en oranje en rood garen afgestikte zakken.

'Waarom wilt u ze ruilen?'

'Ik vind de kleur niet mooi.'

De jongen kijkt hem aan. 'Bent u een Amerikaan?'

'Wat?'

'Bent u een Amerikaan?'

'Nee.'

'Weet u waar ik een visum kan krijgen om in Amerika te kunnen gaan wonen?'

'Nee, dat weet ik niet.'

Mikal gaat naar binnen en trekt de kleren aan die de jongen voor hem heeft gehaald. Hij ziet in een hoek op de grond een mes liggen. 'Mag ik dat hebben?' vraagt hij.

De jongen raapt het op en trekt het vijftien centimeter lange, roestige lemmet uit het koperen foedraal. Het is een knipmes met een gebarsten hoornen handvat, met nikkelen baard. Hij grijnst, maar als hij merkt dat Mikal echt om het ding verlegen zit, trekt hij zijn gezicht weer in de plooi. 'Ik kan het niet aan u meegeven. Ik ben er erg aan gehecht.'

'Ik koop het van je.'

Aan het eind van de straat roept hij door een raam naar binnen om te vragen of hij in de stal mag slapen. Het gezicht van een oude man verschijnt en daarna naast hem dat van een vrouw. Hun kleren zijn doortrokken van vet en vuil, en vanuit de stal kijkt de geit hem aan met haar ogen als agaten. Ze zijn arm, zoals iedereen hier, en ze ruiken naar rook, bijenwas en zweet.

'Waar gaat u heen?' vraagt de man. 'Waar woont u?'

'Dat weet ik niet. Ik ben alleen.'

De vrouw heft haar beide handen tot bij haar oren, uit pure vertwijfeling bij het vernemen van zoiets ongehoords en het zien van iemand die zoiets daadwerkelijk gelooft. 'Niemand op aarde is alleen,' zegt ze. 'Niemand.'

Ze vragen hem binnen te komen en hij gaat bij hen zitten op de lemen vloer van hun huisje, dat slechts één kamer telt. De man vertelt hem dat Pakistan aan de andere kant van de bergen ligt, over steile bergpassen, en de vrouw geeft hem een kom melk met een puntje hard brood.

'Er wacht vast ergens iemand op u,' zegt de man.

'Luister,' zegt de vrouw terwijl ze hem tegen de slaap tikt. 'U moet terug naar huis zien te komen. Vroeger trokken kooplui en soldaten jarenlang naar verre landen. Maar ze keerden terug, en er was op hun gewacht.'

'Ik kwam na tientallen jaren terug en zij was hier,' zegt de oude man.

Het is 's nachts koud en hij hoort helikopters boven hen rondcirkelen, al dan niet in zijn verbeelding, en wanneer hij bij het ochtendgloren wakker wordt, is de vrouw al op en heeft ze in de hoek van de kamer die als keukentje wordt gebruikt een vuur aangemaakt, waar ze zich in haar dunne kleren boven warmt. Mikal kruipt onder zijn deken vandaan, trekt zijn schoenen aan en loopt naar buiten om de ochtend, zoals die vanuit het duister parelend gestalte krijgt, in ogenschouw te nemen.

Wanneer Mikal, nadat hij een kom thee met hen heeft gedronken, klaar is om te vertrekken, besluit de man een stuk met hem mee te lopen de bergen in, over de smalle, vaak uiterst kronkelige paden door kloven van diverse soorten kalksteen, en daar tekent hij, op een witte, platte steen waarin oeroude hiëroglyfen staan gekerfd, voor Mikal de route naar Pesjawar. Zijn krassen gaan dwars over en door de boeddhistische schrijfsels heen, gaan ertussendoor en incorporeren ze. Voordat ze afscheid nemen, zorgt Mikal ervoor dat hij wat van zijn geld aanneemt.

Rond het middaguur brengt hij een uur door aan de rand van een ravijn en wet daar het mes. Vlak onder hem ligt in een adelaarsnest op de rotswand de witte schedel van een lammetje. Hij likt aan de binnenkant van zijn pols en probeert het mes uit op de haartjes. Het is scherp, maar hij ziet niets wat hij zou kunnen vangen. 's Avonds schept hij termieten uit een holle boom en eet die op. De bittere kopjes spuwt hij uit alsof het pitjes zijn, maar hij moet zich luttele seconden later, omdat hij helikopters hoort, in de boom verstoppen, waar de insecten over zijn gezicht en kleren klimmen. Heeft de jongen die naar Amerika wilde ze over hem verteld?

Hij loopt de hele nacht door. Na verloop van tijd verschijnt Venus, die met hem mee reist. De Lier, Pegasus, de Zuidervis en alle andere sterrenbeelden die hij niet meer gezien heeft sinds hij aan het begin van het jaar gevangen is genomen, twinkelen nu boven zijn hoofd, maar hij kan ze niet volledig plaatsen, want de vormen zijn verklit, of versleten als borduurwerk waarin kraaltjes ontbreken. Van sommige is hij de namen vergeten, terwijl hij zich in andere gevallen nog wel de namen, maar niet de daarmee verbonden vormen en plaatsen aan de hemel kan herinneren.

Met behulp van het mes verwijdert hij de botten uit het licht rottende kadaver van een jakhals en breekt ze open om het nog niet verkleurde merg eruit te zuigen. Hij is wat aangekomen dankzij het eten dat de Amerikanen hem in de gevangenis hebben gegeven, maar nu is hij aan het einde van zijn krachten. Tegen de ochtend ploft hij aan een rivieroever met zijn ogen dicht op zijn zij neer, zomaar op het veldspaatgruis en de stugge klei. Midden op de dag ziet hij vijf meter voor zich uit op het veldje een konijn. Hij blijft staan, zet twee vingers aan zijn mond en fluit, waarop het konijn verstijft. Hij haalt het mes uit zijn zak, knipt het open en ziet hoe het lemmet de toppen van de lange grassprieten doorklieft op weg naar het dier. Hij slaat twee stenen tegen elkaar, vangt de vonken op met een stuk droog mos, maakt een vuurtje en roostert het gevilde konijn, dat hij vervolgens tot op het laatste stukje opeet, want hij weet niet of hij met zijn verminkte handen nog een keer zoveel geluk zal hebben.

Dat heeft hij inderdaad niet. Zijn jachtpogingen mislukken diverse keren en de volgende dag pakt hij ten einde raad een slang op bij de staart en slaat het dier als een zweep met de kop tegen het rotsblok waaronder het zich had verscholen. En dan voor alle zekerheid nog een keer. Hij snijdt de kop eraf en trekt de huid, een ribbelig, geluidloos foedraal, omlaag om die af te stropen. Hij trekt de huid eraf en verwijdert de ingewanden, zodat alleen het vlees overblijft. Hij zet de ene kant van de slang klem in het gespleten uiteinde van een stok, windt het dier in de lengte om de stok heen, bindt het andere eind vast met grasstengels en roostert het dier boven een vuurtje.

De tocht naar Pakistan vergt acht dagen, waarin hij dorpen vermijdt en steelt uit een boomgaard, een beplante akker en vogelnesten, en mensen uit de weg gaat omdat hij weet dat de Amerikanen naar hem op zoek zijn. Deze keer zullen ze hem voor de rest van zijn leven opsluiten. In Cuba of in Amerika zelf. Of hij zou de doodstraf kunnen krijgen. Wanneer hij afdaalt vanuit de bergen buiten Pesjawar en door een zware hagelbui wordt overvallen, heeft hij twee dagen niet gegeten en heeft hij zeker veertig graden koorts.

Hij zit nog steeds gevangen, alleen is de kooi nu groter. Meermalen staat hij in een telefooncel met de hoorn in zijn hand, maar hij kan het nummer niet draaien omdat de Amerikanen hem misschien schaduwen. En als hij dan na het gesprek wegloopt, zullen ze het nummer traceren. Dan gaan ze naar Heer en halen Basie, Yasmin, Rohan, Tara en Naheed weg en stoppen ze in de steenfabriek in kooien. Hij reist lukraak naar omliggende stadjes, binnen de krans van heuvels en bergen die Pesjawar omringt. Dan stapt hij in een bus zonder naar de bestemming te informeren, stapt ergens halverwege uit en gaat verder in een andere richting, of in dezelfde richting, maar met de volgende bus. Wanneer hij er eindelijk van overtuigd is dat hij niet wordt gevolgd gaat hij in een klein plaatsje vijftig kilometer buiten Pesjawar een schoonheidssalon, genaamd *Look Seventeen*, binnen en draait daar het nummer van het huis van Basie en Yasmin. Er wordt niet opgenomen. Dan belt hij naar het huis van Rohan, en Yasmin neemt op. Haar stem trekt als een stroomstoot door hem heen. Hij kan haar horen, maar is niet in staat te reageren, wat hem het gevoel geeft dat ze verder weg is dan ze is. Hij is een balling in zijn eigen vaderland, met ogen vol onoverbrugbare afstanden. Zoals schimmen zich moeten voelen. Hij hangt op en blijft rillend van de koorts staan. De ondervragers in de steenfabriek zeiden een keer dat de krijsende vrouw in de ruimte naast hen Naheed was. Is hem dat werkelijk gezegd of verbeeldt hij het zich maar? Hij weet dat hij naar Heer zal moeten gaan om te zien of ze Naheed gevangen hebben genomen. *En ik moet Jeo nog vinden.*

Hij doet zijn ogen open en ziet die van Akbar.

Even denkt hij dat hij weer terug is in een van de kooien. Maar als hij rechtop gaat zitten herkent hij de plek waar hij onderdak heeft gevonden, het benauwde kamertje zonder ramen onder de moskee in de Koperslagersbazaar in Pesjawar, waar de gescheurde exemplaren van de koran worden bewaard.

'Praat je veel tegenwoordig?' vraagt Akbar met een glimlach.

Hij probeert wat terug te zeggen, maar zijn keel doet pijn. Zijn huid is branderig en de lemen vloer onder hem is nat van het zweet.

'Hebben de Amerikanen je laten gaan?' vraagt Akbar.

Mikal knikt. *Tenminste voorlopig.*

'Ik zag je vanaf de overkant van de bazaar. Je was op het dak.'

'Ik probeerde de sterrenbeelden te onderscheiden,' zegt hij. Hij heft zijn trillende hand en legt hem op die van Akbar. 'Ik kan me niet herinneren dat je me verteld heb dat je uit Pesjawar komt.'

'Dat is ook niet zo. Ik ben hier maar tijdelijk.'

Mikal gaat weer liggen. 'Hoe laat is het?'

'Drie uur.'

'Overdag of 's nachts?'

Ze praten een paar minuten. Mikal vertelt hem dat hij twee MP'ers heeft doodgeschoten, en hoewel Akbar daar graag alles over wil horen, is hij te verzwakt om door te gaan, uitgeput als hij is door de paar woorden die hij heeft gesproken. Hij laat zijn hoofd terugzakken op het natte kussen van koranbladzijden en sluit zijn ogen, tussen verschillende werelden verdwaald.

Hij wordt zich bewust van daglicht, en vlakbij hem wordt bewogen en gepraat. Af en toe komt er een bittere smaak in zijn mond, of prikt er een naald in zijn arm, waarna de duisternis terugkeert. Uiteindelijk slaagt hij erin zijn ogen lang genoeg open te houden om te zien dat er een jonge vrouw bij hem staat, en hij durft niet met zijn ogen te knipperen of te ademen uit angst de betovering te verbreken, want hij wil alles zo houden, aan de uiterste grens van de bewust beleefde tijd. Ze draagt een witte sjalwaar-kamies waarvan de mouwen tot aan haar polsen reiken en haar vingers zijn blank als porselein.

Enkele doezelige ogenblikken later hebben de details zich tot een volledig beeld uitgekristalliseerd. Het vertrek is ruim en schoon, en heeft witgekalkte muren. Buiten voor het raam staat een boom waarvan de bladeren zevenvingerige waaiers vormen.

Ze houdt toezicht op een oudere vrouw die een soort dienstmeid lijkt te zijn, maar met respect wordt bejegend, en die een in een lap gebloemde stof gewikkelde klont ijs tegen Mikals voorhoofd drukt. Zodra de jonge vrouw merkt dat hij bij bewustzijn is gekomen, slaat ze de sluier voor haar verfijnde gelaatstrekken en verlaat zij zonder een woord te zeggen de kamer. De oudere vrouw met het grijze haar blijft hem verzorgen tot Akbar binnenkomt, en dan gaat ook zij weg.

'Ik heb een bezoeker voor je meegebracht,' zegt Akbar, die een sneeuwluipaardwelpje tegen zijn kin gedrukt houdt. De vacht is zo zacht dat de adem van de jonge man er kleine voortjes in trekt.

'Hoelang heb ik geslapen?'

'Vijf dagen. Volgens mij bedoel je "ben ik buiten bewustzijn geweest?"'

'Vijf dagen,' fluistert hij. 'Woon jij hier?'

Akbar knikt en legt het dier op zijn borst, waarop Mikal rechtop gaat zitten en het in zijn armen neemt. De kussentjes onder zijn poten zijn net grijsroze frambozen en in de vacht zitten donkere vlekken, alsof er een ander welpje met vieze poten overheen is gelopen.

'Hij is iets van drie weken oud. Mijn zuster heeft hem voor je laten brengen. In oktober zijn haar man, mijn tweelingbroer en ik in Afghanistan tegen de westerse legers gaan vechten. Ze zijn allebei martelaar geworden.'

Mikal herinnert zich dat Akbar hem in de steenfabriek heeft verteld dat hij nooit had gevochten, dat hij taxichauffeur was en dat de Amerikanen hem in Jalalabad op grond van valse informatie hadden opgepakt.

Hij staat op, loopt naar de deur en kijkt naar buiten, want ineens voelt hij zich niet meer moe en wil hij bewegen. Het welpje houdt zich met puur, argeloos vertrouwen aan hem vast.

Het huis is geel geschilderd en omgeven door een groep dicht opeenstaande bomen, allemaal van dezelfde soort. Er groeit er ook zo een in Rohans tuin in Heer, met van die kleine groenwitte bloempjes die op winteravonden een intense geur verspreiden. Rohan heeft hem geplant omdat het hout wordt gebruikt om schrijfplankjes van te maken.

'Dit was vroeger een kliniek,' vertelt Akbar als ze een wandeling maken door het bosje, waarin de zonnestralen hier en daar door de zeef van bladeren vallen. 'Een klein ziekenhuisje dat in de jaren dertig eigendom was van een arts. Hij heeft deze bomen geplant. Hij was heel bekend in deze streek omdat hij houten neuzen verzorgde voor vrouwen van wie de echte neus door hun familie was afgesneden. Het hout van deze bomen werd gebruikt om de nieuwe neuzen uit te snijden.'

'Waar ben ik?'

'In Zuid-Waziristan. De kliniek werd opgedoekt toen werd ontdekt dat men daar contact onderhield met Engelse zendelingen.'

De jonge, lichter gekleurde blaadjes tekenen zich duidelijk af tegen het donkere gebladerte.

'Ik ga je niet naar je naam vragen,' zegt Akbar. 'Ik weet dat je me die gaat vertellen wanneer je daaraan toe bent.'

Mikal knikt.

'Die mannen die je hebt neergeschoten,' zegt Akbar, 'denk je dat die dood zijn?'

'Ze kunnen het nooit hebben overleefd.'

'Ik weet wat de Amerikanen je ten laste zullen leggen. Ik heb een vriend in Pesjawar gebeld en die heeft het opgezocht.'

'Nou?'

'Wil je het echt weten?'

'Ja.'

Akbar haalt een papiertje uit zijn zak en vouwt het open. 'Laten we even aannemen dat ze niet dood zijn. Voor elk van de gewonde militairen zul je afzonderlijk terecht moeten staan, op beschuldiging van poging tot doodslag op een Amerikaans staatsburger buiten de Verenigde Staten. Verder op beschuldiging van poging tot doodslag op Amerikaans militair- en overheidspersoneel in functie. En het aanvallen van Amerikaans militair- en overheidspersoneel in functie. En het gewapenderhand aanvallen van Amerikaans militair- en overheidspersoneel in functie. Plus het gebruiken en dragen van een vuurwapen tijdens en in verband met een geweldsdelict...'

'Hoelang?' onderbreekt Mikal hem.

'Je zult bijna tweehonderd jaar gevangenisstraf krijgen.'

'En als ze dood zijn?'

Akbar kijkt hem aan. Het antwoord staat in zijn ogen.

Mikal zet het welpje op zijn knie en het tilt een poot op alsof het wil voelen hoe warm de lucht is. De zachte leren neusgaten sperren zich open.

'Ik dacht dat ze me gingen doodschieten.'

'Dat snap ik.'

Ze lopen zwijgend terug naar de kamer, waar twee mannelijke huisbedienden, allebei met een geschouderd geweer waarvan de draagband is versierd met gekleurde kraaltjes en lovertjes, bezig zijn de tafel te dekken voor hun lunch.

In geklaarde boter gedrenkt maïsbrood, yoghurt, een kip- en spinaziegerecht, eentje met linzen en aardappels, uiringen op een schoteltje, sinaasappels. Een grote kom custard bedekt met op munten lijkende schijfjes banaan. Akbar stuurt de custard terug zodat die koel kan blijven in de ijskast totdat ze erom vragen.

Nadat ze een paar minuten hebben zitten eten zegt Mikal zacht en zonder van zijn bord op te kijken: 'Er is geen ontkomen aan, hè?'

'Dat weet ik niet.'

'Nee, echt niet. Ze zullen nooit ophouden met zoeken. Over twintig, dertig, veertig, vijftig jaar zullen ze nóg proberen me te vinden.'

'Het is heel raar hoe druk hun regering zich maakt als er wat met een van hun mensen gebeurt.' Met een stuk brood in de hand tikt Akbar Mikal met de rug van zijn pols tegen de schouder. 'Je moet gewoon zorgen dat ze je niet kunnen vinden.'

'Wat ik niet begrijp is hoe ik de zwavel van die kogels die vanaf de moskee werden afgevuurd kon ruiken. De rotorbladen hadden die geur toch moeten verjagen? Maar ik rook het toch. Ik weet niet hoe dat kan.'

Het welpje zit onder het eten op Mikals knie. Luipaarden klimmen met de kop omlaag bomen uit, en hij stelt zich voor hoe het welpje langs zijn schenen omlaagklimt naar zijn voet.

'Ik wil niet dat je je er schuldig over voelt,' zegt Akbar. 'Je hebt die Amerikanen gewoon met gelijke munt terugbetaald.'

'Ze hebben mij toch niet doodgeschoten?'

'Nee, maar heel wat anderen wel.'

'Zo werkt het niet. Tenminste niet bij mij.'

Het gele huis staat op een kilometer of twee van Megiddo. In de koloniale tijd is deze stad driemaal door de Engelsen geplunderd, de laatste keer toen ze de fakir van Ippi bestreden, Akbars grootvader van moederskant, een guerrillaleider die vanaf 1935 strijd voerde tegen de Britten, waarbij in talloze gevechten duizenden soldaten sneuvelden. Hij eiste niets anders dan het vertrek van de goddelozen: *wij willen uw honing noch uw steken*. Men zei dat hij over bovennatuurlijke krachten beschikte en kon voorspellen wanneer de Engelsen gingen aanvallen, zodat hij zich ruimschoots van tevoren uit de voeten kon maken. De Britten wisten een paar geestelijken te bewegen zich in de moskee tegen hem uit te spreken, maar dat mocht niet baten. Zijn aanhang en aantrekkingskracht bleven gestaag groeien. Moslimsoldaten werden voor de krijgsraad gesleept omdat ze moedwillig naast hem of zijn strijders schoten of omdat ze plannen om hem aan te vallen aan hem hadden doorgebriefd. Moslimbrigadiers uit het Britse leger lieten op afgesproken plekken munitie achter voor hun held.

In 1940 stuurde Adolf Hitler twee Duitse adviseurs om de wapenfabricage van de fakir te helpen verbeteren en hem bij te staan bij de guerrillatraining. Die laatste was voor de asmogendheden de meest voor de hand liggende persoon in deze regio om te benaderen, want men wilde de Britten confronteren met chaos in deze tribale uithoek van hun eigen kolonie. Het had een vol jaar gekost om contact te leggen met de fakir en deze had zijn potentiële Duitse bondgenoten vervolgens laten weten dat hij per maand een bedrag van 25 000 pond sterling nodig zou hebben om de Engelse macht te blijven ondermijnen, naast wapens en munitie. Aan de Duitse steun kwam ten slotte een eind toen Duitsland Rusland binnenviel en het onmogelijk werd de benodigde wapens te sturen.

De oorlog in Europa kwam na verloop van tijd tot een einde, maar de strijd tegen de vijanden van de islam in de woeste binnenlanden van Waziristan bleef doorgaan. Tegen 1947 was er een troepenmacht van 40 000 man in het geweer gebracht tegen de grootvader van Akbar, die zich schuilhield in grotten, bossen en ravijnen, waar hij met rechtstreekse hulp van Allah stokken tot geweren maakte, en kiezels tot kogels. Akbars familie bezit nog altijd een paar van die kogels van steen.

Lange tijd was de stad Megiddo een van de belangrijkste centra voor wapenproductie in de hele regio, waar de lokale stammen hun geweren fabriceerden uit het ijzer dat er gesmolten werd. Binnen enkele dagen heeft Mikal door dat er in het huis vrijwel voortdurend over vuurwapens wordt gesproken, en de jonge mannen hebben nog geen minuut met hem kennisgemaakt of ze stellen al voor een schietwedstrijd te houden.

Tijdens de tweede week van zijn herstelperiode ontdekt Mikal op een vroege ochtend achter het gele huis een binnenhof waarop schroot, afgedankte autoportieren, versnellingsbakken, roestige wieldoppen en afgedankte motoronderdelen liggen, aan de voet van die alstonia's. Er liggen ook lege granaathulzen uit de oorlogsjaren in Afghanistan.

Het gras zit onder de dikke dauwdruppels en wanneer hij dichterbij komt rijzen er, lang voordat hij ze heeft opgemerkt, drie reusachtige airedaleterriërs uit op, wier poten blijken te zijn geverfd met henna om ze koel te houden. Ze zijn overduidelijk op agressie gefokt, maar ze zitten met een ketting aan de bomen vast, dus laat hij het luipaardwelpje naast hem lopen in het licht van de dageraad, en zijn vacht kleurt in het oranje licht donkerder op de plekken waar hij nat is van de dauw. De roep van het welpje doet denken aan de ijle noten van vogels.

Mikal kijkt door het raam van de vuurwapenfabriek die eigendom is en onder beheer staat van de vader en oudere broer van Akbar. Toen Akbar hem erover vertelde, snapte hij waarom hij tijdens zijn koortsen steeds geweervuur had gehoord, want de arbeiders waren bezig geweest de wapens die ze hadden gemaakt uit te testen. De vloer is bedekt met as en ligt bezaaid met stukken metaal met de omvang en dikte van boeken en tijdschriften, en waaruit, als sjablonen, de vormen van pistolen zijn gestanst. Er staan stapels hout klaar om te worden opgestookt bij het smelten en er liggen op maat gesneden stukken hout die straks als kolf voor karabijnen of geweren zullen dienen.

Er stijgen lange, laaghangende nevelflarden op van de rivier die met een grote boog om het huis heen stroomt, en waarvan de dicht met bomen begroeide oevers drie zijden van het grote gebouw omgeven. Het welpje scharrelt in de richting van de zijmuur van het gebouw en wanneer hij het volgt ziet hij de jonge vrouw onder een booggewelf, terwijl de nevel op de frisse, zijdezachte lucht zweeft en boven haar de laatste sterren nog naglinsteren in de melkwitte lucht. Het air van waardige ontoegankelijkheid dat haar omgeeft, blijft onaangetast wanneer ze zich, zodra ze hem ziet, terugtrekt in het schemerduister van het huis. *Menselijk contact is zo onmetelijk als de wildernis*, dacht hij, dat weet hij nog, op de dag dat hij Naheed voor het eerst aansprak, *en vereist leeuwenmoed*. Maar hij slaat zijn ogen nu neer als iemand die op zoek is naar een verloren muntje of sleutel wanneer hij naar het dier toeloopt, het oppakt en het tegen zijn borst klemt als een verzameling losse spulletjes, waarop de oren van het beest vanwege al het gedoe plat gaan liggen van schrik. Hij draait zich om terwijl de felle blik van de aan de ketting liggende terriërs op hem rust, en de zon tegelijkertijd verblindt en verlicht. 'Waar moet jij zo nodig naartoe?' zegt hij in de vacht van het dier terwijl hij snel wegloopt. 'Weet je wel wat ze met haar zullen doen als ze haar in de buurt van een vreemde betrappen?'

'Lees dit maar even,' zegt Akbar als hij hem het foldertje overhandigt.

Een kolom Engelse tekst en twee zwart-witfoto's van Mikal. In januari genomen in de steenfabriek, de ene nog met lang haar en baard, de andere nadat ze het haar van hoofd en kin hadden verwijderd.

'Hoe kom je hier aan?' vraagt Mikal.

'Iemand heeft het meegenomen uit Pesjawar. Ik heb begrepen dat er ook eentje in het Urdu is.'

Hij probeert de tekst te lezen, maar geeft het al gauw op. 'Wat staat er precies?'

'Ze zoeken je. Er staat een signalement bij. Met je lengte, je huidskleur...'

'Akbar. Je weet wat ik wil vragen.'

Akbar geeft niet meteen antwoord. Ten slotte knikt hij en zegt: 'Ze zijn allebei dood.'

Twintig dagen. Er hangen in dat jaargetijde krachtige manen boven het huis. Na zoveel maanden binnen gezeten te hebben, slaapt hij nu op de acht meter hoge tuinmuur die om het huis heen staat, waar de luipaard zich bij hem onder de plooien van de deken heeft genesteld. Als hij 's nachts wakker wordt, ziet hij hoe sterren zonder tal de zwartblauwe hemel met hun vuren bedrukken, met te midden van dat alles de gouden maan, sereen en vol. En dan zijn er nog de lelijke bronzen manen die hem in zijn kwetsbare staat van herstel angstwekkend veel aan dolken doen denken, omdat ze lijken op de dolken die zijn vingers hebben aangevallen. Hij werkt in de wapenfabriek, samen met Akbars broer en diens werknemers, van wie er een zegt dat zijn elkaar rakende wenkbrauwen ongeluk brengen. Hij bedient de 150mm Herbert-draaibank voor het zware werk, en de Myford ML7. De horlogemakersdraaibank van Boley. De freesmachine van Senior. De Boxford-freesmachine. De grote en de kleine kolomboormachines. Aan de wanden hangen diverse karabijnen, en hij wipt de staartstukken open, kijkt in de lopen en laat zijn handen gaan over de kolf van een honderd jaar oud geweer waarin een tafereel is geëtst van krijgers te paard die tegen de kruisvaarders optrekken, met trotse vaandels, speren en grote lege kooien waarin zij gevangengenomen heidense vorsten hopen mee terug te brengen.

Op een avond loopt hij naar Akbars bed en schudt de jongen heel zachtjes wakker. Hij gaat op de rand van het bed zitten. Geen licht, behalve dat van de maan door het venster.

'Ik heet Mikal.'

Hij hoort Akbar slaperig slikken en diep ademhalen in het donker.

'Ik kom uit Heer, een plaatsje in de Punjab, het ligt niet ver van Gujranwala. Ik ben afgelopen oktober met mijn stiefbroer Jeo naar Afghanistan gegaan. Waar hij nu is weet ik niet.'

'Ik geloof dat de ventilator die daar in de hoek staat in Gujranwala is gemaakt,' zegt Akbar, die overeind gaat zitten, naar zijn pakje sigaretten tast en er eentje opsteekt.

'Klopt. De stad staat er bekend om.'

'Dus je heet Mikal.'

'Ja.' Mikal voelt, al kan hij dat in het donker niet zien, Akbars blik op hem rusten.

'Mag ik even?' Mikal neemt hem de sigaret uit handen, inhaleert de rook, geeft hem vervolgens terug en steekt er zelf eentje op. Hij staat op, zet zich op de vensterbank en kijkt naar de veldbloemen die zich bij zonsondergang hadden gesloten, maar nu in reactie op het maanlicht weer zijn opengegaan.

'Ik moet binnenkort vertrekken.'

'Je mag blijven zolang je wilt. Je bent mijn broeder.'

'Ik moet Jeo zien te vinden. Of misschien moet ik eerst naar Heer gaan. Want stel dat Jeo al is teruggekomen. Ik moet gaan kijken of dat zo is.'

'De Amerikanen wachten je daar misschien op.'

'Dat weet ik. Ze weten niet hoe ik heet, maar ze hebben wel foto's en vingerafdrukken.'

Akbar komt uit bed en doet het licht aan. 'Blijf maar hier tot je verder bent aangesterkt. Je bent hier volkomen veilig.' Hij haalt een vel papier en een pen uit een lade. 'Nu we elkaar kunnen vertrouwen, wil ik je iets laten zien.' Hij zet een dikke stip en trekt daar een stuk of wat concentrische cirkels omheen. Hij wijst met de punt van de pen op de stip en zegt: 'Kijk, dit ben jij nu.'

'Het doelwit?'

Akbar glimlacht. 'Die concentrische cirkels zijn muren. Onzichtbare muren. Weermiddelen waardoor kopstukken van Al-Kaida die op de vlucht zijn voor de Amerikanen worden afgeschermd.'

'Welke kopstukken van Al-Kaida?'

Akbar kijkt hem strak in de ogen.

Mikal rookt bijna een minuut lang zwijgend zijn sigaret, die hij tussen de toppen van duim en wijsvinger houdt. Dan zegt hij: 'Hier in huis?'

'Ja.'

'Waar?'

'De hele vleugel aan de zuidkant.'

Nu begrijpt Mikal waarom daar plaatstalen deuren zitten.

'Toen ik jou hierheen bracht maakten ze bezwaar omdat ze bang waren dat jij een spion was. Ze zeiden dat ze de afgesproken vergoeding voor gebruik van de vleugel niet meer zouden betalen en meteen zouden vertrekken.'

'Ik had geen idee dat ik zozeer... *onderwerp van discussie* ben geweest. Ik leef grotendeels in mijn eigen hoofd.'

'Ik heb ze verteld dat de Amerikanen je in de steenfabriek hebben gemarteld, dat je twee van hen hebt doodgeschoten en dat je je vingers bent kwijtgeraakt door toedoen van goddeloze moslims die je feitelijk geen moslim meer mag noemen en die aan Amerikaanse kant meevochten. Toen veranderden ze van gedachten.'

'Ik ken ze niet, maar ik ken jou, en jouw vertrouwen zou ik nooit beschamen.'

'Toen ik ze vertelde dat je op de vlucht was omdat je twee Amerikanen had gedood, werden ze weer om een andere reden ongerust. Ze zeiden dat je hen aan de Amerikanen zou verraden in ruil voor kwijtschelding van je eigen misdaden.'

Mikal rookt en het rode puntje voor zijn gezicht licht op en dooft weer uit.

'Dat is een begrijpelijke reactie,' zegt Akbar schouderophalend. 'Er wordt jacht op hen gemaakt en ze moeten aan alle mogelijke scenario's denken. Twee van hen hebben een middag met jou in de wapenfabriek gewerkt en waren erg onder de indruk van je toewijding. Ze hadden eerst niet willen geloven dat jij met die handen iemand had doodgeschoten, maar toen ze je aan het werk hadden gezien geloofden ze het uiteindelijk toch.' Akbar staat op, doet het licht uit en loopt in het donker terug naar zijn bed. 'Ik wil niet dat je je zorgen gaat maken. Het Pakistaanse leger helpt de Amerikanen met het opsporen van Al-Kaidahelden in dit gebied, maar die beschermende cirkels betekenen dat we in geval van een raid ruim op tijd gewaarschuwd worden.'

Buiten lost het maanlicht alle hardheid uit de wereld op, wordt het gras melk en mijmerij, en duiken de vleermuizen in hun zachte, zangloze vlucht tussen het lover door.

'Heeft je vader daarom een hekel aan mij? Vanwege al die verdenkingen?'

'Mijn vader heeft geen hekel aan jou,' zegt Akbar na enige tijd.

'Ik breng zijn inkomsten in gevaar.'

'Hij heeft geen hekel aan je. Ga maar slapen.'

Hij bekijkt de kaart om de route van zijn vierhonderd kilometer lange reis naar Heer te bepalen.

Vanaf Megiddo zal hij de streekbus naar Tank nemen. Vervolgens zal een bus hem in ongeveer twee uur van Tank naar Dera Ismail Khan brengen. Van Dera Ismail Khan zal hij, opnieuw met de bus, dwars door de zoutmoerassen en de barre, kurkdroge vlakten reizen die de Engelse ambtenaren en zendelingen ertoe gebracht hadden de plaats 'Dreary Dismal Khan' ofwel 'Treurig, Troosteloos Khan' te dopen. Daarna zou hij de bus nemen naar Rawalpindi, een reis die vier à vijf uur zou vergen.

Van Rawalpindi naar Heer met de trein was nog eens vijf uur.

Hij zal Akbar om geld moeten vragen. Hij zou best sjouwwerk kunnen gaan doen in de bazaar, maar hij vermoedt dat het de goede naam van de familie aan zou tasten als men werd geassocieerd met iemand die ongeschoold werk voor anderen deed.

Het buskaartje van Tank naar Dera Ismail Khan zal ongeveer tachtig roepies kosten, dat van Dera Ismael Khan naar Rawalpindi naar schatting vierhonderd, en het treinkaartje van Rawalpindi naar Heer zal iets van driehonderd zijn...

Maar de kans bestaat dat er op het busstation van Rawalpindi politiecontroles gehouden worden – Rawalpindi is immers het hoofdkwartier van de Pakistaanse strijdkrachten – dus misschien kan hij beter via Sargodha reizen...

Afstand is een wreed iets. Toen hij in de beschilderde kamer van zijn ouders in Heer woonde, nadat Naheed met Jeo getrouwd was, bedacht hij vaak hoe dichtbij Rohans huis in sommige opzichten was. Hooguit vijf kilometer bij hem vandaan. Hooguit een uur bij hem vandaan. Hooguit een riksjaritje van negen roepie bij hem vandaan. Maar tegelijk een eeuwigheid bij hem vandaan, omdat zijn droom zich daar bevond. Nu is Heer vermoedelijk tweehonderd jaar gevangenisstraf bij hem vandaan. Of een stroomstoot van duizend volt door zijn lichaam bij hem vandaan. Een dodelijke injectie bij hem vandaan.

Hij kan het gevoel dat de stip in het midden van de concentrische cirkels een doelwit was niet afschudden. Hij heeft het duizelingwekkende gevoel dat alles op hem is gericht en dat hij in de gaten wordt gehouden, zeker nu hij weet dat er hier anderen zijn van wier aanwezigheid hij zich niet bewust was. De dag breekt aan en hij zit aan de oever van de rivier met het sneeuwluipaardje op zijn knie, en de witte vlek aan het eind van de staart van het beest krult rusteloos in de lucht met de klop van onstuimig bloed.

Hij kijkt het dier in de ogen. 'De uitdrukking op je gezicht zegt: *Waarom kijk je steeds die kant op?* Mijn antwoord luidt: "Zomaar".'

Je keek of de jonge vrouw er was.

'Helemaal niet.'

Wel waar.

'En wat dan nog?'

Ik ben er eigenlijk best blij om. Het welpje duwt zijn neus in de lucht en snuffelt aan zijn hand. *Denk je nou echt dat Naheed Jeo om jou zal verlaten?*

Mikal haalt het witte balletje uit zijn zak dat hij in de wapenfabriek uit een stuk kernhout van een alstonia heeft gesneden. Wanneer het pas gezaagd is, is het hout wit, zacht en fijn van textuur, en er worden ook lijkkisten, theekisten en maskers van gemaakt. Hij laat het balletje over de grond rollen en kijkt hoe het welpje er achteraan duikt. In het wild kan een volwassen sneeuwluipaard sprongen maken van zevenmaal zijn eigen lichaamslengte. 'Laten we het over iets anders hebben,' zegt hij.

Nee. Wat denk je dat er tussen jou en Naheed gaat gebeuren?

'Weet jij wel zeker dat je een luipaard bent en geen slang?'

Je moet het achter je laten.

Het ijs dat de kokkin tegen zijn voorhoofd gedrukt had gehouden had in een gebloemde lap gezeten en toen hij die had uitgevouwen, had hij zich gerealiseerd dat het een van een oude kamies afgescheurde mouw was, en had hij zich even afgevraagd van wie die geweest was.

Maar zelfs het vaagste vooruitzicht op het aangaan van een verbintenis, op het durven benaderen van iemand, terwijl de enige ervaring die hij daar tot dusver mee heeft gehad, zo pijnlijk is verlopen, vervult hem met diepe vrees.

Achter hem nadert een schaduw over de helling en de kleine woestijnduiven die langs de waterkant staan te drinken, fladderen in spiralen op, en dan draait hij zich om en ziet haar achter zich staan.

'Ik dacht dat ik iemand hoorde praten,' zegt ze. Hij gaat staan, net op het moment dat de vogels boven zijn hoofd terugzwenken om een stukje verderop langs de oever neer te strijken. Hun wiekslag klinkt op in de koele lucht en verdrijft de nevel. Zij draait zich om en wil weglopen.

'Neem me niet kwalijk. Ik wilde je niet storen.'

'Ik zat in mezelf te praten,' zegt hij. Hij is te verbaasd om meer te kunnen zeggen. Akbar zei dat hij Engels sprak omdat de jongere kinderen – hij doelde op zichzelf, zijn tweelingbroer en deze zus – naar de beste scholen in Lahore waren gestuurd. Zij was op haar zestiende hierheen teruggehaald om te trouwen, met de jonge man die in Afghanistan zou omkomen. Misschien dat haar verblijf in Lahore verklaart waarom ze nu de moed heeft hem aan te spreken. Er waren nog vier andere broers, maar die waren in de loop van de voorbije dertig jaar vermoord, allemaal vanwege bloedvetes die verscheidene decennia teruggingen.

'Ik werd wakker toen vader naar de moskee ging en kon daarna niet meer slapen.'

'Ik ook niet,' zegt Mikal. De man rijdt elke ochtend met zijn Datsun-pick-up naar Megiddo voor het ochtendgebed. De overige vier gebeden van de dag doet hij meestal thuis, al naargelang de omstandigheden, maar voor het eerste gebed is hij graag in de moskee.

'Ik kan beter gaan.'

Hij ademt diep in en realiseert zich dat hij in de dagen dat hij bewusteloos op bed heeft gelegen het parfum op haar kleren heeft geroken. 'Bedankt voor het welpje.'

'Hij is gegroeid.' Een heel voorzichtige glimlach. Meer aan deze vreemdeling tonen zou onbetamelijk zijn. 'Hij hoort hier natuurlijk helemaal niet thuis. Hij hoort ergens in Chitral. Een van onze gasten had hem bij zich. De moeder is kort nadat ze hem had geworpen gestorven. Toen ze hier aankwamen had hij zijn ogen nog niet eens open.'

'Ze gaan pas na een dag of tien open.'

Ze lijkt even na te denken. 'Hij deed ze na precies tien dagen open. Dus hij was waarschijnlijk nog maar een paar uur oud toen ik hem kreeg.'

Hij tilt het welpje op en geeft het aan haar, en als zij het aanpakt verdwijnen de toppen van haar vingers in de vacht. Ze moet een jaar of achttien zijn, hooguit negentien.

'Ik heet Mikal.'

'Ja, dat zei Akbar.' Ze houdt het welpje voor zich uit. 'Ik moet weer gaan.'

'Wat vreselijk van je man en je broer.' Hij pakt het balletje van alstonia-hout op, loopt naar haar toe en houdt het voor de snuit van het luipaardje, zodat zij bijna samen zijn verenigd door bal en beest.

'Ik was het ermee eens dat hij ging,' zegt ze. 'Ik wilde dat ze voor Afghanistan opkwamen, mijn broers en hij. Als het had gemogen was ik zelf gegaan. Vader geeft de schuld aan de imams die hebben geregeld dat ze zouden gaan en heeft geen goed woord over voor Al-Kaida en de taliban.'

Dat verklaart waarom de man Mikal zo onvriendelijk bejegent. Hij denkt dat Mikal een jihadstrijder is, iemand die Amerikaanse soldaten doodschiet, een keiharde militant die zelfs in Amerikaanse gevangenschap zijn naam niet had prijsgegeven. Het moet hem een gruwel zijn dat Akbar en zijn oudere broer onderdak hebben verleend aan voortvluchtige leden van Al-Kaida. Op een avond had hij een felle woordenwisseling opgevangen tussen hem en de broers.

'Toen de twee dode lichamen binnen werden gebracht was hij buiten zinnen van verdriet, en Akbar was toen ook nog vermist. Wij dachten dat de thuiskomst van Akbar hem wat rust zou geven, maar...' Ze houdt ineens op met praten en laat het welpje op de grond zakken. Een paar tellen later dan zij hoort Mikal de Datsun door de poort in de tuinmuur het erf op rijden.

'Ik heet Salomi,' zegt ze, waarna ze wegloopt en tussen de bomen verdwijnt, terwijl hij vanaf de rivieroever omhoogklimt en ziet hoe de vader uit de pick-up stapt en naar binnen loopt. Aan de lak van de wagen kleven hier en daar bloemblaadjes, op plekken waar er onderweg met dauw bedekte veldbloemen tegenaan moeten zijn geklapt.

Na het ontbijt rijdt hij naar Megiddo om de gasflessen uit de keuken te laten bijvullen. Hij parkeert de Datsun vlak voor de moskee, in de buurt van een kudde zwarte en bruine kamelen. Er passeert een karavaan van *powindah*-zigeuners, nazaten van stammen die vanuit Centraal-Azië en Afghanistan helemaal naar Calcutta in het verre oosten van het Indische subcontinent trokken en naast handelswaar liederen en nieuws meebrachten. In de negentiende eeuw hadden de Engelsen hen en hun kamelen ingezet om de woestijnen van westelijk Australië te ontsluiten. De mannen in de bazaar herkennen hem als iemand die bij de familie van Akbar hoort en hij moet bij hen komen zitten en thee met hen drinken. In een stad honderdvijftig kilometer verderop is een raid uitgevoerd. Pakistaanse militairen zijn, ongetwijfeld achter de schermen bijgestaan door Amerikanen, een wooncomplex binnengevallen en hebben na een vuurgevecht van veertien uur de Al-Kaida mensen die zich daar schuilhielden gedood of afgevoerd. Daarbij zijn ook vrouwen, kinderen, bejaarden en onschuldige burgers omgekomen, iedereen die toevallig in de weg liep.

Degene die hen heeft verraden was een lid van de familie die hun onderdak had geboden en hij is later met doorgesneden keel gevonden, een wraakactie van Al-Kaida.

Hij drinkt de appelgroene thee uit een kom. Iemand vraagt hem waarom Akbars vader vandaag niet bij het ochtendgebed in de moskee was geweest. 'Het is domweg niet hetzelfde zonder hem,' zegt de man met een glimlach. 'Het voelt als een bruiloftsstoet zonder de bruidegom.'

'Hij voelde zich niet lekker,' zegt Mikal, die de kom leegdrinkt terwijl hij op de zacht geworden theebladeren kauwt.

'Ja, de martelaarsdood van zijn zoon en schoonzoon hebben hem enorm aangegrepen,' zegt de man en knikt. 'De lichamen kwamen hier met hun handen en voeten met prikkeldraad samengebonden aan.'

'Die knapen hebben heel dapper tegen die smeerlappen uit het Westen gevochten,' zegt een andere man. 'Zij wisten dat een lafaard sterft, maar dat zijn angstkreten tot in eeuwigheid gehoord zullen worden.' En al die tijd herhaalt de dissel in de winkel ernaast, waar ze doodskisten en ladders verkopen: *zwart als de nacht ... zwart als de nacht ... zwart als de nacht...*'

Hij keert terug naar het huis en gaat de wapenfabriek in om te werken. Het liefst zou hij de rest van zijn leven geen vuurwapen meer aanraken, maar hij weet geen andere manier om de familie terug te betalen voor de verleende gastvrijheid, en houdt zichzelf voor dat het nog maar om een paar dagen gaat. Na een uur stopt hij even met werken. Zijn handen zien zwart van het ijzerslijpsel. Hij trekt zijn hemd uit en veegt zijn oksels ermee droog. Dan gooit hij het opzij, pakt een nieuw shirt uit een kast en trekt dat aan terwijl hij door het raam naar de Datsun staat te kijken.

Hij loopt naar buiten, naar de Datsun, en pulkt een van de bloemblaadjes die aan de lak zijn blijven plakken los. Het is door de zon gedroogd tot een stukje krokante uienschil. Hij kijkt er lange tijd naar, terwijl de airedaleterriërs hem vanuit de schaduw van de bomen angstvallig in de gaten houden. Door hun met henna geverfde poten zien ze eruit alsof ze door bloed hebben gewaad.

Hij heeft die gele bloempjes nergens op de route tussen het huis en de moskee gezien.

Wanneer hij rond het middaguur naar Megiddo rijdt om een vracht schroot af te halen die een nieuwe groep zigeuners heeft meegebracht, rijdt hij langzamer dan anders zodat hij de vegetatie aan weerszijden van de smalle weg kan bestuderen. Er is weinig te zien, alleen wat doornstruiken, en al helemaal geen gele bloemen.

Op de terugweg draait hij een landweggetje op waar het stof van onder zijn banden opwervelt en naar de zijkanten wegstuift, en na een kwartier bereikt hij een grasveld aan de voet van een heuvelkam, een terrein zo groot als vier cricketvelden, dat vol staat met hoge gele bloemen die zo fel van kleur zijn dat het zeer doet aan je ogen.

Hij doorzoekt het veld even, maar omdat hij geen idee heeft wat hij er denkt te vinden, blijft hij uiteindelijk maar gewoon naar de heuvels staan kijken. *Wie heeft hij hier zo vroeg in de ochtend getroffen? Pakistaanse soldaten? Amerikanen?* De heuvels, waarin het wemelt van de rovers, zien er van deze afstand uit als piramidevormige hopen gekleurde aarde die daar door mensenhand zijn opgeworpen in plaats van dat ze een natuurlijke oorsprong hebben. Sommige zijn hoger dan andere, sommige zijn rood, andere neigen meer naar geel dan naar oker. *Ging hij een huurmoordenaar regelen om de imam te vermoorden die zijn jongens de dood in heeft gestuurd?*

De dag daarop zit de lak opnieuw vol gele spikkels wanneer de vader terugkomt van het ochtendgebed en Mikal hem vanaf de rivieroever bespiedt. Boven hem is de hemel doordrenkt van een mild, genadig licht. Een paar uur later informeren de mannen in de bazaar opnieuw bij hem naar de gezondheid van de vader. Gedurende de dag observeert hij het komen en gaan binnen het huis, waarbij hij voortdurend de aanwezigheid van de jonge vrouw achter de dikke muren voelt, en plotseling zijn het allemaal lichamen die zijn voorbestemd voor verwonding, potentiële plekken des onheils.

26

Hij klimt van de nachtmuur af.

Met het luipaardje in zijn armen loopt hij de lege keuken binnen. Uien en koriander in een mand. Eieren. Schone potten. Er ligt een maïspluim in de mand die zacht aanvoelt wanneer hij er met zijn hand overheen strijkt. Hij is vezelig van structuur, maar in wezen van hetzelfde materiaal als dat waar bloemblaadjes van gemaakt zijn. Aan de andere kant van het vertrek is een witgepleisterde boog, waarop hij zijn blik richt. Erachter ligt het gedeelte van het huis dat hij nog nooit heeft betreden, het gedeelte waarin de vrouwen zich bevinden. Uiteindelijk stapt hij eropaf, licht het gordijn dat voor de doorgang onder de boog hangt op en ziet een ruime kamer met zitbanken tegen de linker- en rechtermuur, een tafel met een spiegel in een ivoren lijst, een klok met de vorm van een fier oprijzende moskee. In de muur recht tegenover hem zitten twee deuren. Boven de ene bevindt zich een inspringende boog, identiek aan die waaronder hij nu staat, maar de andere deur is smaller en niet zo hoog. Hij zet het welpje op de vloer om te kijken waar het heen zal lopen, maar het blijft bij zijn voeten staan, zodat hij naast het dier neerhurkt en het voorzichtig aanmoedigt op verkenning uit te gaan. Als dat niets uithaalt, pakt hij het op, loopt naar de kleinste deur toe en doet die open.

Een besloten gang met ingelijste verzen uit de Koran aan de muur.

Voordat hij doorloopt werpt hij eerst nog een blik achterom. Recht voor hem aan het einde van de gang is een venster en door de ruitvormige gebrandschilderde ramen zijn de alstonia's te zien. Aan weerszijden van het venster bevindt zich een deur. In beide deuren zit een doorzichtig glaspaneel en als hij door de linkerruit kijkt ziet hij een bureau en een plank met boeken met gouden rug over religie. De opgezette kop van een zwarte beer met een roze bek. Een ingelijste stamboom waarop alleen de namen van de mannelijke familieleden vermeld staan. De rechterdeur leidt naar een stenen trap, maar in plaats van die te bestijgen maakt hij rechtsomkeert en loopt snel terug, want zijn moed verlaat hem.

Vijf minuten later is hij terug, bestijgt nu wel de trap en komt uit op een bordes met een hele rij potten waarin rijk geurende sinaasappelboompjes staan. Twee witgekalkte treden leiden naar een deur.

Hij stapt de eerste trede op en kijkt naar binnen door het vierkante glazen ruitje. Maar pas na nog een keer rechtsomkeert te hebben gemaakt en tien minuten later te zijn teruggekeerd, maakt hij die deur open en zet het welpje op de vloer, waar het de stenen tegels besnuffelt en naar de andere kant van het vertrek loopt, met een gang die doelgericht en prachtig tegelijk is, en Mikal kijkt toe hoe het achter een voor een boog hangend gordijn verdwijnt.

'Ik moet hier binnenkort vertrekken,' zegt hij zacht. 'Ik moet terug naar huis.'

Niets vanaf de andere zijde van het doek.

Hij draait zich om en wil weglopen, maar blijft staan wanneer hij het gordijn hoort bewegen.

Vlak voor de dag aanbreekt keert hij terug naar zijn plek op de muur, met het luipaardje in zijn armen. 'Mondje dicht!' zegt hij met gedempte stem tegen het dier wanneer hij is gaan liggen. 'Denk erom: mondje dicht!'

27

Pater Mede buigt zich naar een roos om de geur op te snuiven. Het is er een van de gestreepte variant, Rosa Mundi genaamd. De pater is vijfenzeventig jaar, en terwijl hij in de richting van de zuidelijke tuinmuur van het schoolcomplex loopt, blijft hij nu en dan even bij deze of gene plant staan. Nu is hij bij de heg van wilde jasmijn. Hoeveel generaties kinderen hebben niet het kleine groene kroontje van de achterkant van een wilde jasmijnbloem afgetrokken en het zoet uit het dunne buisje gezogen? Hij verzekert zich ervan dat hij onbespied is, en doet het nu zelf, waarbij hij tot zijn verbazing merkt dat de druppel nectar nog precies zo smaakt als tientallen jaren geleden.

Hij weet wat het woord betekent. Het komt uit het Grieks. *Nek tar*. Datgene wat de dood overwint.

Hij is een nazaat van Joseph Mede, die professor was in Cambridge en van wie Milton nog les heeft gekregen, en hoewel het geslacht uit Wiltshire komt, is pater Mede hier in de Punjab opgegroeid, tijdens het Britse koloniale bewind.

Hij hervat zijn wandeling. Bij de zuidelijke muur bevindt zich een bosje dat voornamelijk bestaat uit dicht opeengroeiende palissanders en cipressen, en een van de leerlingen heeft gemeld dat er daar ergens in een spleet in de muur een nest hoornaars zit. Pater Mede wil kijken of het een gevaar vormt voor de kinderen, in welk geval hij de tuinman opdracht zal moeten geven het te verwijderen. Wanneer hij terugdenkt aan de suikerzoete substantie uit het wespennest, komen er regels uit het lied van Mozes in hem op:

Hij deed hem honing zuigen uit de rots
en olie uit het keihard gesteente.

Kort nadat hij het bosje heeft betreden, hoort hij een geluid dat lijkt op het aanhoudende, droge gekraak van een taaie lap stof die doormidden wordt gescheurd. De aarde siddert en hij kijkt om zich heen, want zijn eerste gedachte is aan een aardbeving. Hij tracht houvast te vinden bij een palissander, maar de machtige stam zwenkt enigszins van hem weg, en boven zijn hoofd zwaait de hele kruin zijwaarts en de boom begint om te vallen. In een reflex probeert hij hem tegen te houden, maar de stam trekt hem omhoog en het lijkt wel alsof hij een hengel met een vis van duizend pond aan de haak probeert vast te houden. Hij beseft dat de stammen van alle bomen hier zijn doorgezaagd, dat iemand er op borsthoogte een zaag doorheen heeft gejaagd. Ze stonden allemaal gewoon op hun plek te wachten op de geringste aanraking. Tot nu toe hadden de vervlochten bladerkruinen voor een minimale stabiliteit gezorgd, maar nu storten ze aan alle kanten neer en veroorzaken de vallende takken een windvlaag. In Joseph Medes *Sleutel tot de Openbaringen* werden diverse symbolen uit het boek Openbaringen geduid, waarbij 'wind' altijd voor 'oorlog' stond. Het stof slaat op zijn ogen en om hem heen is het een warreling van afgescheurde bladeren en afgebroken takken terwijl hij probeert een veilig heenkomen te zoeken. De donkerrode bloemen van de flamboyant schieten de lucht in wanneer de groene takken neervallen, maar hij staat er gelukkig ongedeerd bij en kijkt toe hoe alles ineens vol licht stroomt, nu de hemel pijnlijk is ontbloot.

28

Naheed vertraagt haar pas wanneer ze de trap oploopt en neemt de laatste vijf treden een voor een. Voor zich hoort ze dat er iemand in de kamer is.

'Moeder, bent u daar?' Ook al weet ze dat Tara naar de garen- en bandverkoper in de Anarkali Bazaar is.

Ze gaat naar binnen en treft daar Sharif Sharif aan. Hij komt overeind uit zijn geknielde positie naast het bed. In zijn linkerhand heeft hij de doos waarin ze de brieven van Mikal bewaart. Een daarvan houdt hij in zijn rechterhand. De brief valt op het bed wanneer hij verrast opstaat.

'Ik dacht dat ik maar eens even moest gaan kijken of alles hierboven in orde is.'

Ze kijkt hem aan, niet in staat iets te zeggen.

'Ik kwam even kijken of jullie iets nodig hadden. Hebben jullie iets nodig?'

Naheed schudt van nee.

'Hoe gaat het? Daar heb ik al een tijdje niet naar gevraagd.'

Naheed kijkt naar de brief op de beddensprei.

Hij zet een stap in haar richting. 'Wie heeft je deze brieven geschreven? Er staat overal "Mikal" onder.'

Ze doet een stap achteruit en hij vraagt: 'Is die Mikal de broer van Basie?'

Ze kijkt naar de tafel, waarop de schaar ligt. Hij ziet het.

'Ik ben hier om in al je behoeften te voorzien. Je hebt niemand anders nodig.'

Ze ziet dat hij zich geraffineerd tussen haar en de schaar heeft geposteerd.

'Ik heb mijn familie. Mijn moeder, mijn schoonvader.'

'Ik stort al mijn geld uit voor je voeten. Je kunt alles krijgen wat je hartje begeert.'

Ze schudt haar hoofd.

'Ik koop een huis voor je, hier of in Lahore. Je hoeft niet beneden bij de andere vrouwen te wonen. Kom met me mee.' Hij kijkt naar de doos met brieven op de vloer. 'Zijn dat liefdesbrieven?'

'U moet hier weggaan,' zegt ze.

Hij loopt terug naar het bed en pakt de brief op. 'Kom met me mee. Ik ben zelfs bereid Rohans oogoperatie te betalen.'

Ze horen iemand de trap op komen. Naheed stapt naar voren en grist hem de brief uit handen.

'Wat voert u hier uit?' bijt Tara hem toe wanneer ze binnenkomt.

'Ik kwam even kijken of jullie iets nodig hadden.'

'Wij hebben niks nodig.' Ze wijst naar de deur. 'U gaat nu weg, of ik ga gillen. Wegwezen.'

Er zijn knopen, drukknopen, boordenknoopjes en een tornmesje uit de plastic tas gerold die Tara op de grond heeft laten vallen toen ze binnenkwam. 'Ik begrijp niet waarom jullie zo nodig de heilige boontjes moeten uithangen,' zegt hij terwijl hij over de naaispulletjes heen stapt en de kamer verlaat. 'Allebei.'

Nadat hij is vertrokken loopt Tara naar Naheed toe en slaat haar armen om haar heen. 'Wat is er gebeurd?'

Tara is vermagerd. De afgelopen maanden hebben erg veel van haar gevergd.

'Niks. Alles is in orde,' zegt Naheed, die de brief dichtvouwt en in de doos legt, en daar nog een elastiekje omheen doet.

'Je zult ze moeten weggooien,' zegt Tara.

Ze stopt de doos in de koffer die onder het bed ligt. Ze draait hem op slot en haalt het sleuteltje eruit.

Tara stapt naar voren en steekt haar een envelop toe.

'Wat is dat?'

'Het is een foto van de jongen met wie je je binnenkort gaat verloven.'

Naheed, die op het punt stond hem open te maken, trekt haar vinger ogenblikkelijk weg van de flap.

29

Er gaat geen dag voorbij waarop de plek waar een nog levend persoon uiteindelijk begraven zal worden niet met heldere, onmiskenbare stem roept: 'O kind van Adam, je bent mij vergeten.'

In het Bagdadhuis zit Rohan voor Sofia's zielenheil Koranverzen op te zeggen. Hij kent ze uit zijn hoofd.

Allah heeft vier verblijfplaatsen voor Adam geschapen. De hof van Eden, de aarde, het vagevuur en het paradijs. En de kinderen van Adam heeft Hij eveneens vier verblijfplaatsen geschonken. De moederschoot, de aarde, het graf en dan het paradijs of de hel.

Als een mens begraven is, vragen de engelen, die in het graf zijn verschenen, hem: 'Hoe sta je tegenover de islam?' De tweede vraag die ze hem stellen is: 'Wat vind je van Mohammed?' Als de antwoorden bevredigend zijn, wordt hem een glimp getoond van de kwellingen in de hel. 'Dit wordt jou bespaard,' krijgt hij te horen, waarna hem een blik op het paradijs wordt gegund. 'En dit zal je uiteindelijke woonstee zijn.' Het graf dijt uit en aan de zijkanten ervan openen zich zeven deuren die de welriekende geuren van het paradijs binnenlaten, tot aan de Dag des Oordeels. In het geval van een zondig mens gebeurt het tegenovergestelde: er openen zich zeven toegangen tot de hel en het graf krimpt totdat de ribben krakend ineenschuiven, en de duivels storten zich op het lichaam om met hun kwellingen te beginnen.

Rohan loopt op de tast door haar kamer en gaat bij het venster staan om naar de geluiden uit de tuin te luisteren. De profeet heeft gezegd dat in het paradijs elke boom een gouden stam zal hebben. Het paradijs dat Sofia na de Dag des Oordeels zal binnengaan, daarvan is hij overtuigd. Hoewel hij wat zichzelf betreft allesbehalve zeker is.

Hij beweegt zijn hoofd en probeert zijn dode ogen zo te houden dat hij een streepje licht op kan vangen. Haar stem lijkt aanwezig te zijn in de muren. Alles in deze kamer heeft haar overleefd. Hij voelt dat de lamp met dat besef naar hem kijkt, net als de bloemenschilderingen op de wanden en de met inkt bevlekte tafel. Alles is er, alleen zij niet. Het is alsof ze nog steeds bestaat, maar heeft verkozen uit zijn ogen te blijven.

'Naheed.'

Tara roept de jonge vrouw. 'Naheed.'

'Ze is hier niet, zuster-ji,' roept Rohan terug.

Tastend langs de muren loopt hij naar de veranda. Verder dan zijn vingertoppen reikt zijn blikveld niet meer, want zijn ogen zijn omzwachteld.

'Ik dacht dat ze hier was,' zegt Tara, die om zich heen kijkt en nog eens roept.

'Ik ben de hele ochtend alleen geweest. Ik dacht dat ze bij jou was.'

Tara neemt hem bij de hand en leidt hem terug naar zijn eigen kamer. 'Heb je de hele ochtend alleen gezeten?'

'Ja. Hoe laat is het?'

'Na twaalven. Ik kwam haar alleen maar helpen met het klaarmaken van het middagmaal.' Er klinkt een eerste zweem van paniek door in haar stem wanneer ze het meisje nogmaals roept.

'Ze komt vast zo,' zegt Rohan wanneer ze hem in zijn stoel laat zakken. Hij slaakt een zucht en reikt traag naar het schrijfblok dat op tafel ligt. 'Ik heb geprobeerd wat te schrijven.'

De bladzijden zijn leeg, omdat hij niet in de gaten heeft gehad dat er geen inkt in de pen zit.

'Waar zou ze kunnen zitten?' vraagt Tara zich af terwijl ze naar het raam loopt.

'Misschien is ze naar de bazaar.'

'Dat zou ze me dan wel hebben gezegd, broeder-ji. Haar gedrag is de afgelopen dagen nogal wispelturig geweest, maar ze zou nooit ergens heen gaan zonder het tegen mij te zeggen. Of jou hier helemaal alleen achterlaten.'

Ze gaat de tuin in, in de hoop haar ergens met as bedekt uit het groen te zien opduiken, en ze loopt naar de vijver waar de waterlelies branden in het zonlicht, en krimpt dan ineen bij de gedachte die in haar opkomt wanneer ze aan de rand van het water de mosslierten ziet drijven die net lange haren lijken.

Wanneer ze in de keuken bezig is met koken – en de rommel opruimt die Rohan onbedoeld heeft gemaakt bij het klaarmaken van zijn ontbijt of het inschenken van een glas water – blijft ze gespitst op elke beweging buiten, op ieder geluid.

Tegen drie uur, als Yasmin en Basie thuiskomen van het St. Joseph, staat het huilen haar nader dan het lachen.

'Er is vast een heel eenvoudige verklaring,' zegt Basie. 'Maak je maar niet ongerust.'

'Ja. Ze komt heus zo,' zegt Yasmin.

'Heb je bij de buren gevraagd?'

Ze schudt van nee.

'Ik ga wel even,' zegt Yasmin.

Tara reageert pijnlijk getroffen. 'Niet doen.'

'Iemand kan haar hebben gezien, tante Tara.'

'Nee,' zegt ze stellig. 'We moeten oppassen met wie we iets vragen. Als we ze vertellen dat we niet weten waar ze is, zullen ze gaan denken dat zij een dubbelleven leidt en zullen ze haar later beschuldigen van onzedelijk gedrag en onkuisheid.'

Yasmin loopt met enige tegenzin terug naar haar stoel.

'Laten we nog heel eventjes wachten,' zegt Basie. 'Ik weet zeker dat ze zo thuiskomt.'

Later op de middag trekt Tara haar boerka aan en gaat ze terug naar haar kamer, vijf straten verderop. Voordat ze de trap op gaat, wisselt ze nog even een paar woorden met de vrouwen van Sharif Sharif, maar die zeggen niets over Naheed. Op een plank in haar kamer liggen stapeltjes kleren, ordentelijk opgevouwen als kranten. Het is het naaiwerk dat ze deze week heeft gedaan en dat ze nu bij de klanten in de buurt gaat langsbrengen. In alle huizen laat ze de naam van Naheed een paar keer quasiterloops vallen, in de hoop dat iemand zal zeggen dat ze haar toevallig net nog gezien heeft, of dat iemand zich iets herinnert wat Naheed onlangs gezegd heeft en dat mogelijk een aanwijzing kan opleveren omtrent haar verdwijning.

Wanneer ze terugkeert naar het huis van Rohan is de schemering bijna gevallen en beginnen in het oosten, waar het het donkerst is, al sterren op te komen.

Ze zit in de keuken met Yasmin en Basie wanneer Rohan door het bosje met de bananenbomen naar hen toe komt gelopen. 'Waar is Naheed?' vraagt hij van veraf.

Basie gaat naar buiten en biedt hem zijn arm om hem naar binnen te geleiden, maar Rohan weigert ook maar een stap te zetten. 'Waar is Naheed?' Zijn stem klinkt luider ditmaal.

Basie wil iets zeggen, maar slikt het in.

'Vooruit, zeg eens wat, iemand. Ik weet dat jullie daar allemaal zijn. Basie? Yasmin? Tara? Waar is mijn Naheed?'

'Ze is er niet, vader,' zegt Yasmin.

'Waar is ze dan?'

'Ze komt zo thuis, broeder-ji,' zegt Tara.

'Hoe laat is het?'

Stilzwijgen alom. Basie vraagt zich af of het mogelijk is hem voor te liegen, zoals hij eerder had geprobeerd. Maar vanaf de minaret is al opgeroepen tot het avondgebed, dus Rohan heeft ongetwijfeld een redelijk idee van de tijd.

'Ik vroeg hoe laat het is. Acht uur? Halfnegen?'

'Het is even over negen, vader.'

Hij reageert alsof hij een zwaardslag in zijn nek heeft gekregen. 'Wat zitten jullie daar dan? Waarom zijn jullie haar niet aan het zoeken?' Hij draait zich om en beent tussen de bananenbomen door de tuin in, bijgelicht door zijn verdriet. Ontzetting is niet weten waar de pijn vandaan komt, en zodoende begint hij in zijn wanhoop te schreeuwen. Zijn kreet weerklinkt tussen het duistere gebladerte en alle boomstammen daar, keert zich naar alle richtingen en haalt als een batsman bij cricket uit naar van alles en nog wat. Terwijl Yasmin en Basie hem proberen te helpen, blijft Tara zitten met in haar handen de nog steeds niet-geopende envelop met de foto van Naheeds beoogde echtgenoot.

Om middernacht zitten Yasmin en Basie op de treden naar de veranda. Naast hen staat een brandende kaars waar vliegen omheen dwarrelen. Het heeft geregend en honderden slakken trekken door de tuin. Hun kleine, kegelvormige huisjes zijn niet groter dan het puntje grafiet aan een goed geslepen potlood. De lijfjes zijn felgeel.

'Ze komt wel terug,' zegt hij tegen haar.

'Ik wou dat vader niet steeds maar zei dat we in de vijver en de rivier moeten zoeken.'

'Ik kan nog steeds bang van hem worden als hij boos is.'

'Ik ook. We moeten wel goed blijven beseffen dat we nu achtentwintig zijn.' Ze laat haar hoofd van vermoeidheid tegen zijn schouder rusten. 'Na de dood van moeder liet hij me vijf keer per dag voor haar bidden. Zelfs Jeo, die nog maar vijf of zes was, moest meedoen. Zo streng was hij, echt een schoolmeester. Ik maak er nu soms grapjes over tegen hem en dan beweert hij dat hij zich niet kan herinneren streng te zijn geweest.'

Hij kijkt naar Rohans kamer. Toen zijn verwarring en boosheid eenmaal waren gezakt, was Rohan tot melancholie en wanhoop vervallen. Hij zei dat er een vloek op deze plek rustte. Dit huis staat precies op de lijn van de diepe sleuf waarin de paarden tijdens de grote opstand van 1857 tegen de Engelsen waren ingegraven. De omringende landerijen waren door de Engelsen aan Rohans overgrootvader geschonken als beloning voor diens trouw tijdens de opstand. Maar in de decennia na 1857 hadden diverse nazaten het besmette erfgoed geweigerd. Zakelijke initiatieven die er werden opgezet mislukten. De tarweakkers werden bezocht door sprinkhanen. In boomgaarden sloeg de rot toe. Ook Rohan had er niets van willen weten en had slechts op aandringen van de pragmatische Sofia besloten Geestrijk Vuur hier te bouwen, en had ook slechts op haar aandringen het perceel aan de overkant van de rivier benut om het grotere gebouw op neer te zetten. Het kan best dat hij alles met een gevoel van opluchting aan Achmed de Mot heeft weggegeven.

Basie ademt de vochtige geuren in, het koude maanlicht. De Chinese kamperfoelie boven hen heeft deze maand iedere dag nieuwe bladeren aan de oude toegevoegd, zodat de ene loot vol ondoorzichtig diepgroen lover inmiddels de andere verdringt, terwijl het jonge blad van de bodhiboom en de vijgenboom zachtrood is.

'Wat denk je precies?'

'Ik denk: wanneer zal ik mijn man weer zien glimlachen?'

Ze voelt hoe hij zijn adem inhoudt, hoe het mechaniek van het lichaam stokt.

'Het spijt me,' zegt hij na een poosje.

'En wanneer zal ik mijn man schuttingtaal horen gebruiken? Mikal zei dat je hem als kind hele vieze dingen hebt geleerd.'

Hij slaat zijn arm stevig om haar heen. 'Hoerenjong.'

Ze laat een slaperig lachje horen.

Toen Rohan hen al die jaren geleden mee naar huis bracht, had de tienjarige Mikal een boek met de sterrenbeelden bij zich en sleepte de achttienjarige Basie een hutkoffer vol met de jazzplaten van zijn vader mee. Op deze veranda had ze de jongens voor het eerst gezien.

'Ik ben getrouwd met een Pakistaan die is genoemd naar Count Basie,' zegt ze nu, want ze wil hem horen praten en worden gerustgesteld door zijn stem, en ze wil dat zijn gedachten, al is het maar even, door iets anders bepaald worden. Ook al heeft ze wat hij gaat zeggen al talloze malen gehoord.

'Ho, ho,' reageert hij, met toevallende ogen, maar quasiverontwaardigd om haar te plezieren. Als hij er de energie voor had zou hij glimlachen. 'Jazz en Pakistan hebben een lange geschiedenis samen. Chet Baker was getrouwd met een Pakistaanse. Halema Alli. Er bestaat een liedje dat "Halema" heet dat voor haar is geschreven, en hun zoon heet Chesney Aftab.'

'Geloof je het zelf?'

'Zij is die mooie vrouw die samen met hem op de beroemde foto's van William Claxton staat. Ik heb er thuis een afdruk van aan de muur hangen. De vrouw die tegenwoordig mijn echtgenote is heeft hem voor me gekocht toen ik eenentwintig werd...'

Zes dagen later stapt hij het politiebureau aan de Grand Trunk Road binnen en vraagt of hij de inspecteur mag spreken. Terwijl hij wacht om toegelaten te worden tot zijn kantoor vraagt hij zich af wat er gaande is in het vertrek achter de muur recht tegenover hem. Elke keer dat de politie in Pakistan een misdaad oplost, is het moeilijk een huivering te onderdrukken. Je weet nooit of de bekentenis oprecht is en je weet nooit hoeveel onschuldige mensen er zijn gemarteld om zelfs die dubieuze bekentenis te verkrijgen.

Toen de regering in 1980 de jacht opende op communisten – vanwege hun kritiek op diezelfde regering en op de VS – was de vader van Basie en Mikal ondergedoken, en op een dag had de politie de kleine Basie weggehaald om zijn vader te dwingen zichzelf aan te geven. Basie herinnert zich nog steeds hoe ze hem op ditzelfde politiebureau omhoogtilden tot bij de draaiende ventilator aan het plafond toen ze probeerden hem te dwingen hen te vertellen waar zijn vader zich schuilhield. Er was een complot ontdekt waarbij een stuk of wat jonge kameraden de ontvoering beraamden van Amerikaanse burgers in Pakistan. 'Het is je vader die je dit aandoet, niet wij,' had de politieman tegen Basie gezegd toen ze hem sloegen. Toen hij thuiskwam zaten zijn armen en gezicht vol blauwe plekken en het eerste wat zijn moeder dacht, was dat ze om de een of andere reden inkt over hem hadden gemorst.

Nu wordt Basie een vertrek binnengelaten waarin de inspecteur van politie in een zwartleren fauteuil achter een ruim bureau is gezeten. Naast hem op de vloer hurkt een oude, uitgeteerde, tandeloze vrouw met haar schaarse haar in een korte vlecht. Haar ogen zijn gesloten en ze houdt zich vast aan de in kaki gestoken knie van de man. Ze zit volkomen roerloos, haar gezicht vertoont geen enkele uitdrukking, en hij negeert haar volledig. Het is alsof ze er niet is.

'Hoelang wordt uw schoonzuster al vermist?' vraagt de inspecteur.

'Sinds donderdag.' Hij werpt onwillekeurig een blik op de vrouw.

'Waarom bent u het nu pas komen melden?' vraagt de inspecteur.

'We dachten dat ze familie was gaan opzoeken.'

'Doet ze dat vaak?'

'Wat?'

'Doet ze dat vaak? Op familiebezoek gaan zonder het u te vertellen.'

'Nee.'

De vrouw, die wat wegheeft van een musje, is waarschijnlijk een jaar of tachtig. Komt ze de vrijlating afsmeken van een kleinzoon die op een valse beschuldiging is vastgezet? Smeekt ze de politie werk te maken van een vermiste zoon? Een dochter die door vijanden wordt bedreigd met groepsverkrachting?

Basie vraagt zich af of hij de inspecteur kent. Was hij degene die hem heeft geslagen?

'Uw schoonzuster is weduwe, zegt u?'

'Ja.'

Hebt u de mogelijkheid overwogen dat ze is weggelopen met een *yaar*?' Hij gebruikt het schunnige Punjabi woord voor een minnaar.

'Dat zou zij nooit doen.'

Een achter de inspecteur opgehangen affiche somt de zeven kwaliteiten op die een Pakistaans burger bij een lid van de hermandad mag verwachten aan te treffen.

Punctualiteit. Onpartijdigheid. Loyaliteit. Intelligentie. Taakgerichtheid. Integriteit. Efficiëntie.

'U zegt dat u onderwijzer bent,' zegt de man, 'en u ziet eruit als een fatsoenlijk man. U hebt geen idee wat ik hier dagelijks tegenkom. Ik heb u een ongemakkelijk gevoel gegeven, dat besef ik, maar u hebt er geen idee van hoe verdorven mensen kunnen zijn.'

Een agent doet de deur open en wenkt de inspecteur. Deze staat op van achter zijn bureau en maakt zijn knie los van de hand van de vrouw. 'Ik ben zo terug. Bepaalde zaken vereisen geheimhouding,' zegt hij met een glimlach tegen Basie terwijl hij het vertrek verlaat. 'Een van de heilige namen van Allah is "de Sluier".'

De vrouw hangt nu slap tegen de stoel. Haar bekraste en groezelige bril, waar geen poten aan zitten, is met een rafelig touwtje om haar hoofd gebonden.

De kinderen vertellen een mop over een man die zijn paard kwijt was. Hij was naar de Amerikaanse politie gegaan, maar dat had niets opgeleverd. Daarna was hij naar de Britse politie gegaan, maar ook hun onderzoek had tot niets geleid. Evenmin als dat van de Duitsers, de Fransen of de Nederlanders. Toen kwam hij uit bij Pakistaanse politiemensen, die hem aanhoorden en vervolgens op pad gingen. Toen de agenten de volgende dag terugkwamen, voerden ze een olifant aan een ketting mee. Het dier was ernstig mishandeld en verkeerde in een erbarmelijke staat. Het kon nauwelijks nog lopen. 'Ja, ik ben een paard, ja, ik ben een paard,' riep het uit.

'Tantetje, wat is er met u aan de hand?'

Maar de vrouw reageert niet.

'Wilt u misschien een glaasje water?'

Ze schudt van nee.

De inspecteur komt terug, maar loopt meteen weer naar de deur en schreeuwt tegen iemand op de gang: 'Zorg maar dat hij een rotnacht heeft.'

'Zo. Wat wilt u dat ik doe?' vraagt hij aan Basie, terwijl hij weer op zijn stoel gaat zitten en zijn knie wat laat uitsteken, zodat de vrouw zich er weer aan kan vastklampen. Metaal dat reageert op een magneet.

'Ik hoopte dat u haar zou gaan zoeken.'

'Wilt u zeggen dat ze is ontvoerd?'

'Ik zou graag willen dat u dat uitzoekt.'

De inspecteur spreidt vertwijfeld zijn armen. 'Hoe wilt u dat ik dat doe? Dit is een heel groot land met miljoenen mensen.'

'Inspecteur-sahib, ik wil graag de vermissing van mijn zuster melden,' verklaart Basie stellig.

Zijn toon bevalt de man niet, maar hij slaat er vooralsnog geen acht op. 'Moet u horen. We hebben een uur geleden een vrachtwagen onderschept waarin vijfentwintig machinegeweren, tientallen pistolen, dertig kalasjnikovs en dertig zakken met kogels zaten. En u wilt dat ik mijn tijd verdoe met een meisje dat van huis is weggelopen?'

'Hoe weet u dat ze is weggelopen? Er kan van alles gebeurd zijn.'

De man wuift deze opmerking geringschattend weg. 'Ze is ervandoor met iemand die haar het hoofd op hol heeft gebracht. Zodra ze er achter zijn hoe zwaar het leven is, komt ze weer terug. Honger is de beste remedie tegen bevliegingen.'

'Ik wil de vermissing van mijn zuster melden.'

Hij wil smeergeld van Basie voordat hij verdergaat. In andere landen wordt ook smeergeld betaald, dat weet hij best, maar daar is het bedoeld om mensen tot iets onwettigs aan te zetten. Hier moet smeergeld worden betaald om een functionaris te bewegen te doen wat hij hoort te doen.

'Wanneer is haar man gestorven?' vraagt hij bars.

'In oktober.'

'Hebt u vorige week ontdekt dat ze zwanger was en ligt ze nu begraven in uw tuin?'

'U mag de tuin komen omspitten.'

'Misschien moeten we dat inderdaad doen. Vertelt u me nog eens waarom u zes dagen hebt gewacht voordat u naar ons toe kwam.'

'We dachten dat ze wel terug zou komen.' Toen Basie zich op de derde dag hardop had afgevraagd of ze de politie niet moesten inschakelen, hadden zowel Rohan als Tara vol afschuw gereageerd en Yasmin had half schreeuwend uitgeroepen: 'Dan kun je net zo goed het woord "hoer" op haar voorhoofd tatoeëren.'

'Ze komt vermoedelijk wel weer opdagen. Komt u nog maar eens langs als ze over een maand nog niet terug is.'

'Over een maand?'

'Ja,' zegt hij, terwijl hij Basie strak aankijkt. 'Als ze dan nog niet terug is, komen we bij u langs en kunt u allemaal een verklaring afleggen. Dan zullen we ook met de buren moeten praten over haar karakter en persoonlijkheid, en over het karakter en de persoonlijkheid van haar moeder.' Hij ziet dat Basie een blik op de vrouw werpt en schudt zijn hoofd. 'Niet naar haar kijken. Dat gaat u niets aan.'

'Wat wil ze?'

'Drie keer raden wat misdadigers willen,' schampert de inspecteur. 'Hun gerechte straf ontlopen. Als je ze hun gang laat gaan maken ze alles kapot. Kijk maar naar wat Amerika doet.' Hij komt overeind en duwt de vrouw opzij. 'Zo. En nu moet ik andere zaken afhandelen.'

Basie staat met tegenzin op. 'U gaat dus niets doen?'

De inspecteur negeert de vraag. 'U geeft les op het St. Joseph? Een school voor rijkeluiskinderen.'

'Zo rijk zijn ze anders niet.'

'Sommigen wel. De school zal u wel dik betalen.'

'Beslist niet.'

De inspecteur glimlacht. 'Maakt u zich geen zorgen. Ze komt vast wel terug. En wanneer ze terug is, wil ik dat u hier met haar langskomt.'

'Dus u wilt nu niet naar haar zoeken, maar u wilt haar wel zien wanneer ze terug is?'

'Ja.'

'Hoezo?'

'We zullen misschien moeten uitzoeken of ze zich onzedelijk of oneerbaar heeft gedragen. Ze moet ons, als hoeders van het fatsoen, komen uitleggen waar ze al die tijd heeft uitgehangen. Ze zal eventueel worden aangeklaagd wegens onzedelijk gedrag of ontucht.'

Tara zit 's ochtends heel vroeg in haar zwarte boerka op het stoepje van een zaak in de Soldatenbazaar. Buiten haar is er geen mens te bekennen. Ze kijkt naar het papier dat ze in haar hand heeft en dat de tekst bevat die ze heeft opgesteld voor een strooibiljet met 'Vermist' dat ze wil laten drukken. Naheeds leeftijd, haar lengte, haar huidskleur en de kleur van haar ogen. Tot op heden heeft ze zich verzet tegen het verspreiden van blaadjes – een idee van Basie – maar de afgelopen nacht was gruwelijk, ze werd in het slapeloze donker door al haar angsten overmand, en na het vroege ochtendgebed is ze naar de drukkerij gegaan.

Ze zit nu met haar hoofd tegen de deurpost te wachten tot de eigenaar komt en de zaak opengaat.

Vandaag is het acht dagen geleden dat Naheed is verdwenen. Ze haalt de foto van het meisje die op het strooibiljet moet worden afgedrukt uit de zak van haar boerka. Jeo heeft hem een maand of wat voor zijn dood gemaakt en Naheed staat er op in de tuin, op het pad waarop ze een paar minuten lang bewusteloos had gelegen nadat het lijk van Jeo met de vrachtwagen naar huis was gebracht. Toen de vrouwen uit de buurt kort daarna langskwamen zagen ze dat de vrachtwagenchauffeur en diens bijrijders zich over haar hadden ontfermd en dat haar hoofd in de schoot van de chauffeur lag, die bezig was water in haar mond te gieten. Er komt bij Tara een herinnering aan die dag boven en ze schiet ineens rechtop. 'Is ze flauwgevallen in aanwezigheid van drie mannen, drie vreemden?' had ze tijdens de begrafenis een vrouw tegen een andere vrouw horen zeggen. 'Hoe kón ze dat laten gebeuren?'

Tara komt zo snel ze kan overeind. Ze verscheurt de tekst en loopt de straat uit, vol afschuw over wat ze hier was komen doen. Op de hoek houdt ze stil wanneer ze vage sporen in het zand op de straat ziet, en ze volgt die omdat ze denkt dat de geketende fakir weer door Heer trekt, maar zodra ze de hoek om gaat ziet ze een straatveegster lopen die haar bezem achter zich aan laat slepen, en ieder moment aan haar werkdag kan beginnen.

Dertien dagen na haar verdwijning rijdt Basie Tara en Yasmin in het holst van de nacht naar de begraafplaats, want het wordt vrouwen door de met stokken gewapende, in lange gewaden gehulde, met Geestrijk Vuur geassocieerde figuren immers onmogelijk gemaakt de doden overdag te bezoeken. Het is twee uur 's nachts en wanneer ze uit de auto stappen en door de houten toegangspoort naar binnen gaan, zien ze het vage, wazige schijnsel van wel honderd over de begraafplaats verspreide lantaarns, van andere vrouwen die naar hun dode man, zoon of dochter op weg zijn, of zich rouwend over vaders en moeders buigen.

Er heerst stilte, die alleen doorbroken wordt door het gedempte geluid van voorzichtige voetstappen.

Basie heeft een zaklamp bij zich, die ook wel *chor batti* wordt genoemd, dievenlantaarn. Hij kijkt naar de vrouwen die zo te zien hun hele hart uitstorten terwijl ze tussen de grafheuveltjes zitten te bidden bij de bloemen, heilige verzen en brieven die ze hebben meegebracht, eerbewijzen in steen, inkt en gebaar. Tara en Yasmin beginnen, terwijl hun gezicht en de bladzijden van de koran worden verlicht, de heilige woorden te reciteren. En Basie staat erbij en kijkt toe.

Wanneer hij een jonge vrouw in de verte aanziet voor Naheed – een snelle tweede blik bevestigt dat zij het niet is – trekt er een felle pijn door hem heen, gevolgd door een plotselinge, ongerichte woede. Terwijl hij wacht tot die is weggezakt, ervaart hij zelfs het geprevel van de koranlezers als ergerlijk. In een dronken bui wil hij zijn opvattingen over het geloof nog wel eens ventileren en dan noemt hij zowel zijn eigen godsdienstigheid als die van zijn land een schertsvertoning. 'Ik zou zo morgen bekendmaken dat ik niet in Allah, Mohammed of de Koran geloof,' heeft hij eergisteravond nog tegen Yasmin gezegd. 'Maar dan word ik door een menigte gelyncht omdat ik een ongelovige ben, of gevangengezet en midden in de nacht doodgeschoten door een politieman, of aangevallen door andere gevangenen. Dus doe ik maar alsof. Maar ik ben niet hypocriet. Ik zou hypocriet zijn als ik vrij was om te zeggen en te doen waarin ik geloofde, en dat dan zou nalaten. Maar ik ben niet vrij.'

Verderop, bij de meest noordelijke muur, is opschudding ontstaan, en ze zien dat er een groep in het zwart gehulde vrouwen is opgedoken die de bezoeksters met stokken aftuigt, zodat de lantaarns van de rouwenden zich in alle richtingen weghaasten. Beide groepen vrouwen smeken Allahs hulp af om het gevaar dat de andere groep vormt te bezweren.

Tara gaat staan, kust haar koran en slaat hem dicht. 'We kunnen beter gaan.'

Sommigen van de vrouwen vechten terug. De mannen die hen hierheen hebben gebracht lopen ook klappen op van de in het zwart gehulde vrouwen of van de fanatieke mannen die de fanatieke vrouwen hierheen hebben gebracht.

Twee verhulde gestalten doemen achter Yasmin op. Hun gewaden golven dwingend en fel, en om hun hoofden hebben ze groene banden met daarop het vlammend-zwaardmotief van Geestrijk Vuur. 'Vrouwen mogen niet op begraafplaatsen komen,' schreeuwt een van hen en haalt met haar stok met ijzeren punt uit naar Yasmins hoofd. 'Het komt door mensen als jij,' zegt de andere gesluierde vrouw terwijl ze Tara in de maag stompt, 'dat Allah nu de hele moslimwereld straft.'

Wanneer de vrouwen hun stok opnieuw heffen om er een klap mee uit te delen, pakt Basie beide stokken, maar een ervan is glad – van Yasmins bloed, beseft hij – en ontglipt aan zijn greep, zodat hij opnieuw op Yasmins hoofd neerkomt. Ze slaakt een kreet. De andere vrouw probeert met alle geweld haar stok los te rukken en roept: 'Wij zorgen ervoor dat jullie hier overdag niet meer kunnen komen en nou komen jullie 's nachts! Het vernuft der goddelozen kent geen einde.'

Yasmin ligt trillend op de grond en er stromen dikke strepen bloed van boven haar haarlijn tot in haar ogen. 'Mijn moeder ligt hier begraven,' zegt ze, 'en mijn broer.'

Basie laat de andere stok los en buigt zich over Yasmin heen, waarna de vrouw het vrijgelaten slagwapen op zijn rug laat neerdalen, wat voelt alsof hij een jaap met een scheermes krijgt.

Tara duikt weg voor de stok die op haar afkomt, waardoor die keihard neerkomt op de koran die ze in haar hand heeft. 'Kijk nou eens wat je mij hebt laten doen,' roept haar belaagster – van wie alleen de contactlenzen te zien zijn, want zelfs haar handen zijn in zwarte handschoenen gestoken – ontdaan uit, waarna ze Tara met een felle, vloeiende beweging tegen de schouder mept.

Om hen heen staan sommige graven in brand, door de olie die uit de kapotgevallen lantaarns is gelopen.

'Wat zijn dit toch vreemde tijden,' zegt Tara wanneer ze tussen de doden door een goed heenkomen zoeken, 'dat moslims bang moeten zijn voor andere moslims.'

Thuis bekijkt Basie de wond op Yasmins hoofd en verbindt die. Het lijden straalt zacht uit haar ogen wanneer ze probeert in slaap te vallen.

Hij blijft naast haar op een stoel zitten en hoort vlak voordat het licht wordt hoe Tara en Rohan opstaan voor het ochtendgebed. Hij gaat naar het platte dak, waar hij troost vindt bij de lichter wordende hemel en door de vijf zintuigen zijn deel van de aarde ontvangt, de vroege ochtendgloed van oker en vermiljoen, het licht dat de dingen tot aanzijn roept, de ijle stemmen van vogels. Wanneer de zon hoger klimt, loopt hij door de tuin waarin bijna duizend bloemen opengaan en gaat de straat op om de dokter te gaan halen, terwijl de omringende buurt wakker wordt met de onvermijdelijkheid van alledag: de winkels op het kruispunt die opengaan, de slager die de gevilde karkassen uitlaadt die hij in een riksja heeft meegebracht uit het slachthuis, een kind dat vroeg is opgestaan, en nu tegen een deurpost leunt en de wereld van de grote mensen met een achterdochtige, vijandige blik in zijn ogen opneemt, een vrouw die op haar hoofd een kleine, voor brandhout bestemde Malagassische flamboyant meetorst waarvan de takken achter haar aan slepen.

Hij blijft staan wanneer tot hem doordringt dat hij een glimp heeft opgevangen van een gestalte in een zijstraat die bijna dezelfde tred had als Naheed. Twee minuten geleden. Hij draait zich om en begint te rennen, maar het is gewoon een van de tientallen jonge vrouwen die hij sinds ze is verdwenen voor haar heeft aangezien.

De dokter zegt dat Yasmins wonden maar oppervlakkig zijn en hecht de schedelhuid met een piepkleine gebogen naald. Hij schrijft haar rust voor, misschien een dag niet werken. Wanneer ze weer alleen in de kamer zijn, kust Basie haar op de mond en verrassend genoeg wil ze meer en is er een gretigheid in haar lichaam als in hun jeugd, jaren geleden, toen hun verrukking voor het eerst vervulling had gevonden, bij allebei, in deze kamer, en hij gaat naar de deur en vergrendelt die, en komt naar haar toe, terwijl hij zijn kleren op de blakende lichtstrepen op de vloer laat vallen. Hoezo sterfelijkheid? Wanneer hij bij haar in de buurt is, heeft zijn tijdelijkheid geen macht over hem.

Hij wast zich en nuttigt het warme ontbijt dat Tara heeft klaargemaakt, waarna Yasmin hem eraan herinnert dat pater Mede om een paar stekjes uit de tuin heeft gevraagd. Meer dan de helft van de planten op het St. Joseph komt hiervandaan. Om acht uur stapt hij alleen in zijn auto en rijdt naar het zes kilometer verderop gelegen St. Joseph. Een rozenboom, brons gekleurd van de doornen, sprenkelt vlak voordat hij de poort uitgaat dauwdruppels op zijn kraakfrisse witte overhemd, waarop het katoen grijs kleurt, een alledaags wonder.

De zes hoofden van de zes huizen van Geestrijk Vuur waren al voor zonsopkomst wakker. Achmed, hoofd van het Bagdadhuis, geeft iedereen de laatste instructies. Maar de bestorming en bezetting zijn gedurende de laatste weken zo minutieus gepland dat het niet echt nodig is er nog iets aan toe te voegen. Ze zitten bij elkaar en rapen hun gedachten bijeen alvorens op pad te gaan naar het St. Joseph.

Ze bevinden zich in een vervallen zeventiende-eeuws mausoleum dat wordt bereikt via een asfaltweg die vanaf Heer naar het oosten loopt, parallel aan de oude hoofdweg die in de richting van Amritsar verdwijnt. Het is een enorm bouwwerk met een koepel en op elk van de vier hoeken een gedrongen minaret, opgetrokken op een verhoging van dieprode zandsteen, maar het verkeert nu in een verregaande staat van verval. De mensen uit de omgeving mijden het omdat men zegt dat het er spookt.

Deo Minara. Minaret der demonen.

Naast de zes jongens van Geestrijk Vuur en de vierentwintig gerekruteerde mannen zijn er twee jonge vrouwen meegekomen die tijdens de bezetting op het vrouwelijke personeel en de kinderen van de school moeten letten. Zij zijn in het zwart gekleed en dragen een pistool onder hun gewaad. Om hun middel is een patroongordel gebonden.

Onder de zesentwintig rekruten zijn er zeven die niet weten wat de beoogde bestemming is en wat ze van plan zijn wanneer ze die bereikt hebben. Negentien zijn wel op de hoogte. Achmed ontleent genoegen aan de gedachte dat het aantal mensen dat afgelopen september de aanslagen in de Verenigde Staten pleegde naar verluidt ook negentien bedroeg.

'Wie ligt er hier begraven?' vraagt het hoofd van het Mekkahuis hem wanneer hij op een afbrokkelende boog af loopt om te zien hoe de 147 rugzakken met voorraden in een vrachtwagen worden geladen die het hoofd van het Osmaanse huis gisteravond laat heeft gestolen.

'De gouverneur van dit gebied in de tijd van de keizers sjah Jahan en Aurangzeb.'

Sjah Jahan heeft de Taj Mahal laten bouwen, die ze nu zijn kwijtgeraakt aan het hindoeïstische India.

Aurangzeb, de man die zijn functionarissen machtigde overal waar ze muziek hoorden klinken de instrumenten in beslag te nemen en kapot te slaan, die het vrouwen verbood heilige plaatsen te bezoeken om wellust op gewijde oorden van overdenking te voorkomen; een deugdzaam en bescheiden man die het schrijven van een kroniek van zijn bewind verbood omdat dit aardse ijdelheid zou zijn, maar die nu wordt bekritiseerd omdat hij, naar men zegt, wel ambitie had, maar geen visie, wel richting, maar geen reikwijdte.

Aurangzeb, die in april 1669 in zijn rijk de uitroeiing van alle godsdiensten behalve de islam had bevolen.

Achmed laat zijn hoofd tegen een zuil rusten en sluit de ogen. Zijn gedachten gaan opnieuw terug naar de gruwelen van het afgelopen najaar in de oorlogsgebieden van Afghanistan, waar hij heeft geleerd hoe tweehonderd lijken eruitzien. Hij had zich eronderuit vandaan moeten werken nadat de geweren, raketten en projectielen tot zwijgen waren gekomen en was omhooggekropen naar het licht dat de door vliegen omzwermde lijken zichtbaar maakte, en de monden die vanaf dat moment elke dag bij het ochtendgloren hun rode klaagzang voor hem zouden aanheffen, de gebroken ogen die nog altijd droomden van een terugkeer naar Egypte, Algerije, Jemen, Pakistan of Saoedi-Arabië of uit welk land ze ook maar afkomstig waren, de ontbindende lijven van mannen die ware gelovigen waren geweest, en even gretig de Koran hadden verslonden als vlees, suiker en melk, en mannen die zich bij de jihad hadden aangesloten omdat, nou ja, wees eerlijk Achmed, omdat er weinig anders te doen was, en mannen die louter en alleen aan de dood dachten zodat het uiteindelijk gemakkelijk was het leven op te geven. Ze lagen overal om hem heen, geveld, afgeslacht, stinkend, eindelijk verschoond van de last te zijn wie zij op aarde waren, de ziel aan hun lichaam ontrukt, de armen verwrongen, het hoofd van de romp gescheiden, de voeten gescheiden van de benen die op hun beurt waren gescheiden van de romp en de donkere, rottende muls van hun namen, OmarFareedAbdoelJoessoefKhalid-SalmanFaisalShakeelMoesjarrafAnwarImranRasjidSaleemHoessein-NomanIbrahimMansoerIkramMusjtaqNaimAsimTahaHanif, en hij torende boven hun lijken uit, terwijl hij brede adembloemen uitstootte in de Afghaanse lucht, in het licht van de dageraad dat zo zuiver en waarachtig was dat het de dageraad had kunnen zijn die Adam zag. Even wenste hij dat Allah zou verschijnen om hem alles uit te leggen, en niet alleen vanaf Zijn verre hoogten onbewogen toe zou kijken. Hij had niet geweten dat hij tot zulke diepe gevoelens in staat was en in zijn dwaasheid had hij zich afgevraagd of de aarde voor Hem soms niet meer was dan een speeltje met een miljard bewegende deeltjes. Een gedachte waarvoor hij later om vergiffenis had gevraagd. En het feit dat er op datzelfde moment vrede heerste op andere delen van de planeet had hem met razernij vervuld, en in zijn verdriet had hij al die levens die elders ongestoord doorgingen vervloekt...

‘Broeder Achmed,’ zegt een van de vrouwen terwijl ze naar hem toe komt. ‘Ik heb een voorstel.’

Hij doet zijn ogen open. ‘Wat is het, zuster?’

‘Het gaat over het moment waarop de politie het gebouw gaat omsingelen en het vuur op ons zal openen.’

‘Ja?’

‘Dan moeten we een van de kinderen op de vensterbank laten staan aan de kant waar het vuur het hevigst is. Dan stoppen ze wel.’

Na een paar tellen zegt Achmed: ‘Ik zal er even over nadenken, zuster. Dank u.’

‘Het komt niet van mezelf,’ zegt ze ernstig en gemeend. ‘De oplossing is vannacht in mijn slaap door een engel aan me geopenbaard.’

Haar man was een paar jaar geleden naar Kasjmir vertrokken. Ze was hem achterna gereisd en had twee maanden lang in de bergen doorgebracht, waar ze de Indiase en Pakistaanse kogels moest zien te ontwijken en werd geteisterd door sneeuwblindheid en snijdende winterwinden. Maar ze had hem uiteindelijk gevonden. Hij was op een landmijn gelopen en lag bewusteloos naast een grote zwerfkei. Hij had het niet overleefd en haar liefste wens is om hem als martelares na te volgen.

Ze gaat weer zitten onder een gewelf met meerdere bogen, naast de andere jonge vrouw, die tot degenen behoort voor wie de waarheid is achtergehouden en die denken dat ze een overheidsgebouw gaan overvallen in plaats van een school. Het pistool dat ze haar hebben gegeven werkt niet. Ze heeft als kokkin gewerkt in het huis van een sjiitische imam, die ze heeft vergiftigd, dus haar moed en haar toewijding aan de ware islamitische zaak staan buiten kijf, maar er zijn twijfels over haar bereidheid echt vuile handen te maken ten behoeve van de lange termijn.

Naast de twee vrouwen ligt een berg kapotgeslagen flessen. Met de rest van de glasscherven zijn de achttien bommen beplakt die in het St. Joseph naar binnen worden gebracht.

De vierentwintigste man is nu ook aangekomen. Hij is levensgevaarlijk als een gifslang en heeft in zijn jonge jaren twee mannen vermoord bij een ruzie over de eer van een vrouw, maar had nadien rust gevonden in de islam. Hij heeft in Afghanistan tegen de Russen gevochten, waarbij een van zijn armen is afgerukt. Later werd zijn zoontje geboren zonder arm, alsof hij het merkteken van heilige opoffering op het kind had overgedragen.

Even na zevenen stappen ze in de vrachtwagen en zetten koers naar Heer. Ze mijden daarbij de Grand Trunk Road en andere hoofdwegen, zodat degenen die achterin zitten op de landweggetjes, de zandpaden en de hobbelige binnenwegen danig door elkaar worden geschud.

Achmed, die achter het stuur zit, had gehoopt niet door de verkeerspolitie aangehouden te zullen worden, maar ze zijn Heer nog maar net genaderd of het is al zover.

'Mag ik uw papieren zien?' zegt de agent tegen Achmed. 'Weet u niet dat dit geen officiële weg is?'

De politieman steekt zijn hand niet uit om de vervalste papieren die Achmed hem voorhoudt aan te pakken. Het enige wat hij wil is twee- of driehonderd roepies, die Achmed hem geeft, waarna ze doorrijden.

Kort na halfacht hebben ze de hoofdingang van de school in het vizier. De tekst op de boog boven de poort laat eenieder weten dat St. Joseph de beschermheilige is van de stervenden, van de huisvaders, van de sociale gerechtigheid en van de arbeiders.

Achmed zet de vrachtwagen stil en springt eruit om een oud bedelvrouwtje te helpen met oversteken, indachtig de woorden van Aboe Darda, een van de profeets tweeënveertig afschrijvers van de Koran: 'Verricht een goede daad voor je ten strijde trekt. Want je daden zijn je wapens in de strijd.'

Basie parkeert in het smalle straatje dat achter de school langs loopt, op een plek waar de schaduw van de dichte, hoog opgeschoten bougainville voorkomt dat het in de loop van de dag snikheet zal worden in de auto. Hij betreedt het schoolterrein via de kleine deur in de tuinmuur en neemt het met cipressen omzoomde pad naar zijn werkkamer. Met Pasen zullen hier gekleurde eieren in het hoge gras worden verstopt. Hij loopt de kamer binnen en blijft staan.

'Naheed.'

Ze staat stil en kijkt hem aan. Haar sluier zit slordig om haar hoofd en één uiteinde ervan hangt op de grond.

'Naheed. Wat doe jij hier? Waar heb je gezeten?'

Ze blijft hem aanstaren en hij stapt op haar af. Ze probeert moeizaam iets te zeggen, alsof ze dagenlang niet gesproken heeft.

'Mikal leeft nog,' weet ze uiteindelijk uit te brengen.

'Wat?' Hij komt dichterbij en slaat zijn armen om haar heen. 'Naheed, waar heb je die twee weken gezeten?'

'Heb je me gehoord? Mikal leeft nog.'

'Waar heb je het over?'

Ze ziet er vermagerd en uitgeput uit.

'Er ligt niemand in zijn graf.'

'Zijn graf? Zijn graf is in Pesjawar.' Hij denkt razendsnel na, in een poging het te begrijpen. 'Ben je naar Pesjawar geweest?'

Ze knikt. 'Ik wilde het zien. Er ligt niemand in, Basie.'

'Hoe weet je dat?'

'Het is alleen maar een lege kuil. De mensen zeggen dat de Pakistaanse aanhangers van de taliban en Al-Kaida raketten op dat graf hebben afgevuurd om te voorkomen dat er vrouwen heen zouden gaan. Maar er is daar geen stoffelijk overschot gevonden.'

Basies hand gaat naar zijn voorhoofd.

'Ik heb alleen maar een geblakerde kuil gezien. Sommige mensen zeggen dat het niet het werk van Al-Kaida of de taliban was, maar van de Amerikaanse soldaten die het lichaam in het geheim hebben weggehaald om testen uit te voeren op de botten om hem te kunnen identificeren. "Zelfs onze doden zijn niet veilig," zeiden de vrouwen.'

'Heb je het lege graf gezien?'

'Ja. De aarde was zwart van het raketvuur.'

'Dat betekent niet dat hij niet dood is.'

'Hij leeft nog, Basie.'

Hij kijkt haar aan. 'Wanneer ben je teruggekomen?'

'Nog maar net. Ik ben aangekomen op het busstation en was in een riksja onderweg naar huis, maar toen we langs de school kwamen ben ik uitgestapt. Ik wist dat Yasmin en jij hier nu al zouden zijn. Dus ben ik naar binnen gegaan. Nog maar een minuut geleden.'

'Waar heb je die reis van betaald?' Op de eerste maandag van elke maand gaat Yasmin naar de bank om geld op te nemen voor de huishoudelijke uitgaven van Rohan. De met een dik elastiek bijeengebonden rol bankbiljetten wordt achter in een kleerkast bewaard, in de binnenzak van een van Sofia's paisleyjasjes. Toen Naheed vermist raakte, had Tara het geld geteld. Maar er ontbrak niets.

Naheed tikt tegen haar lege oorlelletjes om aan te geven dat ze haar oorbellen heeft verkocht.

'Je bent twee hele weken weg geweest.'

'Ik wilde niet meer terug, ik wilde alleen maar verder reizen. En ik ben ook een paar keer de weg kwijt geraakt.'

'Ik wou dat je het tegen ons had gezegd.'

Ze schudt haar hoofd.

'Ik regel wel iemand om je naar huis te brengen. En ik ga vader meteen bellen.' Hij loopt naar de telefoon maar blijft dan staan, net als zij, bij het horen van de eenstemmige kreet '*Allahu Akbar!*' van buiten, gevolgd door vuur uit automatische wapens.

30

'Hoe erger, hoe beter,' mompelt Achmed achter het stuur van de vrachtwagen. 'Hoe meedogenlozer we zijn, hoe zichtbaarder onze woede is.'

Elke ochtend om halfnegen is al tweederde van de in totaal 1100 leraren en leerlingen present. De jongste kinderen zijn de vierjarigen uit de kleuterklas, de oudste zijn zestien. Een paar valt in het voorbijgaan op dat de bewaker vanochtend niet op zijn post staat bij de poort.

Het hoofd van het Mekkahuis stapt aan de bijrijderskant uit, loopt naar de poort en maakt hem open, waarna de vrachtwagen het schoolterrein op rijdt.

Achmed, die een kalasjnikov in de hand heeft en een zwarte bivakmuts over zijn hoofd heeft getrokken, springt midden tussen de kinderen. Hij draagt handschoenen om de littekens van de brandwonden te verbergen die hij heeft opgelopen toen hij als jongetje had geprobeerd Achmed de Mot na te volgen. Een zesjarige ziet hem het eerst, een fractie van een seconde voor de anderen, en heeft voldoende films gezien om meteen zijn handen in de lucht te steken.

De achtentwintig mannen en twee vrouwen die opgesloten hebben gezeten in de laadruimte van de pick-up komen tevoorschijn en verspreiden zich over de zuilengalerijen terwijl het hoofd van het Mekkahuis – ook hij heeft nu een kap over zijn hoofd getrokken – het hek gaat dichtdoen.

Het gedreun van zware schoenen op de vloer. Drie figuren met bivakmutsen rennen, de verbouwereerde kinderen opzijduwend, naar de drie andere toegangen tot het gebouw, terwijl achter hen een twaalftal mannen hun wapens hebben geheven en – onder het uitroepen van de kreet '*Allahu Akbar!*' – in de lucht beginnen te schieten.

Het gebeurt allemaal zo snel en doeltreffend dat het even duurt voordat duidelijk is dat de school wordt aangevallen, en pas dan breekt de paniek uit.

Het hoofd van het Cordobahuis rent, over de heggen van wilde jasmijn heen springend, naar de kamer van pater Mede en ziet twee vijftienjarige jongens – het zijn de zonen van de tuinman – over de buitenmuur heen ontsnappen, en hij blijft staan, legt aan en schiet op hun benen, waarna hij hun pijnkreten hoort opklinken wanneer ze aan de andere kant van de muur neerkomen.

De enige wetten die ze overtreden zijn oppervlakkige wetten, houdt het hoofd van het Osmaanse huis zichzelf voor terwijl hij Basie probeert te vinden, want over hem heeft Kyra hem speciale instructies meegegeven. Het voelt onwezenlijk aan, maar wat zich hier voltrekt is op het diepste niveau geloofwaardig, het is volstrekt legitiem en zelfs mooi. Iedere ongerijmdheid is een oppervlakkige ongerijmdheid.

In de aula hangen engelen aan het plafond. Er zijn er maar een paar tot hun uiteindelijke hoogte opgehesen, de rest bungelt nog aan diverse kabels van verschillende lengte. Ze bungelen in uiteenlopende houdingen. De stijve, witte gewaden van De Man Bekleed met Linnen, zoals Gabriël in het boek Ezechiël wordt omschreven, hangen op minder dan tien centimeter boven de hoofden der volwassenen. De niet bij name genoemde Engel Zijns Aangezichts, die Mozes het scheppingsverhaal heeft verteld, hangt vervaarlijk scheef en lijkt voorover op de vloer af te duiken.

Een halfuur nadat de toegangen zijn afgesloten, zijn alle kinderen en leerkrachten in de aula bijeengebracht. De kinderen, die aan een kant van de zaal zijn verzameld lijken wel lichamen die dobberen op de branding. De terroristen, bij wie de onderste helft van hun bivakmuts er opgevuld uitziet – dat komt door hun baarden – vuren op het plafond, mogelijk in een poging het gegil van de kinderen in te dammen, of mogelijk om ze nog harder te laten gillen, zodat ze buiten te horen zijn. Of misschien willen ze alleen maar de engelen, die smakeloze houten afgoden waar nu gekleurde splinters vanaf spatten, onschadelijk maken.

Het lawaai is oorverdovend. Een gemaskerde figuur loopt op Basie af, die is neergehurkt naast een flauwgevallen kind van zeven. 'Waar is de blanke man?' vraagt hij, maar hij komt nauwelijks boven het tumult uit. 'Zeg dat ze allemaal hun kop houden,' schreeuwt hij tegen Basie, en hij voegt eraan toe: 'Waar is pater Mede?'

'Dit jongetje heeft water nodig,' zegt Basie en hij strekt zijn hand uit naar een plastic fles die een meter verderop op de grond ligt.

'Sta op en zeg dat de kinderen stil moeten zijn.'

'Als u tegen uw mannen zegt dat ze moeten ophouden met schieten,' zegt de onderdirecteur, die komt aangelopen. Vanwege het onvolwassen stemgeluid van de terrorist – hij is nog bijna een jongen – doet hij de leraar denken aan een scholier die strenger moet worden aangepakt.

De terrorist grijpt de leraar bij de revers, en er zit een zweem van de dood in de ogen achter het zwarte masker. 'Pas op je woorden, jij... marionet van het imperialisme.'

'Jij weet helemaal niet wat imperialisme betekent,' bijt de man hem toe. 'Daar ben je te dom voor.'

De ogen loeren naar hem door de gaten in de bivakmuts. 'Waar heb jij geleerd zo op mensen neer te kijken? In een van die grote villa's in Model Town zeker?'

'Ik ben opgegroeid in een eenkamerwoning in het oude Heer. En daar woon ik nog steeds. Mijn vader was automonteur en ik ben trots op hem, en ik ben hem er dankbaar voor dat hij me heeft geleerd mensen te respecteren die mijn respect verdienen.'

'Dus jij vindt dat wij jouw respect niet verdienen?'

'Dat weet ik wel zeker.'

'Wij zijn strijders van Allah.'

'Jullie zijn schoften met een koran.'

De terrorist trekt hem aan zijn stropdas mee naar het midden van de aula. 'Stilte allemaal! Onmiddellijk!' schreeuwt hij, tevergeefs. Hij herhaalt zijn woorden, maar de kinderen blijven gillen. Sommigen van de kleuters krijsen het uit van angst wanneer er weer naar het plafond wordt gevuurd.

'Ik zal jou onthouden,' zegt de onderdirecteur met de grimmigheid van een laatste gebed als de terrorist de loop van het pistool tegen zijn achterhoofd zet en de trekker overhaalt. Deze kogel, die een mensenlichaam binnendringt in plaats van door de lucht te vliegen, klinkt anders dan de voorgaande en dat heeft dan ook een onmiddellijke uitwerking op de aanwezigen. De dode valt in totale stilte op de grond.

Het schot vindt zijn weerklank bij iedereen. Gedurende de tien minuten die volgen nadat het dode lichaam is verwijderd – Basie wou dat hij zijn hand voor de ogen van elk van de kinderen kon houden om te zorgen dat ze er niets van zien – worden de mannen en de vrouwen van elkaar gescheiden en aan verschillende kanten van de aula gegroepeerd, waar ze in rijen gaan zitten, roerloos en stil als opgejaagde dieren. De vrouwen en meisjes moeten met hun gezicht naar de muur gaan staan zodat ze geen wellustige gedachten bij de mannen kunnen opwekken en alle jongens moeten hun schooldas afdoen, want die is een westers symbool.

'Waar is de blanke man?'

Wanneer Basie zegt: 'Hij is er vandaag niet. Hij moest naar Islamabad', zijn verscheidene terroristen buiten zichzelf van woede.

'Hij is er vandaag niet,' zegt Basie nogmaals. Hij zet een stap in de richting van de gemaskerde figuur die het dichtst bij hem staat. 'Kijk, die gewonden hebben verzorging nodig.'

'Wij zoeken de leraar die Jibraël heet, ook wel bekend als Basie. Wie van jullie is dat? Ook hij moet ten voorbeeld gesteld worden.'

Voordat Basie zich kan melden, zegt de leraar Engels achter hem: 'Die is er ook niet. Hij komt meestal pas tegen negenen.'

De gemaskerde figuren bewegen zich snel door de aula, die ze volhangen met bommen, granaten en raketten, volgens de methodes die sommigen van hen, voor gebruik in Kasjmir, geleerd hebben van Pakistaanse militairen. Ze vragen kinderen om de bommen vast te houden terwijl zij op stoelen klimmen en een web van draden weven tussen de engelen. De bommen zijn allemaal iets groter dan een aktetas en zijn in isoleerband of gewoon doorzichtig plakband gewikkeld. In het laatste geval kun je de kogellagers en glasscherven die erin samengepakt zijn zien zitten. Wanneer de kop-en-schotel van draad klaar is, worden de bommen er op diverse punten aan gehangen. Bij de enige deur van de aula die niet is afgesloten, is een bom aan een provisorisch, van twee stukken triplex gemaakt ontstekingsmechanisme bevestigd. Een van de terroristen houdt zijn voet erop, om te voorkomen dat de bom ontploft. Het is alsof de ziel van elke gegijzelde met dynamiet is volgestouwd.

Een van de terroristen loopt naar het midden van de zaal en richt zich tot de roerloze massa. Hij vraagt alle christenen, sjiieten en ahmadi-moslims onder de leerkrachten en kinderen om naar voren te komen.

Naast de deur, vlak achter de terrorist met zijn voet op het ontstekingsmechanisme van triplex, willen twee tienjarige meisjes opstaan, maar Naheed, die met haar armen om hen heen zit, verstevigt haar greep lichtjes en schudt eenmaal heel voorzichtig van nee.

31

'Jij hoort hier niet te zijn,' fluistert Mikal.

'Ik heb over je gedroomd voordat ik je ontmoette,' zegt het meisje, dat zijn woorden negeert. 'Dat was in de nacht voordat mijn broer je mee naar huis bracht.'

'Jij hoort hier niet te zijn.'

Ze is bij hem boven op zijn nachtmuur, met het sneeuwluipaardje in haar armen, terwijl de sterren boven hen drieën neervallen in een geweldige levende vloed die omlaagreikt en langs hen strijkt in trage stromen van zacht glasgruis. De bovenkant van de muur is zo breed dat er vier mensen naast elkaar overheen kunnen lopen en er zijn opstaande randen die een val moeten verhinderen, randen waarachter men zich tijdens een belegering kan verschuilen en van waarachter men op plunderaars of belagers kan schieten. Maar nu gaan louter zij tweeën erachter schuil. De sterrenbeelden staan nu helder stralend dan wel flets afgetekend over het donkere panorama verspreid en hij fluistert haar hun benamingen toe. Zoveel verschillende lichtsterktes, alles in schilfers, stroken en schuine banen, van licht en binnen in het licht, soms verblindend fel, vooral naar het westen, waar de hemel eruitziet alsof hij vanbinnen in brand staat en de sterren zo krachtig flonkeren dat het een wonder is dat ze geen geluid maken. Duizeligheid is het gevolg. En hierbeneden streelt ze zijn huid en geeft daarmee zijn leven een andere wending. Hij vertelt haar over de vele malen dat ze hem plat op zijn rug op een boomtak tien meter boven de grond in de tuin van Rohan hebben aangetroffen, omdat hij naar vallende sterren lag te kijken of naar boven lag te turen door de telescoop, een instrument dat hij 'een boot met een glazen kiel voor de hemel' noemde. Zij vertelt hem over een voorval uit de kindertijd van haar oudste broer. 'Er is iets verschenen aan de andere kant van de heuvel,' had hij op een dag tegen zijn ouders en ooms gezegd. 'Het is zwart van kleur en heel vreemd.' De mannen hadden hun geweren gepakt en waren op onderzoek uitgegaan.

'Wat was het?'

'Een weg.'

'Je had hier niet heen moeten komen.'

'Ik ben onderweg twee keer teruggegaan, maar ik had geen keus. Jij kwam niet meer naar mij toe.'

Hij legt zijn vingers tegen zijn voorhoofd. Op de plek waar ooit een kneuzing zat, nu nog een lichte zwelling. Kort nadat Naheed aan Jeo was uitgehuwelijkt had hij op een avond met zijn hoofd tegen de vloer gebeukt. Zich haar met een ander voor te stellen was een marteling. De plek is de laatste tijd weer pijnlijk, al is de verkleuring van de huid allang weggetrokken. Liefde is een onderscheidend kenmerk, iets waaraan een lijk kan worden geïdentificeerd.

Als de zon opkomt, bevindt hij zich in het veld met de gele bloemen en luistert hij naar de bries en zijn eigen adem. Hij is hier al voor dag en dauw naartoe gegaan, kort nadat zij de muur had verlaten. Hij wilde zien of de vader van Akbar zou komen en terwijl hij zat te wachten waren er drie mannen verschenen en daarna had Mikal de Datsun van de vader horen aankomen. De man was het bloemenveld in gereden en had daar een ontmoeting met hen. Die duurde maar kort. Mikal had vanuit zijn schuilplaats gezien dat er een voorwerp van eigenaar verwisselde. Nadat de vader het in zijn zak had gestoken – Mikal vermoedde dat het een satelliettelefoon was – waren de mannen weggereden. Voordat hij zelf ook vertrok, had de vader van Akbar een gebedsmatje uitgerold op de bloemen en zijn gebeden gezegd, waar hij overigens langer over had gedaan dan verplicht was.

Mikal had verwacht dat het om Amerikanen zou gaan, maar de drie mannen waarmee hij had afgesproken waren Pakistanen geweest. Mensen uit het leger of de geheime dienst, die terroristen van Al-Kaida voor de Amerikanen oppakken. En misschien was het wel geen satelliettelefoon. Het kon ook een gps-autovolgsysteem zijn of een gecamoufleerde videocamera om in de zuidvleugel te installeren.

Wanneer zal de tegen de Al-Kaida-gasten gerichte operatie van start gaan en hoe grootscheeps zal hij zijn? De gewapende actie die in een dorp honderdvijftig kilometer verderop had plaatsgevonden was om drie uur 's nachts begonnen. De strijdkrachten hadden vijf huizen aangevallen. Drie helikopters hadden zestig militairen aangevoerd, maar slechts twee van de helikopters waren geland om manschappen af te zetten, want de derde was in de lucht blijven hangen om overzicht te houden en desgewenst luchtsteun te kunnen bieden. Iemand had gezegd dat er ook een gevechtsvliegtuig bij was geweest, dat tijdens de veertien uur durende belegering en het vuurgevecht voor dekking vanuit de lucht had gezorgd. Er vonden ongeveer twintig mensen de dood, waaronder mogelijk drie vrouwen en vier kinderen. Of de omgekomen vrouwen Al-Kaida hadden geholpen is niet bekend.

De zon klimt gestaag en wordt, naarmate ze zich verder losmaakt van de horizon, steeds ronder en steviger, als stollend vloeibaar metaal. Naast hem klinkt een geluid en als hij zich omdraait ziet hij de airedales van een meter of tien afstand naar hem staan kijken, naast elkaar, op die bloedrode poten van ze, en ook hun ogen lijken rood in het licht van de traag opkomende zon. Hij kijkt, luistert en werpt een snelle blik naar weerskanten, maar er is niemand. Althans niemand die zich laat zien. Hij is er ineens zeker van dat de drie dieren mensen hebben gedood en grijpt in zijn zak naar het mes. Hun koppen – indrukwekkend, met grote hersenen – komen tot zijn hals. Hij kijkt naar het lemmet van het mes dat de zonnestralen weerkaatst en wanneer hij een tel later zijn ogen weer opslaat zijn de dieren verdwenen en wacht hij, met zijn blik gericht op de conische heuvels in de verte, tot er iets gebeurt. Niets. Hij loopt terug naar het huis, waarbij hij het mes zowat de hele tijd uitgeklapt houdt, en gaat naar binnen via de keuken, waar de kokkin in haar eentje een lied staat te zingen dat stem geeft aan een stil innerlijk verdriet. Ze schenkt een kom thee voor hem in. Wanneer hij bij de wapenfabriek komt zijn de drie honden aan de alstonia's geketend.

Het gras schiet hoog op tussen de autowrakken en de lege granaathulzen. Hij graaft in het terrein buiten de fabriek, dat bezaaid ligt met schroot en waar gele wespen een kogelgat in de roestende bumper van een truck vlak bij hem in en uit vliegen.

Hij graaft tot een diepte van een meter, totdat hij een zandlaag heeft bereikt. Dan legt hij de spade weg, buigt zich over de kuil en graaft het zand verder weg met zijn vingers. Men zegt over de Glock, de Mercedes-Benz onder de pistolen, dat je hem wekenlang in zeezand kunt begraven en hem, wanneer je hem opgraaft, toch meteen kunt afvuren. De namaak-Glocks die in deze fabriek worden gemaakt worden aan een soortgelijke test onderworpen. En dus schieten Mikal en de broer van Akbar luttele minuten nadat zij ze hebben opgegraven met de pistolen op doelwitten die ze op de stukken oud ijzer hebben geschilderd.

In de loop van de ochtend onderbreekt Mikal meer dan eens zijn werkzaamheden om te kijken of hij Akbar kan vinden om hem te vertellen wat hij die ochtend vroeg heeft gezien. Keer op keer komt hij bij de deur waar een jongetje van tien op een gevlochten rieten mat gebruikte patronen opnieuw zit te vullen, zodat ze nog een keer kunnen worden gebruikt.

Nadat de begraven Glocks zijn schoongemaakt en opgepoetst vraagt de broer van Akbar hem of hij een van de pistolen naar de zuidvleugel van het huis wil brengen.

'Geef het aan de man die op de veranda zit.'

Maar er zit niemand. Mikal schraapt zijn keel en kijkt om zich heen. Aan de muur hangt een plaquette die is overgeschilderd, maar waarvan de verf afbladdert, zodat een deel van de tekst leesbaar is. Hij weet trouwens al van Akbar wat erop staat: 'De Conollyzaal'. Genoemd naar een blanke die in 1842 op verdenking van spionage voor de Engelsen door de emir van Boechara is geëxecuteerd. Hij bewoog zich door de Centraal-Aziatische republieken onder de naam Khan Ali, die hij had aangenomen vanwege de klankverwantschap met zijn eigenlijke naam, en hij was degene die de term 'the Great Game' bedacht voor het strategische schaakspel tussen de Britten en de Russen om invloed te verwerven in Centraal-Azië. Hij weigerde zich na zijn gevangenneming door de emir van Boechara tot de islam te bekeren, werd bespot om zijn geloof en moest afschuwelijke martelingen ondergaan. Na zijn dood schreef zijn zuster elke nieuwe kliniek en ieder nieuw ziekenhuis aan met het verzoek een bed of zaal naar hem te vernoemen teneinde zijn nagedachtenis levend te houden.

Mikal schraapt nogmaals zijn keel, duwt dan de deur open, loopt de ruimte in, die licht absorberende betonnen muren heeft en een koude terrazzovloer, roept een begroeting en blijft vervolgens staan luisteren. Tegen een muur staat een stapel kartonnen dozen. In de doos die hij openmaakt zitten honderden documenten, boekjes en handleidingen voor de vervaardiging van en de omgang met explosieven, en handboeken voor guerrilla-oorlogvoering. Er zitten notitieboekjes tussen waarvan de hoeken zijn afgesleten door veelvuldig gebruik en die zo groezelig zijn als die waarin slagers de rekeningen van hun klanten bijhouden. Hierin staan methoden beschreven voor ontvoering en moord. Hij vist een opgevouwen brief uit de doos, die is gedateerd 12 februari 2001 en is gericht aan iemand die Abu Khabab al-Masri heet. *Hooggeëerde Abu Khabab, ik stuur u vijf strijdmakkers die graag willen worden geïnstrueerd in het gebruik van explosieven en andere methoden van vreugdevol bloedvergieten. Wat de kosten aangaat: ze zullen u zelf betalen. Ze zijn allemaal betrouwbare...*

De paus vermoorden. De president van Amerika vermoorden. Een tiental lijnvliegtuigen tegelijk opblazen. Moordpartijen in Pakistan en op de Filippijnen. Bomaanslagen in onder andere Iran en India. Aanvallen op consulaten in Pakistan en Thailand. Er zit een tekening bij van een primitief apparaat om antrax door de lucht te verspreiden, en in een andere doos vindt hij gasmaskers en het laatste deel van een elfdelige 'encyclopedie' over modern wapentuig, inclusief aantekeningen over hoe je aan hoog explosief materiaal als RDX en semtex kunt komen, materiaal *dat kan worden gebruikt in voorgevormde ladingen om de nucleaire kern in een implosietype nucleair wapen samen te persen.* Op een kaart staat de locatie van een synagoge in Tunis aangegeven. En die van kerncentrales in westerse landen. En stadions.

Er trekt een gevoel van bezoedeling door zijn lijf. Ze willen de geboorte van een nieuwe wereld en bedienen zich daartoe van de dood, de dood en nog eens de dood, net zolang tot die geboorte plaatsvindt.

'Ik heb ook in een militaire gevangenis gezeten, net als jij en Akbar,' hoort hij iemand achter zich zeggen.

Hij draait zich om. 'Ik moest dit aan u geven,' zegt hij snel en steekt de man het vuurwapen toe. Hij is een Arabier, jong, maar met een flinke baard.

'Toen ze jullie vrijlieten brachten ze jou terug naar de moskee bij het meer en brachten ze Akbar terug naar Jalalabad. Dat klopt toch? Raad eens wat er met mijn broer is gebeurd.'

Mikal wil alleen maar weg.

'Die is gevangengenomen bij de Arabische uittocht uit Kaboel nadat dat op 13 november was gevallen, dus hadden ze hem terug moeten brengen naar Kaboel. Maar in plaats daarvan hebben ze hem naar een onbekende stad gevlogen en daar op een bus gezet die er zeven uur over deed om zijn bestemming te bereiken. Hij kende de taal niet, had geen geld of identiteitsbewijs bij zich en het duurde een hele tijd voordat hij erachter kwam dat hij in Albanië was. Niemand gelooft zijn verhaal, niemand gelooft dat hij gevangen heeft gezeten.' Hij schudt meewarig het hoofd.

Mikal geeft hem het pistool, dat de man omdraait in zijn hand en op verschillende afstanden van zijn lichaam houdt. Hij gebaart ermee naar de dozen. 'Als er iets tussen zit wat je interesseert, mag je het meenemen.' Hij glimlacht en voegt eraan toe: 'De inkt van de geleerde is heiliger dan het bloed van de martelaar, dat wordt toch gezegd?'

'Ik was gewoon nieuwsgierig.'

'Je hebt twee Amerikanen gedood. In je eentje.'

Mikal wijst naar de deur. 'Ik moet gaan.' Hij wou dat hij een telefoon kon pakken en Basies nummer in Heer kon intikken.

'Ik moet de hand drukken die deze gezegende daad heeft verricht.' Op 's mans gezicht verschijnt wat zijn gelukkigste glimlach moet zijn. 'Wij hebben het recht vier miljoen Amerikanen te doden, waaronder twee miljoen kinderen. En er twee keer zoveel in ballingschap te sturen en honderdduizenden te verwonden en te verminken. Toch?'

Mikal kijkt naar de hand die hem wordt toegestoken. 'Ik heb een beter idee,' zegt hij. Hij laat een paar tellen voorbijgaan zodat alles in de ruimte kan bezinken en hij in heldere lucht kan spreken. Hij kijkt de man recht in de ogen en zegt wat hij op zijn hart heeft.

Hij zoekt de hele dag naar Akbar, maar kan hem nergens vinden.

De maan komt haast verticaal op en wordt kleiner naarmate hij hoger rijst.

Hij gaat haar kamer binnen, zet het welpje op de grond en ziet het door de met een gordijn afgeschermde boog verdwijnen. Vanaf de andere kant klinkt een kort geritsel als van bladeren.

Ze opent het gordijn en kijkt hem aan, met het beest in haar handen. Tot zijn verbijstering staat ze in een stapel losse bankbiljetten. Elke centimeter van de brede vloer achter het gordijn is bedekt met dollars, rialen, ponden en roepies. Het is een ruim vertrek en de verkreukelde rechthoekjes bankpapier komen op sommige plekken tot haar schenen. Het bed is een groot, wit vierkant eiland in een zee van geld en een stoel staat er tot zijn zitting in. Vlak bij haar ontspruit een tuil van blauwe plastic lelies. De vaas is niet zichtbaar.

'Ik ga trouwen.'

Hij hoeft niet te vragen wie de bruidegom is. Terroristen van Al-Kaida bestendigen hun betrekkingen met de stammen vaak door met de dochters en zusters van hun gastheren te trouwen.

'Binnen een paar weken.'

'Ik vertrek in de ochtend naar Heer.'

'Ik ga met je mee.'

'Ik weet niet wat me daar te wachten staat. Het kan gevaarlijk zijn.'

'Maakt me niet uit.'

Hij schudt van nee. 'Ik zal haast maken. Ik kom terug en dan vertrekken we samen.'

Ze pakt het luipaardje op van tussen de bankbiljetten, als reactie op zijn angstige geluiden. Het welpje spert zijn bek open en na een paar tellen stille inspanning klinkt er een gepiep, gevolgd door stilte voordat de bek weer dichtgaat.

'Je vader is niet blij met dit huwelijk. Zie ik dat goed?'

'Ja. Het was mijn broers idee.'

Het huis is in duister gehuld. Achter de ronding van de aarde, achter het weer, zijn de hoge verten melkwit. De toppen van de vorstelijke bomen staan ertegen afgetekend. In zijn zak zit de envelop met geld die Akbar hem heeft meegegeven voor de reis naar Heer. Hij ligt volledig aangekleed op de muur en concentreert zich als een blinde op de geluiden om hem heen. Hij komt overeind en klautert omlaag, de binnenplaats op. Hij loopt tussen de bomen door naar Akbars kamer, maar diens bed is leeg. Hij weet dat hij de zoon over het verraad van de vader moet inlichten, maar hoe ernstig zullen de gevolgen zijn?

Hij keert terug naar de muur, maar komt na wat volgens de sterren ongeveer een uur moet zijn weer omlaag en loopt naar de keuken.

Akbar staat voor het raam en leunt met gekruiste armen op de vensterbank. Mikal gaat naast hem staan en Akbar legt zijn arm vertrouwelijk om zijn schouder.

'Waar kijk je naar?' vraagt Mikal.

'Er valt niks te zien. Het is nacht.'

Hij draait zijn gezicht naar de jongen. 'Akbar, wat is er?'

Hij wil nog steeds niets loslaten. Na een tijdje haalt hij zijn arm van Mikals schouder. 'Ik heb gehoord wat er in de zuidvleugel is gebeurd. Waarom heb je dat gezegd tegen zo'n groot man als hij?'

'Akbar, huil je?' vraagt Mikal.

Hij schudt zijn hoofd. 'Waarom heb je dat gedaan?'

'Waarom huil je, Akbar?'

Hij droogt zijn tranen aan zijn mouw. 'Het moest.'

'Wat moest er?'

'Voor eerloos gedrag moet men boeten.' Hij pakt Mikal bij de arm. 'Kom mee.'

Hij houdt voet bij stuk. 'Waarom?'

'Kom mee.'

Ze rijden weg van het huis, dwars door het donker, en het stof in hun kielzog stuift in de doornstruiken aan weerszijden van de weg. Mikals hart slaat over wanneer ze het smalle pad naar het gele veld oprijden, met de heuvels in de verte. Aan de andere kant van de heuvels liggen wilde, dorre vlakten die zich kilometerslang uitstrekken in de richting van Afghanistan. Akbar rijdt tot midden in het veld en zegt: 'Laten we hier even stoppen.' Insecten – elke minuut weer andere – duiken op uit de nacht en vallen om de koplampen heen. Nachtvlinders als goudgevleugelde machinerietjes. En Akbar zit als een bezetene te oreren over Amerika en het Westen. Weet je wel wat ze in Vietnam hebben uitgehaald, weet je wel wat er in Bosnië is gebeurd, weet je wel, weet je wel, weet je wel. Soms doet de wind een uitval tussen de bloemen en er zijn de duizend geluiden van de nacht, en dan trekken de wolken op en verschijnen de ontelbare witte vlammen van de hemel.

'Akbar, wat moeten we hier?'

'Hebben de Amerikanen jou ooit gevraagd met ze samen te werken?' vraagt Akbar. 'Hebben ze tegen je gezegd dat ze je zouden laten gaan als je Al-Kaida en de taliban voor ze zou bespioneren?'

'Nee. We hebben het hier al eerder over gehad.'

'De Maleisische jongen die drie kooien van ons vandaan zat is vrijwel zeker dubbelspion geworden en teruggestuurd naar Maleisië om daar Al-Kaida te bespioneren. Hij kreeg in de steenfabriek ijsjes, pizza en appeltaart van ze en hij mocht films kijken.'

'Akbar, wat moeten we hier?'

Hij kijkt naar het klokje op het dashboard en rijdt dan verder door de bloemen, in de richting van de heuvels. Voor hen wordt in het licht van hun koplampen de Datsun van de vader zichtbaar. Hij staat stil op de heuvelflank. Mikal heft zijn armen omhoog en legt zijn handen op zijn hoofd. 'O God.' De voorkant van de wagen is – aan de passagierskant – geplet tegen een enorme zwerfkei. Akbar zet de auto tien meter voor de plaats des onheils stil en ze nemen het tafereel zittend in zich op. Op het moment van de klap was de chauffeur uit zijn stoel door de voorruit geslingerd.

'O God.' Hij is dankbaar dat ogen niet in staat zijn zielen waar te nemen.

'Weet je nog dat je mij verteld hebt dat de zekering van de koplampen kan worden vervangen door een .22-kaliber patroon? De kogel wordt heet en vuurt zichzelf af alsof hij in een geweer zit.'

Akbar blijft bijna een uur naar hem zoeken en roepen in het donker, nadat Mikal zich van hem heeft afgekeerd en de roversheuvels is ingerend, waar hij zich, vervuld van walging, ijskoude woede en verwarring, schuil blijft houden. Eindelijk ziet hij Akbar in de auto stappen en wegrijden. Zijn geest kan dat richtpunt nu loslaten en hij dwaalt rond in het donker, ziet als het licht wordt een beek omhoogstromen, maar realiseert zich als hij nog eens kijkt dat hij toch omlaagstroomt, terwijl de hemel vol is van de kleine, trillende gebeurtenissen die de dageraad aankondigen en het licht over de heuvelflanken glijdt en kleuren uitvindt.

Vroeg in de ochtend loopt hij de heuvels uit naar de bazaar in Megiddo waar hij een kop thee drinkt, een winkel binnengaat en om vier aspirientjes vraagt, die hij wegslikt met water uit een kraan in de buitenmuur van de bazaar. Maar ze zijn van krijt en hij spuugt ze weer uit, waarna hij een poosje naar de winkel blijft staan staren. In een ander winkeltje aan de overkant wacht hij op zijn beurt achter scholieren die snoep kopen en boekjes met mantra's, spreuken die hen moeten helpen hun examens te halen. Nadat hij de aspirine heeft geslikt leunt hij tegen de pilaar die als bushalte dient en wacht op het begin van zijn reis naar Heer, terwijl een kind met een uiterst ernstig gezicht – alsof het iets vreselijks is overkomen – naar hem toekomt en hem twee verbogen ijzeren spijkers probeert te verkopen.

32

Op de tweede middag van de bezetting bevinden Rohan, Yasmin en Tara zich in de menigte die naar het St. Joseph staat te kijken. De chaos en de angst hierbuiten zijn ongetwijfeld niet anders dan de chaos en de angst binnen in het gebouw, en mensen wisselen machteloze blikken, want niemand weet hoe ze deze zaak moeten ontzenuwen. Ze staan onder een stuk tentdoek dat iemand tussen een kapokboom en de top van het fiberglazen nucleair monument heeft opgehangen. De terroristen hebben kort na het begin van de bezetting vanuit het gebouw het vuur geopend om iedereen te verdrijven, en dit is de veiligste afstand. En hier staan ze nu te luisteren en te kijken, ten overstaan van dit duivelse gebouw waarop in het Arabisch heilige verzen zijn geschilderd om het te laten passen bij de godsdienst van de bezetters.

Er staat een met stof aangescherpte wind.

Gisteren zijn, nadat het nieuws over het St. Joseph bekend werd, alle scholen en instituten in en rond Heer gesloten, voor het geval het om een gecoördineerde aanval op verschillende instellingen zou gaan.

'Is er al iets veranderd?' vraagt Rohan, die er met gebogen hoofd bijstaat. Door de wind klinkt het alsof er allerlei dingen tegen de bomen om hen heen botsen.

'Nee, broeder-ji,' zegt Tara.

Hij voelt de twee vrouwen aan weerszijden van hem, vervuld van die zorg die de vermoeidheid overschrijdt en die van elke vrouw op aarde een heldin maakt.

Een grote macht van leger, politie en andere hulpdiensten heeft een kordon om de school gevormd zodat de hele buurt het aanzien heeft gekregen van besmet gebied.

Tara's ogen zijn moe van het wachten op en uitkijken naar Naheed, van de eindeloze nachtelijke uren waarin ze in gedachten naar haar op zoek was en probeerde te bedenken waar ze zou kunnen zijn. Nu hoopt ze Naheed te zien tussen de mensen die zich hier hebben verzameld, en om de paar minuten gaat ze op haar tenen staan om over de schouders van de anderen heen te kijken. Haar knieën doen geen pijn meer en ze beschouwt dit als bewijs van Allahs liefde, want weliswaar geeft Hij haar een nieuwe pijn, maar Hij maakt dat goed door een andere weg te nemen.

Gisteren was om elf uur 's ochtends, tweeënhalf uur nadat hij was gesloten, de poort van de school opengegaan.

'Ik denk dat de bezetting op zijn eind loopt,' had Tara gezegd en onmiddellijk uit dankbaarheid haar gezicht naar de hemel gewend.

'Het is Basie,' zei Yasmin, die zich door de menigte heen naar voren had gedrongen om het beter te kunnen zien.

Yasmin en Tara hadden gezien hoe een militair naar Basie kwam toegelopen, met hem sprak en een stuk papier van hem in ontvangst nam, terwijl verschillende mensen 'Ren naar ons toe' naar Basie riepen.

Hij had zich omgedraaid en was weer naar binnen verdwenen, waarna de poort was dichtgegaan. Vijf minuten later hoorden ze dat het papier dat Basie in zijn hand had gehad een lijst met de eisen van de terroristen was. Er zat nog een ander vel papier in gevouwen dat naar verluidde een boodschap aan de hele wereld bevatte.

'Ze willen dat pater Mede naar de school komt,' zei Yasmin tegen Rohan en Tara. Op het briefje staat: 'Als Mede zich bij ons meldt, zullen we alle kinderen onder de dertien vrijlaten, behalve die van de sjiieten, christenen en ahmadi's.'

Maar van pater Mede is sinds het begin van de bezetting niets vernomen.

De telefoonlijnen naar de school zijn door de terroristen onklaar gemaakt. Het nummer van de satelliettelefoon die Achmed bij zich heeft is samen met het eisenpakket bekendgemaakt en hij staat nu in de schoolbibliotheek met de commissaris te praten, herhaalt zijn eisen, en zegt hem opnieuw dat het niet nodig is voedsel voor de kinderen te laten komen omdat de kinderen massaal een hongerstaking hebben afgekondigd, uit solidariteit met de goede zaak van de gijzelnemers. Hij verbreekt de verbinding met de woorden: 'Doe geen pogingen het gebouw te bestormen.'

Hij blijft even staan.

De bibliotheek is gesloopt, de boeken vol westerse kennis zijn uit de schappen getrokken en op de grond gesmeten, pagina na pagina vol hemeltergende leugens over de wereldgeschiedenis, niets dan de in bloed gedrenkte abstracties van de zogenaamd beschaafde wereld. Voor hem even onbeduidend als de piramiden, omdat ze allemaal onislamitisch zijn en onrechtvaardig.

Hij heeft twee dagen niet geslapen. De van de vloer tot de zoldering reikende ramen van de bibliotheek worden omkranst door hoog opklimmende jasmijn, dikke trossen oranje bloemen hangen van de hechtranken, vol bijen en glinsterende zwarte mieren, en een bordje laat de kinderen weten dat deze plant *oorspronkelijk was genoemd naar Abbé Jean-Paul Bignon, die de bibliothecaris was van Lodewijk* XIV en dat *het hout ervan, wanneer het overdwars wordt doorgesneden, een kruisvorm vertoont.* Alle leerlingen op deze school zijn nog te jong en te beïnvloedbaar om iets anders dan de Koran en de uitspraken van Mohammed onderwezen te krijgen. Voor zijn voeten liggen naslagwerken waarin de vele betekenissen van de roos staan, en de zeventien woorden die het Urdu kent voor regen, en dat is allemaal heiligschennis omdat ze nergens verwijzen naar Allah, evenmin als de boeken over de natuurwetenschappen. Waarom zeggen ze niet dat twee waterstofatomen en een zuurstofatoom *als Allah het wil* samen een watermolecuul vormen? In zijn overijlde geest wordt de tekst van de verklaring afgedraaid die hij met zijn eisenpakket heeft laten uitgaan. Zijn verontwaardiging omgezet in taal, de pijn vastgelegd in duurzame woorden. *Dit is een boodschap van de strijders van de islam aan alle ongelovigen, kruisvaarders, Joden ter wereld, en aan hun handlangers in de moslimwereld. Wij zijn uitvoerders van de opdracht van Allah en wij willen duidelijk stellen dat die opdracht draait om het verspreiden van de waarheid, niet om het doden van mensen. Om vrede, niet om oorlog. Wijzelf zijn de slachtoffers van moord, uitroeiing en gevangenschap. De westerse invasie van Afghanistan – het enige waarlijk islamitische land ter we-*

reld – is een misdaad tegen de mensheid die zijn weerga niet kent, en terwijl wij dit schrijven worden onze broeders, zusters en kinderen gedood, opgepakt en weggevoerd om te worden gemarteld. De jihad is onder deze omstandigheden een dure plicht, evenals de herovering van Spanje, Sicilië, Hongarije, Cyprus, Ethiopië en Rusland, en het herstel van de islamitische heerschappij over ALLE *delen van India...* Dit zijn geen loze woorden. Daarbuiten wordt hun waarheidsgehalte bevestigd door levende mensen, die hun statuur ontlenen aan zijn energie en kracht, en hij staat met zijn voorhoofd tegen een muur gedrukt en laat zijn hoofd naar links en naar rechts rollen terwijl hij in een regelmatig ritme probeert te ademen.

De tweede telefoon in zijn zak gaat. Het is de laaiend enthousiaste Kyra die hem wil feliciteren.

'Het nieuws verspreidt zich razendsnel,' zegt hij. 'Alle landelijke tv-zenders berichten er nu over. Alleen doen ze geen recht aan jullie prestatie door een te laag aantal gijzelaars te noemen.'

Ze beweren dat er maar iets van driehonderd mensen in het gebouw zijn.

Gisteren was Achmed om halfelf 's ochtends in de aula toen de man met zijn voet op het ontstekingsmechanisme de radio harder had gezet om naar het nieuws te luisteren. De nieuwslezer zei dat er een school in Heer bezet was en vervolgens, in strijd met de waarheid, dat er 'onderhandelingen gaande zijn'. Het was het vijfde item in het journaal en er werden maar twee zinnen aan gewijd. De heilige strijders waren woest geweest toen werd bericht dat zich maar vijftig of zestig leerlingen en leerkrachten in de school bevonden. Twee van zijn gemaskerde metgezellen waren de gang in gelopen en hadden stoelen en tafeltjes tegen de muren gesmeten en jankend van blinde razernij 'Jihad! Jihad! Jihad!' geroepen, totdat anderen vanuit alle hoeken van de school waren gaan meedoen en ermee waren doorgegaan tot ze schor waren. De man met zijn voet op het ontstekingsmechanisme van de bom had eruitgezien alsof hij zou opstaan om zich bij hen te voegen.

Nu zegt Kyra: 'Wanneer je met de vertegenwoordigers van de overheid spreekt, moet je aangeven dat dit je niet zint.'

'Hij zei dat het aan de journalisten is.'

'De regering heeft controle over ze en zorgt ervoor dat het nieuws niet onder de aandacht komt van buitenlandse persagentschappen. Je moet aandringen. Zeg tegen ze dat je gedwongen zult zijn het leven van een kind te offeren als ze nog eens liegen.'

'We moeten pater Mede hebben. De westerse pers zal geen interesse tonen zolang hij hier niet is.'

'Ze zeggen dat ze hem niet kunnen vinden. Weet je zeker dat hij zich niet ergens in de school schuilhoudt?'

'We hebben overal gezocht.'

'En Basie hebben jullie ook niet. Ik heb geprobeerd door het kordon heen te komen om te zien of zijn auto op de gebruikelijke plek vlak bij de school geparkeerd staat. Ik probeer het zo nog eens.'

U zult zeggen dat de gegijzelden hier in deze school moslims zijn. Maar wij weten wat voor soort moslims het zijn. We weten dat dit soort moslims heeft ingestemd met de vernietiging van het talibanregime. Iedereen boven de dertien die de wapens opneemt tegen de islam kan worden weggevaagd. Elke moslim die instemt met de westerse operaties in Afghanistan en daaraan gevolg geeft door deze kruisvaardersoorlog op materiële of mondelinge wijze te steunen moet terdege beseffen dat hij een afvallige is die zich buiten de islamitische gemeenschap heeft geplaatst. Het is daarom geoorloofd zijn geld en zijn leven te nemen, want hij verdient de dood evenzeer als de eerste de beste Amerikaanse generaal met zijn gegalonneerde glorie.

De deur van de bibliotheek gaat open en de twee vrouwen komen binnen, of beter gezegd een van hen wordt door de ander ruw mee naar binnen gevoerd.

'Ik wil hier weg, broeder Achmed,' zegt de vrouw aan wier volledige toewijding hij al had getwijfeld. 'U traumatiseert kinderen. U zei dat we een overheidsgebouw gingen aanvallen.'

'Zuster, we hebben deze discussie al twee keer gevoerd,' zegt Achmed zacht.

'Wat dacht je van al die kinderen in Afghanistan die worden getraumatiseerd?' zegt de andere vrouw. 'En dit ís een overheidsgebouw. Deze mensen zijn allemaal handlangers van de staat.'

De twijfelende vrouw luistert naar Achmed, die het nog een keer uitlegt. In zijn bewegingen, denkwijze en ernst is hij ouder dan het aantal jaren dat hij telt, zijn standpunten liggen vast verankerd en soms lijken al zijn gebaren rituele gebaren.

'Ik wil geen aandeel hebben in uw met dood beladen overwinning,' zegt de vrouw nadat hij is uitgesproken. 'Ik wil hier niet blijven.'

'U kunt niet weg.'

'Ik wil geen moslimbloed aan moslimzwaarden zien.'

'U kunt niet weg,' zegt Achmed met lichte stemverheffing. 'We moeten de kinderen hier vasthouden totdat de blanke aan ons is uitgeleverd.'

'Het merendeel van deze kinderen is niet onschuldig,' zegt de andere vrouw.

'En de kinderen die dat wel zijn?'

'U moet me geloven als ik zeg dat de onschuldige kinderen mij ook aan het hart gaan. Maar ik voel dat Allah van ons vraagt dat wij hen offeren om onze liefde voor Hem te bewijzen, zoals hij ook Ibrahim vroeg zijn zoon te slachten om zijn gehoorzaamheid te bewijzen. Door deze paar wonden zullen wij de islam helen.'

'Vergelijkt u zichzelf met een profeet? Denkt u dat u voldoende bij uw verstand bent om dit soort grote besluiten te nemen? U bent half gestoord vanwege wat u allemaal in Afghanistan hebt gezien, omdat uw kameraden zijn gevangengenomen of afgeslacht.'

'Breng haar weg,' zegt Achmed, 'en houd haar in de gaten.' Nadat ze zijn vertrokken, komt het hoofd van het Cordobahuis binnen.

'Wat had de commissaris daarnet door de telefoon te zeggen?' vraagt hij aan Achmed.

'Hij benadrukte nog maar eens dat ze niet weten waar pater Mede of Basie zijn, en dat ze geen enkele invloed op de Amerikanen hebben en hun dus niet kunnen vragen gevangenen vrij te laten of zich uit Afghanistan terug te trekken, en dat Amerika te groot is en momenteel ook te zeer aangeslagen en dat Pakistan daarom niet anders kan dan Amerika ter wille zijn.'

'We mogen de moed en de hoop niet opgeven. Ik wilde je vragen mee te komen om te zien wat er buiten gaande is.'

Ze lopen naar een vertrek dat een raam heeft vanwaaruit je kunt zien wat zich voor het gebouw afspeelt. Er is een imam opgetrommeld, die in een busje zit met een megafoon op het dak. Het is zo dicht mogelijk naar de school toe gereden. De man citeert verzen uit de Koran die aangeven dat je onschuldigen geen leed mag berokkenen. Hij praat minutenlang aan één stuk en zegt dat de passages van het heilige boek waarin de jihad wordt goedgekeurd, moeten worden gelezen in de context van de tijd waarin ze aan Mohammed werden geopenbaard. 'Er staat een vers in de Koran dat als volgt luidt: '*Het dichtst bij de Gelovigen in liefde staan zij die zeggen: "Wij zijn christenen."*'' Hij blijft maar doorgaan en wanneer Achmed vindt dat hij het lang genoeg heeft aangehoord, geeft hij opdracht het vuur te openen op het busje en op de zieke mentaliteit die het uitdraagt, waarna het razendsnel en met piepende banden wegrijdt in de richting van de nucleaire berg, terwijl de doodsbange imam door de megafoon Allahs hulp inroept en de chauffeur ondertussen maant sneller te rijden.

Basie kijkt vanaf de andere kant van de zaal naar Naheed die samen met een onderwijzeres met een tiental kinderen per keer naar de wc gaat. De kinderen zijn doodmoe en hebben honger, maar mogen niet eens water drinken. Wanneer Basie de jongens meeneemt naar de wc laat hij ze drinken en zegt tegen hen dat ze geen druppels op hun kleren moeten morsen en er niks over mogen zeggen.

Later komt ze in de gang naar hem toe en wordt met elke stap vertrouwder. Ze heeft haar ogen neergeslagen en hij staart haar aan totdat ze merkt dat hij naar haar kijkt. Aanvankelijk verloopt deze ontmoeting tussen hen zonder woorden. Het is laat in de middag, maar om de een of andere reden voelt het donker aan, alsof het licht deze plek heeft afgewezen. De kinderen, die naar huis en naar geruststellende woorden verlangen, vallen in groepjes in slaap, hun leden begeven het. Met hun handjes houden ze elkaar stevig bij de kleren vast en de zaal voelt wat rustiger aan, bijna verstild.

'Hoe gaat het met je?' vraagt hij uiteindelijk.

Ze knikt, nauwelijks merkbaar, en op haar gezicht staat te lezen hoezeer deze ervaring haar aangrijpt, al vertoont het niet de tekenen van wanhoop die hij bij anderen heeft gezien.

'Wist Jeo het van jou en Mikal?'

Haar gouden ogen kijken hem even in stilte aan. 'Ik geloof het niet.'

'Ik vraag het me af. Denk je niet dat hij daarom naar Afghanistan is gegaan?'

Ze leunt tegen een muur. 'Dus je weet het van Mikal en mij?'

Hij knikt.

'Van wie heb je het gehoord?'

'Van jou. Zonet.'

'Het was al voor ik met Jeo trouwde.'

'Oké.'

'Ik denkt dat hij nog leeft.' Een zintuiglijke herinnering aan hem bonkt door haar aderen.

'Wanneer dit voorbij is gaan we hem zoeken.'

Ze knikt en kijkt om zich heen. 'Basie, waar zijn alle christenen, sjiieten en ahmadi-moslims die ze hebben meegenomen?' Het waren er een stuk of dertig en ze zijn de aula uitgehaald met de woorden: 'Ga maar naar buiten om jullie graf te graven.'

'Ik weet het niet.' Hij ziet haar gezicht verstrakken en voegt eraan toe: 'Je gaat toch niet huilen, hè?'

Ze schudt van nee.

'Ik zal mezelf steeds voorhouden dat we hier doorheen moeten komen zodat we Mikal kunnen gaan zoeken.'

'Dat zal ik ook doen,' zegt hij.

Ze wil iets simpels beleven, zoiets als lachen met een buurvrouw of haar handen wassen, zich bij de groenteboer beklagen over het feit dat er een rups zat in een van de aubergines die hij haar gisteren heeft verkocht.

'Basie, een van de vrouwen onder de terroristen...'

'Niet mijn naam zeggen.'

Ze knikt, geschrokken van haar vergissing. Hij heeft een paar maal overwogen zich bekend te maken, om de terroristen te bewegen de kinderen vrij te laten, maar hij is bang dat de leraar Engels die heeft beweerd dat hij er niet was, dan gestraft zal worden. Ze herstelt zich en zegt: 'Een van de vrouwen is het er niet mee eens. Ik heb het er met haar over gehad of ze bereid zou zijn ons te helpen als ik samen met de andere onderwijzeressen iets probeer.'

'Wat doen jullie daar?' Een gemaskerde figuur schreeuwt ze vanaf het andere eind van de gang toe en Naheed loopt snel weg in de richting van de wc. 'Wie heeft gezegd dat jullie zomaar een beetje mogen rondlopen?'

Wanneer Basie de gang naar de aula in loopt, duikt er een terrorist op die hem op de schouder tikt, hem snel een handvol snoepjes toestopt en fluistert: 'Voor de kinderen. Ik wist niet dat we naar een school gingen. Ik heb hier niks mee te maken.'

'Je moet me helpen er een eind aan te maken.'

'Ik moet verder.'

Basie pakt hem bij de arm. 'Zijn er bij jullie nog meer die er zo over denken?'

De man probeert zich los te rukken en richt zijn geweer op Basie, misschien in een reflex, misschien uit oprechte verontwaardiging over diens brutaliteit.

Maar Basie weigert los te laten. 'Kom vannacht naar me toe. Kom met me praten als je ziet dat ik alleen ben.' De man rukt zich los en beent weg, met de branie van een gangster.

Michaël voerde Adam naar de hemel in een vurige wagen en begroef hem na zijn dood met de hulp van de engelen Gabriël, Rafaël en Uriël. Wanneer Basie de aula weer binnengaat, kijkt hij naar hem op en denkt aan Mikal, die ergens daarbuiten in leven is.

Pater Mede hoorde van de bezetting een uur nadat die was begonnen. Hij was op zijn hotelkamer in Islamabad, waar hij zat te wachten op een oud-leerling, inmiddels een vriend, die met het vliegtuig uit Engeland zou komen en de diverse medicijnen die zijn bejaarde lijf nodig heeft om te kunnen blijven functioneren en die hij in Pakistan niet gemakkelijk kan verkrijgen, zou meenemen. Chlorphenamine, pantoprazol, mebeverine, codeïnefosfaat, irbesartan, amoxicilline, ezetimibe, metoclopramide, dicloflex, finasteride, doxazosine... Een lijst zo lang als een opsomming van schepen bij Homerus. Hij probeerde terug te keren naar Heer, maar werd tegengehouden door de autoriteiten. Zijn chauffeur en auto waren verdwenen en toen hij vanuit zijn hotelkamer probeerde een taxi te bellen, viel de verbinding weg. In de lobby, die vol zat met politiemensen, kreeg hij te horen dat alle telefoonlijnen in het hotel eruit lagen en of u zo vriendelijk wilt zijn terug te gaan naar uw kamer, meneer. Het was maar een paar honderd kilometer verderop, maar hij had net zo goed op Borneo, in Adelaide of in Rio de Janeiro kunnen zitten.

De regering wilde duidelijk niet dat er een blanke zichtbaar bij de zaak betrokken was. Zijn frustratie was omgeslagen in woede, waarop hij middels de kop thee waar hij rond het middaguur om had gevraagd een of ander kalmeringsmiddel kreeg toegediend. Daarna verkeerde hij bijna zesendertig uur lang buiten bewustzijn.

Nu, om twee uur 's nachts, bevindt hij zich op de Grand Trunk Road op weg naar Heer.

Hij wordt gevolgd door verschillende voertuigen die geen moeite doen te verbergen dat ze achter hem aan rijden. Hun vuurwapens, hun alomtegenwoordige ogen. Hij was die avond even na elf uur wakker geworden. Er zaten sporen van injectienaalden op zijn armen op de plekken waar hem nog meer verdovende middelen moesten zijn toegediend. Toen hij eiste het hotel te mogen verlaten werd hem gezegd dat het hem vrij stond naar Heer te gaan, als hij daartoe in staat was. Zijn chauffeur en auto waren vervolgens komen opdagen en de chauffeur had hem verteld dat het voertuig op raadselachtige wijze was weggesleept en dat hij door de autoriteiten van het kastje naar de muur was gestuurd toen hij probeerde de wagen terug te vinden, en dat hem toen hij gisteravond bij het hotel kwam duidelijk werd gemaakt dat pater Mede was vertrokken.

De openbare telefoons waar hij gebruik van wil maken zijn altijd bezet door iemand die in een eindeloos gesprek is verwikkeld, en ze zijn dertien keer door de politie aangehouden voor een 'toevallige' veiligheidscontrole. Zeven keer kregen ze te maken met een lange omleiding en vier keer kwam die uit in een doodlopende straat.

Als ze om een uur of vier 's nachts van de Grand Trunk Road afslaan in de richting van het St. Joseph wordt hem door een politieauto de weg afgesneden en krijgt hij te horen dat hij onmiddellijk zal worden gearresteerd als hij probeert in de buurt van het gebouw te komen. Hij zit een paar minuten zwijgend uit het autoraampje te kijken en stelt zich voor hoe de regen neervalt op de frangipani die Sofia had gestuurd om voor het raam van zijn werkkamer te planten, een boom met bloemen zo groot en geheimzinnig als raadsels in een oud verhaal. Dan vraagt hij de chauffeur om te keren. Een uur later probeert hij nog steeds toegang te krijgen tot zijn huis of tot een telefoon, maar telkens weer stuit hij op wegversperringen en hinderpalen. Wanneer hij bij een theestalletje langs de weg stopt zegt iemand dat er aan de andere kant van Heer nog een andere school is bestookt met granaten, bommen en geweervuur.

'Maar dat is een islamitische school,' zegt de chauffeur van pater Mede wanneer hij de naam hoort. 'Willen ze echt alle scholen verwoesten en niet alleen de christelijke?'

'Het zijn vast de commando's die oefenen voor de bestorming van het St. Joseph,' zegt pater Mede. 'Een andere verklaring is er niet.'

'Ze zullen iedereen daarbinnen doden,' zegt de chauffeur en begint verzen uit de Koran te prevelen om een ramp af te wenden. En hij stelt pater Mede gerust: 'Allah is een vriend van allen die hartzeer hebben.'

Aan de rand van Heer maakt Kyra het achterportier van de landrover open en stapt in, waarna ook de saloeki erin springt.

'Wiens idee was deze bezetting?' wil de man achter het stuur weten. Er zit een dreigende, opgekropte kracht in de stem.

'Het was een voorstel van zes leerlingen en ik vond het een goed idee.'

'Hoe heten ze? Ik wil...'

'Ik zal het uitleggen,' zegt Kyra.

'Ik wil dat je de namen opschrijft van alle tweeëndertig mensen die in het gebouw zijn en als je me nog één keer in de rede valt zet ik een spuit met kwik in je hersenpan.'

De man reikt Kyra over zijn schouder en zonder achterom te kijken een notitieboekje aan.

'Ik hoop dat ze niet zo stom zijn hun gezicht aan iemand te laten zien. Als iemand van de burgers ze zonder hun bivakmuts heeft gezien, dan wil ik dat de betrokken persoon of personen geïsoleerd worden zodat ze tijdens de bestorming uit de weg kunnen worden geruimd. Was de bewaker van de school de enige die tijdens de voorbereiding is benaderd?'

'Ja.'

'Hij zal over een uur in een zak worden gevonden in de buurt van Muridke.'

De man heeft kort haar en zorgvuldig bijgeknipte korte bakkebaarden, en zijn nek is netjes opgeschoren, ongeveer zoals die van Kyra zelf. Hij is gekleed in een hemelblauwe sjalwaar-kamies van het merk KT. Kyra kan het niet zien, maar hij weet dat rechts onder de kamies een pistool zit.

Hij is van de geheime dienst, maar niet een van de tienduizenden gewone ISI-agenten. Hij is luitenant-generaal en wordt door de Verenigde Naties gezocht omdat hij in de jaren negentig steun zou hebben geboden aan moslimstrijders in Bosnië in hun strijd tegen het Servische leger. Ondanks het wapenembargo van de VN tegen de in het nauw gedreven Bosniërs had hij die via een luchtbrug geavanceerde geleide antitankraketten weten toe te spelen, waardoor de kansen in het voordeel van de Bosnische moslims waren gekeerd en de Serviërs hun omsingeling hadden moeten opgeven.

De Pakistaanse regering heeft de VN laten weten dat de luitenant-generaal als gevolg van een recent verkeersongeluk 'aan ernstig geheugenverlies lijdt' en dientengevolge niet in staat is aan een onderzoek in dezen mee te werken.

Hij pakt het notitieboekje aan en werpt een snelle blik op wat Kyra heeft opgeschreven. Hij is een man die is gewend dingen voor elkaar te krijgen en die het gewoon is dat hij wordt gehoorzaamd. Een man die zelfs in het duister nog een schaduw werpt.

'Zeg maar tegen die Achmed dat het gebouw aan het eind van de ochtend zal worden bestormd.'

'Ik zal het doorgeven,' zegt Kyra, die zijn woede nauwelijks kan bedwingen. De saloeki tilt zijn kop op van Kyra's knie, komt overeind en klimt naar de voorbank, waarop de man hem liefdevol over zijn vacht streelt.

'Ik kan zijn arrestatie of dood niet verhinderen. En jij blijft een vrij man vanwege je vroegere connectie met het leger.'

Even blijft de man in een diepe, afwachtende stilte zitten, als een profeet die in een visioen is verzonken.

'Het was geen geschikt moment voor een dergelijke operatie. Denk je nou echt dat wij geen plannen hebben om het Amerikaanse leger in dit deel van de wereld, een leger dat bestaat uit homofielen en vrouwen, te ondermijnen? Wie denk jij wel dat je bent om zomaar iets van deze omvang te ondernemen zonder ruggespraak met ons?'

'De broers en verwanten van sommige mannen worden door de Amerikanen vastgehouden.'

'Nou en? Verandert dat ook maar één ruk aan de zaak? Gelukkig was de blanke er niet.'

Ze zitten weer zwijgend in de auto en dan draait de man zijn hoofd naar achteren en kijkt Kyra voor de eerste keer aan.

'Waar zit je op te wachten? Uitstappen.'

Kyra's eigen pistool zit op precies dezelfde plek, onder zijn kleren, als dat van deze man.

Hij stapt uit en terwijl hij naar het voorportier grijpt om de saloeki eruit te laten, rijdt de landrover met hoge snelheid weg.

Naheed is in de gang wanneer ze tussen de bogen door Mikal ziet in het bosje met lagerstroemia's. Blauw in het vroege ochtendlicht. Hij kijkt naar haar en verdwijnt dan tussen de gevelde palissanderbomen bij de zuidmuur. Rohan heeft haar wel eens verteld dat de bonsai-lagerstroemia tot de langst bloeiende bomen behoort die de mensheid kent. Hij kan wel 120 dagen in bloei blijven.

Ze gaat de aula binnen en vangt de blik op van Basie vanaf de overkant. De kinderen en leraren slapen, en ze zoekt steun tegen een pilaar en sluit haar ogen.

'Dans,' zegt de man, de man met de bivakmuts over zijn hoofd. 'Dans voor mij,' zegt hij, terwijl hij dichterbij komt en zijn dolgeworden handen op haar schouders legt. 'Zoals meisjes in de film.'

Ze zet een stap bij hem vandaan en kijkt naar de plek waar ze Basie voor het laatst heeft gezien. Maar Basie zit nu met zijn voet op het ontstekingsmechanisme van de bom. De terrorist had hem gevraagd zijn plaats over te nemen voordat hij op haar afliep.

Wanneer de gemaskerde man opnieuw probeert haar aan te raken, ziet ze Basie en sommige van de leerkrachten opkijken uit hun uitgeputte halfslaap. Basie weet dat hij zijn voet op het mechanisme moet houden en de zoveelste belediging moet slikken om zijn leven te redden, om de levens van anderen te redden. *Er moet ergens een plek bestaan waar het er niet zo aan toegaat*, denkt ze wanneer de gemaskerde man haar in de driehoekige ruimte tussen twee kasten trekt. Ze heeft dorst. Basie staat op, met zijn voet nog steeds op het mechanisme, zijn gezicht vol verwarring en pijn, want hij wil naar voren lopen, maar kan niet weg. Onwillekeurig roept ze hem te hulp. De gemaskerde figuur stopt en kijkt in de richting waarin ze heeft geroepen, en ze beseft dat ze door zijn naam uit te spreken zijn leven even onherroepelijk heeft beëindigd als wanneer ze een kogel had gebruikt.

Achmed zit in de bibliotheek met zijn blikkerende mes in zijn handen. Zijn verstand heeft plaatsgemaakt voor een koude steen. Hij heeft zojuist Kyra aan de lijn gehad. Het gebouw zal worden bestormd.

Kyra zei ook dat de auto van Basie in de steeg naast de school geparkeerd staat. Dus moet hij zich onder de leerkrachten bevinden.

Hij draait zich om en kijkt naar de deur, met alle zintuigen weer in werking. Hij hoort het geluid van snel naderende voetstappen en even later komt het hoofd van het Mekkahuis hijgend binnen. Nog geen minuut geleden heeft Achmed hem weggestuurd om de leerkrachten een voor een te bevragen en Basie naar hem toe te brengen. Nu komt hij binnen en zegt: ' We hebben pater Mede te pakken. Hij is net naar een van de kleine zijdeuren toegelopen en staat te kloppen. Hij zegt dat hij wil dat de kinderen worden vrijgelaten, in ruil voor hem zelf.'

'Niet opendoen. Het is waarschijnlijk een truc. Ze staan op het punt om de school te bestormen.' Achmed loopt tot boven aan de trap, maar blijft ineens staan omdat twee van zijn mannen de trap op komen lopen met de blanke tussen hen in.

En precies op hetzelfde moment ziet hij uit een ooghoek massa's soldaten over de tuinmuur heen klimmen.

33

Naheed draagt een dik boek naar de keuken, waar de bladeren van de bananenboom zich tegen het venster verdringen. Het is 2 uur 's nachts. Het is donker en stil in huis, het regent en ze kan de slaap niet vatten. Af en toe is er een bliksemflits en dan denkt ze dat het maanlicht even voor haar voeten valt.

Het is nacht en de vrouwelijke familieleden van de volwassenen en kinderen die zijn omgekomen toen de militairen het St. Joseph bestormden zullen nu wel in het geheim hun graven bezoeken, met een paraplu bij zich tegen de regen en een lantaarn tegen de duisternis. Haar herinneringen aan de afloop zijn nog steeds verbrokkeld. De terroristen hadden de vrouwen en kinderen gedwongen op stoelen voor de ramen te gaan staan om te voorkomen dat de militairen de school van buitenaf zouden beschieten. Ze herinnert zich dat er op diverse plaatsen brand had gewoed, dat gijzelaars die waren ontsnapt, werden neergeschoten omdat ze voor terroristen werden aangezien, en dat het hoofd van een engel na een ontploffing dwars door de rook en de vlammen heen de tuin in was geslingerd. Dat er gesmolten plastic van het brandende dak was gedropen. Het geluid van een helikopter. Dat ze uit haar versuffing was gewekt door een felle pijn in haar schedel en dat ze zich had gerealiseerd dat het een tiener was die in zijn doodsstrijd zonder dat hij het besefte aan haar haren trok. Op zeker moment had ze zich naast een van de militairen bevonden die, al even versuft, de zoom van haar sluier had gepakt om het bloed van zijn geweer te vegen. En later had ze een paar andere mannen hun wapens zien schoonvegen aan de zachte bladeren van de vijgenboom. Er waren buiten onvoldoende overheidsvoertuigen geweest, zodat de gewonden in privéauto's waren geladen, waarbij soms bebloede ledematen uit de kofferbak hadden gehangen. En een paar uur later, toen het voorbij was, werden de lichamen van enkele terroristen voor de televisiecamera's getoond. Hun gezichten waren onherkenbaar verminkt.

Ze legt het dikke boek op tafel en slaat het open. De ademtocht van de bladzijde doet de kaarsvlam flakkeren. Het boek is een naslagwerk met data en beweegt zich door de geschiedenis van de mensheid, vanaf het allereerste begin tot aan het heden.

Volgens de islamitische kalender is het nu de vroege vijftiende eeuw. Het decennium vanaf 1420. Ze vraagt zich af wat er in de christelijke landen gebeurde in de vroege vijftiende eeuw van de christelijke jaartelling.

1426. *De Venetianen voeren oorlog tegen Milaan. De hertog van Bedford keert vanuit Frankrijk terug naar Engeland om te bemiddelen bij een geschil tussen zijn broer Gloucester en de bisschop van Winchester.*

1427. *Keizer Yeshaq van Ethiopië stuurt afgezanten naar Aragon in een poging een alliantie tegen de moslims te smeden. De hertog van Bedford hervat de oorlog in Frankrijk.*

1428. *Aan de universiteit van Florence wordt een leerstoel in de Griekse en Latijnse letteren ingesteld. Venetiaanse troepen onder leiding van Carmagnola veroveren Bergamo en Brescia. Met het Verdrag van Delft komt een einde aan het conflict tussen Vlaanderen en Engeland...*

Wanneer de bladzijden oplichten door bliksemflitsen kijkt ze even op en leest dan weer verder. Ze weet niet wie deze personages zijn en heeft ook wat de meeste genoemde plaatsen betreft weinig idee, maar toch scheppen ze in haar hoofd een beeld van hun tijd.

...Op last van het Concilie van Konstanz wordt het gebeente van John Wycliffe opgegraven, verbrand en in de Swift geworpen.

Geloof, van de onvervalste soort, en ook zielen die op duistere wijze zijn verankerd in de vervalste soort. Alle mogelijke vormen van dwaling en glorie.

1429. *Jeanne d'Arc, een zeventienjarig herderinnetje uit Lotharingen, krijgt visioenen. Ze weet een legerofficier te bewegen haar van een wapenrusting te voorzien, wordt naar de dauphin gebracht en bevrijdt in mei Orléans.*

Naheed gaat terug naar de vorige bladzijde om te zien of de zaken er tien jaar eerder beter hadden voorgestaan. Het boek meldt haar dat er in 1419 een gebeurtenis plaatsvond die bekendstaat als de Eerste Praagse Defenestratie, waarbij de volgelingen van de terechtgestelde Jan Hus waren opgetrokken naar het raadhuis van Praag om de vrijlating van gevangen predikers te eisen. *Zij dringen met geweld het raadhuis binnen en werpen katholieke schepenen uit de ramen van de bovenverdieping. Jan zonder Vrees wordt vermoord na een stormachtig samentreffen met de dauphin...*

En de toekomst dan? Stonden de zaken er in het christenrijk tien jaar na 1429 beter voor? Zouden de zaken er voor Pakistan en de islam over tien jaar beter voor staan?

1437. De Portugezen worden bij Tanger door de Moren verslagen. De Moren dwingen de Portugezen de belofte af terug te zullen keren naar Ceuta. Fernando, de broer van de koning, biedt zich aan als gijzelaar, maar de Portugezen keren niet terug en Fernando wordt aan zijn lot overgelaten in een kerker in Fez. Jacobus I van Schotland wordt doodgestoken door sir Robert Graham, die door de koning was verbannen. Graham wordt gefolterd en ter dood gebracht...

Ze buigt zich naar voren en blaast de kaars uit, en het is alsof ze zojuist duisternis door haar mond heeft uitgeademd, genoeg om het vertrek mee te vullen. Bestookt door antwoorden loopt ze weg van het boek, het weerlicht in.

34

'Dus je bent terug,' zegt de politieman tegen Naheed.

Hij neemt een slokje van zijn thee, en kijkt over de rand van de kop eerst naar haar en dan naar Tara.

'Ja,' zegt Tara. 'Ze was op bezoek gegaan bij familie.'

Hij was een halfuur daarvoor bij het huis verschenen met een rotting van ruim een halve meter onder zijn linkerarm.

De man zet de kop op tafel. 'We moeten je meenemen naar het bureau om je een paar vragen te stellen,' zegt hij tegen Naheed. 'Trek je schoenen maar aan en sla een sluier om.' Hij pakt de rotting van zijn schoot en tikt ermee tegen zijn oorlel.

'Wat voor vragen?' wil Tara weten. 'Er valt verder niks te melden.'

De man kijkt haar strak aan. 'Hoe zei u dat u heette? Wat doet uw man?'

'Mijn man is dood.'

'Net als de man van uw dochter.' Hij glimlacht, pakt zijn thee weer en blijft zwijgend zitten drinken.

Ondanks de onweersbui van gisteravond is de hitte verstikkend. Buiten tussen de takken zit een Indische kievit te roepen. 'Hij bidt om regen,' had Tara haar verteld toen ze nog klein was, en Naheed had zich afgevraagd waarom het diertje niet gewoon uit de kraan dronk, zoals de mussen. 'Hij heeft verzuimd water te geven aan een heilige man en die heeft toen een vloek over hem uitgesproken,' had Tara gezegd. 'Nu kan hij nooit meer door zijn snavel drinken, alleen maar door een klein gaatje boven op zijn kop. Hij bidt om regen zodat er een druppel door dat gaatje zal vallen en in zijn keel zal glijden.'

'Waar wacht u nog op?' vraagt de politieman.

'Ik wil niet dat ze naar het politiebureau gaat,' zegt Tara zachtjes.

'Wel, Tara, Naheed,' zegt de agent, 'jullie zullen het toch allebei met me eens zijn dat het bepaald geen betamelijk gedrag is wanneer een meisje van huis wegloopt zonder iemand daarover in te lichten.'

'Ze heeft een brief achtergelaten, maar die vonden we pas later.'

'Waar is die brief?' De man tikt weer met de rotting tegen zijn oorlel.

'Ik weet niet precies waar ik hem gelaten heb,' zegt Tara, die zich afvraagt of ze Rohan wakker moet maken. Maar die heeft zijn rust nodig, want Kyra is eerder op de dag langs geweest om zijn welgemeende condoleances aan te bieden vanwege de dood van Basie, en om te zeggen dat de bezetting van het St. Joseph het werk is geweest van Indiase infiltranten die zich voordeden als moslims, maar ook om zijn eis te herhalen dat het huis zo spoedig mogelijk moet worden ontruimd.

'U weet niet meer waar u die brief gelaten heeft?' De man knikt. 'Tara, ik ben een van de hoeders van de moraal in dit land. U kunt niet van mij verwachten dat ik géén bedenkingen koester over het karakter van uw dochter, gegeven het feit dat u zelf ook ooit in hechtenis bent genomen en hebt vastgezeten wegens losbandig gedrag. Ook uw man was gestorven toen dat gebeurde. Net als de hare.'

Tara, die is opgestaan omdat ze alsnog heeft besloten Rohan te roepen, gaat weer zitten.

'Ja,' zegt de man. 'We hebben uw antecedenten nagetrokken.' Hij wendt zich tot Naheed. 'Waar wacht je nog op? Ik zeg het niet nog een keer. Ga je klaarmaken.' Hij leunt achterover op zijn stoel en kijkt naar het plafond, terwijl het uiteinde van de rotting tegen de oorlel tikt.

Tara doet haar oorbellen uit, komt overeind, loopt naar hem toe, draait zijn linkerhandpalm naar boven en legt de oorbellen erin. Ze sluit zijn vingers eromheen.

Hij blijft enige ogenblikken zo zitten en staat dan energiek en met een glimlach op. 'Wel, ik ben blij dat je veilig bij je familie bent teruggekeerd, Naheed. Ik denk dat ik maar eens opstap. Alles lijkt me hier in orde.'

Naheed doet een stap opzij, weg van de deur, om hem erlangs te laten.

'Ik zal regelmatig terugkomen om te informeren of alles goed met je gaat,' zegt hij tegen haar.

35

Wanneer hij Heer nadert, is het net of hij naar zijn eigen herinneringen kijkt.

Hij stapt twee dorpen eerder uit de bus en gaat een stoffenwinkel binnen om genoeg stof te kopen voor een nieuwe sjalwaar-kamies. Hij had wit linnen op het oog, maar de vrouw voor hem koopt twaalf meter voor een lijkwade en de gedachte dat hij kleding zal dragen die van dezelfde rol komt, bevalt hem niet. Wanneer hij aan de beurt is, is er trouwens helemaal geen witte stof meer over. Hij wijst in het wilde weg een andere kleur aan. Hij gaat met de diepgroene stof naar de kleermaker aan de overkant van de straat en vraagt hoelang het duurt om een nieuw stel kleren te naaien, waarna hij een wegwerpscheermesje van Bic koopt in de kruidenierszaak ernaast, zich scheert en een bad neemt in de wasruimte van de moskee. Hij zoekt een stil hoekje op, slaat een koran open en houdt zijn blik op de bladzijde gericht zodat niemand hem lastig zal vallen, en na een poosje gaat hij liggen en doezelt weg, met zijn gezicht naar de muur gekeerd. Als hij twee uur later teruggaat naar de kleermaker is zijn sjalwaar-kamies klaar. Hij trekt het aan en vervolgt zijn reis.

Het is tien uur 's avonds wanneer zijn riksja de centrale bazaar binnenrijdt en daarna zijn weg vervolgt naar de andere kant van Heer. Omdat hij niet gezien wil worden, drukt hij zijn ruggengraat en hoofd stijf tegen de achterkant van het zitje. Bij de Khan Mahal-bioscoop koopt hij een kaartje, gaat in de grote zaal zitten en valt op de achterste rij in slaap terwijl op het witte doek een vrouw achter een piano een lied zit te zingen en haar blik af en toe schuchter laat afdwalen naar de op de klep staande ingelijste foto van een man.

Wanneer hij over de tuinmuur van Rohans huis klimt is het al één uur geweest. Hij hijst zich vanaf de muur op de takken van de bodhiboom, klautert verder via een aantal stevige takken van andere bomen, daalt af in de tuin en begeeft zich naar de veranda. Zijn voeten persen geur uit de afgevallen blaadjes van de guave. Wanneer hij bij de veranda aankomt, blijkt de hele verre muur van boven tot onder bedekt te zijn met gekko's, die wegvluchten wanneer hij nadert.

Piepje voor piepje duwt hij het bovenraam bij de grote gang open. Hoe vaak heeft hij dit in het verleden al niet gedaan als hij thuiskwam na een late film. Hij laat zich zakken, tegelijk met zijn spiegelbeeld in het glas van de deur aan het eind van de gang, zodat hij heel even aan beide kanten van de gang aanwezig is.

Hij gaat Rohans kamer binnen en blijft naast het bed naar hem staan kijken. Op het nachtkastje brandt een lamp. Rohan slaat zijn ogen op, maar hij lijkt Mikal niet te zien. De ogen van de oude man zijn op hem gericht maar hij vertoont geen enkele reactie of blijk van herkenning. Mikal blijft onbeweeglijk staan terwijl de dingen zacht glimmen in het lamplicht om hem heen. Als de hagedissen niet het bewijs van het tegendeel hadden geleverd, zou hij hebben gedacht dat hij onzichtbaar was. Rohans blik rust een tijdje op hem, dan knippert hij met zijn ogen, alsof hij op het punt staat iets te zeggen. Maar nee, in plaats daarvan doet hij zijn ogen weer dicht. Mikal kijkt naar het Chineesje dat als steun dient voor de klok op de schoorsteenmantel. Halftwee.

Hij loopt naar de gang en kijkt naar de dichte deuren van de kamers van Jeo en Naheed.

In een nis staat de speelgoedvrachtwagen die hij in oktober, een mensenleven geleden, aan Jeo heeft gegeven.

Wanneer hij naar buiten loopt verstrooien zijn voeten de meloenzaden die op de veranda op een doek lagen te drogen. Hij klimt over de tuinmuur, loopt verder de donker geworden buurt in en blijft een paar minuten naar het venster van de kamer van Naheed en Tara staan kijken. Hij loopt in de richting van Basies huis, maar blijft dan staan, fronst zijn wenkbrauwen en keert om.

Voor de tweede keer binnen een uur gaat hij Rohans kamer binnen, waar hij zijn hand uitstrekt naar het kussen en het kledingstuk pakt dat naast Rohans hoofd ligt. Het is het hemd dat Jeo aanhad toen ze in oktober naar Pesjawar vertrokken. Het zit vol met scheuren. Eentje boven het hart. Verschillende in de maagstreek. Sommige in de mouwen.

Hij verlaat het huis met het met bloed bevlekte hemd in zijn handen, loopt in de richting van de begraafplaats en begint als hij dichterbij komt te rennen. Er liggen doorntakken op de verse graven die moeten voorkomen dat honden de lichamen opgraven. Sommige stekels blijven aan zijn kleren haken, maar hij rent tussen de steenhopen door naar de plek waar de familie van Rohan haar graven heeft.

Als hij de volgende dag halverwege de ochtend de tuin inloopt, ziet hij Naheed meteen. Het gras ligt bezaaid met de rode bloesems van de flamboyant, een uitvoerige staalkaart van al zijn tinten, want ze houden het licht nog lang nadat ze zijn afgevallen vast. Ze bevindt zich aan de andere kant van de tuin. Hij loopt op haar toe en blijft op een paar meter afstand staan. Dit is de keerzijde van de verwonding. Na de oorlog, het geweld en de waanzin van het bevangen zijn door pijn, na alle lelijke bedoelingen en daden, heeft haar schoonheid iets ongedachts, dat hem vervult met een gevoel van dankbaarheid. Dit is wat het betekent lang genoeg in leven te zijn gebleven om iemand lief te hebben. Dat hem nog enige tijd in het rijk der levenden vergund is.

Ze is bezig een klimplant te verzorgen, komt zijn kant op en kijkt hem recht in de ogen, waarna ze doorloopt naar de schuur.

Ze verschijnt weer met een stuk touw in de hand en loopt terug naar de met bloesem beladen klimplant. Een korte blik achterom naar hem.

Ze bindt de rank op drie plekken vast en knijpt haar ogen tot spleetjes wanneer de bloemblaadjes op haar gezicht vallen, en ze vallen ook op haar haren en belanden via de halsopening en de mouwen, die zij uitschudt, zelfs in de kamies. De vierde rank die ze wil opbinden zit te hoog, en ze kan er ondanks herhaalde pogingen niet bij. Deze keer kijkt ze niet naar hem als ze teruggaat naar de schuur, ongetwijfeld om iets te halen om op te staan, maar haar kleren strijken nagenoeg langs de zijne. Hij reikt omhoog, bindt de rank op zijn plek en loopt weg in de richting van de vijver, waarin de honderd waterlelies geopend op het water drijven en het wit van de zilverreigers in de zon oogverblindend is. Hij hoort hoe ze terugloopt naar de klimplant en vervolgens hoe zij een onderdrukte kreet slaakt, het geluid van iemand die zojuist uit een nachtmerrie is ontwaakt.

'Ik ben geen schim,' zegt hij. Ze is naar hem toe gekomen en voelt voorzichtig aan zijn incomplete handen, met haar eigen vingers die zo volmaakt zijn, en haar oogleden als reeënhuid.

'Ik ben niet dood.'

Ze kijkt naar hem. 'Als ik had gedacht dat je dood was, zou ik nu niet hier zijn.'

'Dat moet je niet zeggen.' Hij legt zijn hand op haar arm. 'Ik zou altijd willen dat jij op aarde was, of ik er nou was of niet.'

'Je bent zo mager.'

'Jij ook.'

Ze gaat zitten op de dikke boomstam die hier altijd aan de rand van het water heeft gelegen, zwaar als een anker.

Hij knielt voor haar neer, zelf bijna door duizelingen bevangen. 'Gaat alles goed met je?'

'Ja,' zegt ze, maar schudt dan langzaam haar hoofd en blijft haar hoofd schudden totdat ze weer tot spreken in staat is. 'Nee, eigenlijk niet.'

Ze vermant zich en voegt er aan toe: 'Ik zei steeds dat als jij hier bij me zou zijn, alles in orde zou komen.'

'Ik had weinig kunnen uitrichten.'

'Dat is het niet. Die vreselijke dingen zouden allemaal nog steeds zijn gebeurd, maar ik zou ze hebben kunnen dragen. Met jou naast me.'

'Ik ben er nu.'

'Jeo is dood.'

Hij knikt.

Ze kijkt hem lange tijd aan, houdt hem vast in het onverbiddelijke amber van haar ogen.

'We hebben elkaar niet meer gezien sinds die dag dat Jeo je mee naar huis bracht en ik je vroeg weg te gaan. Zesenzestig dagen na onze bruiloft.'

'Ik heb je daarna nog een paar keer kort gezien. Hier en daar, een keertje in de bazaar.'

'Het is vierhonderdnegenenzeventig dagen geleden dat ik je voor het laatst heb gezien. Het voelt alsof ik vierhonderdnegenenzeventig oorlogen heb meegemaakt.'

Ze kijkt omhoog, langs de knikkende vliegerhoge toppen van de kapokbomen.

'Neem je het Jeo kwalijk dat hij je nooit heeft verteld dat hij naar Afghanistan zou gaan?'

'Ik ben kwaad op hem omdat hij gegaan is, en omdat hij gegaan is zonder iets tegen ons te zeggen. Ik ben kwaad op jou omdat je ons niet over zijn plannen hebt verteld. Ik ben kwaad op mezelf omdat ik er zelf niets van heb gemerkt. Ik ben kwaad op de Amerikanen omdat ze Afghanistan zijn binnengevallen. Ik ben kwaad op Al-Kaida en de taliban omdat ze gedaan hebben wat ze hebben gedaan. Wat doet het ertoe?'

'Het doet ertoe.'

'Werkelijk?'

'Ja.'

Hij zit roerloos naar haar te kijken. Zoveel libellen op een zonnig plekje achter haar dat de lucht wel van cellofaan lijkt. De bomen en al hun verschillende seizoenen van rouw: het seizoen van wat voorbij is gegaan, het seizoen van wat nooit is gekomen, van wat weigert ongedaan gemaakt te worden, van wat nooit zal gebeuren.

'We kunnen tegen niemand zeggen dat ik hier ben. Ik heb mensen gedood.'

Ze laat haar hoofd zakken en verbergt haar gezicht in haar handen.

'Twee Amerikanen.'

'Zoeken ze je?'

'Ja. Ze maakten me bang en in de war. Ik was half daas en dacht dat ze op het punt stonden me af te maken. Ze hadden al eerder tegen me gelogen. Al is dat geen excuus. Ik weet dat ik het nooit had mogen doen.'

‘Als ze je te pakken krijgen, nemen ze je dan mee?’

‘Ja. Waarschijnlijk stoppen ze me dan voor altijd in de gevangenis. Misschien geven ze me zelfs wel de doodstraf.’

Vale bladeren. Een groene loot is opgeschoten uit een gevallen boomstam. Doorns zo lang en dun als de wijzers van een zakhorloge. ‘Je had het over “vreselijke dingen”. Wat is er nog meer gebeurd?’

Ze blijft met gebogen hoofd zitten.

‘Wat zijn er voor vreselijke dingen gebeurd, Naheed?’

Ze haalt diep adem en staat op. ‘Dat vertel ik je morgen wel.’ Ze wijst naar de keuken en zegt: ‘Ik moet wat water hebben.’

Met die woorden loopt ze weg, en na een tijdje loopt hij naar de veranda en gaat op de treden zitten. Vanaf die plek hoort hij Rohan in zijn kamer, en hij gaat naar hem toe terwijl Rohan bezig is naar zijn leunstoel te scharrelen.

Hij hurkt naast hem neer. ‘Oom,’ zegt hij en zijn beeld van de man vervloeit vanwege de tranen die in zijn ogen staan.

Rohan doet zijn ogen open.

Mikal laat zijn hoofd op Rohans schoot zakken en begint te huilen. Het is een diep verdriet dat alles uit hem wil lozen. Hij voelt hoe Rohan een hand op zijn hoofd legt. ‘Wie is dit?’

‘Ik ben het. Mikal.’

Hij kijkt op naar het gezicht, maar Rohan reageert niet en kijkt hem met een lege, vermoeide blik aan.

‘Mikal?’

‘Ja. Ik ben teruggekomen.’ Hij huilt onbedaarlijk. ‘Ik weet dat Jeo dood is...’

Maar er is iets heel erg mis. Rohan oogt vooral alsof hij nieuws heeft over een of ander gruwelijk ongeluk waar verder nog niemand van gehoord heeft. Allebei horen ze Naheed binnenkomen en hij kijkt naar haar, terwijl Rohan naar de muur blijft staren. Met zachte stem herhaalt Rohan voortdurend Mikals naam, op vragende toon, en hij betast Mikals gezicht, maar Mikal begrijpt nog steeds niet wat Rohan aan het doen is, tot Naheed naar voren stapt en het begint uit te leggen.

'Wij dachten dat je dood was,' zegt Rohan.

'Jco's dood was niet mijn schuld,' zegt hij. 'Of misschien ook wel. Ik had hem moeten tegenhouden.'

'Ik wou dat je ons verteld had dat hij plannen had om naar Afghanistan te gaan,' zegt Rohan.

Mikal reageert niet.

'Maar ik begrijp wel waarom je dat niet gedaan hebt. Waar heb je al die tijd gezeten?'

'Ik werd gevangengehouden, eerst door de Afghaanse krijgsheren en toen door de Amerikanen.'

Hij bestudeert Rohans gezicht. Als kind had hij gelezen dat als er een ster op de ogen van een blinde valt, hij weer kan zien.

Hij gaat staan. 'Ik moet naar Basies huis toe. Hoe gaat het met hem en Yasmin?'

Naheed kijkt naar hem en vervolgens naar Rohan.

'Wat is er?'

Maar beiden zijn te zeer overstuur om iets te kunnen zeggen. Uiteindelijk zegt Rohan: 'Er zijn rampzalige dingen gebeurd terwijl jij dood was.'

Hij doet de tuindeur open en stapt de donkere middag in. Zij zit buiten naar de regen te kijken en naar de windvlagen die het bamboebosje teisteren, zodat het pad nu bezaaid ligt met fijne plukjes. Ze is in het echt nog zoveel mooier dan ze in zijn herinneringen was. Ergens hier, op een plek die niet meer bekend is, staat de onzichtbare en naamloze ———boom waarin naar verluidt een oude djinn huist, want dat heeft Tara gevoeld, en ze heeft erbij gezegd dat ze hun kleren moeten uittrekken zodra ze een djinn tegenkomen. Dan denkt hij namelijk dat je je huid kunt afstropen, en trekt hij zich geschrokken terug.
Hij gaat naast haar zitten.

'Soms heb ik het gevoel dat ik niet alleen jou heb verspeeld,' zegt ze, 'maar ook al het andere in de wereld.'

'Mij heb je niet verspeeld.'

'Ik heb je toch gezegd dat ik ermee heb ingestemd met Sharif Sharif te trouwen?'

'En ik heb je gezegd dat dat niet gaat gebeuren.'

'Hij zal het huis voor ons kopen.'

Hij schudt zijn hoofd. 'Het gaat niet gebeuren.'

'Hij zal vaders operaties betalen.'

'Naheed. Kijk me aan. Ik ga dat niet laten gebeuren.'

'Ik heb ja gezegd na de dood van Basie. We waren helemaal alleen over. Vader, Yasmin en mijn moeder waren erop tegen, zijn dat nog steeds trouwens. Maar ik was ten einde raad.'

'Ik ben er nu.'

'Als hij jou als bedreiging ziet, hoeft hij alleen maar naar de politie te lopen. Dan word je opgepakt en aan de Amerikanen overgedragen.'

'Dat zullen we nog wel eens zien.'

'Hij weet van jou af. Hij heeft je brieven aan mij gezien. Als hij erachter komt dat je nog leeft, dat je hier bent...'

Er klinkt een donderslag alsof het aardoppervlak tot aan de diepste kern wordt opengespleten en ze voelen het glas trillen in de sponningen. Hij kijkt naar de bomen en ziet hoe het regenwater zichzelf van de hogere lagen van het bladerdak over de lagere uitgiet, en van blad naar blad door het gebladerte afdaalt, als betrof het een eindeloze reeks trappen.

'En als ik je nou eens vroeg met me mee te komen?'

'Dat kan niet.'

'Dat weet ik.'

'Ik moet aan vaders ogen denken. Aan mijn moeder. Aan Yasmin. Ik moet ze door dit alles heen helpen. Ze hebben me nodig.'

'Dat weet ik.'

Ze draait haar hoofd naar hem toe en kijkt hem aan. 'Ze hebben ons nodig.'

Ze kijken naar de bliksem, haar ogen glanzen donker en fonkelend, er waait een warme wind tussen de bomen, de flitsen doen de wolken oplichten.

'Je handen. Kun je er nog wat mee?'

'Jawel.'

'Dus je houdt ze alleen maar in je zakken om de mensen de indruk te geven dat je rijk bent en je portemonnee wilt vasthouden?' Een kort lachje van haar kant.

Hij kijkt naar haar gezicht. 'Ik kan er nog wat mee.' Uit een buurhuis komt het geluid van een radio. Een lied dat verwaait en terugkomt in de regen, keer op keer. *Kithay lai aaya sanu pyar, sajna. Kini dur reh gai vairi jag day nain...* Hoeveel wordt er niet van hen tweeën verwacht, nu zij door hun vereniging al die anderen moeten behouden en bewaren die niet meer samen zijn, of nooit samen zijn geweest.

'Yasmin, mijn verdriet,' zegt Rohan zacht vanaf de andere kant van het vertrek.

Yasmin en Mikal zitten naast elkaar, hun bovenlijven in een omhelzing naar elkaar gekeerd. Zij die een broer en een man is kwijtgeraakt. *Ze zijn heengegaan, maar ze zijn nog steeds aanwezig, in de harten van degenen die ze hebben achtergelaten. Dát heeft de oorlog niet kunnen vernietigen. Uiteindelijk overwint de oorlog dus toch niet.* Hij put geen troost uit dergelijke gedachten, uit dat soort gevoelens.

'Wie hebben het gedaan?' vraagt hij. 'Wie hebben de school bezet?'

'Dat weet niemand,' zegt Yasmin.

'Toen de militairen de school bestormden,' zegt Naheed, 'zijn de terroristen ofwel gedood ofwel ontsnapt.'

'En pater Mede wordt nog steeds vermist?'

Yasmin knikt. 'De terroristen die het hebben overleefd hebben hem meegenomen. Sommige kranten schrijven dat de bezetting het werk is geweest van de CIA en de Mossad.'

Hij gaat voor het raam staan.

'Blijf je hier?' vraagt Yasmin.

'Ik weet nog niet wat ik ga doen.'

'Zou het meer dan honderd jaar gevangenisstraf betekenen?'

'Ik denk wel bijna tweehonderd. Ik denk steeds dat ik me voor altijd verborgen zou kunnen houden, maar er staat een prijs van miljoenen op mijn hoofd. Uiteindelijk zal iemand me aangeven.'

'Sommige mensen zullen niet graag een andere moslim verraden.'

'Sommige ja.'

Later op de avond zit hij in zijn eentje te eten op de treden van de veranda en kijkt naar de regen. Hij zet het bord op de grond, staat op en loopt de straat op, na eerst naar beide kanten te hebben gekeken door de watersluier die over de rand van de paraplu hangt. Dan gaat hij de straat in waar Tara woont. Waar Sharif Sharif woont. In zijn zak rusten zijn vingers naast het mes. Het wapen vervangt bijna de ontbrekende vinger.

Hij loopt de binnenplaats over en kijkt naar de deur waarachter Sharif Sharif doorgaans te vinden is. Hij loopt erheen en roept, maar de man is er deze avond niet. Na een tijdje loopt hij de trap naar Tara op.

Zij zit in kleermakerszit op de vloer en is bezig haar naaimachine te oliën. Ze heeft hem helemaal uit elkaar gehaald en de tientallen metalen onderdelen naast haar liggen op een oude krant. Hij leunt tegen de deurpost en kijkt toe, en zij kijkt na een eerste snelle blik niet meer op. Naheed heeft haar ongetwijfeld verteld dat hij terug is.

Wanneer zij een bepaald schroefje niet in beweging krijgt, stapt hij naar voren, neemt haar de schroevendraaier voorzichtig uit handen en draait het schroefje voor haar los.

'Het zat al twee jaar muurvast,' zegt ze zachtjes. 'Toen ik de machine vorig jaar schoonmaakte, kreeg ik het ook al niet los. Het is me een raadsel waar ik de kracht vandaan heb gehaald om het ooit zo strak aan te draaien.'

'Dat was jij niet,' zegt hij. 'Dat heb ík twee jaar geleden gedaan. Ik was langsgegaan bij Naheed toen u niet thuis was, de losse onderdelen lagen op tafel, en toen ben ik de machine alvast in elkaar gaan zetten.'

Ze zwijgt, gaat door met haar werk, pakt de kleine, geronde en gebogen onderdelen op en laat er olie op druppelen. Ze zien eruit als de relieken van ijzeren heiligen.

Ze staat op en wast haar handen. Ze ruikt eraan, wast ze nog een keer, en loopt daarna naar de keuken om een handvol linzen op te zetten. Een vrouw die het grootste deel van haar leven in verarmde eenzaamheid heeft gesleten.

'Ik zal niet toestaan dat Naheed met Sharif Sharif trouwt.'

'Hij zal zolang ik leef geen druppel van dat water drinken,' zegt ze. 'Ik had een andere jongen voor haar gevonden. Ik heb die familie nog niet afgezegd.'

De vogelvrijverklaarde van het lot. Op de vlucht voor het internationale gerecht. Hij is nog steeds niet goed genoeg voor haar dochter. Of wacht ze af wat hij van plan is?

Hij draait zich om en vertrekt, want hij vindt het zo wel welletjes. Hij is halverwege de trap als ze hem naroept en hij weer naar boven komt.

Ze wijst naar de stoel. 'Ga zitten.' Ze draait de vlam onder de kookpot lager, haalt een kruk en gaat tegenover hem zitten.

Hij begrijpt het niet meteen, maar dan schiet hem te binnen dat er op respectvolle en ernstige toon over de doden dient te worden gesproken. Ze zegt: 'Het spijt me zeer van je broer.'

Yasmin had gezegd dat hij met zesentachtig kogels doorzeefd was.

'Hij was een goed mens. Ik ben van hem gaan houden als van een zoon.'

'Hij was een goed mens. Gaat het al wat beter?'

'Nee, niet echt beter.' Ze heeft al op heel jonge leeftijd haar man verloren. Ze weet hoe het er met haar voorstaat en antwoordt dan ook zonder aarzelen. Alsof hij haar naar de kleur van de hemel had gevraagd.

'Wat dan?'

'Het leven zit de rouw in de weg.' Ze wuift zichzelf koelte toe met een palmtak. 'Je dwingt jezelf de smart te vergeten omdat er andere dingen zijn waar je voor moet zorgen. Maar op de momenten dat je er wel aan denkt... tja... het is een vreemde pijn, alsof iemand een scheermesje in je ziel heeft laten slingeren.'

'Ik weet niet hoelang ik zou moeten rouwen of treuren, ik weet niet wanneer ik zou mogen stoppen.'

Ze legt haar hand heel even op zijn schouder.

'Wil je bij me blijven eten?'

'Nee, dank u. Ik moet gauw weer terug.'

Hij loopt terug door de stromende regen, gaat op de veranda zitten en telt hoeveel er nog over is van het geld dat hij van Akbar heeft gekregen. Op het groene hemd dat hij draagt zitten witte knopen. De kleermaker had gezegd dat gewone witte knopen een roepie per dozijn kostten en dat de groene tweemaal zo duur zijn.

Ze kijkt 's nachts naar buiten en ziet hoe hij op de stoel op de veranda met zijn handen in zijn zakken zit te slapen. Ze legt voorzichtig een dun katoenen laken over hem heen, steekt een anti-muskietenspiraal aan en zet die naast hem op de tegels, waarbij ze ervoor zorgt dat haar glazen armbanden niet rammelen. Ze was de armbanden gaan dragen en had de donkere kleding weggelegd om aan Sharif Sharif het signaal af te geven dat ze niet langer in de rouw was vanwege Jeo.

Hij wordt kort na zonsopgang wakker, terwijl zij bezig is gevallen moerbeien uit het gras te rapen, het inktblauwe ooft dat door de regen uit de boom gevallen is, glanzende blauwe klonters rood, groen, wit, roze, en het vruchtvlees zoet van de suiker, dat je vingers kleverig maakt wanneer je het eet, alsof het bloed bevat, en dat je tong en handen bevlekt.

Hij gaat rechtop zitten, trekt een grimas vanwege de stijfheid en trekt het laken om zich heen tegen de lichte kou. 'Ik droomde van een stad vol brandende minaretten.'

Ze leunt tegen een boom en strijkt met een hand losse haarslierten op hun plek. 'Weet je zeker dat het niet iets is wat je in het echt gezien hebt? Toen de Amerikanen Afghanistan bombardeerden? Of op een krantenfoto?'

Hij schudt van nee. De wereld is dezer dagen in de greep van draken.

'Ik zie steeds die brandende engelen wanneer ik in slaap val,' zegt zij. 'Maar dat is echt gebeurd. Ze hingen brandend boven alle hoofden in het St. Joseph nadat de militairen waren verschenen. Er is bijna niks over van de school na de explosies. Alleen een berg puin.' In haar slaap ziet ze ook keer op keer de dorstige kinderen van het St. Joseph die op de tweede dag van de bezetting urine drinken. Ze ziet ook weer hoe op de eerste dag van de bezetting de onderdirecteur werd doodgeschoten en hoe daarna de mannen en vrouwen elk aan een kant van de aula hadden gezeten, aan weerszijden van de rode scheidslijn die twee terroristen op de vloer hadden aangebracht door het lijk van de onderdirecteur van de ene naar de andere kant te slepen.

Ze is naast hem komen zitten en beiden kijken zwijgend naar de tuin. Het sap van de moerbeien begint al uit het vruchtvlees te lopen.

'Hoe is het om terug te zijn?'

Hij glimlacht.

'Kun je de Amerikanen niet gewoon uitleggen hoe het gegaan is?'

'Dat zal niets uithalen.'

Na een poosje zegt hij: 'Het spijt me. Van alles.' En zonder zich naar haar toe te keren voegt hij eraan toe: 'Zonder jou leef ik in een hel.'

Hij had dat al eens eerder tegen haar gezegd, zesenzestig dagen na haar huwelijk, en toen had ze niet gereageerd. Ditmaal geeft ze hem antwoord.

'Ik zal het hellevuur met mijn adem uitblazen.'

Ze loopt naar het kruispunt om een pakje Gold Flake voor hem te kopen, want ze voelt zijn rusteloosheid, zijn duidelijke, maar stille wanhoop omdat hij het huis niet uit kan.

'Er staat iemand buiten,' zegt ze wanneer ze terugkomt met de sigaretten, terwijl ze probeert haar gevoel van paniek te onderdrukken.

Hij kijkt over de jasmijn op de tuinmuur heen, maar er is niemand op straat te bekennen.

'Ik zag hem toen ik wegging en hij stond er nog steeds toen ik terugkwam.'

'Hoe zag hij eruit?'

Zouden ze het huis binnenvallen? vraagt hij zich af terwijl hij omlaagkomt en naar haar gaat staan kijken, terwijl de bomen om hen heen buigen in de wind, alsof ze door het draaien van de aarde naar voren worden geduwd.

We schrijven 1219, de tijd van de Vijfde Kruistocht, en Franciscus – de toekomstige heilige van Assisi – en zijn broer Illuminato zijn door de vijandelijke linies heen gereisd om op audiëntie te gaan bij Malik-al-Kamil, de sultan van Egypte. Het is eind september en het landschap waar ze doorheen trekken ligt nog bezaaid met lijken vanwege de veldslag die op 29 augustus heeft plaatsgevonden.

Yasmin slaat de bladzijde om. Eeuwenlang hebben kunstenaars de verschillende taferelen uit deze opzienbarende ontmoeting, een van de bijzonderste in de geschiedenis van het geloof, verbeeld. De bebaarde sultan met zijn zijden tulband en zijn brokaten gewaad, en Franciscus in zijn grove, verstelde, bruine pij.

Volgens sommige verslagen stortten de moslimwachters zich ogenblikkelijk op Franciscus en Illuminato zodra zij hen in het vizier kregen en tuigden ze hen meedogenloos af alvorens hen in de ketens te slaan. Maar volgens anderen dachten de wachters toen ze hen zagen aankomen dat ze boodschappers waren of misschien waren gekomen om zich tot de islam te laten bekeren. Soldaten uit beide kampen hadden zich tijdens de Vijfde Kruistocht bekeerd, dus brachten de wachters hen naar de sultan.

Yasmin raakt met haar vingers de vlammen aan. Het vuur brandt in het boek met afbeeldingen dat ze vasthoudt. De heilige Franciscus van Assisi staat midden in de vlammen; hij is in het vuur gaan staan om te bewijzen dat zijn geloof superieur is aan de islam.

Maar ook dat is nooit gebeurd en er later bij verzonnen. De sultan en de toekomstige heilige hadden over de oorlog en het geloof gesproken, maar hun ontmoeting was geheel vreedzaam verlopen en er waren geen woedende, fulminerende moslimgeestelijken verschenen, zoals wordt beweerd, om te eisen dat de sultan de monnik zou laten onthoofden.

Ze sluit haar ogen. Haar hand ligt op haar buik, waarin Basies kind groeit, klein als een winterkoninkje. Hij is gestorven voor ze had ontdekt dat ze zwanger was.

Er zijn momenten waarop Basie niet dood is, waarop ze zich omdraait om iets tegen hem te zeggen, maar dan weet ze het weer.

Het is alsof het huis en de buitenwereld lijden aan een soort fysiek geheugenverlies. Ze zijn hem vergeten.

Toen ze hem doodschoten, hebben ze hem in elk van haar herinneringen doodgeschoten. Zesentachtig kogels. Een voor de manier waarop hij lachte, een voor de manier waarop hij denkrimpels kreeg wanneer hij zat te lezen, een voor de manier waarop zijn linkerhand soms op zijn bovenbeen lag als hij autoreed, een voor de manier waarop hij tranen in zijn ogen had gekregen toen hij zei dat hij moest uitzoeken wie de oude vrouw was die zich aan de knieën van de inspecteur van politie had vastgeklampt, een voor de manier waarop hij graag mango's at, met schil en al, een voor de schitterende manier waarop hij, onnadrukkelijk op zichzelf geconcentreerd, op 'One O'Clock Jump' van Count Basie kon dansen, een voor de manier waarop hij, in een doldrieste imitatie, zijn vader nadeed en zei: 'Hij had een baard, maar degenen die hem voor een geestelijke aanzagen werden zachtmoedig terechtgewezen: "Mijn baard is niet religieus van aard. Het is een revolutionaire baard, in navolging van Castro, Che en Marx"', een voor de manier waarop hij glimlachend zei: 'Sta mij toe u te compliceren, uwe heiligheid,' zodra pater Mede zei: 'Ik ben maar een eenvoudige dienaar des Heren,' een voor de manier waarop hij zei dat islam een religie was waarvan het verleden niet te voorspellen was, een voor de manier waarop hij stuntelde bij zijn gebeden en hoopte de tekst terloops voorgezegd te krijgen door de mensen die naast hem zaten te bidden, een voor de manier waarop hij graag over bedauwd gras liep, een voor de manier waarop hij opkeek uit de grote roman van Tolstoj en zei dat de ondraaglijke zomerhitte voor Pakistan was wat de ingesneeuwde winters voor Rusland waren...

Ze luistert of ze beweging hoort in Rohans kamer. Als hij na een woordenwisseling met Sofia een maaltijd oversloeg en zachtjes vanuit zijn kamer liet weten dat hij geen honger had, bracht zij hem stiekem iets te eten en moest ze altijd glimlachen als hij dan eerst onverschilligheid veinsde, maar vervolgens toch vroeg: 'Wat heb je bij je?'

Ze kijkt naar het boek voor haar. De sultan had Franciscus de sleutel gegeven van zijn privé gebedsruimte en toen laatstgenoemde vertrok had hij een geschenk van de sultan aangenomen, een ivoren hoorn, die tot op de huidige dag in Assisi wordt bewaard. Met de inscriptie dat Franciscus hem heeft gebruikt om mensen en vogels bijeen te roepen om naar zijn preken te komen luisteren.

De zwarte slagschaduw van het hekwerk valt op haar witte gewaad, zodat het lijkt alsof er een patroon in de stof zit. De kaarsvlam wiegt heen en weer op de vloer naast haar. Hij buigt zich naar haar toe en drukt zijn mond tegen haar hals. Zijn honger baant zich schreeuwend van onder zijn huid een weg naar buiten. Elk voorwerp in hun buurt krijgt meer lading, alles toont zich verrast. Hij schaamt zich dat hij zo kort na de dood van zijn broer geluk zoekt. Er zal hem iets vreselijks overkomen. Het is vragen om een afstraffing. Hij denkt aan Salomi en hij denkt aan Jeo, die nog maar vier dagen dood is, althans voor hem. Hij dringt door de verwarring in het donker heen, tilt haar polsen op en begint haar glazen armbanden te breken, om zo alle kansen van Sharif Sharif weg te vagen. 'Ik wil mijn adem,' zegt hij. Zijn hand onder de tuniek op haar borst, op haar buik, op de ronding van haar ruggengraat, en ineens voelt hij paniek. Hij heeft in een wereldoorlog verkeerd en hij heeft een zesde zintuig ontwikkeld voor bloed. Zij duwt hem zachtjes weg want ook zij weet van bloed, ze is immers een vrouw. Een gebroken armband heeft een wondje veroorzaakt op haar linkerpols. Ze steken de kaars die kort daarvoor was uitgegaan weer aan en zien een dun rood streepje omlaaglopen van de plek waar ze geprikt is. Hij brengt het naar zijn mond en trekt met zijn tanden het glasscherfje dat zich onder de huid heeft vastgezet los, en blijft daarmee doorgaan als ze opstaat en hem mee naar binnen neemt, en het glas verdwijnt in zijn binnenste zoals de robijn Jeo's lichaam was binnengegaan.

Hij steekt de Grand Trunk Road over en loopt de in nachtelijk duister gehulde steeg in, op weg naar de hoge, beschilderde kamers, en ziet in gedachten de duiven en doffers in een daarvan voor zich. Wanneer hij achter zich een schaduw opmerkt, voelt hij een plotselinge woede in zijn lijf opkomen omdat hij niet door had gehad dat hij gevolgd werd. Hij wurmt zich tussen de bumpers van twee geparkeerde vrachtwagens door en kijkt om. *Ze zullen jóú niet alleen oppakken, ze zullen iedereen die je kent spoorloos laten verdwijnen.*

Hij loopt de trap naar zijn kamer met twee treden tegelijk op. Morgen is het Basies verjaardag en hij heeft achter een losse steen in de muur een fles Murree-whisky verstopt.

Hij kijkt uit het raam naar beneden. Er lijkt niemand te zijn daarbuiten, althans niet op de weinige plekken waar licht valt.

Hij draait zich om, blijft naar de gekleurde wanden staan kijken, leunt dan tegen een van de geschilderde engelen aan en sluit zijn ogen. 'Voor hen draaide alles om het helpen van anderen,' had Basie over hun ouders gezegd toen hij op de matras in deze kamer dronken was geworden. 'Daar kwamen ze altijd op uit. Ik wou een keer naar een cowboyfilm – ik weet nog dat die in de Capri draaide – en vader zei toen dat hij zelf dol was op cowboyfilms omdat die altijd gingen over iemand die een stadje te hulp kwam dat door invloedrijke mensen en slechteriken werd geterroriseerd.' Zij en hun vrienden namen dichters mee fabrieken en werkplaatsen in om ze inspiratie te laten opdoen voor verzen over de afschuwelijke arbeidsomstandigheden. Ze vonden rondtrekkende verhalenvertellers en brachten die in contact met scenarioschrijvers in Lahore, zodat de eeuwenoude volksverhalen over verzet tegen de onrechtvaardigen in hedendaagse films konden worden verwerkt.

Een geluid voor de deur.

'Akbar.' De spanning slaat om in opluchting, althans in iets wat daarop lijkt.

Akbar stapt op hem af en omhelst hem.

'Wat doe jij hier?'

De jongen ziet er onverzorgd en oververmoeid uit, met wallen onder zijn ogen.

'Ze zijn erachter gekomen dat ik mijn vader heb gedood,' zegt hij zacht.

'Het leger. De mensen die hij naar jullie huis wilde leiden?'

'Ja.' Hij kijkt om zich heen. Hij heeft een schoudertas bij zich, die hij voor Mikals voeten neerzet. 'Je moet dit naar Megiddo brengen.'

'Wat zit erin?'

'Salomi is getrouwd. Zij en haar nieuwe man moeten Pakistan uit. In Jemen zullen ze veilig zijn.'

Hij houdt zichzelf voor dat Akbar zijn reactie niet mag merken.

'Wat zit er in de tas?'

'Ze hebben geld nodig om weg te komen.'

'Hij zal toch wel genoeg hebben?'

Akbar schudt zijn hoofd. 'Dat was ook zo. Maar voordat mijn vader die nacht wegreed, heeft hij het allemaal verbrand in de smeltoven in de wapenfabriek. Er was geen roepie over. Alles is verbrand.' Hij wijst naar de tas. 'Je moet dit naar Salomi toe brengen, zodat ze kunnen vertrekken.'

Akbar ritst de tas open. Hij zit vol kleren, maar daaronder vandaan haalt hij drie bundels Amerikaanse dollars, alle drie zo dik als een telefoonboek.

'Wanneer is ze getrouwd?'

'Op de ochtend nadat jij was vertrokken.' Akbar stopt het geld terug en ritst de tas dicht. 'Het is vijfenvijftigduizend dollar.'

'Ik geloof niet dat ik dit kan doen, Akbar.'

'Alsjeblieft. De militairen zullen, met steun van de Amerikanen, het huis binnenkort bestormen, als ze het niet al gedaan hebben. Ze zullen mensen moeten omkopen om dorpen en steden uit te komen en onderdak te vinden. Anders geven mensen ze vanwege de beloning allebei aan bij de Amerikanen.'

'Ik kan het niet doen.' In de steenfabriek hadden de Amerikanen hem gevraagd of hij ooit als geldkoerier voor Al-Kaida had gediend. Maar tegelijkertijd weet hij dat hij Salomi moet spreken en dat hij haar een verklaring schuldig is, als hij die heeft.

'Breng het gewoon naar haar toe en kom dan terug,' zegt Akbar en voegt daaraan toe: 'Je bent mijn broeder.'

Hij zit naast de tas te roken in een kamer vol nachtelijk duister. Er zijn drie dagen verstreken sinds Akbar hem het geld heeft gegeven en het is nog steeds hier. Hij gaat naar het raam en kijkt naar de tuin, waar de bloesems zo mooi zijn als in de hof van Eden, waar naar men zegt iedere herinnering van ieder mens zijn oorsprong vindt, en na een poosje draait hij zich om en loopt naar waar zij op het bed ligt.

Wanneer hij naakt naast haar ligt, ziet ze de schotwonden. Ze bekijkt hem, lichtbruin, met donker behaarde kuiten en onderarmen, slank maar pezig en hartverscheurend mooi in het kaarslicht dat over hem heen glijdt.

Ze heeft uit een boek geleerd wat een menselijk lichaam waard is. De scheikundige elementen waaruit een levende persoon is samengesteld hebben naar verluidt een marktwaarde van ongeveer vier of vijf dollar. Zijn aanstekelijke lach, de in elkaar doorlopende wenkbrauwen, de geur van zijn adem en van zijn speeksel wanneer hij zich om de paar minuten over haar heen buigt om haar minutenlang te zoenen. Vier of vijf dollar. Zijn gelaatstrekken krijgen vorm onder de oplichtende rode punt wanneer hij in het donker een trek van zijn sigaret neemt. Het is alsof hij door het witte kokertje licht naar binnen zuigt, licht dat vervolgens onder zijn huid kruipt en hem zacht zichtbaar maakt. Ze bekijkt hem wanneer hij 's nachts opstaat en naast de schoudertas neerhurkt. Jeo kwam terug in een strak zittend pak van verwondingen en nu wil ze niet dat Mikal naar Waziristan gaat.

Op een avond voor haar bruiloft was Mikal binnengedrongen in de kamer waar zij en Tara woonden. Ze was zich doodgeschrokken toen ze hem in het holst van de nacht ineens naast haar bed had zien staan, op maar een paar meter afstand van haar moeder. Ze had zijn hand gepakt en hem naar het platte dak geleid. 'Ik kan niet slapen,' had hij gezegd.

'Zeg dan een gedicht op. Dat helpt. Eentje dat rijmt.'

'Ik ken geen gedichten.'

'Je loopt toch de hele tijd te zingen?'

'Dat zijn liedjes, geen gedichten.'

'Dat is hetzelfde.'

De dag daarop had ze een dichtbundel van Wamaq Saleem voor hem gekocht in de Urdubazaar, met verzen waarin de duif vol bewondering koert tegen haar minnaar, de cipres. Het was alsof de dichter niets afwist van de onmetelijke kloof die er tussen deze beide bestond, en tussen de buulbuul en de roos, en tussen de bij en de lotusbloem, en dus bleef de duif koeren en koeren, en bleef de roos zich maar openen voor de buulbuul, en cirkelde cirkelde cirkelde de bij eindeloos om de lotusbloemen heen.

'Mag je straks post ontvangen in de gevangenis?' vraagt ze hem nu, wanneer hij wegloopt bij de tas met dollars.

'Waar heb je het over? Ik beloof je dat ik terugkom.'

'En bezoek?' Ze zit rechtop in bed. 'Mag je bezoek ontvangen van de Amerikanen?'

Hij sluit haar in zijn armen. 'Zeg toch niet zulke dingen.'

'Ik weet niet eens hoeveel een vliegticket naar de Verenigde Staten kost. Vast duizenden roepies. Ik zal je nooit kunnen opzoeken.'

Wat hen had gewekt was dat het geluid van de regen was opgehouden, de plotselinge stilte midden in de nacht. Een stilte die zwanger was van afstanden.

'Het zal maar een korte reis zijn,' zegt hij. 'Twee dagen heen, twee dagen terug. Vier dagen, hooguit vijf.' Hij heeft op een kaart een lijn getekend van Heer naar Megiddo. Hij neemt alleen lokale bussen en zal alle grote stations vermijden. Een lange, hoekige inktstreep die op het sterrenbeeld Waterslang lijkt. En nu praten ze zachtjes tegen elkaars huid. *Het is in de wakende uren van de nacht dat indrukken het sterkst en woorden het welsprekendst zijn.* Ze moet aan deze woorden uit de Koran denken.

Zijn vingers voelen aan de ketting om haar hals waar overal kleine blaadjes aan zitten, een streng van lover. 'Speelde jij als kind met de sieraden van je moeder?' vraagt ze.

'Ja. En ik droeg ze ook.'

Ze doet de ketting af en hangt hem om zijn nek, precies op het moment dat de oproep tot het ochtendgebed klinkt, maar ze blijven in elkaars armen liggen, zondigend op een heilig uur, en wanneer ze uit bed stapt tast ze naar de sluiting van de ketting, om hem af te doen.

'Laat mij hem dragen,' zegt hij.

'Maar het is een vrouwensieraad.'

'Dat maakt me niet uit.' En hij voegt eraan toe: 'De ziel is toch een vrouw?' Buiten zal de zon binnen een uur opgaan tussen de met bloedrood dooraderde wolken en zoeken de vogels al naar licht om naartoe te vliegen.

Tara is bezig een kapotte paraplu te repareren. 'Ga je ervandoor?'

'Voor een paar dagen.'

Ze blijft hem strak aankijken.

'Een vriend heeft hulp nodig.'

Ze knikt.

'Ik wilde alleen nog even met u praten over Naheed,' zegt hij. 'Niemand van ons wil dat ze met Sharif Sharif trouwt, maar u had het ook nog over een andere man die u had gevonden. Die is niet nodig. Naheed wil een onderwijsakte halen en schooljuf worden...'

'Ik weet wat mijn dochter nodig heeft en wil. Ze kan aktes halen nadat ze getrouwd is.'

'Ja, dat kan zeker.' Hij kijkt naar zijn handen. 'Ik weet niet wat ik precies wil zeggen. Ik kan haar nog steeds niet het soort leven bieden dat u voor haar zou wensen. Ik kan ieder moment worden opgepakt en weggevoerd, zodat ze weer alleen zou achterblijven.'

Ze legt de paraplu weg. 'Ik heb je een keer gedwarsboomd. Dat zal ik ditmaal niet doen. Als het eropaan komt is het uiteindelijk toch het erewoord van een man dat telt. Dat is alle garantie die een vrouw nodig heeft. Wie kan het wat schelen dat de knoopjes op zijn hemd niet bij de stof passen.'

'Ik ben over vijf dagen terug.'

'Dan zal ik je graag mijn schoonzoon noemen.'

'Het spijt me dat ik niet aan de gevolgen voor u heb gedacht toen ik Naheed voorstelde met haar weg te lopen vóór haar huwelijk met Jeo.'

'Dat zou mij inderdaad vreselijk in de problemen hebben gebracht.'

'Het spijt me dat ik daar toen niet aan gedacht heb.'

'Zou je het weer doen?'

'Dat ik het wilde doen is niet waar ik me hier voor verontschuldig.'

Ze neemt hem waarderend op. 'Dat is een sterk antwoord. En nu zal ik net zo eerlijk tegenover jou zijn. Je hebt mijn dochter één keer in de steek gelaten door niet te komen opdagen toen je zei dat je zou komen. Ik zal niet toestaan dat je haar nog een keer teleurstelt. Is dat duidelijk?'

'Ja. Maar zei u net niet dat het slecht voor u zou zijn geweest als zij zou zijn weggelopen?'

'Dat is een zaak tussen haar en mij, en daar sta jij buiten. Wat jou of ieder ander betreft, sta ik aan haar kant. Zorg dat je haar nooit meer teleurstelt.'

'Het spijt me dat ik dat toen gedaan heb.'

'Ook daar ben ik blij mee, dat je dat zegt. En misschien moet je nog eens goed nadenken over het schuldgevoel waar je mee rondloopt omdat je die Amerikanen hebt doodgeschoten.'

'Dat zal ik proberen. Maar de mannen die ik heb gedood hadden moeders, vaders, waarschijnlijk vrouwen en kinderen. Ik heb ze doodgeschoten en moet boeten voor die misdaad.'

'Maar je hoeft het jezelf niet zo moeilijk te maken, tenminste niet zolang er geen volmaakte orde heerst op aarde. Het leven is soms zwaar, en ze hebben je misleid en je was in de war. Een deel van de schuld ligt ook bij hen. Je moet geen onmogelijke eisen aan jezelf stellen.'

'Dat kan een smoes zijn om geen enkele eis aan jezelf te stellen.'

'Ook dat is waar.'

Ze wenst hem Allahs zegen toe op zijn reis, hij slingert de tas over zijn schouder en gaat de trap af.

Vanaf het busstation belt hij Naheed, gewoon om haar stem te horen, en ze praten over wat ze hebben besloten en voor ogen hebben na zijn terugkeer. Hij fluistert haar een paar obscene dingen toe waar ze zachtjes om moet lachen, en dan blijft hij naar haar ademhaling staan luisteren totdat het geld op is, terwijl boven Heer de zon opkomt en de hemel van kleur verandert zoals iemand van de ene taal op de andere overgaat, en hij weet, als in een sprookje, dat hij zal sterven als hij haar halsketting afdoet. Wanneer hij ophangt, is dat met de tot in zijn botten verankerde angst dat schoonheid en verlies wel eens onafscheidelijk zouden kunnen zijn, maar dan denkt hij aan een regel uit een van de gedichten van Wamaq Saleem. *Liefde is geen vertroosting, zij is licht.*

III

GELIJKWAARDIGE ZONEN

... Men wist uit sagen
Hoe Zeus hem over de kristallen trans
Neersmeet: hij viel van 's morgens tot de middag,
Van 's middags tot de avonddauw, een lange
Zomerse dag, en toen de nacht ging vallen,
Viel hij gelijk een meteoor vanuit
Het zenit op het eiland Lemnos neer.

John Milton

36

Terwijl de bus Megiddo nadert, hebben de conducteur en de chauffeur het over een mogelijk paramilitair kordon rond de stad. Mikal hoort vertellen dat militairen bussen gedwongen hebben te stoppen om de papieren van de passagiers te controleren. Zes kilometer voor de buitenwijken vraagt hij de conducteur om hem eruit te laten. Hij springt op de stoffige weg, en de hitte en het intense licht van de middag slaan op hem neer vanaf de metalen carrosserie van de bus en, zodra hij begint hij te lopen, van alle kanten in het omringende landschap, zodat hij tijdens de anderhalf uur die het hem kost om de buitenrand van Megiddo te bereiken meermalen zijn richtinggevoel kwijt is. Vanuit de open, ongetemde woestijn in het westen waait een verraderlijke wind. Mikal stopt wanneer het gele huis in zicht komt en blijft ernaar staan kijken, terwijl de stof van de schoudertas zacht wordt van de hitte. Wanneer hij weer verder loopt, is het in een andere richting. In plaats van het huis van voren te naderen, zal hij langs de rivieroever gaan, naar de keuken aan de achterkant. Verdekt opgesteld in het bosje met prachtige bomen aan de waterkant bespiedt hij de toegang tot de keuken. Er is geen beweging of geluid. In de brede strook droge aarde tussen de bomen en de keukendeur is de afdruk van een legerlaars te zien. Een paar minuten ligt hij op zijn buik met zijn oor tegen de grond te luisteren. Het geluid van stromend water. Hij wacht drie uur totdat de zon naar het westen begint te zakken, het licht de rijke kleur van amber krijgt en de vogels luidruchtig terug beginnen te keren naar de omringende bomen, en krijsend en opvliegend ruziën over een al te populaire tak. Er is niemand het huis in- of uitgegaan en eindelijk loopt hij erheen, langs de voetafdruk. Hij weet niet zeker of hij het profiel herkent uit zijn tijd in Amerikaanse gevangenschap.

De keukendeur gaat piepend open als hij ertegen duwt en het eerste wat hij opmerkt is de lege patroonhuls op de tegelvloer, waarna hij zonder enig geluid te maken en met ingehouden adem door het vertrek sluipt, alle bewegingen van zijn lichaam teruggebracht tot het hoogstnoodzakelijke. De deur aan de andere zijde van de keuken komt uit op de binnenplaats van het huis en hij werpt een snelle blik naar alle kanten. Er is niemand en in geen van de kamers die aan de binnenplaats grenzen brandt licht. Overal hangt het rode licht van de ondergaande zon, alsof alles in met water verdund bloed is gedompeld.

Hij trekt zich weer terug in de keuken, raapt de patroonhuls van de vloer en bestudeert deze aandachtig.

Hij heeft een glimp opgevangen van de auto van Akbars broer die aan de andere kant van de binnenplaats staat en hij pakt een oude poetsdoek uit een kast en loopt er in gebukte houding naartoe. Om het geluid te dempen wikkelt hij de lap om de zijspiegel van de auto, waarna hij hem er met een snelle, gedecideerde draaibeweging af rukt, alsof hij een konijn de nek omdraait.

Hij gebruikt het spiegeltje om in de kamers te kijken voordat hij er binnengaat, door het telkens met gestrekte arm door de deuropening naar binnen te steken.

Verscheidene muren vertonen kogelgaten. De telefoons geven geen kiestoon. Hij staat op het punt licht aan te doen, maar ziet ervan af. In plaats daarvan steekt hij de stekker van de strijkbout in het stopcontact en voelt na tien seconden aan het strijkvlak om te zien of dat al warm wordt. Het blijft koud, dus de stroom is afgesloten.

De drie honden zijn niet op hun plek voor de wapenfabriek en wanneer hij door het lange gras loopt zwermen er muskieten op met achterlijven die bol staan zijn van het opgezogen bloed, en hij vraagt zich af van wie dat bloed geweest is. In de fabriek is een deel van de vloer voor de smeltoven bedekt met de resten van verbrand geld. Over een oppervlak zo groot als zes of zeven gebedsmatten. De patronen van de inkt waarmee de bankbiljetten bedrukt waren, en de woorden, portretten en historische monumenten steken grijs af tegen het zwart van het verkreukelde papier. Het is grijs van verschillende tinten, al naargelang de oorspronkelijke kleur van de inkt. Blauwgrijs, oranjegrijs, groen- of roodgrijs.

Met zijn tenen maakte hij een rechte veeg stof in het zwart en terwijl hij zich door de kamer beweegt wordt hij in de gaten gehouden door de ogen op ieder dollarbiljet.

Wanneer hij in de keuken terugkeert is die gevuld met de zachte schaduwen van de schemering. Hij steekt een lantaarn aan en schrikt bijna wanneer de vlam in de ronde glazen kap groter wordt en de hoeveelheid licht om hem heen toeneemt, alsof iemand luider praat dan de voorzichtigheid gebiedt. Hij draait de vlam lager. De tas met het geld hangt nog steeds om zijn schouder. Hij tilt het terracotta deksel van de melkkan en ziet dat de melk is gaan schiften. Hij schenkt een glas water in en drinkt dat in het halfduister staande leeg. In een mand liggen chapati's die stijf als karton zijn geworden, maar dat kan al binnen een dag gebeuren, dus hoe oud ze zijn kan hij daar niet echt uit opmaken.

Uiteindelijk pakt hij de lantaarn op en gaat naar de zuidvleugel, waar hij bijna een uur blijft in een poging te reconstrueren wat zich daar heeft afgespeeld. De ijzeren toegangsdeur is eruit geblazen en hij ruikt aan de scharnieren om te bepalen welk soort explosief daarvoor is gebruikt. Het gevecht lijkt hier het felst te zijn geweest. Het vertrek waarin dozen met folders en andere lectuur hadden gestaan is helemaal leeg, het glas in de ruiten is kapot en de vensters zijn versplinterd. Er zijn in diverse kamers explosies geweest. Raketten, bommen. De militairen moeten granaten naar binnen hebben gegooid voor ze zelf naar binnen gingen. Door deuren heen hebben geschoten. Hij beweegt zich door de vleugel als een mineur, kamer na kamer, en pas als hij de allerlaatste deur opent vindt hij twee van de drie airedaleterriërs. De lichamen bevinden zich al in het stadium van de rigor mortis. Ze liggen een paar meter van elkaar in het midden van de vloer. Laarsafdrukken verbinden de ene bloedplas met de andere en lopen dan weg naar een raam. Van de derde hond geen spoor.

Hij keert terug naar de keuken waar hij een van de uitgedroogde chapati's pakt en opeet met de aardappelcurry en het schapenvlees dat hij in een schaal in de uitgevallen koelkast vindt. Hij kauwt net zo lang op de stijve stukken chapati tot ze zachter worden. Hij vindt een pot met worteltjes in suikersiroop en eet ook die in het donkere licht leeg.

Hij propt de lange rode stukken groente met twee of drie tegelijk in zijn mond terwijl hij door het raam kijkt naar de rivier die geluidloos langsstroomt onder de opkomende maan, en naar de kweekplaats der sterren in het verre verschiet.

Hij veegt zijn handen af aan zijn broek en loopt naar het vrouwengedeelte van het huis. Wanneer hij de binnenste heiligdommen betreedt, roept hij een paar keer zacht om het luipaardje. Doodse stilte omgeeft hem in haar kamer, en het voelt als de stilte van een val. Hij zit opgesloten in iets enorms en ademt langzaam om kalm te blijven, waarbij hij zichzelf voorhoudt dat het niet zou moeten uitmaken hoe diep het water is, zolang je maar kunt zwemmen.

Hij valt op de keukenvloer in slaap, met de schoudertas als kussen, en wordt een paar uur later wakker onder de donkerblauwe hemel. Hij kan het zich niet herinneren, maar hij moet op een zeker moment in de nacht de keuken hebben verlaten, naar de binnenplaats zijn gelopen en verder zijn gaan slapen op het gras, want nu ligt hij naar de sterrenstelsels in het warm brandende hemels baldakijn te kijken en voelt hij de aarde tegen zijn ruggengraat drukken, en hem dragen, hem verheffen in de nachtelijke ruimte. Hij ligt verankerd tegen de strakke, trillende soliditeit van de wereld, de reusachtige, levende kromming van de aarde onder zijn lichaam.

Hoewel het nog nacht is, verlaat hij het huis door de keukendeur, met de tas over zijn schouder, terwijl de maan blikkerende schijven licht op het rivieroppervlak werpt. Hij volgt het water en komt uit bij de weg naar Megiddo, waarvan hij halverwege afslaat om het smalle pad te nemen dat eindigt bij de gele bloemen. Hij ruikt ze al wanneer hij nadert. Het voelt alsof hij ze in geen maanden gezien heeft, in plaats van in geen dagen. Boven zijn hoofd tekenen de kraters en kloven zich duidelijk af op het maanoppervlak en hij loopt in het blauwige licht tussen de bloemen, die nog warm zijn van de hitte van de dag, en verder in de richting van de lage, met licht gekroonde heuvels in de verte, en drie kwartier later hurkt hij neer in de drooggevallen bedding van een bron en loert naar de groep donkere gestalten verderop. Hij vraagt zich af of het Amerikanen zijn. Ze bevinden zich op minder dan vijftig meter afstand van hem, achter een brede strook grind waarop een kluitje klein, donker struikgewas groeit. Hij kruipt naar voren met behulp van zijn ellebogen, met de tas onder op zijn rug. De figuren bewegen zich langzaam over de heuvelflank en lijken het grottenstelsel uit te kammen. Op zoek naar terroristen. En ineens duikt er een groep gestalten op uit een van de grotten en raakt slaags met de patrouille. Ieder van hen lijkt zo kwaad als een slang in de klauwen van een adelaar. Sommigen storten ter aarde, het stof waait op, en de wind draagt hun kreten naar hem toe, samen met Arabische lofprijzingen voor Allah, die de aangehouden figuren uiten bij ieder beetje pijn en elke greep die hen in hun bewegingen belemmert. De Amerikanen, als het Amerikanen zijn, zeggen geen woord, alsof hun woorden en geluiden niet in staat zijn zich door de lucht van dit land te verplaatsen. Hun aanwezigheid hier wekt een elektrische spanning op die hij op zijn huid kan voelen, en een fractie van een seconde meent hij de glinsterende ogen van een blanke man te zien in het maanlicht. Maar dan beseft hij dat de leden van de patrouille Pakistaanse soldaten zijn, want hij hoort ze tegen elkaar praten in het Urdu, Punjabi, Pasjtoe en Hindko. De gevangenen zullen aan de Amerikanen worden overgedragen en het Pakistaanse leger zal de beloning opstrijken. De Arabieren zijn vermoedelijk net aangekomen uit Afghanistan in de hoop zich bij hun kameraden te kunnen voegen die al eerder naar dit gebied zijn ontkomen. Het is zelfs mogelijk dat ze op weg waren naar het huis van Akbar. Drie van hen zijn nu de heuvel afgerend naar het veld met de bloemen, achtervolgd door vijf militairen die stofwolken opwerpen die vaal oplichten in de maneschijn. Ze passeren op niet veel meer dan vijf meter van de plek waar hij ligt, maar dan slaan ze een nieuwe richting in en bewegen zich naar de andere kant van de helling, tot ze nog maar piepkleine figuurtjes zijn in het blauwe licht en vervolgens helemaal verdwijnen.

'Wegwezen hier, wegwezen hier,' fluistert hij bij zichzelf.

Tegen de tijd dat hij weer terug is bij het huis versplintert de duisternis boven zijn hoofd tot licht, breekt de dageraad al bijna aan en klinkt vanuit de richting van Megiddo, ten noorden van het huis, het vage geluid van een oproep tot gebed. Hij overweegt naar de moskee te gaan om te proberen daar wat informatie los te peuteren bij de gelovigen, maar besluit het niet te doen omdat iemand de Pakistaanse militairen of de Amerikanen zou kunnen tippen dat hij in de buurt is. Nadat hij de deur op slot heeft gedaan en er een tafel tegenaan heeft geschoven, valt hij in Akbars kamer in slaap, luisterend naar de muezzin en naar zijn eigen gefluister: 'Wegwezen hier, wegwezen hier.'

Met het sneeuwluipaardje onder zijn shirt stapt de Amerikaanse soldaat ergens rond een uur of drie 's nachts over de internationale grenslijn, waardoor hij de Afghaanse provincie Paktika verlaat en Zuid-Waziristan binnengaat. Het kopje van de welp steekt uit de kamies van de soldaat, die de bovenste twee knoopjes heeft opengelaten. Hij loopt door de nacht, die vol is van de snode plannen van terroristen en de strategische plannen van generaals, de rekenaars van de oorlog. Er staat een naar krijt geurende wind, hij heeft een rugzak om en in een holster bij zijn middel zit een grote satelliettelefoon van het merk Thuraya. Een andere, kleinere satelliettelefoon zit verborgen in de zak van de korte broek die hij onder zijn broek aanheeft, voor het geval hij de Thuraya moet afstaan.

Hij is een commando van de Special Forces en heeft het sneeuwluipaardje gevonden tijdens een overval op een huis in de stad genaamd Megiddo, en bij de spullen die in zijn rugzak zitten zijn ook zes van de tientallen blikjes kattenvoer die hij uit de Verenigde Staten heeft laten overkomen.

Op de cactussen zitten bloemen die alleen 's nachts opengaan. Hij loopt tussen de nachtvlinders door die zich eraan tegoed doen en hoorbaar om hem heen fladderen. Dit grotendeels barre heuvelland wordt gebruikt door terroristen die Afghanistan willen ontvluchten, en onder het lopen is hij bijzonder op zijn hoede. Zijn jongere broer is in januari door een vrijgelaten gevangene vermoord.

Zijn naam is niet bekend, maar aan beide handen van de gevangene ontbreekt de wijsvinger.

Hij loopt over een zandvlakte waarop de heersende wind golvende ribbels heeft gevormd, als een kapotte trap van wit marmer, en hij probeert zorgvuldig om de richting waarin hij loopt constant te houden ten opzichte van het golfpatroon, zodat hij zijn koers niet kwijtraakt.

De eigenheimer. Hij heeft de anderen in zijn team gezegd dat hij binnen vierentwintig uur terug zal zijn, of hen anders zal oproepen als hij hulp nodig heeft. Als hij na vierentwintig uur nog niet terug is, zullen ze hem gaan zoeken.

Af en toe controleert hij even of het luipaardje nog wel met zijn kop naar zijn borst toe ligt, want hij weet dat de ogen in de woestijn van meer dan een kilometer afstand te zien zijn.

In de geheugens van beide satelliettelefoons zitten de foto's van de gevangene die zijn broer heeft gedood, genomen na zijn aanvankelijke arrestatie. Hij had nooit mogen worden vrijgelaten, want hij had zijn naam nooit prijsgegeven en dat had afdoende aanwijzing moeten zijn dat hij een doorgewinterde terrorist was, die vermoedelijk tot de kopstukken van Al-Kaida behoorde. Hij had naar Cuba moeten worden afgevoerd voor grondige, intensieve ondervraging. Het zegt genoeg dat hij nog geen halve seconde vrij was of hij schoot al meteen twee Amerikanen dood. Er wordt uitputtend onderzoek gedaan naar hoe het heeft kunnen gebeuren dat een uitgekookte, sluwe gevangene die duidelijk een gevaar vormde voor de Verenigde Staten en de vrede in deze regio, in vrijheid werd gesteld.

Maar het valt ook niet mee om zoiets goed in te schatten. Zowel de onschuldigen als de schuldigen huilen in de verhoorkamers en laten natte plekken achter op de stof van de overalls wanneer ze dikke tranen afvegen op hun schouders. 'Ik zweer bij Allah op mijn hart en mijn armen en benen...' 'Ik zweer bij Allah op het graf van mijn moeder...'

Wanneer hij bij een rivier komt, blijft hij staan en kijkt om zich heen om zich ervan te vergewissen dat hij de goede kant uit gaat. De meeste rivieren in Zuid-Waziristan stromen van het westen naar het zuiden, dat weet hij, en hij herinnert zich de angst van zijn broer om in Afghanistan een beek of rivier over te steken, omdat hij verhalen had gehoord over Russische kneedbommen die nog in de stroom zouden ronddobberen. Maar dit is Pakistan.

Er zijn Amerikaanse bases in Duitsland, Japan, Zuid-Korea, Saoedi-Arabië, Koeweit, Bahrein, Albanië, Bulgarije, Macedonië, Qatar, Oman, de Verenigde Arabische Emiraten, Hongarije, Bosnië, Tadzjikistan, Kroatië, Afghanistan, Kazachstan, Oezbekistan, Georgië, een basis in elke regio, klaar om gebruikt te worden en eventuele dreiging in de kiem te smoren. En het is niet langer een zaak van Amerikaanse blijheid, Amerikaanse vrijheid, Amerikaanse belangen, de Amerikaanse levensstijl. Het gaat nu om het overleven van Amerika zelf.

Hij bepaalt zijn looprichting met behulp van de sterren, waarbij hij elke twintig minuten een nieuw sterrenbeeld kiest, als het vorige door het wentelen van de aarde van plaats is veranderd. Hercules. De Slangendrager. Hij vraagt zich af of er onder hen een geest, god of godin is die over het slagveld loopt om de laatste woorden van de stervenden op te vangen en elke druppel vergoten bloed te tellen.

Wat waren de laatste woorden van zijn broer?

Zijn broer was als lid van de Militaire Politie voorzichtig geweest, zelfs in uitbundige buien, en had zich altijd stipt aan de regels gehouden. Hij was zelfs een keer tussenbeide gekomen toen een ondervrager tijdens een verhoor zijn zelfbeheersing had verloren en de gevangene bij zijn overall had gepakt en door elkaar had gerammeld. De meeste gevangenen zijn zo mager, iel en ondervoed dat men er voortdurend voor beducht is dat er eentje zal overlijden vanwege de strengheid van zelfs het normale regime. Hij heeft nog niet gehuild om de moord op zijn broer, want hij heeft het feit van zijn dood zo goed mogelijk uit zijn gedachten gebannen, leeft in een waas waarin er geen vragen worden gesteld, en roept zichzelf telkens tot de orde wanneer hij merkt dat hij het liedje loopt te neuriën waar zijn broer zo van hield, en dat hun moeder hem had geleerd.

Mikal vergaat van de honger wanneer hij na slechts twee uur slaap wakker wordt. De zon is op. Hij pakt vier eieren uit de koelkast, bakt ze, loopt met de koekenpan naar de oever van de rivier en eet ze op terwijl hij naar het water kijkt en er een warme wind waait vanuit de woestijn. Hij wast de pan uit, zet hem terug op de plank en kijkt op zijn horloge. De vrouw die hier elke dag in huis kwam koken woont anderhalve kilometer stroomopwaarts, maar het is nog te vroeg om bij haar langs te gaan. Hij graaft een gat, waarna hij naar de zuidvleugel gaat, de twee honden in een beddenlaken wikkelt en ze naar buiten draagt. Liever dan hun verstijfde ledematen te breken, graaft hij het gat wat breder uit.

De tas met de dollars heeft hij voortdurend bij zich gehouden, maar nu zet hij hem in de kleerkast in Akbars kamer en schikt er kleding bovenop en omheen zodat er niets meer van te zien is. Hij staat op het punt de kleerkast af te sluiten, maar stopt dan. Geweren zijn gecamoufleerd als sleutels, messen, vorken en lepels, en in de kamer van de vader van Akbar staat een stalen kist die is gemaakt om kostbaarheden in te bewaren, waarin een percussiepistool is ingebouwd. Als het deksel wordt geopend zonder dat er een speciale vergrendeling is ingesteld, gaat het pistool af. In die kist deponeert hij de tas. Vervolgens kijkt hij opnieuw op zijn horloge, verlaat het huis en loopt weg langs de rivieroever.

Op de veranda van de kokkin zit een man de krant te lezen. Hij is een vijftiger, heeft een onverzorgde tinkleurige stoppelbaard en een adamsappel die even prominent is als zijn neus. Hij kijkt op en monstert Mikal.

'Oom, mijn naam is Mikal. Ik ben een vriend van Akbar,' zegt hij, terwijl hij een hoofdbeweging naar achteren maakt. 'Uit het huis daar.'

Het duurt geruime tijd voor de man reageert. Dan roept hij naar binnen: 'Fatima.'

De vrouw verschijnt in de deuropening met een hand boven haar ogen tegen de zon. Dan stapt ze naar voren, veegt haar handen af aan haar sluier en gaat naast de man staan. Ze heeft Mikal herkend.

'Komt u net van het huis?'

'Ja, ik heb er geslapen.'

De vrouw hapt naar adem.

Ze vertellen hem over het tien uur durende vuurgevecht. Het leger had een zone rondom het huis afgezet. Bij de aanval waren paramilitairen van het Frontier Corps en de Waziristan Scouts betrokken geweest. Het was de eerste Pakistaanse gewapende actie tegen Al-Kaida en de taliban geweest, onder druk van Amerika. Er waren leden van de veiligheidsdienst bij gedood, en ook Tsjetsjeense, Oezbeekse en Arabische militanten. Veel van de buitenlanders waren de woestijn en de heuvels in gevlucht.

'Dat was allemaal drie nachten geleden,' zegt de vrouw. 'Sindsdien is er niemand meer geweest.'

'Dus u weet niet waar iedereen is. Akbars broer... en zus.'

Ze schudden allebei hun hoofd en aangezien er verder niets te zeggen valt, maakt hij aanstalten om te vertrekken.

'Kom vanmiddag hier eten,' zegt de vrouw.

'Dank u. Graag,' zegt hij.

'Zou u dan mijn bidsnoer kunnen meebrengen? Het heeft groene en witte kralen en hangt aan een spijker bij de...'

'Ik heb het zien hangen.'

Nadat hij terug is stelt hij de vergrendeling in, maakt de kist open en ziet dat het geld er nog in ligt. Hij blijft ernaar staan kijken, terwijl zijn vingertoppen met Naheeds halsketting om zijn nek spelen.

Een halfuur later bevindt hij zich op het smalle pad dat naar de gele bloemen leidt. Hij loopt door het veld en verder in de richting van de heuvels. De westelijke flank van de heuvelrug bestaat uit dikke lagen gesteente uit het Mioceen, die schuin naar het westen afhellen. Aan de oostelijke kant zijn daaronder verscheidene soorten gesteente uit oudere rotsformaties zichtbaar en zij vormen de opvallende witte wand waaraan de heuvelrug zijn naam ontleent. Hij klimt naar de plek waar de vader van Akbar is gestorven in de gecrashte pick-up. Dunne lagen bruinkool, kalksteen uit het Jura en niets behalve plekken met gebroken glas en groene schilfers op de grote steen waar de lak van de wagen erlangs heeft geschuurd.

'Klootzak,' zegt iemand achter hem zacht.

Hij draait zich om en ziet hem tien meter van hem vandaan gehurkt zitten. De man met wie Salomi was getrouwd, de man die hij had ontmoet in de kamer met de dozen met boeken en andere teksten.

'Wat doe jij hier?' vraagt de man.

'Dat zou ik u net zo goed kunnen vragen.'

'Ben je alleen?' De man kijkt om zich heen. Hij richt zijn ogen weer op Mikal, slaat zijn AK-47 over zijn schouder en staat op. Hij heeft dezelfde sjalwaar-kamies aan als op de dag dat Mikal hem voor het laatst zag, alleen is hij nu grauw van het stof en het vuil.

'Hoeveel geld heb je bij je?'

'Maar een paar roepies,' zegt Mikal.

'Klootzak.'

Hij zal de dollars aan de broer van Akbar of aan Salomi geven, maar niet aan hem.

'Wat doe je hier?' vraagt de man.

'Ik zoek een van de airedaleterriërs. Die is weggelopen.'

'Waar heb je de afgelopen dagen uitgehangen?'

'Ik moet verder,' zegt Mikal en draait zich om.

'Ik vroeg je waar je hebt uitgehangen.'

'Ik moest een paar dagen weg.'

'Vlak voordat de overval plaatsvond.'

'Wat wilt u daarmee zeggen?'

De man spuwt in het zand. 'Ik wil de roepies die je op zak hebt.'

'Die heb ik zelf nodig.'

De man schoudert het geweer. 'Het was geen vraag.'

Mikal pakt het geld en de man gebaart dat hij het moet laten vallen.

'Waar is de tas met het Amerikaanse geld die je van Akbar hebt gekregen?'

'Die is in het huis.'

'Breng hem vanavond hierheen.'

'Houden Akbars broer en zus zich hier samen met jou schuil?'

'Wat gaat jou dat aan?' De man zwijgt veelbetekenend en zegt dan: 'Ik heb de hond gezien.' Hij wijst naar een rotsblok tien meter verderop. Mikal loopt erheen, maar er is niks te zien. Hij loopt eromheen en komt even later terug. 'Dat is een jakhals.'

'Dat weet ik. De hond heeft hem gedood.'

'Had u me niet even kunnen waarschuwen voor u me liet kijken?'

De man zegt niets en houdt zijn ogen half dicht tegen het felle zonlicht. 'Zorg dat je om middernacht hier bent met het geld.'

Wanneer hij aankomt voor het middageten vertelt hij hun dat hij morgen zal afreizen. En ook dat hij graag een tas bij ze zou willen achterlaten, die ze aan Akbar of een ander familielid moeten geven, mochten die terugkeren. Het echtpaar vertelt hem dat er een uur geleden een vriend is langsgekomen die nieuws had.

'Iemand heeft Salomi gezien in de heuvels,' zegt de man.

'Waar ongeveer?'

'Het was niet Salomi,' zegt de vrouw. 'Het was haar schim. Iemand heeft haar schim gezien.'

'Fatima,' zegt de man ontdaan.

'Laat me het hem vertellen,' zegt ze. 'Hij heeft een oorlog meegemaakt. Niemand gelooft zo sterk in geesten als een soldaat.'

'Het is allemaal kletspraat,' zegt haar man tegen Mikal. 'Salomi is of gevangengenomen door de Amerikanen, of ze is meegegaan met de mensen van Al-Kaida en heeft zich aangesloten bij de jihad. Een onopvallende vrouw is nuttig voor die gasten. Zij kan koerier zijn, met briefjes onder haar boerka.'

Omdat hij nu platzak is, gaat hij eerst een paar dollar uit de tas halen en die wisselen in de bazaar van Megiddo. Daarheen gaan is riskant, maar hij heeft geen keus. Hij kan er ook een telefoon opzoeken en Naheed bellen om te zeggen dat hij morgen aan de terugreis begint.

Hij valt in Akbars kamer in slaap, met zijn hoofd op het kussen waarop verzen uit de Koran geborduurd staan, die nachtmerries weg moeten houden. Hij wordt na zonsondergang wakker, opent de stalen kist en ziet dat de tas weg is.

De vertwijfeling slaat meteen toe.

Hij onderzoekt de vloer op bloedsporen, kijkt of er in de tegenoverliggende muur een kogelgat zit en ruikt aan het pistool in de kist om te controleren of het is afgegaan. Hij loopt zelfs terug naar Akbars kleerkast waar hij de tas aanvankelijk had verstopt en trekt de kleren er volkomen overstuur uit, bekijkt ze stuk voor stuk, en kijkt onder het bed en achter de leunstoel.

In het gele schijnsel van de lantaarn in zijn hand voelt hij zich bespied.

Uit de wapenfabriek haalt hij een hamer, een draadschaar, een sleufkopschroevendraaier en een kruiskopschroevendraaier, en hij loopt naar de auto waarvan hij de vorige avond de zijspiegel heeft afgebroken. Hij slaat de ruit in, klimt naar binnen, ramt de sleufkopschroevendraaier in de ontsteking en draait hem om als een contactsleuteltje, maar de auto geeft geen teken van leven. Hij schroeft de platen van de stuurkolom los, zodat de draden die erin lopen zichtbaar worden. De losse schroeven laat hij gewoon op de grond vallen. Hij knipt de rode draden door, ontbloot de eindjes en maakt ze aan elkaar vast door die in elkaar te winden. Dan knipt hij de startdraden door. Hij raakt de ontblote eindjes aan, wat resulteert in vijf blauwe vonken van verschillende grootte en enig gepruttel, waarna het voertuig tot leven komt. Ten slotte ontsluit hij het stuurmechanisme door de sleufkopschroevendraaier in de gleuf tussen de bovenkant van de stuurkolom en het stuur te steken.

Onverschillig geworden rijdt hij de poort aan de voorkant uit, waar hij zich sinds zijn komst nog niet heeft vertoond.

Hij rijdt op goed geluk de heuvels in en dan door de omliggende woestijn, waar het zo donker is dat zijn ogen pijn doen als ze iets proberen te zien, want het is een duisternis zo volledig als die in de zwarte kamer in de Amerikaanse gevangenis. Uiteindelijk kruipt de maan, rond als een muntstuk, tevoorschijn en werpt haar licht als een wit waas over de glooiingen en vlakten van de woestijn. Een voor een geven de heuvels in het westen hun flanken prijs aan de maan en rijzen bleek en glanzend op uit de schaduwen. Om middernacht keert hij terug naar de plek waar hij de dollars heen zou brengen, maar daar wacht niemand op hem, waarop hij de naam van de man naar alle richtingen begint te roepen. Hij blijft staan luisteren – niets dan wind en door de wind aangedragen echo's – en de tijd voelt niet langer als iets menselijks aan, maar rekt en krimpt naar believen, veranderlijk als een vloeistof. Een uur 's nachts en hij zoekt naar haar en naar haar geest en naar de tas met de dollars en hij praat tegen zichzelf, staand op het gebroken land aan de rand van de woestijn, met een zaklantaarn in zijn rechterhand, en er schiet hem een verhaal te binnen over een soldaat die 's nachts een bos binnengaat waarin, naar men zegt, de geest van zijn dode geliefde rondwaart, veranderd in een verscheurend roofdier.

In het huis pakt hij de telefoon, die is afgesloten, draait het nummer van zijn ouders in Heer, dat hij zich herinnert uit zijn kindertijd, blijft in het donker staan luisteren en stelt zich de verre, beschilderde kamer voor. Dan belt hij het huis van Rohan en praat bijna een uur met Naheed.

Twee bijzonnen komen tegelijk met de echte zon op, een aan elke kant. Zijn lichaam is een wrak na slechts één uur slaap, maar hij doet zijn ogen open en kijkt nog half slapend naar zijn handen op het laken. De ontbrekende vingers doen hem even denken dat hij bezig is langzaam te verdwijnen. Hij gaat geschrokken overeind zitten.

Hij loopt naar de stalen kist, maar het geld is nog steeds weg en hij vraagt zich met een pijnlijke mengeling van schaamte en verbijstering af of de kokkin en haar man het misschien hebben gestolen.

Wanneer Mikal aankomt, zit de echtgenoot op de veranda dezelfde krant te lezen als de eerste keer dat hij langskwam, want kranten zijn een schaars goed in Waziristan. 'Komt u afscheid nemen?'

Hij schudt van nee.

'Ik dacht dat u gezegd had dat u vandaag zou afreizen.'

Hij blijft zwijgend staan en zegt na een poosje: 'Ik moet eerst werk zoeken om het geld voor de terugreis te verdienen. Ik denk dat ik het in Megiddo ga proberen.'

'Hoeveel hebt u nodig? Wij kunnen het u wel geven.'

'Dat is heel vriendelijk van u, oom, maar ik verdien het liever zelf.' Hij ziet best dat ze allesbehalve rijk zijn.

'U zou een klusje voor me kunnen opknappen,' zegt de man. 'Dan scheelt mij dat een reis. U moet een lading schroot naar Sara brengen. Dat is een stadje een kilometer of zestig...'

'Ik ken het. Akbar had het er een keer over.'

'Ik zal u uitleggen hoe u er moet komen. U neemt mijn pick-up met het ijzer in de laadbak. Het is ongeveer drie uur rijden. En drie uur terug.'

'Dat kan ik wel doen. Ik moet alleen eerst nog even wat bijslapen.'

'U kunt na het middageten vertrekken. Dan kunt u voor donker terug zijn. Ik zou u niet aanraden bij donker op de weg te zijn.' De man vouwt de krant op, met zijn vingers onder de drukinkt. 'Daar is alles mee gezegd,' zegt hij. 'Je moet in dit land je handen wassen nadat je de krant hebt gelezen.'

Mikal bladert erdoorheen. Om te zien of er nog nieuws is over pater Mede. Maar het land is alweer met andere crises bezig. BLOEDBAD IN CONSULAAT VS IN KARACHI luidt de kop in chocoladeletters van acht centimeter. Een vrachtwagen met een mestbom, bestuurd door een zelfmoordterrorist, was vlak voor het gebouw tot ontploffing gebracht, met als gevolg twaalf doden en eenenvijftig gewonden... allemaal Pakistanen.

WOEDENDE MENIGTE SLAAT VERMEENDE DIEF DOOD...

ILLEGALE PAKISTAANSE MIGRANTEN VERDRINKEN VOOR ITALIAANSE KUST...

SENAATSLID VERDEDIGT LEVEND BEGRAVEN VAN VROUWEN DIE HUN MANNEN TE SCHANDE MAKEN...

'We hebben ze met de grond gelijkgemaakt,' aldus generaal-majoor Franklin Hegenbeck van de Amerikaanse landmacht, na de verwoesting van drie dorpen in de Shahikotvallei in Afghanistan. 'Er was niemand meer over, alleen nog stof en vuil'...

Hij legt de krant weg en ziet de rivier schitteren onder de drie zonnen. Morgen om deze tijd ben ik onderweg naar Heer, denkt hij.

'Dat is een slecht voorteken,' zegt de man, doelend op de zon en de twee bijzonnen. Hij gaat Mikal door een bosje granaatappel- en hennabomen voor naar de achterkant van het huis. Mikal stapt een houten schuur binnen, waar hij een berg kettingen aantreft die tot aan zijn middel liggen opgetast. Dit is het oud ijzer dat hij moet wegbrengen.

Hij loopt er zwijgend naartoe, hurkt bij de berg neer en voelt er voorzichtig aan.

'Wat is er?' vraagt de man vanuit de deuropening van de schuur.

Mikal schudt zijn hoofd, waar flarden van herinneringen doorheen stromen.

'Ze waren van een bedelmonnik die overal en nergens rondzwierf,' zegt de man.

'Weet ik,' zegt Mikal na een poosje. Hij tilt de ronde ijzers op waarmee de kettingen aan de polsen van de man vastzaten. Daar ligt het nekijzer. 'Hoe komt u eraan? Waar is de fakir?'

'Die is dood langs de weg gevonden.'

Mikal komt overeind, laat de schakels uit zijn handen vallen en kijkt de man ontdaan aan.

'De eerste keer dat ik van huis wegliep was dat om hem te ontmoeten. Ik volgde zijn spoor in het zand, maar wist hem niet in te halen.'

'Nou, dan hebt u hem nu gevonden. Althans iets van hem. Hij dook op in de bazaar hier en de Arabieren van Al-Kaida werden razend en begonnen hem uit te schelden. Ze vroegen hem waar hij het gore lef vandaan haalde te beweren dat hij namens moslims voorspraak bij Allah kon krijgen. Ze gingen hem te lijf, maar de mensen kwamen tussenbeide, want ze wisten hoe vroom hij was, maar de volgende dag werd zijn lichaam gevonden.'

'Hij kon natuurlijk niet wegrennen,' mompelt Mikal. In de schakels van de kettingen zijn patroonhulzen blijven hangen, als goudvissen in een net.

'Nee. De kettingen waren zo zwaar en zo lang dat hij ze met twee handen moest voortslepen. Ze sleepten een paar meter achter hem aan. Sommige mensen zeggen dat hij gewoon van tussen de ketenen in het niets is opgelost. Dat die kettingen het enige waren wat op de grond viel.'

'Ik dacht dat hij mijn vader was.'

Ze slepen de kettingen tussen de bomen door naar de pick-up. Hij doet de laadklep van het voertuig omlaag, klimt in de laadbak, trekt een vuistvol met ketenen achter zich aan, en daarna geeft de man hem de rest in hoog tempo aan terwijl Mikal achteruitlopend de laadbak volstouwt.

Hij is, hoewel hij nooit lijfelijk buiten Pakistan is geweest, een keer gezien in Mekka, en ook is hij meermalen in verschillende delen van Pakistan tegelijk gezien.

'Fatima is een hoofdstuk uit de Koran aan het opzeggen omwille van zijn zielerust,' vertelt de man enigszins buiten adem wanneer alle kettingen in de laadbak liggen en Mikal eruit is gesprongen. 'Als ze klaar is, gaat ze ontbijt voor ons klaarmaken. Er ligt maar één plaats tussen hier en Sara. Die heet Allah-Vasi. Daar woont de zuster van Fatima. Misschien wil Fatima wel met u meerijden. U kunt haar daar afzetten, doorrijden naar Sara, en haar op de terugweg weer oppikken.'

De zon en de bijzonnen aan de hemel volgen de pick-up die door het uitgestrekte woestijnland rijdt, een kale vlakte met lage heuvels in de verte. Er is weinig verkeer op de weg, maar hij let op elk voertuig dat hem passeert, voor het geval iemand hem volgt. Heeft hij die man op die motorfiets niet eerder gezien? Hij is nog een halfuur van Sara verwijderd wanneer een scherp knarsgeluid hem dwingt de wagen langs de kant te zetten. Hij stapt uit, doet de motorkap open en ziet de aan flarden gereten v-snaar. Wat er nog van over is, hangt aan de riemschijf en heeft de distributieriem besmeurd, en er is ook een toevoerpijp van de dieselinjector losgeraakt, zodat er vloeistof uit lekt.

Hij kijkt naar de smalle weg, de steenmassa's en rotsblokken die als spiegels hitte reflecteren. Er gaat een uur voorbij zonder dat er iemand langskomt, en hij zit op de chauffeursstoel met het portier open en laat zijn benen naar buiten bungelen, kijkend naar de stofdjinns die over de woestijnbodem wervelen, terwijl het in de wagen naar de etenswaren ruikt die Fatima in diverse potten en manden heeft meegenomen als geschenk voor haar familie. Hij weet zeker dat de kettingen van de fakir gloeiend heet zullen zijn.

Het duurt nog een vol uur voordat er in de verte een vrachtwagen opdoemt. Gelukkig is de chauffeur daarvan bereid hem naar de dichtstbijzijnde garage te slepen. Onderweg vertelt hij dat zijn neef afgelopen najaar is gesneuveld in Afghanistan en dat zijn broer door de Amerikanen gevangen wordt gehouden in Cuba.

Maar om halfzeven 's avonds zijn de monteurs nog steeds niet klaar met hun reparaties. Mikal realiseert zich dat hij de volgende ochtend niet naar Heer zal kunnen vertrekken en vermoedelijk na het afleveren van de kettingen zal moeten overnachten in het huis van Fatima's zus in Allah-Vasi.

Hij haalt de twee lege mineraalwaterflessen uit de pick-up en vult ze bij de kraan. 'Zou ik even mogen bellen?' vraagt hij aan de garagehouder en wijst op de onder het aangekoekte vuil zittende telefoon die hangt in wat ooit een vogelkooi moet zijn geweest. Op het deurtje van de kooi zit een hangslot, dat moet voorkomen dat onbevoegden het toestel gebruiken. 'Ik betaal er gewoon voor, hoor.' De man van Fatima heeft hem een paar roepies meegegeven om onderweg thee en wat te eten te kunnen kopen.

Naheed neemt na vijf keer rinkelen op.

'Ben je al op de terugweg?' vraagt ze.

'Ik wilde morgenochtend vertrekken en dan overmorgen aan het eind van de dag in Heer zijn. Maar dat wordt nu lastig.'

Stilte van haar kant. En hij begrijpt dat er iets goed mis is daar.

'Wat is er?' vraagt hij.

'Sharif Sharif wil met me trouwen.'

'Dat weet ik.'

'Hij wil zo snel mogelijk met me trouwen. Deze week nog. Over een paar dagen. Gewoon een snelle plechtigheid met een imam en twee getuigen.'

'Hoe kan dat zomaar?'

'Vader is naar hem toe gegaan om hem te zeggen dat mijn overeenkomst met hem niets te betekenen heeft, en toen is hij woedend geworden. Hij eist op wat van hem is.'

'Hij kan je toch niet dwingen om met hem te trouwen?'

'Volgens hem wel. En moeder wil de politie er niet bij betrekken.'

'Ik kom eraan.'

'Vader zegt dat hij nog geen roepie van me zal aannemen als ik met hem trouw. Hij zegt: "Ik wil mijn ogen niet terug en ik wil geen huis als dat ten koste gaat van jouw geluk. Dan ben ik nog liever een dakloze, blinde bedelaar."'

'Ik kom eraan.'

Hij hangt op en staat er een paar tellen verdwaasd bij. De monteur komt hem vertellen dat de pick up klaar is. De man is zo ingenomen met zijn oplapwerk dat hij Mikal vraagt of hij met een schroevendraaier zijn naam op de motor mag krassen.

Het duister zal kort na zevenen invallen. Het is tien voor zeven wanneer Mikal koers zet naar Sara om de kettingen af te leveren. In de ondergaande zon lost alle hardheid in het landschap op en de minerale schittering van de heuvels neemt kortstondig toe. In het deemsterende licht kijkt hij naar een wolk die wit is als sneeuw, een felrode wolk, een groene wolk met gele randen als een stervend blad, een lichtblauwe en een bronskleurige wolk. Maar al snel is de hemel boven hem diepblauw en zijn de sterren verschenen. Hij verlaat de weg die tussen de heuvels door kronkelt en koerst met behulp van de sterren dwars door het kale woestijnland, in de hoop zo een rechte lijn aan te houden. Hij wil de kettingen zo snel mogelijk afleveren.

Binnen een halfuur heeft de woestijn zich volledig aan het duister overgegeven. Wanneer hij de gestalte voor zich op de grond ziet liggen, trapt hij zo hard als hij kan op de rem, zodat de banden piepen op het gips en de door de zon gebarsten schalie. Hij wacht tot het stof dat voor de pick-up is opgewaaid weer is neergedaald – de lichtbundels van de koplampen boren zich erin – en blijft dan met bonzend hart en alle zintuigen tot het uiterste gespannen door de voorruit zitten kijken. Na een poosje stapt hij uit. Hij blijft roerloos naast het geopende portier van de wagen staan. Dan stapt hij dichter naar een van de koplampen toe, om goed zichtbaar te zijn. Hij maakt de knoopjes bij zijn hals en polsen los en trekt heel langzaam zijn hemd uit, waarbij hij elke handeling nadrukkelijk uitvoert. Hij heeft zich Tara's woorden over wat te doen als je een djinn tegenkomt goed ingeprent.

Hij gooit het hemd naast zich op de grond. Stroopt zijn huid af.

Hij knielt, maakt zijn schoenen los en stapt eruit, waarna hij ze, wederom heel nadrukkelijk, wegschopt.

Dan stapt hij uit zijn broek en gooit ook die bij zich vandaan.

In het uitspansel boven hem vallen de sterren, talloos en willekeurig, terwijl hij, naakt op de halsketting van Naheed na, uiterst behoedzaam naar voren loopt. De koplampen beschijnen de gestalte die op de grond ligt en hij is halverwege als hij ziet dat het een blanke man is, en hij ziet ook het gezicht van de man. Zijn bleke huid en goudblonde haar lichten op het schijnsel van de koplampen. Hij ligt op zijn zij, bewusteloos of dood, met zijn ogen dicht en bloed op zijn rechterarm.

Mikal blijft staan, ademt onhoorbaar, en staat op het punt een stap in zijn richting te zetten als een van de handen beweegt.

Hij deinst terug en rent bijna naar de pick-up. Hij raapt zijn kleren bij elkaar en kleedt zich zo snel als hij kan aan, onderwijl om zich heen kijkend. Als er één is, kunnen er ook meer zijn. Hij kijkt naar de lucht om te zien of hij Chinook-helikopters of gevechtsvliegtuigen kan ontdekken en de adrenaline jaagt door zijn aderen. Hij weet dat er zometeen iemand uit het duister tevoorschijn zal komen. Hij klimt in de pick-up en wil alleen maar zo snel mogelijk maken dat hij wegkomt, maar net op het moment dat de koplampen wegzwenken van de Amerikaanse soldaat richt achter de schouder van de man het sneeuwluipaardwelpje zijn kop op.

Behoedzaam richt hij de koplampen weer op de blanke, op de beangstigende ondoorgrondelijkheid van diens gezicht en op de gloeiende ogen van het luipaardje. Door de tekening op de vacht lijkt het alsof het dier een kaki camouflagepak aanheeft.

Hij klimt uit de wagen en roept hem, maar het dier komt niet. De kop is opzij gekeerd en het dier tuurt de nacht in met ogen die een groene, eeuwenoude rust uitstralen. Op zijn hoede komt Mikal dichterbij. Hij strekt zijn arm en tilt het welpje aan zijn nekvel omhoog en merkt dat het dier ietsje zwaarder is geworden sinds hij het de vorige keer heeft opgetild. Hoeveel dagen is dat geleden? Hij laat zijn ogen over het lichaam van de blanke en over diens sjalwaar-kamies gaan. Hij loopt met een grote boog om hem heen, zonder volledig te kunnen bevatten wat hij ziet. De man is een stuk groter dan Mikal en is zo te zien vijf of zes jaar ouder dan hij, al betwijfelt Mikal of hij de leeftijd van een blanke erg goed kan inschatten. Hij komt dichterbij en legt zijn hand op de borst van de man om de hartslag te voelen, maar hij draagt onder de kamies een kogelvrij vest. Dus voelt Mikal zijn pols. De rechterarm bloedt, het opperarmbeen is boven de elleboog gebroken, en het bloed voelt warm aan op Mikals vingers.

Hij zoekt naar wapens. De man heeft een AK-47 met inklapbare kolf over zijn schouder hangen en er zit een 9mm-pistool in een tegen zijn rechterbovenbeen gebonden holster. Onder op zijn rug zit nog een pistool. In de zijzak van de kamies vindt hij tweehonderd dollar en een serie kaarten met Engels schrift. Er is een 'bloedbriefje' dat kan worden gebruikt in geval hij gevangen zou worden genomen, in het Pasjtoe en het Engels, waarin een geldelijke beloning wordt beloofd aan iedereen die een Amerikaanse militair in nood hulp biedt. Dan maakt hij de rugzak van de man open en vindt daarin een reservemagazijn voor de AK-47, voldoende instantmaaltijden voor vijf dagen, een waterfles en waterzuiveringstabletten. Kleine, zware blikjes met plaatjes van poezen erop. Hij kijkt of hij een laptop kan vinden. Hij haalt de grote satelliettelefoon uit zijn foedraal, vertrapt hem onder zijn hakken en verpulvert hem daarna met een steen.

De man heeft een stierennek en zijn lichaam is hard, met op elke plek spieren die barsten van de gezondheid. Handen als die van een steenhouwer. Hij moet een commando van de Special Forces zijn, of een paramilitair lid van de CIA, denkt Mikal. Hij zoekt naar een digitale camera zoals die waarop ze hem, na zijn gevangenneming in de moskee in januari, de foto's van de vrouwen hadden laten zien, maar hij heeft er geen bij zich.

Hij kijkt naar de duizelingwekkende hoogte van de sterrenbeelden en de sterren, die ijle miljoenentallen die zich zo ver uitstrekken als het oog reikt, zuidwaarts, noordwaarts, oostwaarts, westwaarts, en hij kijkt over de vlakke woestijn met zijn ijzererts dat door de stammen van Waziristan wordt gesmolten, en naar de stenen heuvels, de bedden met koraalmos en de wachtende wereld. Geen geluid behalve de stationair draaiende motor van de pick-up. Hij pakt de rugzak en de vuurwapens en legt die naast zich op de vloer van de cabine, waarna hij het welpje op de bijrijdersstoel zet. Hij gaat achter het stuur zitten, gooit de pick-up in zijn achteruit en rijdt langzaam naar de soldaat toe, zijn eigen van onder de pick-up lopende voetsporen als leidraad gebruikend. Hij stopt wanneer hij nog ongeveer een meter verwijderd is van de plek waar de Amerikaan ligt. Hij stapt uit om de afstand in te schatten, stapt weer in en rijdt voorzichtig verder achteruit, tot hij nog maar een halve meter van de soldaat af is.

Hij stapt uit en kijkt naar het gezicht dat een vage rode gloed van de achterlichten opvangt. Hij kijkt naar de laadbak van de pick-up. De kettingen zien eruit als de opgehoopte ingewanden van een geslacht ijzeren beest. Sommige van de schakels zijn bedekt met roest, gebeden die al tientallen jaren lang niet verhoord zijn. Hij doet de laadklep omlaag en begint aan het moeizame karwei om de man in de laadbak te hijsen. Eerst zet hij zich schrap en probeert de soldaat op de voor de hand liggende manier op te tillen, met een arm onder zijn knieën en de andere onder zijn oksels, ondertussen zorgvuldig zijn evenwicht bewarend en met subtiele, soepele veranderingen van houding, maar de man is te zwaar. Hijgend en met zwoegend bovenlijf weet hij de man in zittende positie tegen de laadklep aan te krijgen. Zijn benen steken stijf naar voren als die van een pop. Mikal klimt in de laadbak, buigt zich voorover en grijpt de man onder de oksels. Wat hij zal doen als de man bij bewustzijn komt, weet hij niet. Hij verzamelt al zijn kracht in zijn armen en begint de man met snelle, doelgerichte rukken omhoog te sjorren, niet aflatend en onvermoeibaar. Bovenal wil hij hem met zijn verwondingen niet te zeer door elkaar schudden, uit angst dat de pijn de man bij kennis zal brengen. Als hij de man eenmaal in de laadbaak heeft weten te krijgen, zweet hij behoorlijk. Hij laat zich languit als een kind naast hem neerploffen terwijl hij luidruchtig de avondlucht naar binnen zuigt, met het dode gewicht van de arm van de man op zijn buik. Ten slotte komt hij overeind, trekt de wijd vallende delen van zijn hemd die onder de Amerikaan klem zijn komen te zitten los. Met de zaklantaarn tussen zijn tanden geklemd, zodat er een felle lichtbundel uit zijn mond schiet, begint hij de onderdelen van de ketenen te sorteren en haalt hij de ringen voor de hals, enkels en polsen ertussenuit. Een van de handboeien ligt boven op de berg kettingen, maar hij kan de andere nergens vinden en moet zijn arm diep in de wirwar van schakels steken. Hij maakt het nekijzer vast om de keel van de man en haalt, zodra het ding in het slot is geklikt, het sleuteltje eruit. Hij slaat een van de handboeien om de pols van de niet-gebroken arm. De laadbak van de pick-up is drie meter lang en een kleine twee meter breed, en erbovenuit steekt een bijna twee meter hoog rechthoekig frame van buizen waar op de gewenste hoogte zeildoek overheen kan worden gehangen. Hij haalt verschillende kettingen onder tussen de buizen door, aan weerszijden van de Amerikaan, zodat hij stevig aan de pick-up vastgeketend zit. Hij zal zich nu tot een zittende houding omhoog kunnen werken, maar opstaan kan hij niet.

Mikal klimt uit de laadbak.

Hij weet zeker dat er iemand naar hem kijkt, maar ziet niemand in het vormeloze duister. Hij loopt naar de voorkant van de pick-up, pakt een fles water, loopt terug en klimt weer in de laadbak. Terwijl hij de dop losschroeft, oefent hij hardop wat hij de man gaat vragen en bereidt hij zijn stem voor op dat waagstuk: *'Vere iz gurl? Vere iz gurl? Vere iz gurl?'*

Hij kruipt dichter naar hem toe, neemt het hoofd van de man in een van zijn armen, met het met vuil bedekte gezicht omhoog, trekt voorzichtig de mond open en de twee rijen met tanden van elkaar, en begint terwijl hij de adem van de man op zijn vingers voelt, een dun straaltje water naar binnen te gieten. De slikfunctie is op non-actief, zodat de mond tot aan de rand volloopt en het water bij de mondhoeken wegsijpelt. Dan bereikt het water het achterste van de keel, stijgt een sliert luchtbelletjes op door het water dat de mond vult, en wekt de gealarmeerde geest het lichaam. De man gorgelt, slaat dan zijn ogen op en probeert uit alle macht rechtop te gaan zitten. Hij knippert tegen het schijnsel van de zaklantaarn tussen Mikals tanden. Mikal springt weg en het water druppelt met een tingelend geluid uit de fles in de laadbak van de pick-up. Er ontsnapt de man een mengeling van luid gekreun en gebrul wanneer hij de pijn van zijn gebroken arm voelt, maar desondanks is hij zo sterk dat zijn geruk aan de kettingen de pick-up enigszins doet schommelen. Hij kronkelt wild, eerst in verwarring, daarna in woede. Het is alsof boven zijn schreeuwende mond ook zijn ogen schreeuwen en bijdragen aan het geluid. Mikal is bang dat het laswerk van het buizenframe het zal begeven en het van beide kanten van de laadbak losgerukt zal worden. En hij heeft Mikal na het eerste oogcontact niet meer aangekeken. Mikal had gemeend dat het niet nodig was de gebroken arm vast te binden, en de man probeert hem meer dan eens op te tillen, wat inderdaad niet lukt, zodat er telkens een gekweld gebrul aan zijn opeengeklemde kaken ontsnapt.

Mikal staat bij de laadklep. Het licht van zijn zaklantaarn schijnt op het goudblonde haar van de man en op zijn gezicht dat nat glinstert op de plekken waar het water het vuil eraf heeft gespoeld. De ogen zijn groen, met splintertjes bruin erin.

'Vere iz gurl?' zegt hij na enige tijd.

De man verzet zich niet langer en zit na te hijgen, met een halve ton aan kettingen aan alle kanten om zijn spiermassa heen, maar Mikals vraag blijft onbeantwoord.

Mikal kijkt naar de lucht. Het is bijna negen uur en hij baadt in het zweet. Hij weet dat sommige van de Amerikaanse soldaten Urdu en Pasjtoe verstaan, dus stelt hij hem de vraag ook in die beide talen, maar het levert niets op. Hij klimt van de laadbak af, gaat naar de bijrijdersstoel en komt terug met het luipaardwelpje. Staand bij de laadklep houdt hij de man het welpje voor en vraagt: 'Vere hiz gurl?'

De Amerikaan keurt hem geen blik waardig en onderzoekt ingespannen de kettingen en het buizenframe. Mikal kon er net zo goed niet zijn.

Boven de hete woestijnlucht bewegen de sterren aan het firmament. Ze hebben iets voltooids over zich, vergeleken met de onsamenhangende materialen die hem hier op aarde omringen. Wanneer hij de lichtbundel op het duister richt, zien de heuvels eruit als versteende wolken, rotsformaties van gestolde damp.

Het luipaardje mauwt en hij hoort dat zijn roep is verdiept van die van een zangvogel tot die van een adelaar. Hij ziet dat de soldaat water van zijn lippen likt, maar wanneer hij naar voren stapt met de fles begint de man zich weer te verzetten, met ogen die hem tergen, tarten, uitdagen en dreigen.

Mikal stapt weer in de pick-up en begint, met het welpje zacht en zwaar op zijn schoot, te rijden. 'Wat hebben ze jou te eten gegeven?' zegt hij nadat ze een minuut of vijf gereden hebben, en zijn ademhaling en hartslag eindelijk tot bedaren zijn gekomen, terwijl hij met één hand de vacht op de kop van het luipaardje streelt. De luchtstroom die door het raampje naar binnen komt droogt zijn kleren en huid. 'Ik zie dat je binnen de kortste keren vriendjes met hem bent geworden, hè?' Hij staat nog steeds versteld van de macht die de ogen van het dier over hem hebben, dat zijn blik hem onmiddellijk weer gevangenhoudt en alles in zijn hoofd in een stralend, droomachtig licht zet. En dan begint hij in een onophoudelijke woordenstroom tegen het dier te praten. 'Ga je me nog wat vertellen? Het is tegenwoordig zeker beneden je waardigheid om met iemand als ik om te gaan. Je bent je moedertaal vast allang vergeten, hè?' Onder het rijden knipt hij de zaklantaarn even aan om een blik door de glasruit achter zijn hoofd te kunnen werpen. De soldaat zit de andere kant op gekeerd en reageert niet op het licht dat op zijn schouder valt. Dankzij de kettingen kan hij niet bij het glas van de ruit. 'Maak je maar geen zorgen, hoor,' zegt Mikal tegen het welpje. 'Ik zal je nieuwe vriend geen kwaad doen. Ik zag dat er naast het huis van de zuster van Fatima een school stond. Een van de onderwijzers daar spreekt vast wel Engels. Daar ga ik hem heen brengen.'

De pick-up rijdt, in een wolk van stof, door de nacht. Op zeker moment trekt er een vlucht spookachtige ooievaars door zijn blikveld, het licht danst op hun vleugels als op een rivier, hun halzen golven in een taal die hij boven het geluid van de motor uit hoort, hun kreten snijden door de zwarte lucht. Hij rijdt over ruig terrein en tijdens een lang stuk tussen twee eindeloos verre heuvels is het net of hij stilstaat. Om de zoveel tijd neemt hij een stukje verharde weg, waarop het asfalt is gesmolten van de hitte van de afgelopen dag, en daarna rijdt hij weer over het woeste terrein, zo veel mogelijk een rechte lijn aanhoudend. Rond halfelf ziet hij een kilometer verderop een moskee langs de weg staan, waar een enkel peertje boven de deur brandt. Er is op dit tijdstip hoogstwaarschijnlijk niemand aanwezig, en hij zal er gewoon langsrijden, maar toch wou hij dat hij een stuk zeildoek had om over het frame te hangen. Als hij vlak bij de moskee is kijkt hij achterom en ziet dat de Amerikaan opzij is gezakt. Hij remt, stapt uit en rent naar achteren. De ogen zijn dicht. Hij klimt in de laadbak en loopt op hem af om zijn pols te voelen, de kettingen weg te duwen en zijn hand onder het kogelvrije vest te steken om de hartslag te controleren, maar de man schrikt op en gaat rechtop zitten.

Mikal deinst terug. De inscriptie op de lateibalk van de moskee luidt: *Ik ken op de wereld geen andere toevlucht dan Uw dorpel en er is geen andere beschutting voor mijn hoofd dan deze deur.* Precies op dat moment verschijnt er bij de ingang van de moskee een bebaarde man met een waterbekken voor de rituele wassing in zijn rechterhand. De deur is groen, net als de koepel op het dak, dezelfde kleur als de pick-up. De imam komt naderbij, maar blijft stomverbaasd staan wanneer hij de geketende man ziet.

'Ik dacht dat hij was flauwgevallen,' zegt Mikal.

'Dat is een blanke man.'

'Ja.'

'Wat bent u aan het doen?'

'Ik heb hem in de woestijn gevonden.'

'Is het een soldaat? Een Amerikaan?'

'Ik geloof het wel. Hij heeft een gebroken arm. Ik breng hem naar Allah-Vasi. Ik had niet verwacht dat er zo laat nog iemand zou zijn in de moskee.'

'Ik voer een nachtelijke Koranlezing uit en kwam alleen maar even naar buiten om water te halen.'

'Kent u misschien toevallig iemand die Engels spreekt?'

'Nee.' Dat is waarschijnlijk waar, al zijn er mensen in elkaar geslagen omdat ze Engels kenden en ervan werden verdacht informanten voor Amerika te zijn.

'Waarom brengt u hem naar Allah-Vasi?'

'Ik hoop daar iemand te vinden die Engels spreekt. Dan kan die aan de Amerikaan vragen of hij iets weet over mijn vriend en zijn familie.'

Het gezicht van de imam verbergt niets, de man is een ziel zonder geheimen, en hij zegt: 'Ik heb nog nooit een blanke in het echt gezien. Tijdens de Eerste Wereldoorlog zijn ze hier geweest. Ze gebruikten dubbeldekkers om bommen op ons te gooien. Het inzetten van die vliegtuigen werd beschouwd als laf. Doden terwijl je zelf buiten schot blijft.' Dan zegt hij: 'Weet u wat er gebeurt als iemand hem ziet?'

'Ik hoop er in het donker heen te rijden.'

'Had hij iets te maken met de verdwijning van uw vriend?'

'Dat weet ik niet. Ik denk het wel.'

'Als iemand hem ziet, hakken ze zijn hoofd af... en vermoedelijk ook dat van u omdat u het niet zelf hebt gedaan. Zei u dat hij een gebroken arm had?'

'Weet u hoe je een gebroken arm moet zetten?' Jeo zou het geweten hebben, bedenkt hij met een scheut van pijn.

'Ja. Maar we moeten hier niet op straat blijven staan. Ik wil niet in het openbaar gezien worden als ik een Amerikaan verzorg. Dan schieten ze mij ook dood. Ik ken mensen die niet eens naar een foto van ze willen kijken.' De man draait zich om om de moskee weer in te gaan. 'Rijd maar even achterom. Ik zal kijken of ik ergens een paar spalken kan vinden.'

'En ik zou het zeer op prijs stellen als u een oud laken voor me had waarmee ik hem tijdens de rit naar Allah-Vasi kan bedekken. Een juten zak kan ook.'

Mikal rijdt de pick-up naar de achterkant van het gebouw, naar de drooggevallen bedding van een rivier of stroom die in het regenseizoen voor afwatering uit de heuvels zorgt. De kalksteenkiezels die erin liggen bevatten fossielen. En de achterliggende woestijn is een donkere negorij vol stilte. Hij klimt in de laadbak, stapje voor stapje, de waterfles voor zich uit houdend. Met zijn tanden draait hij de hemelsblauwe dop los. De man verroert zich niet. Mikal hurkt bij hem neer, zet de fles aan de mond van de man en giet langzaam water in zijn mond. Zijn ogen bewegen niet meer, maar zijn strak op Mikal gericht. Dan begint hij te slikken. Als de fles leeg is, stapt Mikal achteruit en de man volgt hem, diep ademhalend, met zijn blik.

Een paar minuten later komt de man met de baard tevoorschijn uit de moskee met een laken, een handvol houten spalken en repen stof die als windsel kunnen dienen. Hij geeft het laken aan Mikal, die het openvouwt om te zien of het groot genoeg is om de soldaat te bedekken.

'Hij zal zich verzetten wanneer we de arm zetten, maar hij zal zich niet kunnen bevrijden,' zegt Mikal tegen de imam.

'Kijk eens hoe groot zijn handen zijn. Als hij losbreekt, zal hij je nek als een twijgje laten knappen.'

'Waarom doet u een nachtelijke Koranlezing? Is er iets bijzonders gebeurd?'

'Mijn zoon is imam in een moskee hier in de buurt. Hij zegt dat de deur van zijn moskee gisteren weigerde open te gaan, zodat er niemand naar binnen kon. Allah is ergens boos over. Iemand in de omgeving heeft iets gewetenloos gedaan en totdat hij vergeven is, zal die deur niet opengaan.' De man heeft tranen in zijn ogen en wist die langzaam met zijn handen. Oude vingers die een oude handeling uitvoeren. 'Het is een ramp. Niemand weet welk vergrijp of welke zonde er achter het weigeren van de toegang zit.'

Zodra Mikal en de bebaarde man in de laadbak klimmen, probeert de Amerikaan zich uit zijn ketenen te wurmen en wringt hij zich heen en weer tussen de windingen, maar Mikal stapt verder naar voren om te laten zien dat de Amerikaan door de ketenen onschadelijk is gemaakt. Hij rolt de mouw van de gebroken arm op en de man met de baard voelt waar de breuken zitten. De Amerikaan gromt nog steeds van woede en in het licht van Mikals zaklantaarn zien ze dat zijn gelaatstrekken verkrampt zijn en dat er spuug tussen de lippen bruist. Om de schade aan de schouderbotten te kunnen opnemen, maakt de oude man de kraag van de kamies van de Amerikaan los en maakt hij diens kogelvrije vest aan de voorkant open. Hij inspecteert de rug en voelt eraan met zijn vingertoppen. Ineens slaakt hij een kreet van afschuw. 'Allah, ik zoek mijn toevlucht tot U!' Wanneer Mikal naar de rug van de man kijkt, stokt onwillekeurig zijn adem. Op zijn huid staat een grote tatoeage:

Het woord bedekt de gehele ruimte tussen de schouderbladen en ze staan er naar te kijken terwijl de Amerikaan nog steeds aan het wurmen is. Er staat: 'Ongelovige.'

Maar het staat er niet in het Engels, wat zou hebben betekend dat hij het voor zichzelf had gedaan, of voor anderen zoals hij in zijn eigen land. Het staat er echter in het Urdu- en Pasjtoeschrift, dus het is bedoeld voor mensen hier. Hij daagt uit. Pronkt ermee. Ik ben er trots op een ongelovige te zijn, datgene wat jullie haten.

De imam gooit de spalken het donker in. 'Uit mijn ogen met hem.'

'Zeg het alstublieft tegen niemand.'

'Haal dat onmens hier weg.' De man klimt bevend van woede uit de laadbak. 'Ze willen niet alleen ons vlees, maar ook onze ziel treffen.'

Mikal wendt zich liever af dan dat hij de blik van de man moet trotseren. 'Ik ga al, ik ga al. Nu meteen. Maar vertelt u het alstublieft aan niemand.'

Wanneer hij achter het stuur zit, komt de oude man naar het raampje en kijkt hem strak aan, alsof hij een antwoord zoekt. In de ogen van de geestelijke staat ook een verward soort mededogen te lezen. Waarom heeft de blanke zichzelf op een dergelijke manier verdoemd, door zich te brandmerken met het teken van Zijn misnoegen? Vlak voordat Mikal wegrijdt, zegt de man: 'Het Westen heeft zichzelf deze vraag durven stellen: *Wat komt er na God?*'

Het is middernacht en hij rijdt door de heuvels, met een schuin oog naar de onweersbui in het oosten, onrustige lichtflitsen tegen een zwarte hemel, waardoor de donkere contouren van de Pahari's steeds kortstondig zichtbaar worden en dan weer verdwijnen. Dan bereikt het geluid van de donder hem en zijn de bliksemschichten zo fragiel als de draadjes in een gloeilamp. Hij rijdt over een lage pas in de meest westelijke uitlopers van de Pahari's en vervolgt zijn weg door de open woestijn. Eenmaal ziet hij in de verte, waar de weg door het donker snijdt, de koplampen van een hem tegemoetkomende vrachtwagen. Een halfuur later passeert hij de laatste lage cilindervormige heuvels, op het als klei gebarsten terrein, en na nog een halfuur bevinden ze zich aan de rand van Allah-Vasi. Voordat hij het dorp binnenrijdt stapt hij uit om de Amerikaan met het laken van de imam te bedekken. Hij haalt het 9mm-pistool uit de rugzak en verbergt het onder zijn broekband. Maar dan voelt hij afkeer opkomen en stopt het terug in de rugzak.

De hoofdweg wordt gekruist door een straat die van oost naar west omlaagvoert en uitloopt in een breed onverhard pad. Dat pad volgt hij in de richting van waar de zus van Fatima woont. Het is bijna een uur 's nachts. Onderweg wordt de doodse nachtelijke stilte doorbroken door de honden die in verschillende huizen aanslaan. Hij rijdt net zo lang door in oostelijke richting tot hij de poort herkent waarvoor hij Fatima heeft afgezet en dan zet hij de motor af en blijft naar het huis zitten kijken, terwijl de honden doorgaan met hun kabaal. Hij neemt het schoolgebouw ernaast in zich op, met de boog boven de poort waarop een uitspraak van de profeet staat. *Zoek kennis. Al moet gij ervoor naar China reizen.* Hij duwt de rugzak van de Amerikaan ver onder de bijrijdersstoel, stapt uit, vergewist zich ervan dat de soldaat nog steeds door het laken wordt bedekt en klopt dan op de grote poort van het huis.

Terwijl hij wacht, steekt hij het pistool toch weer onder zijn broekband.

Het duurt een paar minuten voordat er iemand achter de poort reageert, met kortaffe, wantrouwige vragen, maar als hij zich bekend heeft gemaakt wordt hij uiteindelijk binnengelaten. De vader van het gezin, Fatima's zwager, heeft een jachtgeweer in de hand en bij hem staat zijn zoon, een jongeman die een paar jaar ouder is dan Mikal. De zoon wil graag weer naar bed en loopt meteen weg, waardoor hij de vader opzadelt met het ontvangen van de onbeleefde, op een onmogelijk tijdstip verschenen bezoeker. De vader zegt tegen Mikal dat hij de pick-up door de poort naar binnen moet rijden en aan de rand van de binnenplaats moet neerzetten.

Als Mikal uitstapt, met het sneeuwluipaardje in zijn armen, kijkt hij om zich heen, laat wat adem ontsnappen en zegt tegen de vader, die net klaar is met het vergrendelen van de poort: 'Oom, ik moet u iets vertellen.' De honden in de buurhuizen blaffen nog steeds. Hij neemt de man mee naar de achterkant van de wagen en trekt met een snelle beweging het laken weg, zodat ze de Amerikaan met gebogen rug zien zitten te midden van alle kettingen. Voordat de vader iets kan uitbrengen, klinkt achter hen een enorm krijgsgehuil op en wanneer Mikal zich omdraait ziet hij de zoon en vijf of zes andere jongemannen aan komen stormen over de binnenplaats.

'Nee, nee, nee, nee,' mompelt Mikal.

Hij legt zijn linkerhand op de lage rand die de laadbak van de pick-up omgeeft en springt met een zwaai in de laadbak, ondertussen het welpje met zijn andere hand vasthoudend. Hij grijpt onder zijn hemd, trekt snel het pistool onder zijn riem vandaan en gaat op zijn knieën voor de Amerikaan zitten, met zijn gezicht naar de aanstormende mannen gekeerd. De vader heeft zijn handen geheven om zijn zoon tot kalmte te manen. Mikal kijkt achterom en ziet dat de Amerikaan stokstijf, maar met fel oplichtende ogen achter hem zit. De vader zet een stap naar de zoon toe, die op een meter voor hem blijft staan, waarna de andere jongemannen achter hem ook halt houden. De vader is een reus van een vent en heeft ouderlijk gezag over de jongen, maar dan duikt de zoon onverhoeds op de pick-up af, half wegglijdend op het vuil op de binnenplaats, en tijdens de schermutseling hoort Mikal een hemd scheuren. Hij houdt de arm met het pistool gestrekt voor zich uit en vraagt zich af of hij in staat zou zijn de trekker over te halen. Dan merkt hij dat een paar van de andere jongemannen met een omtrekkende beweging op de pick-up af komen en de Amerikaan vanaf de andere kant proberen te naderen. Er staat Mikal, als hij iedereen in zijn blikveld wil houden, niets anders te doen dan zich achterover tegen de Amerikaan aan te laten zakken, zodat hun hoofden elkaar bijna raken en hij de kettingen van de bedelmonnik in zijn rug voelt prikken, en hij zwaait met het vuurwapen, eerst naar de ene en dan naar de andere kant. Geschreeuw en dreigende blikken en een toenemend tumult.

Ze hebben de pick-up omsingeld en Mikal drukt zich, even niet bezorgd om de gebroken arm, stevig tegen de Amerikaan achter zich aan. Met het pistool houdt hij hen, met bonzend hart en trillend als een riet, op afstand. Iemand heeft ineens een lange stok in zijn hand die hij achter een van de kettingen probeert te haken.

De zoon heeft een groot bowiemes en daar haalt hij mee uit naar Mikal, die zich omdraait en hem vol op de slaap raakt met de kolf van het pistool. Sommigen van de mannen zijn huisbedienden of anderszins in betrekking bij de familie, en hoewel ze om de pick-up heen lopen en dreigende taal uitslaan, kunnen zij niet tegen de wensen van hun baas ingaan. Maar de anderen storten zich volop in de aanval, dus dat zijn ongetwijfeld neven of andere leden van de familie.

Uit het huis zijn twee oudere mannen gekomen. Zij roepen de jongemannen bij hun naam en degenen die zijn geroepen blijven staan en kijken om. De heer des huizes is nog steeds in een worsteling verwikkeld met zijn zoon, die half over de rand van de laadbak is geklommen, zwaar ademend, met verwrongen gezicht en kwijlende mond, wanneer de vader hem in een armklem neemt. Hij trekt hem omlaag en blijft hem vasthouden, terwijl het mes blikkert in de hand.

'O Allah!' zegt de vader. 'O Allah, ik zoek mijn toevlucht tot U!'

Met dreigend geheven handen en verder vertoon van woede en gezag hebben de twee oudere mannen hun neven tot bedaren gebracht. De vader duwt de zoon weg van de pick-up. 'Ik wil dat jij je beheerst,' zegt hij.

'Goed.'

'Goed wát? Goed, vuile hond? Goed, ellendeling?'

'Goed, vader.'

De man richt zich op, met zijn handen op zijn heupen, om op adem te komen. Daarna wendt hij zich tot Mikal: 'Vertel maar op, jongen.'

'Ik hoopte de nacht hier te kunnen doorbrengen voor ik verder reis.'

'En je dacht dat ik dat wel goed zou vinden, met die kerel daar achterop?'

'Ik wilde u net alles gaat uitleggen, maar toen kwamen zij erbij en wilden een oorlog beginnen.'

'Wat had je gedacht dat er zou gebeuren als iemand hem zou zien?'

'Ik wist niet wat ik anders moest doen, oom.'

'Hoezo een oorlog beginnen?' schreeuwt de zoon. 'We zijn allang in oorlog.'

'Dat weet ik.'

'Ze hebben in november mijn broer vermoord.' De zoon wijst met het mes naar de Amerikaan.

'Ik weet dat we in oorlog zijn,' zegt de vader. 'Vertel eens wat je precies uitspookt met die kerel.'

'Ik heb hem in de woestijn gevonden. Ik zou hem daar hebben laten liggen, maar toen zag ik dat hij het sneeuwluipaardje bij zich had. Dat welpje was van de zus van Akbar.' Hij wijst naar het huis. 'De mensen voor wie tante Fatima werkt. Dus is deze man vermoedelijk in het huis van Akbar in Megiddo geweest. Ik moet iemand vinden die hem een paar dingen kan vragen.'

De man laat deze informatie op zich inwerken. Achter hem lopen de jongere mannen rusteloos heen en weer. Ze verbijten zich van wraakzucht.

De man wendt zich tot hen: 'Iedereen naar binnen nu. Ghulam, zorg ervoor dat niemand de deur uitgaat. Níémand.'

Hij wendt zich weer naar Mikal en zegt: 'Niemand hier kan Engels.'

'Ik dacht dat een van de leerkrachten op de school het misschien zou spreken.'

De man denkt even na. 'Je hebt gelijk. Er is er eentje die het spreekt.'

Pas nu beseft Mikal dat hij nog steeds tegen de Amerikaan aan geleund zit. Hij buigt naar voren, komt overeind en klimt de laadbak uit.

'De lerares die Engels spreekt woont aan de andere kant van het dorp. Iemand zou haar hierheen kunnen halen,' zegt de man. 'Ik denk alleen niet dat het nu meteen kan.'

'Nee,' beaamt Mikal knikkend.

'We moeten wachten tot de ochtend. Ik klop liever niet midden in de nacht bij mensen aan. En ze zal op dit uur ook niet willen meekomen. Haar man en kinderen zullen dan willen weten waar we haar mee naartoe nemen.'

'Als bekend werd dat ze met een Amerikaan heeft gesproken, zou haar van alles kunnen gebeuren.' Mikal kijkt de man aan. 'Het spijt me dat ik u hier in heb betrokken.'

'Als bekend wordt dat ik een Amerikaan in mijn huis heb gehad, zou mij ook van alles kunnen gebeuren. En de rest van mijn familie. Het hele dorp wemelt van de mensen van de taliban en Al-Kaida.'

'Het spijt me. Misschien is het maar beter als ik nu meteen vertrek.'

'Hoe kom je erbij dat ik dat bedoelde?' zegt de man. 'Je bent nu hier. We moeten bedenken wat ons te doen staat. Ik denk dat we tot morgenochtend moeten wachten en op de tijd dat de school begint, komt de lerares en dan kunnen we haar hierheen brengen zonder dat iemand er weet van heeft.'

'Dus ik kan pas in de loop van de ochtend weg?'

'Daar lijkt het wel op.'

'Ik moet zo snel mogelijk terug zijn in Heer.'

'Waar ligt dat?'

'Dat is waar ik vandaan kom. In de Punjab.'

'Bel ze dan morgenochtend op en zeg dat je wat later komt. En wat ga je met de Amerikaan doen als hij je vragen heeft beantwoord?'

'Zover had ik nog niet doorgedacht.' Mikal leunt tegen het portier van de pick-up.

De man neemt hem zorgvuldig op. 'Wanneer heb je eigenlijk voor het laatst gegeten?'

'Ik ben gewoon moe.'

'Ik zal de vrouwen wakker maken, als ze niet al op zijn. Kom binnen, dan krijg je wat te eten van ze. Moet je die honden toch eens horen.'

'Oom, hij heeft een gebroken arm.'

De man kijkt naar de Amerikaan. 'Ik zal Ghulam vragen de arm te zetten. Kom jij maar mee naar binnen.'

'Ik vind dat we hem ook iets te eten moeten geven.'

'Wat eet hij? We hebben niks bijzonder is huis.'

'Ik heb eten voor hem.'

Mikal pakt de rugzak en bekijkt de instantmaaltijden. Hij ritst een zakje in de voering van de rugzak open, haalt het bloedbriefje eruit en vouwt het open. Er staat een telefoonnummer op. Hij kijkt er even naar, stopt het dan weer terug in het zakje en draait zich om naar de man. 'Ik blijf liever hier buiten bij hem. Ik durf hem niet alleen te laten.' Hij denkt aan het dikke stalen mes van de zoon met het brede, vijftien centimeter lange lemmet. Het moet een gevechtsmes zijn, want het heeft een koperen krop waarmee het lemmet van het mes van een tegenstander kan worden opgevangen, een weerstangetje met van voren een baard om bij afwerende bewegingen de hand van de eigenaar te beschermen.

'We zetten hem in de garage achter het huis en doen de deur op slot,' zegt de man. 'Kom eerst maar zelf eten, dan kun je hem daarna te eten geven.'

'Had hij het welpje bij zich?' vraagt Fatima. Zij en haar zuster zijn op en maken een maaltje voor hem klaar. Er worden schapenvlees en erwten opgewarmd in een pan. Ze schept het op een bord. Als Fatima hem een chapati in een sitsen doek brengt, hoort hij ruziënde mannenstemmen achter een van de muren.

'Ja.'

'Dan moet hij weten wat er in het huis gebeurd is.'

Hij knikt en zij loopt terug naar het fornuis. 'De andere soldaten zijn vast naar hem op zoek,' zegt ze. 'Denkt u dat ze u hier zullen kunnen vinden?'

'Dat weet ik niet.'

'Het luipaardje is een beetje gegroeid,' zegt ze.

'Ja, hè?'

'Weet u zeker dat het dezelfde is?'

'Ik heb het gecheckt. De donkere vlek aan de binnenkant van het linkeroor.'

Wanneer hij net zit te eten, vraagt de zuster van Fatima: 'Gaat u de Amerikaan uiteindelijk vrijlaten?'

'Er zit een telefoonnummer in zijn rugzak,' zegt Mikal.

'Ik wil geen Amerikaanse soldaten in de buurt van mijn huis,' zegt de zuster. 'Ze hebben al een van mijn zoons gedood.'

'Ik bel ze pas als ik hier ver vandaan ben.'

'Ik wil niet dat u mijn familie in gevaar brengt,' zegt de vrouw. 'Stel dat hij hier straks terugkomt met andere soldaten om ons gevangen te nemen en ons allemaal af te voeren?'

'Zover zal het niet komen. Ik neem hem mee, naar ergens ver hier vandaan, zodat hij de weg terug niet zal kunnen vinden.'

'Voor hetzelfde geld zijn ze hem allang aan het volgen,' zegt de vrouw. 'Als ik wist dat zijn landgenoten straks mijn huis komen binnenvallen om hem te redden, zou ik nu meteen met het geweer naar buiten gaan. Anders maken ze ons allemaal af.'

Mikal is er zeker van dat er in de andere kamer een soortgelijke discussie plaatsvindt.

'Ik beloof dat ik u er niet verder bij zal betrekken. En ik vind het heel erg van uw zoon.'

Plotseling verbergt de vrouw haar gezicht achter haar handen en begint met gebogen hoofd en ingezakte schouders te huilen. Mikal stopt met kauwen. Hij hoort haar geschokt en zwijgend aan. En dan – even plotseling – slikt ze haar verdriet weer in en gaat staan. 'Hoeveel chapati's wil je?' vraagt ze met onvaste stem.

'Ik heb hier genoeg aan.'

Fatima neemt hem op en tikt haar zuster op de rug. 'Hij heeft er nog zeker twee nodig.'

'Geen enkel probleem.'

'Nou graag dan,' zegt Mikal.

Nadat hij heeft gegeten, gaat hij naar de garage en ziet daar dat ze een stuk zeildoek over het frame rond de laadbak van de pick-up hebben gespannen. De achterkant is nu volledig omsloten. Een soort kist van stugge, strakke stof. Op sommige plekken geeft het even weinig mee als triplex.

Hij trekt de flap boven de laadklep omhoog en ziet dat er een reep zwarte stof over de ogen van de blanke is gebonden. Met zijn tanden maakt Mikal de instantmaaltijd open, gaat naast de soldaat zitten en mengt de chemicaliën uit de zakjes om het grote stuk vacuüm verpakt vlees op te warmen. Hij praat, zodat de man zal weten dat hij het is, en duwt het eten tegen de lippen van de blanke totdat die zijn mond opendoet. Hij vertelt de soldaat dat hij in Pesjawar zelf wel eens een Amerikaanse instantmaaltijd heeft gegeten, omdat die daar om onduidelijke redenen te koop waren, en dat hij haaienbiefstuk heeft gegeten aan de oever van de Arabische Zee, en een roofvogel, en een vlinder.

'Als je begrijpt wat ik zeg, geef me dan in vredesnaam antwoord. Toe, alsjeblieft.'

Het gezinshoofd verschijnt bij de laadklep met een hangslot en blijft naar hem staan kijken.

Wanneer de instantmaaltijd op is, komt Mikal overeind en gaat weg, waarna de man de garage afsluit.

'Is er nog een tweede sleutel?'

'Nee,' zegt de man.

'Zorgt u ervoor dat er vannacht niemand het huis verlaat om de rest van het dorp in te lichten?'

'Het gaat ook om onze eigen veiligheid,' zegt de man. 'Wij zijn net zo bezorgd. Ga nu maar naar binnen om wat te slapen. Fatima maakt een bed voor je op.'

Jeo en Basie komen bij hem langs in zijn slaap. Maar wanneer hij een poosje later wakker wordt, kan hij zich de bijzonderheden van de droom niet meer herinneren en blijft hij met open ogen in het donker van de kamer liggen, tot hij zich uiteindelijk herinnert dat hij Jeo en Basie had gevraagd hoe het was om dood te zijn. Hij doet zijn best zich het antwoord te herinneren, maar is weer half weggedoezeld als iemand hem in het donker aanraakt. Hij gaat overeind zitten op het moment dat er een zaklamp aangaat in de kamer. Een van de neven staat naast zijn bed.

'Zou je hem aan ons willen verkopen? Ze hebben mij gestuurd om te vragen hoeveel je voor hem wilt hebben.'

'Hij is niet te koop.'

'In cash.'

'Ik zei dat hij niet te koop is.'

De jongen kijkt hem aan en knikt. 'We vonden dat we het in elk geval moesten vragen.'

'Je hebt antwoord gekregen.'

'Weet je het zeker?'

'Absoluut.'

'Tante Fatima zei dat ze je gevangen hadden gehouden en gemarteld.'

Mikal wendt zijn blik af.

'Je zou zijn bloed moeten willen drinken. Hij is je vijand.'

'Niet op die manier.'

'Hij zou het bij jou ook doen.'

'Dan ben ik een beter mens dan hij.'

Met die woorden gaat hij weer liggen. 'En nu wil ik nog even slapen. Ik heb morgen een lange dag voor de boeg.'

De jongen knipt de zaklamp uit en Mikal hoort hem weglopen in het donker. Hij komt uit bed, schuift de grendel voor de deur, nadat hij door het raam naar buiten heeft gekeken en de vader met een jachtgeweer bij de garagedeur heeft zien staan. Hij probeert wakker te blijven, want zijn angst vormt beelden in het duister, van djinns en voortbrengselen van de nacht, maar op zeker moment valt hij toch in slaap. Jeo of Basie vraagt hem of hij zeker weet dat hij die twee Amerikanen bij het meer niet had willen doodschieten – zij vragen zich af of hij hen moedwillig heeft gedood – maar voor hij kan antwoorden is de vragensteller alweer verdwenen. Wanneer hij wakker wordt, is de zon al op en is het zes uur, zodat hij onmiddellijk uit bed komt. Op de gang komt hij de zoon tegen. Zijn voorhoofd is getekend door bittere gedachten, hij beantwoordt Mikals groet niet en kijkt hem ook niet aan. Er zit een paarse plek op zijn slaap, op de plek waar Mikal hem gisteravond met het pistool heeft geraakt. Het is niet ernstig, of hij heeft er niks aan gedaan omdat hij Mikal geen zwakte wil tonen. Bijna iedereen lijkt al op te zijn. Er komen geuren uit de keuken, de vrouwen zijn paratha's aan het maken, lassi aan het mixen en eieren aan het bakken, mompelend onder het werk omdat het nog te vroeg is om hardop te praten, en omdat woorden het pure genot dat je leeft verstoren.

De grote poort van het huis zit nog steeds op slot. De man zit nog steeds voor de garage, nu met het luipaardwelpje op zijn schoot. Het heldere, gouden zonlicht flakkert op de tekening op de vacht. Zijn jachtgeweer staat schuin tegen de stoel.

Mikal loopt naar buiten, naar hem toe. De man steekt een hand in zijn zak en haalt er stukken van een vernielde satelliettelefoon uit, grote zilveren scherven en stukjes afgebroken plastic en losgescheurde onderdelen van de microcircuits.

'Dit hebben we bij hem gevonden. In de korte broek die hij onder zijn sjalwaar aan heeft.'

'Ik heb er niet aan gedacht daar te kijken,' zegt Mikal bedeesd.

'Het leek me beter dat ding kapot te maken.' De man gooit de stukken voor zich op de grond en blijft ernaar zitten kijken als een waarzegger die de toekomst voorspelt met behulp van de kiezels die hij heeft uitgestrooid. 'We hebben hem ook gewassen,' zegt hij, 'in de badkamer.'

'Wat?'

'Tja, hij had zichzelf bevuild. Dus moesten we hem wel verschonen. Hij verzette zich als een dolle.'

'Geef me de sleutel.'

'Het gaat goed met hem. Ga eerst maar binnen wat eten.'

'Geef me de sleutel, oom.'

'Ga eerst binnen wat eten.'

Mikal knikt, maar verroert zich niet.

'Ik moet iemand bellen,' zegt hij uiteindelijk tegen de man.

'Ik heb de telefoon verstopt voor het geval er iemand probeert naar buiten te bellen. Ik zal hem na het ontbijt voor je aansluiten.'

'Dankuwel.' Hij ziet hen in gedachten voor zich, thuis in Heer, met het briesje en de geuren van de tuin, het schurend geluid van de bezem waarmee afgevallen bladeren van een rood pad worden geveegd. Naheed die de dauw van de spiegel boven de buitengootsteen wist en de bloemen die erboven hangen. *Voordat de botanische wetenschap, nog maar driehonderd jaar geleden, in het leven werd geroepen,* herinnert hij zich dat Rohan Jeo en hem ooit als kinderen had verteld, *werden de bloemen in hun oneindige verscheidenheid, en bij ontstentenis van een menselijke ordening, beschouwd als een bewijs voor het bestaan van God.*

De jongemannen houden hem van een afstandje in de gaten, vanaf verschillende hoeken van het huis. Ze verzamelen zich her en der in groepjes en trekken zich dan weer terug, en hij waakt ervoor iemands blik te beantwoorden. Terwijl hij zit te eten vertelt Fatima hem dat de school om halfnegen begint en dat de leerkrachten doorgaans vanaf een uur of acht arriveren.

Om kwart voor acht trekt de zuster van Fatima haar boerka aan, ontsluit haar man de grote poort en gaat ze naar de school om zich bij de ingang op te stellen, in afwachting van de onderwijzeres die Engels spreekt.

Mikal gaat de garage binnen, loopt naar de achterkant van de pick-up en tilt het zeildoek op. De geblinddoekte soldaat voelt dat er iemand is binnengekomen en beweegt zijn hoofd. Zijn arm zit in het gips en hangt in een driehoekige mitella van wit katoen dat ooit als meelzak heeft gediend. Hij heeft een nieuwe sjalwaar-kamies aan en op zijn voorhoofd zit een grote geelzwarte zwelling. Mikal heeft het gevoel dat de man hem dwars door de blinddoek heen opneemt, misschien door de onbedekte, ronde verkleuring boven de ogen. De straat ligt vlak achter de garage en van daar klinkt het gekwetter van de schoolkinderen die arriveren voor een dag les.

Hij hoort dat de poort opengaat en kijkt naar buiten, waar hij de zuster van Fatima ziet binnenkomen met een andere, veel slankere persoon. Haar boerka is nauwsluitender dan die van de oudere vrouw, met lange, vlekkeloze lijnen, ze draagt een leren handtas over haar schouder en haar voeten maken klikgeluiden die hij bij de vrouwen in dit huis niet heeft gehoord. Het klinkt krachtig en kordaat, in tegenstelling tot het moederlijke, huiselijke geschuifel dat de anderen laten horen. Hij ziet hen in de richting van de keuken verdwijnen.

Vijf minuten later komt de man naar Mikal toe. 'De vrouw spreekt Engels, maar weigert met de Amerikaan te praten. Ze durft niet. Ze zegt dat ze haar tong zullen afsnijden of haar zullen vermoorden.'

'Kunt u haar niet overhalen?'

'Dat zijn we aan het proberen.'

'Wat is er met zijn voorhoofd gebeurd?'

'Dat heb ik toch verteld? Toen we hem wasten verzette hij zich met hand en tand. Hij smeet ons alle kanten op en raakte verstrikt in de kettingen.'

'Ik dacht dat het misschien iets te maken had met wat er op zijn rug staat geschreven.'

'Nee. Maar ik zeg je dit: als iemand hem te pakken krijgt, zal hij duur betalen voor dat stukje poëzie.'

De man gaat het huis weer binnen en komt een paar minuten later terug. 'Ze is doodsbang. Ze gaat zo weg.'

Mikal stapt de garage uit en ziet de jonge vrouw luid snikkend in haar zwarte boerka over de binnenplaats snellen. Hij loopt met uitgestoken arm naar haar toe en zegt: 'Zuster, luister...'

Maar als ze hem ziet aankomen slaakt ze een hoge kreet, waarop hij blijft staan.

De vader maakt de poort open en precies op het moment dat de jonge vrouw naar buiten gaat wagen twee van de bedienden het erop, duwen de man opzij en schieten naar buiten. Vanaf de straat klinkt hoog gegil en geschreeuw omdat de twee ontsnappende mannen kinderen omverlopen. Het gezinshoofd krabbelt overeind en sluit de poort weer af.

Iedereen is met stomheid geslagen.

'Ze zijn bang dat de Amerikanen het huis zullen binnenvallen en hen mee zullen nemen,' zegt een van de andere bedienden.

'Ze zullen het aan iedereen in de bazaar vertellen,' zegt de zoon. 'Binnen een halfuur zal elke man in Allah-Vasi voor wie eergevoel, geloof en mannelijkheid nog iets betekent hier voor de deur staan.' Hij zet een stap naar voren en slaat Mikal hard in het gezicht. 'Opzouten. Nu!'

De vader zegt niets en roept de jongen ook niet tot de orde.

'Ik zal hem meenemen,' gaat Mikal akkoord. 'Ik ben zo weg.'

De zoon haalt een aansteker uit zijn zak, knipt het vlammetje aan en steekt er een papiertje mee in brand. Pas als het te laat is realiseert Mikal zich dat het het bloedbriefje van de Amerikaan is.

'Wij willen niet door jou de Amerikanen op ons dak krijgen,' zegt de zoon, die het papiertje loslaat wanneer de vlammen zijn vingertoppen naderen. Het laatste stukje wit valt op de grond, met het vlammetje er nog aan vast. Tegen de tijd dat het landt is het as. 'Wij houden de kalasjnikov, het kogelvrije vest en de dollars,' voegt hij eraan toe. 'Dat zeildoek is niet goedkoop.'

'Het pistool mag je houden om jezelf mee te verdedigen, en zijn eten ook,' zegt de vader.

'Ik wil het sneeuwluipaardje ook hebben,' zegt de zoon.

'Het welpje is van mij,' zegt Mikal zo beslist als hij kan.

De vader kijkt naar de zoon. En dan naar Mikal. 'Je mag het welpje meenemen.'

Mikal draait zich om en wil het vertrek verlaten.

'Je zei dat je nog iemand moest bellen,' zegt de vader. Hij wijst naar een deur. 'De telefoon is daar achter.'

In Heer wordt niet opgenomen. Mikal hangt op en draait het nummer nog een keer, maar ook ditmaal wordt er niet opgenomen.

Vijf minuten later stuurt hij de pick-up de garage uit, terwijl de vader ernaast meeloopt.

'Waar gaat u heen?' Fatima is op de veranda verschenen.

'Ik weet het niet. Ik denk dat ik naar Megiddo ga en hem daar ergens in het huis verstop. En dan ga ik naar de school daar om te zien of ik een leerkracht kan vinden die Engels spreekt.'

'Dump hem gewoon in de woestijn en rij door,' zei de man. 'Ga naar huis. Doe wat andere jonge mannen doen: ga films kijken, solliciteren, ruziemaken met je zussen.'

'Hij weet wat er met Salomi en Akbars broer is gebeurd.'

'Ik rijd met u mee,' zegt Fatima.

'Nee,' zegt haar zwager en steekt een hand in de lucht.

'Dat is niet zo'n goed idee,' zegt Mikal voorzichtig.

'Als ik bij u in de wagen zit, is er minder kans dat u zult worden lastiggevallen. Een vrouw zullen ze respecteren.'

'Fatima,' zegt haar zwager. 'Als ze ontdekken wie hij daar vastgebonden achterop heeft, maakt het echt niks uit wie hij voorin naast zich heeft zitten.'

Het luipaardje ligt opgerold bij hem op schoot en gaapt, zodat zijn lichtroze tong zichtbaar wordt. De dikke staart slaat heen en weer. Op de stoel naast hem heeft Mikal bijeengebonden in een doek een uitgebreid middagmaal liggen, plus drie met kraanwater gevulde Nestléflessen. Er is ook een fles met een donkerbruine, bitter ruikende olie voor de arm van de Amerikaan, al weet hij niet wanneer hij die zou moeten inwrijven, want het gips moet er nog dagenlang omheen blijven zitten.

'Pas goed op,' zegt de man welgemeend, vlak voordat hij hem eruitlaat.

'Dank u oom. En het spijt me.'

'Ik heb overwogen om ze vannacht met hem te laten afrekenen. Om je tegen jezelf te beschermen.'

'Dat weet ik.'

'Misschien moet ik dat nu wel doen.'

'Ik moet gaan, oom.'

'Prima. Blijf uit de buurt van de weg. Rijd door de woestijn en houd de Pahari's aan je rechterhand. Het duurt langer, maar is wel de veiligste route. Als de weg is ondergelopen rijden mensen vaak dwars door de woestijn, dus het kan best. Ik heb het zelf ook wel eens gedaan. En nu heb ik toch ineens het idee dat je beter kunt wachten tot het donker wordt.'

'Nee. Ik moet hier zo snel mogelijk vanaf, zodat ik terug kan naar Heer.'

Er lopen kinderen naar de school, en op het kruispunt aan het eind van de straat stopt hij om een stuk of tien scholieren te laten oversteken. Een jongen die een boekentas meetorst die tweemaal zo groot is als zijn borstkas reageert op het geluid van rammelende kettingen dat van achter het zeildoek opklinkt en bonkt op Mikals portier. 'Wat hebt u achterin?'

Mikal zit met een arm uit het raampje.

'Is het een kalf of een geit?'

'Het is mijn broer. Het is zijn huwelijksdag, maar hij wil helemaal niet trouwen, dus heb ik hem vastgebonden, dan kan ik hem zo naar het huis van de bruid brengen.'

Rond het middaguur bevindt hij zich op een zinderend hete vlakte waar de kale aardkorst wordt omgeven door een kring van heuvels die in oogverblindend zonlicht baden. Hij houdt voortdurend de achteruitkijkspiegel in de gaten, voor het geval dat hij wordt gevolgd. Ten westen van hem reist een sluier van zand horizontaal over de grond met hem mee, en buigt dan omhoog, gehoorzamend aan een wet van de wind die hij niet kent, en de heuvels tekenen zich flets af in het harde licht, ze staan daar met meedogenloze waardigheid en grandeur, en de wielen van de pick-up knerpen over de woestijnbodem, terwijl de hitte in vlagen op hem afkomt, alsof de rotsen ademhalen. Het dient als herinnering aan het feit dat er, in tegenstelling tot wat de Koran zegt, plekken op aarde zijn waarover de mens geen zeggenschap heeft. Hij rijdt het door winderosie gevormde terrassenlandschap van lage heuvels in en vervolgens in verblindend licht over een pas, waarbij hij de temperatuurmeter voortdurend in de gaten houdt. Al snel geeft die 'heet' aan, te heet, en hij stelt zich voor dat er koelvloeistof boven uit het expansievat van de radiateur borrelt en het voertuig oververhit raakt.

Hij stopt in de beschaduwde luwte van een rotswand ten oosten van de pas, stapt uit en loopt de verzengende wind in. Er raast een rivier van hitte door de stenen doorgang die bijtende korrels zand en mica met zich meevoert. Wanneer hij het zeildoek bij de laadklep optilt beweegt het geblinddoekte hoofd van de Amerikaan zich onmiddellijk in zijn richting. De man baadt in het zweet en zijn huid ziet rood, iets wat vast met blanke mensen gebeurt als het zo heet is, denkt Mikal. Het rood lijkt er dik op geschilderd. Het gips om zijn arm is helemaal droog geworden, een doorschijnend wit in het halfduister. Mikal doet hem de blinddoek af en geeft hem water, nadat hij eerst een ontsmettingstablet in de fles heeft gedaan. Daarna loopt hij terug naar de rivier waar hij een paar minuten geleden langs is gereden, een waterstroom die zich in scherp afgetekende bochten door het landschap slingert. Op zijn nadering scheert een tweetal kievieten zwart wit zwart wit weg over het wateroppervlak, en hij kijkt hen met zijn voeten in het water na. De rivier is warm en het voelt alsof hij twee ijzeren boeien om zijn enkels heeft. Hij loopt met kleren en al, en met het luipaardje op zijn schouder, verder het water in. Het simpele, ongecompliceerde gewicht van het dier is geruststellend. Met zijn handen sprenkelt hij zilveren druppels over de vacht. Het zonlicht drijft als half gestolde goudstaafjes op het wateroppervlak om hem heen. Hij gaat zitten tussen de tot aan de wortels afgestorven rietstengels, vult de plastic fles en loopt terug naar de Amerikaan. Hij houdt het hoofd van de man met één hand stabiel en laat dan water op hem druppelen, waarbij hij ervoor zorgt dat het gips niet nat wordt. De man knippert met zijn ogen en Mikal veegt het natte haar weg van de blauwe plek op het voorhoofd, waarna de man nogmaals knippert en naar Mikal opkijkt. Die maakt onder de kin van de man een kommetje van zijn handen om het weglopende water op te vangen en weer op het hoofd te gieten, om hem te helpen afkoelen. Hij veegt druppels van de wenkbrauwen af door er met de toppen van zijn duimen overheen te gaan. Dan neemt hij hem aandachtig op.

De man lijkt gefascineerd te zijn door zijn ontbrekende vingers.

Hij loopt vier keer naar de rivier en wanneer hij klaar is, is de Amerikaan doorweekt en glinsteren de kettingen en de golfplaten bodem van de laadbak van het water. De lucht zindert van de hitte, een moordende vloedgolf. Hij gaat bij de laadklep zitten met het luipaardje op zijn schoot, roerloos als een stuk speelgoed, en voelt zijn kleren met de minuut droger worden, en voelt de blik van de Amerikaan op zich gericht. Hoog op de overhangende rotswand zitten zwaluwnesten van leem. Af en toe maakt de Amerikaan een beweging en dan rammelen de kettingen en kijkt Mikal naar hem. De ogen van de blanke man zijn vensters op een andere wereld, op een geest die door andere regels, door een andere levenswijze, is gevormd. Wat voor soort man is hij? Is hij welbespraakt, een bundeling van kracht en fijngevoeligheid? Is hij verliefd op iemand of laat hem dat koud? Heeft hij, net als Mikal, een broer?

Hij maakt een blikje kattenvoer open voor het welpje, zet het voor hem neer en geeft dan de Amerikaan te eten. Daarna pakt hij een chapati en een stuk schapenvlees uit het servet en nuttigt zijn eigen middagmaal. De opdrogende kleren verkoelen zijn huid en de schaduw voelt inmiddels even aangenaam als een regenbui. Soms kijkt de man langs Mikal heen de hitte in, alsof hij iets of iemand heeft gehoord. Of hij staart strak naar één bepaalde plek op het zeildoek, alsof vlak daarachter iemand staat. Hij zit, in zijn ketenen gewikkeld, in kleermakerszit, met de niet-gebroken arm tegen zijn zij gebonden. Hij lijkt weg te doezelen en na een tijdje sukkelt ook Mikal in slaap. Die schrikt af en toe even op en kijkt naar de wassende schaduw van de rotswand, die meegaat met de loop van de zon. Hij neemt zich voor verder te rijden zodra de voorste grens van de schaduw dat stuk struikgewas heeft bereikt, dat gestreepte rotsblok, die barst in de aarde.

Uiteindelijk komt hij overeind, maakt een wieldop van de pick-up los, vult die met water uit de rivier, zet hem op de bijrijdersstoel en zet het luipaardwelpje erin.

Hij zet koers door de vallei, onder een volstrekt onbeweeglijk aan de hemel staande zon. Hier en daar groeien plukjes gras, die goud oplichten in de zon, en bij een strook gras in de verte ziet hij een zwarte jakhals, die hij abusievelijk even aanziet voor de vermiste airedaleterriër.

Een uur later rijdt hij het dorre dal uit en begint aan de klim door de heuvels. Sprieterig gras en een enkele acacia. Hij mindert vaart als hij voor zich, tussen zwerfkeien met de kleur van ongeraffineerde suiker, doorschoten met blauwe aders, een uitgemergelde man en vrouw in het zand ziet zitten, met bij zich een magere zwarte geit die de zool van een rubberen slipper om zijn nek heeft hangen om het boze oog af te weren. Ze vertellen hem dat ze zijn gevlucht voor de gevechten in Afghanistan. Hun dochter is bij een bombardement om het leven gekomen. 'Ze zijn nog steeds aan het vechten,' zegt de vrouw. 'Haar dood heeft ze niet tot inkeer gebracht.' En dan vraagt ze Mikal of hij toevallig jasmijnparfum bij zich heeft. 'De geit laat zich niet door ons melken tenzij we het luchtje op hebben dat onze dochter altijd droeg als ze haar molk.' Mikal deelt wat van zijn eten met hen.

'Waarom bent u hier gestopt?' vraagt hij.

'Ze vragen geld aan vluchtelingen die erdoor willen.'

'Wie?'

De man wuift met zijn hand in de richting waarin Mikal rijdt. 'De krijgsheren in dit gebied. Ze hebben een tolhuisje op de weg gezet. Heeft u geld bij u om ze te betalen, zodat u erdoor kunt?'

Toen hij Megiddo gisteren verliet, waren er nog geen tolhuisjes onderweg.

Ze wensen hem Allahs bescherming toe, waarna hij vertrekt.

Na een halfuur door de sterk glooiende woestijn te zijn gereden, stapt hij uit en klimt naar een heuvelrand, over een helling van grof grind, dat erbij ligt als graan dat uit een gescheurde zak is gelopen, en kijkt wat er aan de andere kant van de heuvel ligt. Een halve kilometer voor hem ligt de weg die hij had moeten nemen en daarop ziet hij inderdaad een tolhuisje. Een hut van ruwe planken. Hij laat zich onmiddellijk op de grond vallen. Wanneer hij dertig seconden later zijn hoofd weer opricht, ziet hij een voertuig zijn kant op komen, met in zijn kielzog een stofwolk die terugleidt naar het tolhuisje. Op open terrein als dit is elke verandering meteen merkbaar, en ze hebben hem dus gezien.

'Wat je ook gaat doen, doe het snel,' zegt hij tegen zichzelf.

Hij draait zich om en is met vijf reuzensprongen de helling af. Hij kruipt weer achter het stuur, beseft dat hij zich nergens kan verstoppen en rijdt zo snel als hij kan achteruit het struikgewas in, af en toe in de zijspiegel kijkend en dan weer voor zich uit, terwijl het water over de rand van de wieldop van het luipaardje klotst. Hij haalt het pistool van achter zijn broekband vandaan, neemt het in zijn linkerhand en blijft doorrijden tot hij het lager gelegen bosje met mesquitebomen dat hij eerder heeft gezien in het vizier krijgt. Hij rijdt er achteruit in, terwijl de takken woest tegen de zijkant van de wagen slaan. Het andere voertuig komt in zicht en twee mannen stappen uit, een paar meter van waar hij daarnet was, en kijken omhoog naar de heuvelrand, een van hen met een verrekijker. Na vijf minuten stappen ze weer in en rijden terug naar het tolhuisje.

Een uur voor zonsondergang zit hij in een klein, naar het zuiden lopend dal tussen de stenen naast een meertje waarlangs blauwe bloempjes groeien. De pick-up staat op een wal drie meter boven zijn hoofd, met het portier aan de chauffeurskant open. Hij is verschillende kanten op gereden en overal liep het dood. Hij heeft een geweldige honger en zit met het luipaardje in zijn armen. Het dier snuffelt met zijn neus in de lucht. Hij loopt naar de struik vijf meter verderop waarvan de takken vol hangen met gele bessen, alsof er met een dik kleurkrijt honderden stippen op zijn gezet. Hij begint ze te plukken en terwijl hij ze opeet, loopt het dunne sap hem uit zijn mondhoeken. Al kauwend kijkt hij naar de pick-up. Hij verzamelt een handvol bessen voor de Amerikaan, klimt terug naar de pick-up en tilt het zeildoek op.

Het eerste wat hij ziet is dat de man rechtop staat. Zijn linkerbeen is los van de ketting. Dan ziet hij dat ook de niet-gewonde rechterarm vrij is. Hij ziet dat de hand het mes van de neef van Fatima omklemt. Het enige wat de man nog gevangenhoudt is de ketting aan zijn rechterbeen en die aan het nekijzer.

Hij staat recht tegenover Mikal, met een kille, berekenende reptielenblik in zijn ogen. De enkel van de voet die hij uit de ring heeft getrokken is ontveld.

Mikal houdt zijn ogen op de man gericht en haalt met diepe teugen adem. Onder aan het lemmet van het mes, vlak bij de greep, zit een inkeping waarvan hij weet dat die de Quettakeep heet, waarmee je zenen kunt verwijderen of touwnetten repareren. Hij brengt zijn hand naar zijn mond en eet van de bessen zonder zijn ogen van de Amerikaan af te nemen. Het luipaardje houdt hij in zijn andere hand en hij vraagt zich dwaas genoeg af waarom de hartslag van het dier, in tegenstelling tot de zijne, niet is versneld. Hij stapt weg van de laadklep, laat het zeildoek los en spurt naar de voorkant van de pick-up. Hij voelt dat de Amerikaan zich aan de andere kant van het zeildoek omdraait om hem te volgen en voelt diens groenbruine blik door de stof heen. Een tel voordat hij bij het openstaande portier is, hoort hij het geluid van brekend glas. De Amerikaan heeft het brede raam achter de chauffeursplaats ingeslagen en kijkt nu door het gat naar Mikal. Het 9mm-pistool ligt in de ruimte tussen de twee stoelen, al is Mikal er niet zeker van of de man dat weet, en ook niet of hij het door het kapotte raam kan zien. Is zijn arm lang genoeg om naar binnen te reiken en het te grijpen?

Opnieuw kijken ze elkaar, snel ademend, strak in de ogen. Hij weerstaat de aandrang met een snelle blik de afstand te schatten tussen de glasruit en het pistool, want hij wil de man niet attent maken op het vuurwapen. Hij steekt zijn arm naar binnen en op hetzelfde moment haalt de Amerikaan er door het raamgat met de dolk naar uit. Het mes snijdt door zijn mouw zonder de huid te raken, precies op het moment dat Mikals vingers zich om het pistool sluiten.

Hij grijpt het, haalt het naar buiten en bukt zich om het welpje op de grond te zetten. Hij tilt de flap bij de laadklep op en kijkt hem aan, de Amerikaan met zijn geheven mes en zijn vlammende ogen.

Mikal richt het pistool op de hand met het mes. Hij maakt met de loop een stotende beweging omlaag om aan te geven dat de Amerikaan het mes moet laten vallen. Hij doet het nog drie keer. Dan doet hij het met zijn vrije hand. Hij heeft weliswaar geen wijsvinger om mee te wijzen, maar hoopt dat het gebaar begrepen wordt.

De man reageert niet.

'Dacht je soms dat ik een grapje maak?' zegt Mikal terwijl hij in de laadbak klimt en de flap achter zich laat vallen. Hij doet een stap dichterbij en haalt de trekker over. Het schot weergalmt door de woestijn en de kogel vliegt door het zeildoek. Hij wijst opnieuw op het bowiemes en de man laat het bij zijn voeten vallen. Mikal zou dichterbij moeten komen om het ding op te kunnen rapen. 'Schop het deze kant op.' Hij doet het voor met zijn voet, maar de man blijft naar hem kijken zonder te gehoorzamen.

Mikal herhaalt zijn voetbeweging en stoot het vuurwapen weer naar voren, maar dan hoort hij een stem vanaf de andere kant van het zeildoek. Ook de Amerikaan hoort het en kijkt naar links.

Het zonlicht dat als een blinkende speer door het kogelgat in de omsloten ruimte doordringt danst in kleurige deeltjes en vonkjes rond.

Daarbuiten voegen verschillende stemmen zich bij de eerste, waarop Mikal langzaam achteruitloopt naar de laadklep, het pistool achter zijn broekband wegstopt, de flap optilt, uit de laadbak klimt en zich geconfronteerd ziet met een groep van naar schatting vijfentwintig mannen, vrouwen en kinderen. Een snaterend gezelschap van losse gezinnen, allemaal te voet, met naakte kinderen erbij, van wie sommige op hun knieën naast het achterwiel van de pick-up zitten te praten tegen het luipaardwelpje dat zich onder de wagen heeft verstopt.

'We hoorden een schot,' zegt een man met een nieuwsgierige uitdrukking op zijn met zweet beparelde gezicht. Hij heeft een brede, opkrullende snor waarin onder de neus een dun verticaal streepje is weggeschoren om de twee snorhelften van elkaar te scheiden.

'Dat was de knalpot van de pick-up,' zegt Mikal.

Ze zijn pelgrims uit een dorp in de westelijke Pahari's die over land naar een heilige plaats reizen om daar de zegenende werking van te ontvangen, en ze vertellen hem dat ze al een week onderweg zijn en nog drie dagen te gaan hebben, tenzij het regent, want dan zullen ze hun tempo moeten vertragen. Mikal hoort het aan en weet niet wat hij moet doen, want hij voelt zich gedesoriënteerd. Hij kijkt om. Een man gluurt door het openstaande portier naar binnen. Mikal loopt langs hem heen en doet het portier zachtjes dicht, met een snelle blik op het gesneuvelde raam, maar daar is niets te zien. Enkel de getande strook glas langs de rand. Hij staat stijf van de angst en verwacht dat het zeildoek ieder ogenblik met het bowiemes zal worden opengereten. 'Wat voor heiligdom is het?' vraagt hij aan de man die het eerst heeft gesproken.

'Het is het graf van een talibanstrijder,' zegt de man. 'De grond daar is een geweldige bron van energie.'

'Hij was een groot krijger en zijn graf is zes meter lang,' zegt een jongen van een jaar of dertien. 'De Amerikanen hebben hem gedood.' Op zijn hoofd heeft hij een mand waar een doek overheen ligt. De man wijst naar de mand, die naar Mikal aanneemt vol zit met proviand, maar wanneer de man de doek wegtrekt ziet Mikal dat er handgranaten in zitten. 'Die laten we zegenen bij het heiligdom,' zegt de jongen. 'Dan nemen we ze mee naar Afghanistan en gooien ze naar de indringers.'

Mikal weet niet goed hoe hij zich uit deze situatie moet redden. De pelgrimvrouwen lijken aanstalten te maken zich naast de pick-up te gaan installeren. Ze beginnen vuurtjes aan te leggen om op te koken. Hij vraagt zich af of hij niet gewoon dag kan zeggen en dan wegrijden, maar hij weet dat de Amerikaan dan het mes de cabine in zal stoten en hem te lijf zal gaan.

'Ze hebben twee van mijn zonen gedood,' zegt een van de mannen. 'De Amerikanen. Ze zijn nog erger dan Dzjengis en Hulagu Khan.'

'Gecondoleerd,' zegt Mikal.

'Dank u.' De man buigt naar voren en omhelst Mikal, langdurig, om de kracht van zijn gevoelens over te brengen. Daarna wijst hij naar de met zeildoek bedekte laadbak van de pick-up. 'Eten u en uw familie met ons mee?'

'We hebben al gegeten.'

'Het heiligdom is in de buurt van Allah-Vasi. Als u dezelfde kant op moet, kunnen onze vrouwen en kinderen misschien achterop meerijden.'

'Ik ga de andere kant op.'

Een paar meter verderop staan een paar van de kinderen op de grond te stampen. Waarschijnlijk zit er een schorpioen of een jonge slang.

'Het is boksdoorn,' zegt de man.

Mikal knikt. De verfoeide plant. De profeet Mohammed heeft gezegd: *Wanneer in het Laatste Gevecht tussen de moslims en de joden een jood zich achter een rots of een boom verschuilt, dan zal deze zeggen: 'O moslim, o dienaar van Allah, er staat een jood achter mij, kom hem doden.' Alle bomen zullen dit doen, behalve de boksdoorn, want dat is de jodenboom.*

'Ik heb hier daarstraks een slangennest gezien,' zegt Mikal, die eindelijk iets is ingevallen. 'Kraits.' En het werkt. Het gaat als een lopend vuurtje door de groep en onmiddellijk begint iedereen aanstalten te maken verder te trekken en worden de kinderen geschrokken dichterbij geroepen en geïnstrueerd. Mikal bukt zich, vist het luipaardwelpje onder de pick-up vandaan en kijkt toe hoe de pelgrims zich weer tot een hechte kluit aaneensluiten. Een klein, gerimpeld vrouwtje loopt langs hem heen. Haar ogen tranen, haar gezicht is zo gegroefd als boomschors en haar haren zijn met henna dieporanje geverfd. Ze blijft staan, kijkt hem aan en zegt: 'De Amerikanen mogen dit hele land overnemen.' Ze wacht even om op adem te komen en haar hoofd knikt langzaam, alsof ze naar een verhaal staat te luisteren. 'Ze mogen de volledige macht hebben, zolang ze maar beloven dat ze alle mannen hier zullen uitroeien.' Ze spuwt op de grond en voegt eraan toe: 'Mannen zijn een bezoeking.' En daarna loopt ze door naar de rest van de groep. Mikal kijkt hen na en ziet hoe een van de mannen zich uit de groep losmaakt en een stuk terugloopt zijn kant op. 'Is er nog iets waarvoor u graag zou willen dat wij bidden bij het heiligdom?'

Mikal schudt van nee. 'Bid maar gewoon voor de hele wereld.'

De hele tijd dat hij in gesprek was met de pelgrims klonk er geen enkel gerammel van kettingen, maar nu begint het weer, luid en onophoudelijk. De man staat rechtop en wrikt met de dolk in een schakel van de ketting als Mikal de laadbak in klimt. Hij houdt op wanneer Mikal het pistool richt. Mikal dwingt hem opnieuw de dolk te laten vallen en terwijl hij hem onder schot houdt buigt hij zich naar voren en grist zonder te kijken – zijn ogen blijven op het gezicht van de Amerikaan gericht – het mes weg en klimt weer naar buiten.

Hij blijft naar de zonsondergang staan kijken. Hij loopt naar de voorkant van de pick-up en steekt zijn arm naar binnen zonder ook maar een blik op het kapotte raam, pakt een fles water en neemt vijf, zes grote slokken. Hij legt het bowiemes onder de stoel. Hij gaat naar achteren en bekijkt de Amerikaan, die nog precies op dezelfde plek staat als waar hij hem het laatst heeft gezien.

'Als hij daarnet al kwaad op je was, wacht dan maar eens tot hij ontdekt dat je zijn mes hebt gepikt,' zegt hij.

De man kijkt naar hem.

'Ja, ik heb het tegen jou. En je hebt ook nog eens de ruit ingeslagen van de pick-up van de man van zijn tante.'

Hij verstevigt zijn greep op het 9mm-pistool, klimt in de laadbak, gebaart dat de man moet gaat zitten, en loopt dan op hem af, zijn ogen strak gericht op de vrije, niet-gewonde arm, om hem weer helemaal opnieuw vast te ketenen, en de ring om de vrije enkel te slaan. Hij gebaart dat de man de pols van zijn goede arm door de ring moet steken, en de man gehoorzaamt. Dan zoekt hij een ander stuk ketting uit, slaat dat driemaal om de arm en het lijf van de man, zodat hij niet door de kapotgeslagen raamopening naar binnen zal kunnen reiken, en haalt de ketting onder de mitella door en over zijn rug. Hij bindt de twee voeten aan elkaar en wikkelt een eind ketting om de schenen, helemaal omhoog tot bijna aan de knieën. Op een bepaald moment besluit de soldaat het Mikal niet gemakkelijk te maken. Hij weigert zich nog te verroeren en verandert in een dood gewicht. Volkomen passief en energieloos. Mikal had voor hetzelfde geld met een rotsblok in de weer kunnen zijn. Hij heeft gehoord over dit soort soldaten. Dankzij jarenlange training kunnen ze in ingewikkelde en verraderlijke omstandigheden dodelijke krachten mobiliseren. 'Laten we een beetje voorzichtig doen met het gips,' zegt Mikal. 'Ze breken straks waarschijnlijk Ghulams arm omdat hij het jouwe heeft ingegipst.' Wanneer de man weer volledig is vastgebonden, zegt Mikal: 'We zijn er bijna. Ik moet alleen nog een manier bedenken om langs het tolhuisje te komen en dan zijn we weer in Megiddo.' En hij voegt eraan toe: 'We moeten maar hopen dat de neef van Fatima ons daar niet zit op te wachten.'

Hij ziet de enorme, machteloze woede op zijn gezicht en de van minachting vervulde ogen, terwijl hij lange, luidruchtige ademteugen neemt. De Amerikaanse soldaten mogen niet verder dan tien kilometer in Waziristan of Pakistan komen, dus hij is duidelijk iemand die gewend is zijn eigen plan te trekken.

'Vere iz gurl vere iz gurl vere iz gurrl,' mompelt Mikal tegen zichzelf terwijl hij uitstapt. Geschrokken merkt hij dat het donker is geworden en hij is verbijsterd dat hij blijkbaar alles in het donker heeft gedaan. Hij hoort het bijna elektronische geluid van de vliegen. De maan is opgekomen en haar licht valt ongefilterd op de bleke weidsheid om hem heen. Het is alsof het heeft gesneeuwd in de woestijn.

Het is na middernacht als hij moet toegeven dat hij het tolhuisje op geen enkele manier kan omzeilen. Hij laat de pick-up achter, loopt de helling naast de weg op, hurkt neer en neemt het terrein waar de weg doorheen snijdt naar het oosten, westen en noorden, in ogenschouw. Ze hebben naast het tolhuisje stukken hout op de weg gelegd en in brand gestoken. Telkens als de wind even draait kan hij het brandende asfalt van het wegdek ruiken.

Hij gaat terug, stapt weer in de pick-up, laat zijn hoofd op het stuur zakken en sluit een paar tellen zijn ogen. De slaap overmant hem en hij droomt dat de Amerikaanse soldaat uit de laadbak is verdwenen en dat alleen de afgeschudde kettingen er nog in liggen. In zijn droom voelt hij een panische angst dat hij uit onverwachte hoek door de soldaat zal worden aangevallen en staat hij verlamd in het donker. Dan ziet hij dat de Amerikaan aan het slaapwandelen is, en hij kijkt toe hoe de man dichterbij komt, in de laadbak klimt en zichzelf weer zorgvuldig vastketent.

Hij wordt wakker uit de droom, maar blijft in dezelfde houding zitten, met zijn voorhoofd tegen het stuur, en het duurt even voordat hij beseft dat hij een melodie hoort. Hij tilt zijn hoofd op. Hij knipt de zaklantaarn aan, kijkt door het gat in de ruit en ziet dat de soldaat voor zich uit zit te zingen. Hij stapt uit, bekijkt hem van bij de laadklep en luistert naar het lied dat opklinkt in het donker, een onverwacht paradijselijk geluid. De man blijft doorzingen en beantwoordt Mikals blik ook niet, maar blijft met uiterste concentratie op zijn gezicht de Engelse woorden vormen die het ene moment een uitbundige lofprijzing lijken te behelzen voor alles wat hij kent – hemzelf, Mikal, alles wat mensen kennen eigenlijk – en het volgende moment een klaagzang, afwisselend lieflijk en bloederig, een wapen gesmeed uit het staal der ellende, dat op hem in steekt vanuit het diepste wezen van het lijden. Mikal zou de woorden wel met een scheermes willen opensnijden en vanbinnen willen bekijken om hun verborgen kleuren te zien. Hij durft zich niet te verroeren uit angst de betovering te verbreken en na verloop van tijd begint hij bepaalde terugkerende zinnetjes te herkennen en krijgt hij het gevoel dat er niets anders bestaat in dit uitgestrekte heuvel- en woestijngebied dan dit met zoveel toewijding gezongen lied met zijn subtiele, beklijvende klankkleuren, dat met zijn onbevangen weerklank hen beiden door de ijlte van de zwoele lucht om hen heen verbindt.

Hij besluit het volgende te doen. Hij zal de soldaat uit de pick-up halen, met ketens en al, en hem ergens op het land verbergen. Dan zal hij zelf naar het tolhuisje rijden en ze desnoods de pick-up laten doorzoeken als ze dat willen. Dan zal hij verder rijden, de pick-up ergens neerzetten en te voet door de heuvels terugkeren naar de plek waar hij de Amerikaan heeft achtergelaten. Vervolgens zal hij hem meenemen naar de pick-up en verder rijden.

Hij vraagt zich af of hij niet tot zonsopgang moet wachten voordat hij dit allemaal gaat doen, en of hij niet beter eerst een paar uur kan slapen, om daarna alles nog eens goed op een rijtje te zetten. Hij gaat zitten nadenken, met een hand op het luipaardje, waarvan de ribbenkast met elke kostbare ademteug op en neer gaat. Morgen wordt de zoveelste dag dat hij niet aan de terugreis naar Heer begint. Hij overweegt het welpje ergens bij de Amerikaan vast te binden, omdat ze het anders misschien in beslag zullen willen nemen.

Zonder voorafgaande waarschuwing verschijnt er een glinsterend juweeltje uit het duister, dat even vrijwel bewegingloos voor zijn ogen blijft hangen. Het vuurvliegje, een snufje eenvoudig stof, vliegt buiten voorbij en hij kijkt het na zolang hij kan, terwijl het zijn gewichtloze zwenkingen uitvoert. Hij wendt zijn blik af van het wonderbaarlijke schouwspel, kijkt naar de Amerikaan en vraagt zich af of je in zijn land ook vuurvliegjes hebt. Wanneer hij door het kapotte raam tussen hen in kijkt, voelt hij zich ineens uit het lood geslagen, niet vanwege een gevoel dat hij kent, maar omdat hij zich plotseling niet opgewassen voelt tegen zo'n verstrekkende jacht, zo'n meedogenloos leven. Tot zijn ontzetting barst hij bijna in huilen uit en ontsnappen hem een paar eerste snikken. Hij wist de tranen, maar kan niet meer ophouden, bedekt zijn gezicht met zijn gehavende handen en begint luidkeels, onstuitbaar te huilen. Hij legt een hand op de schouder van de man, en vertelt hem, met een mond vol ontoereikende woorden, over Naheed, met haar gouden zijdelingse blik, en over Jeo, en over zijn gevangenschap bij de Amerikanen, en over de krijgsheer die zijn handen heeft verminkt en hem voor vijfduizend dollar aan de Amerikanen heeft verkocht. Over Rohans blindheid. Over de dood van Basie.

'Het spijt me dat ik je landgenoten heb doodgeschoten.'

De Amerikaan probeert achterom te kijken, of kijkt naar de hand met de ontbrekende vinger op zijn schouder. Al deze dingen zijn voor hem pijnlijk om te weten en hij vraagt zich af wat de man ervan zou vinden als hij hem zou verstaan. Dus houdt hij op met vertellen. Hij wil hem niet nodeloos kwetsen. Emoties verstoren de gedachten, dus trekt hij zijn hand uiteindelijk terug en blijft nog enkele minuten voor zich uit zitten kijken.

Hij rijdt een kleine kilometer voor het tolhuisje langzaam de weg op en kijkt met behulp van zijn zaklantaarn naar weerszijden of hij ergens een geschikte plek ziet waar hij de Amerikaan en het luipaardje achter kan laten. Een briesje blaast stof dwars over het asfalt, van de ene kant van de weg naar de andere. Wanneer hij een bocht neemt en er tien meter verderop een tolhuisje opdoemt, is het te laat om nog om te keren. Dit huisje was niet te zien geweest vanaf de heuvelrand. Boven de deur brandt een kleine gloeilamp en de man die buiten op een stoel zat is opgestaan toen hij Mikal zag. Hij gebaart dat hij moet stoppen.

Hij had op zijn vingers kunnen natellen dat er meer dan één tolhuisje zou zijn. Dit hele gebied is een lappendeken van clans, vol rivaliteit, ook al stammen ze allemaal af van een en dezelfde voorvader die in Arabië Mohammed heeft ontmoet en van hem de opdracht heeft gekregen de islam naar Waziristan te brengen.

Het tolhuisje is in feite een degelijk in elkaar getimmerd vierkant kamertje van triplex met een dak van golfplaat. Ernaast staan een glimmende zwarte Corolla-stationcar en een Pajero. Mikal tilt het slapende welpje van zijn schoot, zet het zo snel mogelijk voor de bijrijdersstoel, gooit er een oude lap overheen en zet de wagen stil. De baard van de man hangt er slordig bij en zijn ogen knipperen tegen het licht van de koplampen. Hij heeft een verlepte rode roos in zijn hand en bij zijn rechterheup hangt aan zijn riem een stokoud 45mm-automatisch geweer met de haan gespannen. Achter hem staat de deur naar het kamertje open en Mikal ziet een aantal slapende figuren. De man monstert Mikal van top tot teen.

'Uitstappen. Hoe heet je?'

'Mikal. Ik ben onderweg naar Megiddo.'

'Kom er maar uit. Wat heb je achterin?'

'Mijn moeder, mijn zuster en mijn vrouw,' zegt Mikal, terwijl hij uit de cabine stapt en het portier snel achter zich dichtgooit.

De man ruikt aan de blaadjes van de roos terwijl hij deze heel langzaam vlak onder zijn neusgaten ronddraait. 'Waar ga je zo laat nog met ze naartoe?'

'We hadden al uren geleden thuis moeten zijn, maar we hebben panne gehad met de pick-up.'

De man knikt. 'Met hoeveel zijn jullie? Zeg dat ze eruit moeten komen.'

'Ze liggen te slapen.'

De man vloekt binnensmonds, loopt op de laadklep af en trapt er een paar keer tegen. 'Wakker worden.' Het lawaai wekt in ieder geval zijn collega's in het vertrek, van wie er eentje een vloek slaakt, een ander een dreigement uit en een derde een belediging. Een van hen stommelt naar de deur met een kalasjnikov losjes in de hand, en na even met half toegeknepen ogen te hebben rondgekeken en te hebben vastgesteld dat er niets alarmerends gaande is, noemt hij zijn makker een 'ongelovige hond' en verdwijnt weer naar binnen. De man met de roos komt weer naar Mikal toe.

Mikal tast in zijn broekzak. 'Het spijt me zeer dat ik u heb gestoord. Wat krijgt u van me?'

'Geef me maar honderd en rij door,' zegt de man, die hem de palm voorhoudt van de hand waarmee hij tegelijkertijd tussen de topjes van duim en wijsvinger de bloem vasthoudt. Hij gaat op zijn tenen staan en werpt een nonchalante blik door het raampje bij de chauffeursstoel.

Mikal besluit hem 110 te geven, maar de man buigt zich door het raampje. Er is iets wat hij beter wil bekijken. Mikal begrijpt dat het om het luipaardje gaat, hetgeen de man bevestigt door het portier te openen en het welpje op te pakken. Hij draait zich om en kijkt Mikal aan.

'Is die van jou?'

'Ja. Hier hebt u honderdtien. Het spijt me zeer dat ik u heb gestoord.'

'Hoeveel moet je ervoor hebben?'

'Ik kan hem niet verkopen.'

'Waarom niet?'

Hij bekijkt de man die het rillende welpje in zijn handen heeft. 'Ik kan hem niet zomaar verkopen. Hij is van mijn zuster.'

'Die zus achterin?' vraagt de man. 'Maak haar wakker.' Hij houdt zijn hoofd schuin en spuwt op de grond zonder zijn ogen van Mikal af te nemen.

'Nou, hij is eigenlijk van mijn vader.' Mikal steekt zijn hand uit, maar de man lijkt niet van plan het welpje af te staan. Vanuit het tolhuisje klinkt slaperig gemompel en gedempt protest omdat de transactie te lang duurt en het gesprek de anderen uit de slaap houdt.

'Waar is je vader?' Er klinkt nu dreiging door in de stem. 'Waarom zei je eerst dat hij van je zus was?'

'Hij is van het hele gezin. Ik zei dat omdat ik moe ben. Het is een lange dag geweest.'

'Ze slapen anders diep,' zegt de man, wijzend naar de achterkant van de pick-up.

Mikal biedt het geld nogmaals aan, met een snelle blik op het automatische pistool op de heup van de man. 'Hier is wat ik u schuldig ben.'

De man kijkt hem doordringend aan. 'Die halsketting om je nek, is die soms ook van je zus?'

Mikal was zich er niet van bewust dat het sieraad zichtbaar was geworden. Een klein stukje ervan ligt over zijn boord, en hij bedekt het door het onder de stof bij de kraaglijn te duwen, terwijl de man zijn arm in de cabine van de pick-up steekt en het sleuteltje uit het contact haalt. Zijn ogen staan vol geheimzinnigheid en duistere stilte. Het lijkt wel of alle menselijke betrekkingen op deze plek herijkt moeten worden. 'Wacht hier,' zegt hij en overhandigt het luipaardwelpje aan Mikal. 'En ik wil iedereen uit de laadbak hebben en over dertig seconden hier op een rij zien staan.' Hij draait zich om, loopt het kamertje binnen, doet het licht daar aan en schreeuwt naar de anderen dat ze moeten opstaan.

Het kost Mikal vijf seconden om de deur van het kamertje te bereiken, en nog eens vijf om die met een klap dicht te slaan en te vergrendelen. De mannen schreeuwen en rammelen met de deur, maar hij zit al in de pick-up, haalt het reservesleuteltje uit het handschoenenkastje en start de motor. Binnen twintig tellen zitten er verscheidene meters tussen hem en het tolhuisje, maar hij weet dat er niet veel voor nodig is om de deur te forceren.

Even verderop ziet hij al het oorspronkelijke tolhuisje dat hij had willen vermijden, met de brandende houtstapel op de weg en een naast het huisje geparkeerde Pajero. Zonder vaart te minderen stuift hij dwars door de vlammen heen, waarbij fel oplichtende houtspaanders opspatten in het donker. Hij hoort een geweerschot, of misschien knalde er iets in het vuur, een ontploffende knoest in een stuk hout. Wanneer hij het van onder zijn broekband heeft gehaald weet hij niet meer, maar ineens zit hij met het pistool in zijn hand. Hij houdt het luipaardje tussen zijn bovenbenen geklemd, en vanuit de laadbak klinkt het gerammel en gebonk van kettingen, en de weg slingert zich door de nacht, en het duurt niet lang voordat hij een stofwolk ziet die wordt opgeworpen door het voertuig dat hem achternakomt, misschien twee kilometer achter hem, en het stof licht vaag op in het maanlicht, zoals nevel de loop van een rivier aangeeft, en hij ziet de lichtbundels van twee koplampen en kan niet geloven hoe snel ze dichterbij komen. Hij hoort de doffe knallen van geweervuur op open terrein, en een van de kogels verbrijzelt de zijspiegel aan de bijrijderskant. En in zijn eigen zijspiegel ziet hij in een bleke, laaghangende wolk van gruizig stof een tweede paar koplampen over de open woestijngrond bewegen en van schuin opzij op hem af komen. Ergens voor hem ligt de rivier de Wolf. Als hij de brug eenmaal over is, is het nog maar twintig minuten naar Megiddo.

Zweet doorweekt zijn kleren. Hij rondt de bocht van de voorlaatste heuvel en zet de pick-up dwars op de weg. Voor hem staat de brug over de rivier in brand en de vlammen zijn zo hoog als elektriciteitspalen. Hij stapt uit, kijkt ernaar en ziet hoe stukken hout zes meter lager in het water vallen. De aarde lijkt door het geweld van het vuur te beven, alsof de doden daarbeneden bezig zijn plaats voor hem te maken, een visioen van degenen aan Allahs linkerhand op de Dag des Oordeels.

Hij haalt het zeildoek van het buizenframe en maakt de riemen los waarmee het aan het metaal vastzit. De Amerikaan, die nu weer is blootgesteld aan de buitenwereld, kijkt verbijsterd naar het vuur. Mikal sleept het zeildoek naar een plek waar het terrein afhelt in de richting van een bank van kiezels aan de oever van de rivier en loopt met de zware stof de rivier in totdat hij tot aan zijn middel in het stromende water staat. Hij duwt de plooien van het zeildoek met beide handen onder water. Hij kijkt omhoog naar de brug en probeert te schatten hoeveel van de houten planken er al weg zijn. De brandende stukken vallen omlaag en sissen wanneer ze in het roodverlichte water belanden. Door te gaan zitten en zijn hoofd onder te dompelen zorgt hij ervoor dat hij helemaal nat is, waarna hij de rivier uitloopt, het doorweekte zeildoek, dat tweemaal zo zwaar is geworden, achter zich aan slepend.

Hij komt de helling op en de Amerikaan begint heftig aan de ketenen te rukken wanneer hij hem met het doordrenkte stuk doek ziet aankomen, want hij heeft haarfijn begrepen wat Mikal van plan is. De man wringt zich met op elkaar geklemde tanden in allerlei bochten en schreeuwt vervolgens een Engels woord dat Mikal wel verstaat: 'No! No! No! No! No!', terwijl zijn voeten in wilde zijwaartse bewegingen over de metalen laadbak schrapen. Mikal werpt het zeildoek over hem heen zoals een visser een net uitwerpt, waarbij er gouden druppels uit vallen. Door de zwaai dreigt hij even zijn evenwicht te verliezen, maar hij klimt snel achter het doek aan om zich ervan te vergewissen dat de man helemaal bedekt is. Dan springt hij uit de laadbak, gaat achter het stuur zitten en stopt het welpje onder zijn natte hemd. Hij manoeuvreert zo snel als hij kan met de pick-up en zet koers naar het hart van het vuur. *Ik dacht aan jouw schoonheid, zo ongehoord, en voel hoe een pijl mij het merg doorboort.* De woorden die Naheed had aangehaald.

Hij rijdt de blinde, dodelijke kracht van honderd zonnen binnen en de Amerikaan onder het zeildoek ligt nog steeds te schreeuwen en te worstelen, en de banden sidderen wanneer ze over de brandende planken gaan, en het struikgewas van vlammen dringt op tegen het voertuig, en de vlammen kronkelen in hun eigen hete wind, en het vuur maakt ook een geluid, het gebrul van een dier uit de oertijd dat het geraas van de rivier overstemt, maar dat keert terug wanneer hij vordert bij de oversteek en de vlammen ineens stil worden, en dit verschijnsel herhaalt zich wanneer hij doordavert en de stompe nagels aan de poten van het welpje in zijn huid dringen, en de hitte ondraaglijk wordt, en algauw beseft hij dat hij Naheeds naam zegt, haar in zijn wanhoop aanroept, want hij moet de overkant halen, omdat de brug de brug is tussen zijn allerbinnenste ik en dat van de Amerikaan, iets wat zelfs niet door een vuur kan worden vernietigd of van zijn betekenis kan worden ontdaan, een brug naar zijn ouders en Basie, naar een wereld waarin Jeo nog leeft en waarin Tara nooit in de gevangenis heeft gezeten, naar het withete hart van het vuur, de flits die Rohan van zijn gezichtsvermogen heeft beroofd. Hij zal zorgen dat ze de Amerikaanse soldaat niet te pakken krijgen en op dat moment houdt hij van de Amerikaanse soldaat, en van de twee mannen die hij heeft doodgeschoten, en hij houdt van het dode meisje dat jasmijn droeg, zoveel dat hij het gevoel heeft dat zijn hart het gewicht niet kan dragen zodat het hem fataal zal worden voordat het vuur dat wordt. De pick-up zwalkt van de ene kant naar de andere terwijl de planken eronder het begeven. De vlammen lekken naar binnen wanneer de voorruit zwart blakert voor zijn ogen en dan door een vlijmend licht in stukken barst, en hij weet niet langer of hij zich recht vooruit verplaatst of loodrecht omlaagvalt in het door vlammen omgeven voertuig. Maar dan is hij ineens aan de overkant. Hij stopt, doet het portier open, zet het welpje op de grond, klimt moeizaam weer in de laadbak van de pick-up, met het gevoel dat hij dit alles uitermate traag doet. Hij hoest de rook uit zijn longen. En vangt onderwijl een glimp op van de brandende banden en het afgebladderde lakwerk.

Het zeildoek heeft her en der vlam gevat, op plekjes ter grootte van een muntstuk, en hij slaat het doek snel weg van de Amerikaan, zodat die weer met kettingen en al zichtbaar wordt. Er slaan lange stoomslierten van de kettingen af, die elke seconde een andere vorm aannemen, en de mitella en het gips om de arm vertonen op één plek een koortsachtige rode smeulgloed.

De man hapt naar adem. Mikal smoort het vuur op het gips en voelt aan de kettingen om te zien of ze heet zijn, waarna hij met beide handen het zweet en de condens uit de ogen van de Amerikaan veegt. Wanneer hij weer uit de laadbak klimt, ziet hij in het licht van de brandende brug de groep mannen op drie meter afstand van de pick-up, als vijandige schimmen uit hem onbekende oorden. Er zijn meer dan tien vuurwapens op hem en de Amerikaan gericht en een van de mannen heeft het welpje opgepakt. Hij is net zo groot en sterk als de Amerikaan. Mikal kijkt naar ze met zijn handen op zijn hoofd, terwijl alle vermoeienissen van zijn leven hem overvallen.

Het vertrek waarin ze worden opgesloten ruikt stoffig. Ze hebben de Amerikaan een zak over het hoofd getrokken en zijn ketenen verwijderd. Mikal heeft ze de sleuteltjes gegeven en enkele mannen zijn op de laadbak van de pick-up geklommen. In plaats van de Amerikaan helemaal van zijn ketenen te bevrijden, hebben ze de kettingen losgemaakt waarmee hij aan de laadbak was gebonden en hem als een ijzeren standbeeld, een ridder in maliënkolder, omlaaggetild.

Hij weet niet waar ze zich bevinden, in Waziristan of Afghanistan. Van beiden zijn de polsen achter hun rug vastgebonden.

Ze zijn door het donker gereden totdat de bescheiden woestijnvogeltjes in de jonge hemel waren verschenen, de zon in lange banen goud, vuurrood en zilver was opgegaan en zonder ophouden was gaan branden, en het was halverwege de ochtend geweest toen ze bij een klein dorp waren aangekomen, door de hoofdstraat vol warrelende stofwolken waren gereden, langs de moskee, de paar winkels, een tiental kinderen en bijna evenveel honden die achter de pick-up aanrenden. De pick-up was gestopt bij de poort van het grootste huis aan de verre kant van het dorp, waarna een van de mannen uit de laadbak was gesprongen, de poort had geopend en de wagen over een grote binnenplaats was gereden die vol stond met torenhoge, vrouwelijke dadelpalmen in volle bloei.

Ze hadden hen hier in dit vertrek achtergelaten en waren weggegaan. Mikal had geweigerd hun vragen over de Amerikaan te beantwoorden en had gezien hoe verlegen ze met de situatie waren. Moesten ze Mikal vrijlaten? Per slot van rekening had hij de Amerikaan gevangengenomen en geketend. Maar wat zat er achter Mikals ambivalante, bijna zorgzame houding jegens die soldaat?

Mikal kijkt naar hem in het schemerdonker. De juten zak over zijn hoofd. Het geblakerde gips om de arm. De stof van de sjalwaar-kamies die overal gekreukeld is op de plekken waar Mikal de kettingen om hem heen had gewonden.

Het is een ondergronds vertrek en de vloer bestaat uit grote, ongeglazuurde plavuizen, allesbehalve recht, net als de muren. Bovenin zit een raam zonder glas, waardoor een bundel licht ternauwernood de vloer bereikt, want het meeste lost op in de duisternis boven hun hoofden. Uitgeput als hij is valt hij in een droomloze slaap om enige tijd later weer wakker te worden wanneer de deur boven aan de trap opengaat. Langzaam komt een oude man omlaaggelopen. Hij blijft voor Mikal en de Amerikaan staan en neemt hen aandachtig op. Het is duidelijk dat hij niet al te best ziet. Bij de deur boven aan de trap zijn de silhouetten van een paar kinderen verschenen, waarop de man naar de onderste traptrede loopt, zijn handen en armen heft, waardoor ze op een gewei lijken, en iets naar ze schreeuwt, waarna ze zich uit de voeten maken. Hij is klein van stuk en donker, en ineens heeft Mikal het gevoel dat de geur van stof en aarde van hem afkomstig is. Alsof hij op zijn oude dag heeft besloten langzaam terug te keren naar datgene waarvan de mens gemaakt is.

'Wil je iets eten?' vraagt hij zachtjes aan Mikal.

Mikal knikt. 'Moet de blanke niet ook wat?'

De zwarte ogen van de man kijken naar het hoofd onder de juten zak. 'Ik zal zien wat ik kan doen.' Hij zet een stap naar Mikal toe.

'Heb je hem met opzet gevangen? Om de beloning te incasseren die die Arabische guerrillastrijder heeft uitgeloofd?'

'Nee.'

'Wie ben je?' zegt de oude man.

Het is bloedheet in het vertrek en hij ziet dat het zweet de ander op het geschaafde voorhoofd staat.

Mikal schudt zijn hoofd.

Ze zwijgen.

'Ik ben op zoek naar een paar mensen,' zegt Mikal. 'Ik denk dat ze zijn meegenomen door...' – hij knikt in de richting van de Amerikaan – '... zijn mensen.'

'Westerlingen.'

'Ja.'

'Westerlingen,' herhaalt de man op raspende toon.

'Ja.'

'Hoe heet je?'

'Mikal.'

De oude man herhaalt de naam binnensmonds. 'Van welke familie ben je?'

'Die kent u toch niet. Ik kom niet uit Waziristan.'

De man denkt na. 'Heb je hem gisteren gevangen? Dat was een dag met drie zonnen.'

'Er was een zon met twee bijzonnen, een aan elke kant, dat klopt.'

'Er wordt melding van gemaakt in belangrijke, oude boeken.'

Mikal knikt. Hij heeft in astronomieboeken gelezen over bijzonnen.

De man kijkt naar de Amerikaan. 'Ik heb tegen westerlingen gevochten toen ze hier waren in de jaren dertig.' Hij sluit zijn ogen en doet ze weer open. In het schaarse licht verraden de ogen niets. Hij lijkt de schaduwen in het vertrek te bestuderen.

'Ik ben zelf gevangengehouden door de Amerikanen,' zegt Mikal. 'Ik wist eigenlijk niet wat ze van me wilden. Ik ben bang voor wat ze allemaal zouden kunnen doen met de mensen die ze hebben opgepakt.'

'Wij kunnen niet weten wat de westerlingen willen,' zegt de oude man. 'Om te weten wat ze willen, moet je eten wat zij eten, de kleren dragen die zij dragen, de lucht inademen die zij inademen. Je moet geboren zijn waar zij geboren zijn.'

'Zou kunnen. Maar u had het over boeken. We kunnen dingen ook te weten komen uit boeken.'

'Niemand van hier kan weten wat de westerlingen weten,' zegt de man. 'De westerlingen zijn voor ons onkenbaar. De kloof tussen ons is te groot, te definitief. Je kunt je net zo goed afvragen wat de doden of de ongeborenen weten.'

De man steekt in het halfduister een bevende hand uit en veegt het zweet van Mikals voorhoofd. Tot zijn schrik is dat koud. Hard en bloedeloos.

'Is dit huis van u?' vraagt Mikal. 'Wat gaat er met ons gebeuren, met hem en mij?'

'Ik ben maar een huisbediende. Ze besluiten er vanavond over. Ze hebben alle stamhoofden uit de omgeving hierheen geroepen.'

De man draait zich om om weg te gaan.

'Ik moet even bellen,' zegt Mikal, die al terwijl hij het zegt beseft hoe absurd dit klinkt. 'Ik moet iemand bellen om te zeggen dat ik terugkom, en dat ze de moed niet moet verliezen.'

'Is het je geliefde?'

'Ja, maar ze moet misschien een ander trouwen.'

De hoofdknik van de man is een bevestiging dat bepaalde dingen in de wereld onuitroeibaar zijn. Hij knikt nogmaals en loopt dan door naar de trap.

Wanneer de man terugkeert, is het zonlicht dat door het raam bovenin naar binnen valt donkergeel geworden. Hij gaat met zijn handen achter Mikals rug en maakt langzaam diens handen los. 'Ze hebben me gezegd je naar boven te brengen. Ze willen met je praten.'

Mikal volgt de oude man de trap op en ze lopen naar buiten de grote binnenplaats op. Ergens in de buurt is net een koe geslacht. Een paar mannen kruisen hun pad met kuipen vol glinsterend vlees. Een van hen heeft een aantal bebloede messen in de hand, een ander sleept met een enorme achterpoot waarvan de hoef een streep trekt in de aangestampte aarde op de binnenplaats. De geblakerde pick-up is vanaf de rivieroever hierheen gebracht en staat op stapels bakstenen in een hoek. De halfverbrande banden zijn eraf gehaald. Er verschijnen twee jongetjes – het moeten de kinderen van bedienden zijn, want hun kleren zijn vuil, er zitten klitten in hun haar en hun tanden zijn al geel – die Mikal en de oude man op een afstandje volgen en Mikal kan horen wat ze zeggen: 'Hij heeft de Amerikaan, die vijftig brave moslims heeft gedood en hun harten eruit heeft gesneden, in z'n eentje gevangen...' 'De Amerikaan wordt morgen losgelaten in de heuvels en dan laten ze de honden op hem los...' 'De Amerikaan heeft de pickup van zijn oom gestolen en hij heeft hem achtervolgd en te pakken gekregen...' De oude man draait zich om en enkel zijn blik volstaat om de jongetjes te doen verdwijnen, waarna Mikal en de oude man over een veranda lopen die door drie kleine kinderen met een oude lap wordt geboend en gedweild.

Ze gaan een kamer binnen. Dit is het huis van een heel rijke familie, want de deuren zijn hoog en hangen aan grote koperen scharnieren, en de plafonds zijn vier keer zo hoog als de deuren. Op een grote, overdadig met kussens bedekte sofa zit de gezond ogende man met het adelaarsprofiel die Mikal zich herinnert van bij de brandende brug. Hij had net gedaan of hij de kettingen van de Amerikaan ging kapotschieten, zodat Mikal hem de sleuteltjes had gegeven. Hij is begin dertig en diagonaal om zijn bovenlijf hangt een patroongordel vol geweerpatronen. Onder zijn oksel zit een pistool in een holster van bewerkt zwart leer. In zijn hand heeft hij het bowiemes. Op de tafel voor hem staan een half gegeten maaltijd en een vaas vol plastic bloemen, en er ligt een krant. Hij werpt een korte blik op Mikal en gaat dan verder met het bestuderen van de dolk.

'Hoe heet je?' vraagt hij zonder op te kijken. De vloer bij zijn voeten glinstert in natte bogen, sommige klein, andere ruim, afhankelijk van de lengte van de armen van de kinderen.

'Dat heb ik u volgens mij al verteld,' zegt Mikal.

De man heft zijn hoofd op en staart hem aan. Dan legt hij de dolk op de krant. Zelfs zijn kleine gebaren zijn wijds, en verwijzen naar en omvatten zijn gehele landhuis.

'Vertel eens hoe het zit met die Amerikaan.'

'Er valt weinig te vertellen. Ik heb hem in de woestijn gevonden.'

'Waarom heb je hem niet meteen gedood? Weet je soms niet dat ze in oorlog met ons zijn?'

'Waar is het luipaardwelpje?'

'Vertel eens,' zegt de man terwijl hij zich naar voren buigt, 'heb je wel eens gehoord van een dame genaamd Madeleine? Nee? In 1996 werd op televisie aan een dame genaamd Albright Madeleine, de ambassadeur van de VS bij de Verenigde Naties, gevraagd wat ze ervan vond dat er vijfhonderdduizend Iraakse kinderen waren gestorven als gevolg van de economische sancties van de VS. Weet je wat ze zei? Ze zei dat het "een heel moeilijke keuze" was, maar dat "wij denken dat het die prijs waard is". Dat waren haar letterlijke woorden. Wat vind je daarvan?'

'Wat denkt u dat ik daarvan vind? En ik zou uw liefde voor kinderen serieuzer nemen als u niet kinderen uw vloeren liet boenen.'

De man kijkt hem enige tijd aan en zegt dan: 'Dus jij vindt dat ze vloeren laten schrobben net zo erg is als ze de hongerdood injagen?'

'Dat heb ik niet gezegd.'

De man wuift hem weg. 'Ik heb besloten je te laten gaan.'

'Ik ga niet weg zonder de Amerikaanse soldaat en het welpje.'

Er klinkt een honende lach.

De oude bediende tikt Mikal op de arm, maar Mikal doet net of hij niks merkt. 'Ik ga niet weg.'

De man staat op.

'U bent gewend bevelen te geven, hè?' zegt Mikal.

'Het is erger dan je denkt. Ik ben gewend gehoorzaamd te worden.'

Mikal blijft de hele middag in de brandende zon voor de deur van het huis staan, terwijl hij vanaf de andere kant van de hoge poort het geluid hoort van de wachtpost die af en toe een praatje met iemand maakt. Wanneer er een auto aankomt, wordt de poort geopend en werpt de wachtpost hem een snelle blik toe alvorens de poort weer te sluiten.

'Is het waar dat de Amerikaan je geliefde heeft verkracht en daarna vermoord?' vraagt hij Mikal vanaf de andere kant van de poort.

'Nee.'

Net als de zon op het punt staat onder te gaan, loopt hij weg van het huis. Hij loopt de dorpsstraat in, met winkels die rijst en bakolie, garen en band, snoepgoed voor kinderen, kikkererwtenmeel, en rijstkaf om paarden mee te voederen of pannen mee uit te schuieren verkopen.

Hij vraagt of er ergens een telefooncel is, maar die is er niet. Hij koopt een mango en de verkoper vertelt hem dat die van dezelfde soort is als Alexander de Grote ooit proefde, en Mikal eet hem met schil en al op terwijl hij de straat verder afloopt. In het donker achter in een winkel komt hij zichzelf tegen en realiseert zich dat hij voor een spiegel staat. Hij gaat aan de overkant van de straat, waar de maïsvelden beginnen, zitten uitrusten en ziet hoe een konvooi voertuigen zich in de richting van het huis aan de andere kant van het dorp beweegt. Hij luistert naar de oproep tot gebed die opklinkt vanaf de minaret. De concentrische cirkels van geluid dijen uit in de lucht en wekken de indruk dat hier het middelpunt van de wereld is. De oproep rijst op uit het hart van de planeet. Dan breekt hij echter plotseling halverwege af omdat er ineens iets mis is met de luidspreker. Hij gaat de moskee binnen, wast het vuil en zweet van zijn gezicht, en gaat dan in de rij bij de anderen staan om zijn gebeden te zeggen. Na afloop blijft hij op de mat zitten en probeert iets te weten te komen over de eigenaren van het grote huis. Hij loopt de moskee uit en koopt wat te eten in een theehuis waar de insecten in het rond razen als knikkers die ronddraaien in een pot. Hij geeft de botjes van zijn vleesgerecht aan een straathond, en praat met woorden en fluitjes tegen het beest, tot groot ongenoegen van de uitbater en de overige klanten. Hij stelt ze vragen over de familie die het grote huis bezit. Om een uur of tien 's avonds ziet hij als hij, luisterend naar de muziek van de krekels, langs de kant van de steeds leger wordende straat een sigaret zit te roken, in de verte de oude man lopen.

Mikal komt overeind en loopt naar hem toe.

'Ik ben gekomen om je te vragen weg te gaan,' zegt de man. 'Het is voor je eigen bestwil. Ze hebben gezien dat je nog steeds hier bent en ze willen je weer terughalen naar het huis.'

'Ik kom wel gelijk mee.'

'Nee. Ik ben gekomen om je te waarschuwen. Je moet weggaan.'

'Dat kan ik niet doen.'

'Als ik het luipaardje voor je steel, ga je dan weg?'

'Nee. Niet alleen het luipaardje.'

'Ga nou,' zegt de man. 'Als ze je oppakken, zullen ze je niet nog eens vrijlaten.'

Mikal blijft staan en schudt van nee. 'Hebben ze iets met hem gedaan?'

'Dat weet ik niet. Ik heb al gezegd dat ik maar een huisbediende ben.' Op dat moment ziet hij een reus met een zwarte tulband hun kant op lopen.

'Hij komt je halen,' zegt de oude man. 'Ren weg. Nu.'

'Nee,' zegt Mikal, die naar de man in de verte toe loopt.

Twee uur later komt hij het huis uit en loopt de heuvels in. Onder de duizenden woestijnsterren, die stuk voor stuk in eenzaamheid staan te blinken, heeft hij het gevoel zelf iets toe te voegen aan het schimmenleven van de nacht. De donkere lucht om hem heen is warm en zijn voeten trappen onder het klimmen de geur van een welriekende bergplant vrij. Af en toe kijkt hij om naar de langzaam uit het zicht verdwijnende lichtjes van het dorp achter hem, tot er uiteindelijk niet meer van over is dan de lamp bovenaan de minaret van de moskee. En dan verdwijnt ook die. Een uur later bevindt hij zich in een rotsachtig dal en gaat hij liggen aan de oever van een beek. Om hem heen zijn de bomen bleek als papier. Hij ligt dicht tegen de grond gedrukt te slapen, op de misbruikte aarde, en belandt in een nachtmerrie... Of misschien is het een mengelmoes van een droom en een herinnering aan wat hij een paar uur geleden heeft gezien...

Rond twee uur wordt hij wakker en realiseert hij zich dat een over zijn gezicht glijdende lichtbundel, een straal met een kleverig soort helderheid, hem heeft gewekt. Hij rolt zich op zijn buik en ziet vier voertuigen met Amerikanen erin. Ze passeren hem op luttele meters. Commando's, leden van een speciale eenheid of terreinverkenners. Wanneer ze weg zijn, staat hij op en loopt zo snel als hij kan terug naar het dorp, op zeker moment zelfs in looppas, totdat hij last krijgt van steken in zijn zij, die hij even moet laten betijen, waarna hij weer in looppas verdergaat. In zijn slaap heeft hij vertwijfeld zijn vuisten gebald, zodat er nu op twee van zijn nagels bloed zit. Hij loopt door de donkere, verlaten straat en fluit wanneer een paar honden tegen hem beginnen te blaffen, waarna de dieren meteen stilvallen. Hij loopt naar de achterkant van het grote huis en is binnen vijf minuten op het dak, door eerst op de watertank te klimmen en vandaar omlaag te springen. Hij loopt over het brede, uit ruwe baksteen bestaande platte dak en bereikt via een reeks ladders een lager gelegen dak. Op de binnenplaats beneden liggen tussen de donkere dadelpalmen overal vierkante of rechthoekige plekjes vaal licht, zodat hij hem moet oversteken door van schaduw naar schaduw te zigzaggen. Hij duwt de keukendeur open, steekt zijn hand in de tandoori, pakt een kooltje en stopt het in zijn zak. Hij draait zich om en staat op het punt weer naar buiten te lopen wanneer hij een geluid hoort.

'Ik wist dat je terug zou komen,' zegt de oude man. Een lichtkern met wazige randen klikt aan en hij wordt zichtbaar in de verste hoek van het vertrek, met het luipaardwelpje. Hij komt naar voren, overhandigt Mikal een sleutel, het luipaardje en ten slotte de zaklantaarn. 'De sleutel is die van de kamer waar hij is. Ik heb de poort ook opengemaakt. Je kunt gewoon naar buiten lopen.'

'Waarom doet u dit?'

'Mijn zoon wordt door de Amerikanen gevangengehouden. Als ik hem goed behandel, behandelen zij mijn zoon misschien ook goed.'

'Ik vraag me af of het zo werkt.'

'Waar breng je hem naartoe?'

'Dat weet ik nog niet.'

'Erg ver zal hij niet kunnen lopen.'

'Kunt u de sleutels van een van de auto's voor me regelen?'

'Dan horen ze de motor.'

'Dat is zo.' Hij knipt de zaklamp uit en loopt naar de keukendeur.

'Voel je je geamputeerde vingers nog?' vraagt de man hem vanuit het donker.

'Soms.'

'Dat is dan een teken dat het hiernamaals bestaat.'

Met het kooltje tekent Mikal een jeep op de vloer. De Amerikaan kijkt toe. Op de motorkap tekent hij een grote Amerikaanse vlag. Hij wijst naar de tekening en dan omhoog, voorbij de trap.

Net als ze door de poort vertrekken, gaat er achter hen een licht aan en schreeuwt iemand iets. De Amerikaan leunt zwaar op hem, waardoor Mikal het gevoel krijgt dat hij degene is die geketend is. In het donker houdt hij zijn ogen gericht op het licht boven op de minaret. Ze lopen de dorpsstraat in en wanneer ze bij de moskee komen, gebaart hij naar de Amerikaan dat die moet gaan zitten achter een rij cannalelies die langs de beschaduwde stoep bij de ingang is geplant. Hij zet zijn voeten in nissen en op lijstwerk van de gevel en klimt over de muur, waarbij zijn twee gehavende nagels een spoor van rode bloedveegjes achterlaten. Hij springt omlaag naar de binnenplaats aan de andere kant van de muur en doet de deur open om de Amerikaan binnen te laten. Hij vergrendelt de deur weer en bukt zich om de veters van de kistjes van de Amerikaan los te maken en die vervolgens uit te trekken. Tegen de muur achter hen bevindt zich de houten plank waarop lijken worden gewassen. Hij trekt ook zijn eigen schoenen uit, waarna beiden het gewijde gebouw binnengaan. Het weefsel van de rieten gebedsmatjes verschuift onder hun voeten. Ze lopen de grote gebedsruimte in en hij vergrendelt de deur achter hen, gaat naar de kast naast de *mimbar* en maakt die open. Daar bevindt zich de apparatuur die de muezzin in staat stelt de gelovigen op te roepen tot gebed, te weten de stokoude versterker en de metalen microfoon met de vorm van de kop van een golfclub. Hij hoort dat zich mensen verzamelen bij de voordeur van de moskee en dat iemand vraagt om een ladder en een touw.

Mikal zet de versterker aan – er gaan diverse rode lampjes branden – en gebaart naar de microfoon. 'Roep ze,' zegt hij in het Pasjtoe. 'Roep ze. Zeg ze waar ze je kunnen vinden. Zeg ze dat ze naar de moskee moeten komen.' Misschien moet hij weer een tekening maken van de jeep met de Amerikaanse vlag erop, maar de Amerikaan lijkt de bedoeling meteen te snappen en knikt.

Het is onmogelijk te weten of de Amerikanen die Mikal heeft gezien zich binnen gehoorsafstand bevinden, maar er is geen andere oplossing. Mochten de Amerikanen komen opdagen, dan zal er een fel vuurgevecht ontstaan. De blanke begint te praten, maar ze horen niets vanaf de minaret, geen echo van zijn woorden buiten, geen versterkend effect. Mikal draait de volumeknop op de hoogste stand, maar het helpt niets. Dan herinnert hij zich dat eerder op de avond de oproep tot gebed halverwege plotseling was afgebroken.

De Amerikaan is gestopt met praten en buigt zich naar voren om de draad te bekijken die achter uit de versterker komt, de kast uitgaat en omhoogloopt naar een bovenraam vlak bij het plafond, naar buiten gaat en daar is verbonden met de luidspreker boven op de minaret. Hij wijst op een stuk van vijftien centimeter waar de bedrading door kortsluiting is weggesmolten.

Mikal kijkt ernaar en hoort de geluiden voor de deur harder worden. Er klinken voetstappen op de binnenplaats, gevolgd door het geritsel van de rieten gebedsmatjes. Hij brengt zijn handen naar de nek van de Amerikaan en maakt de sluiting van het nekijzer los. Met twee krachtige draaibewegingen verbindt hij de losse uiteinden van de bedrading van de versterker ermee, zodat de stroomkring weer hersteld is.

De Amerikaan pakt de microfoon weer op en onmiddellijk vult de ruimte zich met het geluid van zijn ademhaling, tien-, twintig-, dertigmaal versterkt. Het lijkt de lucht met zwaarden te doorboren. De minaret, vanwaar normaal gesproken de gelovigen worden opgeroepen te komen bidden en de Almachtige te prijzen, roept nu ongelovigen op om naar deze plek te komen en Zijn huis te ontheiligen. De woorden verspreiden zich door het duister en gaan uit over de kleischalie, de heuvels en de vlakten, over de woestijn vol zwerfkeien die vele eeuwen geleden de komst van de mens heeft aanschouwd en getuige is geweest van het vergieten van ouder bloed, en profeten en minnaars heeft gezien, pelgrims en onheilspredikers.

Het kost de soldaten van de Special Forces een kwartier om de moskee te bereiken en de Chinook-helikopter, die zo groot is als een schoolbus, komt tien minuten later met dreunende rotorbladen aangevlogen. 'Amerikaanse gijzelaar!' schreeuwt de blanke door de vergrendelde deur van de gebedsruimte heen. 'Amerikaanse gijzelaar! Amerikaanse gijzelaar!' Hij was zeven minuten achtereen door de luidspreker van de moskee blijven praten om zijn landgenoten op te roepen en de weg te wijzen. Maar toen was de luidspreker uitgevallen. Door de hitte van de stroom was het nekijzer gesmolten.

Mikal staat met zijn rug tegen de muur gedrukt naast de Amerikaan, terwijl het welpje in de holte van zijn elleboog piept van angst. Hij denkt aan Naheed, in wier nabijheid het enige wat ertoe deed was of hij al dan niet een goed mens was, en niet of hij sterk was of zwak, door God begunstigd of vervloekt. De commando's komen steeds dichter bij de gebedsruimte. Ze blazen zich met explosieven een weg naar binnen, dwars door muren en deuren heen.

'Amerikaanse gijzelaar, doe de deur open, loop naar links, naar mij toe, met je handen in de lucht en ga op de grond liggen!'

De blanke pakt Mikal stevig bij de pols en ontgrendelt de deur.

Onder dekking van zwaar vuur wordt de Amerikaanse soldaat door de commando's de moskee uitgebracht, half getild en half voortgesleept. Door een pandemonium van kreten in het Engels en het Pasjtoe, en het gekrijs van de gewonden, door de oplaaiende vlammen en de rook van ontploffingen, wordt hij razendsnel naar een zich vaag aftekenend maïsveld achter het gebouw gebracht, waar de helikopter is geland. De commando's zeggen tegen hem dat ze terug zullen gaan om te proberen de jongen met het luipaardwelpje te vinden. Wanneer precies in alle verwarring en tijdens al het bloedvergieten diens pols uit zijn greep is losgeglipt weet hij niet. En hij kan nog niet zeggen wiens gezicht hij heeft gezien, met een rode stip op het bovenste deel van het voorhoofd en verschillende lijnen die vanaf die plek omlaaglopen over zijn gelaatstrekken, alsof iemand heeft geprobeerd een koraaltentakel op de huid te tekenen. Later zal hij proberen orde te scheppen in alle herinneringsflarden en ze in de juiste volgorde rangschikken. Voorlopig stijgt de Chinook op, boven de flikkering van de flitsen uit geweerlopen, en hangen sommige van de soldaten naar buiten en vuren omlaag, totdat de moskee kleiner en kleiner wordt en de helikopter wegzwenkt van het oorlogsgeweld en het gebouw helemaal verdwijnt en er alleen nog maar sterren flonkeren in het uiteindelijke duister, stuk voor stuk een plek markerend waar een ziel en alle mysteriën die daarin leven zou kunnen opbloeien, eeuwigdurend als de aarde.

37

Het is nog donker boven Pakistan en in de verten kunnen de hemel en de aarde nog maar ternauwernood van elkaar worden onderscheiden. Drie kwartier voor zonsopgang verschijnen er een paar oplichtende banen oranje boven de oostelijke horizon, licht dat is samengeperst maar nochtans ademt, aan de uiterste rand van de wereld. Dan verdwijnt het en wordt alles grijs, gevolgd door ogenblikken van wassend blauw licht. Wanneer de zon opkomt, is dat een verrassing. De wereld maakt wederom zijn opwachting en de gebruikelijke regels lijken van toepassing.

Naheed staat met een ernstig gezicht op het bedauwde pad.

'Wat ben je aan het doen?' had hij haar vorige week gevraagd, voordat hij afreisde naar Waziristan. Ze was verf aan het uitsmeren op de blaadjes van een bloem, zodat het geel nog feller zou worden. Ze gebruikte de schilderskist van Sofia en een van haar dunne penselen.

'Als deze plant volgend jaar weer bloeit, zal vader helemaal blind zijn,' had ze tegen hem gezegd. 'Daarom wil ik er zeker van zijn dat hij hem nu kan zien.'

Het penseel was een laatste maal zorgvuldig langs de contouren van de bloemblaadjes gegaan en daarna had zij de gele verf van de zachte haren gewassen en kleine rode stipjes gezet in de keel van de bloem.

Hij was de kamer van Sofia ingelopen en had daar nog een schilderskist met penseel gevonden, waarna hij pilaren en boomstammen was ingeklommen en de bloemen boven haar bereik had beschilderd. Soms was hij even uit het zicht verdwenen en hij had regenwater gebruikt dat zich in holtes in de boombast had verzameld, en ook druppels die op de boombladeren lagen, of, als er geen ander vocht voorhanden was, zijn eigen speeksel. De barstjes in zijn lippen kleurden zodoende mee met de lijnen die hij op sommige van de bloemblaadjes schilderde, op de rozen en de lagerstroemia, de doffe bloesems van de muziekboom die recht uit de stam groeien, de roze cassia vol doornen. In het gebladerte stuitte hij op vogels, hele exploderende zwermen, terwijl hij zich neuriënd met zijn penseel vol witte verf over de Chinese kamperfoelie boog.

Ze ademt de vroege ochtendlucht in en denkt aan het moment dat hij terug zal komen, bleek van het stof van de wegen, en met haar ketting om zijn hals. Ook beschadigd en getekend is hij nog altijd volmaakt, en ze begrijpt waarom de goden soms geneigd zijn mensen als hun werktuig te gebruiken.

IV

JESAJA

Iedere laars die dreunend stampte
En elke mantel waar bloed aan kleeft,
Ze worden verbrand, een prooi van het vuur.

Jesaja

38

Jaar na jaar breiden de irissen hun kolonies uit. Drie rechtstandige kroonblaadjes met drie kelkblaadjes – elke bloesem op zijn holle steel is kobaltblauw met nerven van een iets donkerder tint, en een zijden holte in het midden. Naheed staat ernaast en draait haar hoofd zodat ze de twee kinderen die met het speelgoedvrachtautootje spelen in de gaten kan houden. Mikals zoontje en dat van Basie en Yasmin. Ze rennen ermee over de paden en hun kreten vullen de door de regen afgekoelde lucht.

Ze gaat naar de keuken om chapati's te maken, die ze met zorg in de juiste vorm kneedt, zodat het werk tegelijkertijd plezier wordt. Mikal had haar erop gewezen dat ze de bal deeg tegen de klok in over de palm van haar hand rolde. Net als Tara en Yasmin. Aan hoe zijn eigen moeder het had gedaan, had hij geen herinnering.

Zoveel jaren later speelt zijn kind daar op het rode pad met zijn neefje.

Ze telt de chapati's omdat ze precies weet hoeveel iedereen er zal eten. Yasmin geeft les aan de Aligargh School voor Voortgezet Onderwijs en zal weldra thuiskomen, waarna ze samen aan tafel zullen gaan. Van pater Mede is sinds de bezetting nooit meer iets vernomen, maar zijn school wordt langzaam herbouwd. Tegen de tijd dat hij af is, zal Naheed zelf ook haar onderwijsakte hebben gehaald. Ze weet dat Galileo zong om de tijd bij te houden toen hij de werking van de zwaartekracht mat, dat Newton voorzichtig een naald achter zijn eigen oog stak om uit te vinden hoe het licht trillingen veroorzaakt op het netvlies en dat Syed Achmed Khan heeft gezegd: 'Er is geen verschil tussen het woord van Allah en de werken van Allah.'

Ze stelt zich voor hoe de jongetjes straks als jonge mannen zullen zijn, over het algemeen ietwat gereserveerd, maar ook met een element van ongeremde hilariteit in zich, die soms naar buiten komt.

In de tuin heeft ze diverse plaatsen met een touw verbonden. Ze noemen het hele traject 'de touwbaan' en die verbindt alle verschillende planten en plekken die Rohan graag bezoekt. Rohan vindt zijn weg door de tuin door het touw vast te houden en volgt op de tast de rode draad die tussen de bomen door zigzagt. De kinderen roepen wel eens dat het touw eigenlijk ook buiten de tuin zou moeten doorlopen, met een draad die het huis verbindt met de moskee, de bazaars en de huizen van bekenden. De touwbaan voert ook langs de werkkamer van Sofia. En hij loopt van het Bagdadhuis naar het Mekkahuis, van het Caïrohuis naar het Cordobahuis en het Osmaanse huis, en ten slotte naar het Delhihuis, met de banyan die erboven uittorent en de warme mangopracht aan stelen van meer dan een halve meter.

Geestrijk Vuur bestaat nog, aan de overkant van de rivier, al is Kyra verdwenen en wordt hij volgens de kranten gezocht door de autoriteiten. Sommigen zeggen dat hij in Irak of Waziristan zit. Geestrijk Vuur valt nu onder staatsbeheer en voorlopig mogen Rohan en zijn familie in het huis blijven wonen. Weliswaar zijn hun status en leven ongewis, maar dat geldt voor de meeste mensen in dit beklagenswaardige en droef stemmende land.

Naheed kijkt naar de jongetjes. Tara kauwt een minuut lang op venkelzaadjes om die zachter te maken en stopt ze dan uit haar eigen mond in de hunne. Tara, die hier is ingetrokken toen de familie verhinderde dat Sharif Sharif met Naheed zou trouwen, waarop hij Tara had gevraagd haar huis te verlaten. Ze staan voor het Osmaanse huis. Alle gele tulpen die daar groeien hebben een donkerbruine pupil onder aan de kelk, en wie erin kijkt krijgt dan ook het gevoel dat de bloem de gegeven aandacht beantwoordt en terugkijkt, en je zo in je bestaan bekrachtigt. Dat Naheeds zoontje een kind van Mikal is, wordt geheim gehouden voor de buurt. Halverwege hun zwangerschappen zijn Naheed en Yasmin naar een afgelegen dorp vertrokken en pas na de bevallingen teruggekeerd met het verhaal dat Yasmin een tweeling had gekregen. Dat is een leugen die een mens ongaarne vertelt, maar ze hadden geen andere keuze, en opnieuw houden ze zichzelf voor dat zij het heel wat beter getroffen hebben dan menigeen in dit land.

En dus kijkt ze naar de jongetjes, die daar verderop druk doende zijn met hun spel en hun kleine samenzweringen, en verstrijken de jaren geleidelijk terwijl zij wacht op Mikal, die inmiddels meer een gevoel is dan een persoon, een tinteling in de borst en een halfschaduw van associaties, voortgekomen uit het gescheiden zijn, terwijl de dagen lengen en korten, en in deze keuken de seizoensvruchten en -groenten verschijnen en verdwijnen. Soms ziet ze hem 's nachts wanneer het weerlicht in de bast van de bomen om het huis de gezichten van profeten en koningen doet oplichten. Hij heeft haar ooit verteld dat de helderste planeet aan de hemel Jupiter is, en dat op het oppervlak daarvan honderden jaren lang stormen hebben gewoed.

Ze heeft al eens eerder op hem gewacht, en ook toen zei iedereen dat hij niet meer leefde.

In de plantenkas voelt Rohan met zijn vingertoppen aan de ontkiemende zaadjes en reciteert een vers uit de Koran. *Het is God die het zaadje en de pit splijt. Hij doet het levende voortkomen uit het dode en het dode uit het levende...*

Ze kijkt op van de bladzijde die ze leest, op het moment dat de poort opengaat om Mikal binnen te laten. Misschien is het zijn schim, die is gekomen om haar op het hart te drukken ook zonder hem door te gaan met haar leven. Hij steekt langzaam zijn hand op, waarna zij opstaat en met uitgestoken hand op hem toe loopt. De vliegen weven een wolk van geluid in de lucht. Ze loopt op hem af met ogen die vervuld zijn van een stille intensiteit, alsof ze zich bewust zijn van de onbenoemde, ongeziene krachten in de wereld en ze in haar geest probeert die te benoemen en te zien.

Dankbetuiging

Dit boek is fictie. De personages, gebeurtenissen en organisaties die erin worden beschreven zijn ofwel bedenksels van de auteur of worden in fictionele zin opgevoerd. Iedere overeenkomst met levende of dode personen, organisaties, of gebeurtenissen uit heden of verleden is onbedoeld.

Ik ben allereerst schatplichtig aan Candia McWilliam aan wier geweldige roman *Debatable Land* ik de woorden 'Geestrijk Vuur' heb ontleend. De gecursiveerde regels op bladzijde 29 komen uit *The Temptation to Exist* van E.M. Cioran (The University of Chicago Press, 1968) De gecursiveerde passage op bladzijde 141 is ontleend aan *The Moor's Last Sigh* (Jonathan Cape, 1996) van Salman Rushdie. De brief waaruit op bladzijde 163 wordt geciteerd staat in *Walt Whitman's Civil War*, bezorgd door Walter Lowenfels (Da Capo, 1960). De afsluitende zin van het tekstgedeelte op bladzijde 279 behelst het tegendeel van een zin uit *Mitti ki Kaan* van Afzal Achmed Syed (Aaj Publications, Karachi, 2009). De oorspronkelijke versie luidt: 'Liefde is *geen* onderscheidend kenmerk, iets waaraan een lijk kan worden geïdentificeerd.' (Cursivering van mij.) De gecursiveerde woorden aan het einde van het hoofdstuk op bladzijde 328 zijn van Simone Weil. De regels die Mikal zich herinnert op bladzijde 389 zijn van W.B. Yeats. Een boek waaraan ik veel heb gehad is *The Interrogator's War* van Chris Mackey en Greg Miller (John Murray, 2004). Dat geldt ook voor *Beslan* van Timothy Philips (Granta Books, 2008). Een eerdere versie van hoofdstuk 16 verscheen in *Granta 116: Ten Years Later*. Mijn dank gaat uit naar John Freeman en Ellah Allfrey voor hun adviezen en behulpzaamheid.

Dank je, Salman Rashid, als altijd. Lewis Burns. Mw Shamim Akram. Andrew Wylie, Sarah Chalfant en Charles Buchan. Stephen

Page, Lee Brackstone en Angus Cargill in Londen, en Diana Coglianese en Sonny Mehta in New York.

Noot van de vertalers

De vertaling van de regels uit *Paradise Lost* op bladzijde 330 is van Peter Verstegen. (John Milton, *Het paradijs verloren*, Athenaeum-Polak & Van Gennep, 2003). Alle Bijbelcitaten zijn ontleend aan de vertaling van het Nederlands Bijbelgenootschap uit 1951.

Bij de productie van dit boek is gebruikgemaakt van papier dat het keurmerk Forest Stewardship Council (FSC) draagt. Bij dit papier is het zeker dat de productie niet tot bosvernietiging heeft geleid. Ook is het papier 100% chloor- en zwavelvrij gebleekt.